JILPT 資料シリーズ No.217
2019 年 6 月

若年者の就業状況・キャリア・職業能力開発の現状 ③

— 平成 29 年版「就業構造基本調査」より —

独立行政法人 労働政策研究・研修機構

The Japan Institute for Labour Policy and Training

ま　え　が　き

　本資料シリーズは、プロジェクト研究「多様なニーズに対応した職業能力開発に関する研究」のサブテーマ「若者の職業への円滑な移行とキャリア形成に関する研究」にかかる「学校と労働市場との接続のあり方に関する研究」に位置づく。

　本資料シリーズの目的は、総務省統計局が実施した『就業構造基本調査』の二次分析を通じて、若者の雇用の状況の変化とその背景を探ることであるが、今回は課題研究「平成 29 年就業構造基本調査の二次集計・分析」を受け、「就職氷河期世代」についての分析も行っている。

　本資料シリーズは、すでに発表した資料シリーズ№.61、資料シリーズ№.144 と合わせて経年的な変化を追えるようになっている。

　本資料シリーズが現在の若者だけでなく、高度成長期以降に若者に対する支援の必要性をはじめて社会的に認知させた「就職氷河期世代」─すでに壮・中年期になった人々─に対する理解と支援に資することができれば幸いである。

2019 年 6 月

独立行政法人　労働政策研究・研修機構

理事長　　樋　口　美　雄

執 筆 担 当 者 　（執筆順）

　　氏 　名　　　　　　所 　属　　　　　　　　　執 　筆 　章

堀 　有喜衣　　労働政策研究・研修機構 主任研究員　　　序 　章
　　　　　　　　　　　　　　　　　　　　　　　　　　第 2 章
　　　　　　　　　　　　　　　　　　　　　　　　　（2.10 のみ）

小杉 　礼子　　労働政策研究・研修機構 研究顧問　　　　第 1 章
　　　　　　　　　　　　　　　　　　　　　　　　　　第 2 章
　　　　　　　　　　　　　　　　　　　　　　　　　（2.10 以外）
　　　　　　　　　　　　　　　　　　　　　　　　　　第 3 章
　　　　　　　　　　　　　　　　　　　　　　　　　　第 4 章

目　　　次

序章　集計・分析の課題

0.0　はじめに

　本資料シリーズは、プロジェクト研究「多様なニーズに対応した職業能力開発に関する研究」のサブテーマ「若者の職業への円滑な移行とキャリア形成に関する研究」にかかる「学校と労働市場との接続のあり方に関する研究」に位置づく。

　本資料シリーズの目的は、『就業構造基本調査』の二次分析を通じて、若者の雇用の状況の変化とその背景を探ることであるが、併せて今回は課題研究「平成29年就業構造基本調査の二次集計・分析」を受け、「就職氷河期世代」についてフォーカスした分析も行っている。1982年、1987年、1992年、1997年、2002年、2007年、2012年についてはすでに個票を用いた分析を実施しており、労働政策研究報告書No.35、No.109、資料シリーズNo.3、No.61、No.144等にとりまとめている。

　なお『就業構造基本調査』は標本調査であることから、特に標本数の少ない集計を行う場合には標本誤差に留意が必要である。また本資料シリーズは当機構が独自に分析したものであり、就業構造基本調査の本体集計との整合性があるとは限らない。

0.1　使用するデータ

　2017年10月1日午前零時現在において実施された『就業構造基本調査』は、平成27年国勢調査調査区のうち、総務大臣が指定する約3万3千調査区について、総務大臣の定める方法により市区町村長が選定した抽出単位（世帯が居住することができる建物又は建物の一部をいう。）に居住する約52万世帯の15歳以上の世帯員約108万人を対象としている。うち本資料シリーズで使用するのは、15歳から54歳までである。調査の詳細は、総務省統計局ホームページ(https://www.stat.go.jp/data/shugyou/2017/gaiyou.html)をご覧頂きたい。

0.2　「就職氷河期世代」についての要約

　本資料シリーズの内容は多岐にわたるが、本節では先述の課題研究「平成29年就業構造基本調査の二次集計・分析」への対応として「就職氷河期世代」についてのみ要点を取りまとめることとする。「就職氷河期世代」は、政策的には1993年〜2004年に卒業を迎えた世代とされることが多く、本資料シリーズで活用している調査においては、調査実施時に大卒者は概ね35−46歳に、高卒者は31−42歳に分布していると考えられる。なお、以下の図表については第1章以降における図表番号をご参照頂きたい。

　はじめにフリーターの推移を確認すると（図表2−27）、20代前半にピークを迎えてその後減少するというのはどの世代でも同じだが、景気状況によってそのタイミングは異なり、「就職氷河期世代」は正社員への移行のタイミングが遅い。むろん「就職氷河期世代」のフリーターは若い時期に比べて量的にかなり減少してはいるのだが、人口サイズが大きいため、

現状では一定数はまだまとまって存在している。

　次に非典型雇用から正社員への移行率をみると（図表2－44）、35－39歳層、40－44歳層においても、2007年や2012年の同じ年齢層と比較して高くなっている。むろん若い世代に比べると正社員への移行率は低いのだが、年齢を重ねても正社員に移行できているのは人手不足ゆえであろう。

　他方で現在フリーターである者の就業継続・転職希望を見ると（図表2－29）、35－44歳にあたる層の就業継続希望は高く、転職希望は低くなっている。先ほどの結果と考え合わせると、すでに正社員に移行できる状況にある者はかなり移行しており、何らかの理由があってフリーターを継続している者が一定数を占めている可能性が高い。

　ところで非求職無業者数の推移についてはフリーターのように景気の影響は大きくなく、景気とは別の問題であることがうかがえる。35－44歳の非求職無業者38.9万人のうち、就業希望があるのは16.4万人である。就業希望の有無にかかわらず求職活動をしない理由として最も多いのが「病気・けがのため」である（図表3－8、3－11）。

　さて「就職氷河期世代」の非求職無業者の世帯収入についてみると、非求職無業者が世帯主の場合には年金・恩給がおよそ4割弱を占めている（図表3－23）。さらに非求職無業者が「子」である場合の世帯主の主な収入の種類は（図表3－27）、「子」が15－34歳の若者である場合には「賃金・給料」が7割を占めるが、「子」が35歳～44歳になると「賃金・給料」の割合は2割に落ち込み、「年金・恩給」が7割に迫る。また世帯全体の収入額も大きく減少する（図表3－28）。世帯主である親の年金で「就職氷河期世代」の非求職無業者と親が何とか暮らしている状況が浮かび上がる。

　最後に「就職氷河期世代」は初職だけでなくその後の職業キャリアが不安定であることが指摘されている。本資料シリーズの分析結果からもそのことは裏付けられるが、男性のみ傾向を指摘する。男性の職業キャリアを見ると（図表2－8）、高卒者の場合には30－34歳、35－39歳、大卒者の場合には35－39歳、40－44歳において、「正社員定着」割合が低く、「他形態から正社員」が多くなっている。先行世代と比べても、そして若い世代と比べても特徴的である。

　新卒で正社員になれなくても後から正社員になれば問題はないようにも思われるが、キャリア別の収入の違いは大きい（図表2－15）。男性の35－44歳の年間収入の平均は「正社員定着」が530.7万円であるのにたいして、「他形態から正社員」は400.7万円とかなり差がある。初職の状況が後から正社員になった場合においても影響を及ぼし続けていることが分かる。

　以上から、「就職氷河期世代」の3つの特徴を、現在正社員層、フリーター層、非求職無業者層のそれぞれについて指摘したい。

第一に、先行世代や若い世代に比べて「就職氷河期世代」は現在正社員である者であっても、正社員転職者や後から正社員になった層の割合が大きく、後から正社員になった者については正社員定着者に比べて収入も低い。

　第二に、フリーターについては正社員への移行は進み、現状の人手不足の中でフリーターという人は何らかの理由があってアルバイトを継続している人も多いものと推測される。正社員化も重要であるが、非正規雇用の「質」の向上や雇用の安定化も期待される。

　第三に、非求職無業者については課題がかなり大きいため、就労だけでなく福祉との連携や、さらには世帯全体を視野に入れた支援も重要である。「就職氷河期世代」は量的に多いので課題は大きいが、続く世代でも同様の困難を抱える人が存在する。今後の日本社会の継続的な課題となろう。

第1章　若年者の就業にかかわる全体状況

1.0　はじめに

　本章では、「平成29年版就業構造基本調査」（総務省統計局）の個票を用いて、若年層の就業にかかわる全体的状態について概観する。同様の分析を5年前、10年前に行われた同調査（「平成24年版就業構造基本調査」「平成19年版就業構造基本調査」）を用いても行っているので、それらとの比較も併せて行う。また、最近の若年雇用対策の状況を鑑み、一部のデータは40歳代までを含めて提示する。主な項目は、有業者数・無業者数の推移、雇用形態別および無業状況別の属性的特徴、就業状況と結婚との関係である。

1.1　若年者の有業・無業の状況

　最初に、2017年時点の若者の就業状態の全体像について概観する。

　図表1－1は、わが国の15〜34歳男女全体の有業・無業の状況を示している。この年齢階層の人口は2,553万人であるが、在学中[1]の者を除くと1,745万人となる。非在学者の内訳をみると、有業者は1,492万人（85.5%）、無業者は253万人（14.5%）である。

　表の右側の2列は、2012年（5年前）および2007年（10年前）の15〜34歳の非在学者についてである。非在学人口は10年前は2,262万人、5年前は1,908万人で減少を続けているが、この5年の減少率は小さくなった。

　構成比をみると、5年前より有業者が増えており、とりわけ正社員が増え、構成比で5.9%ポイントの増加となっている。一方、非典型雇用は2.5%ポイント低下した。これを実数で見ると、正社員は11万人の増、非典型雇用は444万人から362万人へと82万人という大幅な減少となっている。前の5年は若年人口減と高学歴化を背景に正社員も非典型雇用も実数では減る中で非典型雇用がその割合をやや高めていたが、この5年は、人口減が続く中でも正社員が増えるという、大きな流れの変化があった。

　下段では、男女別にこれを見ている。男性に比べて女性の正社員比率は低く、非典型雇用比率は高い。2012時点と比較すると2017年においては、男性の場合は、正社員比率が4.0%ポイント上昇し、その分、非典型雇用者と求職者が減少している。女性の場合は、正社員比率は7.5%ポイント（実数では26.8万人）と大幅に上昇し、非典型雇用者、求職者、および専業主婦が減少している。若年女性の働き方は大きく変化している。

---

[1] ここでの学校には、予備校、洋裁学校、語学学校、社員の研修所、訓練所などは含まない。

図表 1-1　有業・無業の状況（15-34歳）　　　　　　　　単位：%、太字は実数（千人）

	男女計					
	2017年				2012年	2007年
	15-34歳人口		在学中を除く		在学中を除く（構成比）	在学中を除く（構成比）
	実数（千人）	構成比	実数（千人）	構成比		
有業計	16,604.0	65.0	14,923.1	85.5	82.0	81.3
正社員（役員含む）	10,849.9	42.5	10,811.1	61.9	56.1	56.4
有業　非典型雇用	5,252.9	20.6	3,621.4	20.8	23.3	21.8
うちパート・アルバイト	*3,790.0*	*14.8*	*2,201.8*	*12.6*	*14.2*	*12.4*
自営業主	353.8	1.4	348.6	2.0	1.7	1.9
その他就業	147.4	0.6	142.0	0.8	0.9	1.2
無業計	8,930.2	35.0	2,528.8	14.5	18.0	18.7
求職者（在学中除く）	779.4	3.1	779.4	4.5	6.2	6.0
無業　非求職無業者	535.3	2.1	535.3	3.1	3.0	2.6
独身家事従事者	170.8	0.7	170.8	1.0	1.0	0.8
在学または通学	6,468.5	25.3	62.2	0.4	0.3	0.2
専業主婦（夫）	918.8	3.6	918.8	5.3	7.2	8.7
総計		100.0		100.0	100.0	100.0
実数（千人）	25,534.2		17,451.9		19,082.1	22,262.0

| | 男性・在学中を除く | | | 女性・在学中を除く | | |
| | 2017年 | | 2012年 | 2017年 | | 2012年 |
	実数（千人）	構成比		実数（千人）	構成比	
有業計	8,070.1	91.3	89.8	6,853	79.6	74.2
正社員（役員含む）	6,536.7	73.9	69.9	4,274	49.6	42.1
有業　非典型雇用	1,228.7	13.9	16.4	2,393	27.8	30.2
うちパート・アルバイト	*618.4*	*7.0*	*8.6*	*1,583*	*18.4*	*19.9*
自営業主	227.2	2.6	2.5	121	1.4	1.0
その他就業	77.5	0.9	0.9	65	0.8	0.9
無業計	772.1	8.7	10.2	1,757	20.4	25.8
求職者（在学中除く）	320.1	3.6	5.4	459	5.3	7.0
無業　非求職無業者	333.1	3.8	3.6	202	2.3	2.3
独身家事従事者	47.7	0.5	0.4	123	1.4	1.6
在学または通学	43.9	0.5	0.5	23	0.3	0.2
専業主婦（夫）	4.5	0.1	0.0	914	10.6	14.4
総計		100.0	100.0		100.0	100.0
実数（千人）	8,842.2		9,572.7	8,609.7		9,509.5

注：「非典型雇用」は、勤め先での呼称が「パート」、「アルバイト」、「労働者派遣事業所の派遣社員」、「契約社員」、「嘱託」、「その他」であって、「正規の職員・従業員」ではない者。

・「求職者」は、ふだん無業で就業を希望し実際に求職活動や開業の準備をしている者、在学中の者を除く。

・「非求職無業者」は、無業者のうち求職活動をしていない者で、卒業者かつ通学しておらず、配偶者なしで家事をおこなっていない者。

・「独身家事従事者」は、無業者のうち求職活動をしていない者で、卒業者かつ通学しておらず、配偶者なしで家事をおこなっている者。

・「専業主婦（夫）」は、無業者のうち求職活動をしていない者で、在学も通学もしておらず、配偶者ありで家事をおこなっている者。

・合計には、無業で状況不明の者を含む。

これを年齢階層別に分解し、さらに49歳まで含めて示したものが次の図表１－２である。男性の場合、34歳以下では年齢が高いほど正社員比率が高く、30歳以上ではほぼ8割弱の水準で一定している。非典型雇用は24歳以下では2割弱で、25歳以上では年齢が高いほど少なくなっている。女性の場合、正社員比率は20歳代前半が最も高く、年齢が高い層では徐々に低下し、非典型雇用が増加する。こうした年齢階層別の特徴は2012年当時から変わらない。

　一方、2012年時点の構成比との比較でみると、大きな変化が見られる。2012年との比較については、表中の数字に、太字下線がついていれば2.5％ポイント以上の上昇、グレーの背景があれば2.5％ポイント以上の下降という形で示している。これをみると、男性の34歳以下、女性の44歳以下（45～49歳層は2012年については集計していないので比較できない）の各層で、正社員の割合が高まっている。

図表１－２　有業・無業の状況の年齢階層別構成比（在学者を除く）

単位：％、太字は実数（千人）

		15-19歳	20-24歳	25-29歳	30-34歳	35-39歳	40-44歳	45-49歳	合計
男性	正社員（役員含む）	50.4	68.6	75.0	78.0	78.3	78.5	77.7	76.5
（有業）	非典型雇用	17.7	18.6	14.3	10.7	8.8	7.8	7.0	10.2
	うちパート・アルバイト	13.4	10.9	6.8	4.6	3.5	2.8	2.4	4.5
	自営業主	1.4	1.4	2.0	3.8	5.7	6.8	7.9	5.2
	その他就業	0.5	0.7	0.9	1.0	0.9	0.7	0.7	0.8
（無業）	求職者	6.0	5.0	3.5	2.8	2.4	1.9	2.2	2.7
	非求職無業者	14.1	4.6	3.3	2.8	2.9	3.0	3.1	3.3
	独身家事従事者	0.9	0.6	0.4	0.5	0.4	0.6	0.5	0.5
	専業主婦（夫）	0.0	0.0	0.1	0.1	0.1	0.2	0.1	0.1
	その他無業	9.0	0.5	0.5	0.3	0.6	0.6	0.7	0.7
男性計（％）		100.0	100.0	100.0	100.0	100.0	100.0	100.0	100.0
	実数（千人）	321.4	1,858.0	3,098.5	3,564.2	3,969.1	4,766.3	4,763.2	22,340.8
女性	正社員（役員含む）	43.3	59.8	54.0	40.6	34.6	32.4	30.6	39.2
（有業）	非典型雇用	25.6	25.2	26.5	30.4	34.5	40.2	42.9	34.9
	うちパート・アルバイト	20.8	16.0	16.3	21.4	25.8	31.2	33.3	25.6
	自営業主	1.5	0.9	1.2	1.9	2.3	2.6	2.6	2.1
	その他就業	0.4	0.3	0.6	1.1	1.5	1.7	1.8	1.3
（無業）	求職者	6.5	5.5	5.3	5.2	5.6	5.0	5.0	5.2
	非求職無業者	11.3	2.9	2.1	1.7	1.5	1.6	1.5	1.8
	独身家事従事者	2.3	1.4	1.3	1.4	1.3	1.3	1.7	1.4
	専業主婦（夫）	1.8	3.4	8.6	17.0	18.3	14.8	13.4	13.5
	その他無業	7.3	0.5	0.4	0.6	0.4	0.4	0.6	0.5
女性計（％）		100.0	100.0	100.0	100.0	100.0	100.0	100.0	100.0
	実数（千人）	213.5	1,931.6	2,994.2	3,470.4	3,873.7	4,644.2	4,671.8	21,799.3

注：用語の定義については図表１－１参照。
　・背景がグレーの数値は、2012年調査に比べて2.5％ポイント以上の減少、太字下線は2.5％ポイント以上の増加を示す。なお、45～49歳は、2012年調査については集計していないため、比較はできない。

参考表1－2　2012年調査における有業・無業の状況の年齢階層別構成比
（在学者を除く）

			15－19歳	20－24歳	25－29歳	30－34歳	35－39歳	40－44歳	合計
男性	有業	正社員（役員含む）	45.2	61.6	70.8	75.3	78.0	78.0	73.9
		非典型雇用	21.3	22.7	17.1	12.4	9.1	7.4	12.3
		うちパート・アルバイト	*15.9*	*14.5*	*8.7*	*5.0*	*3.5*	*3.0*	*5.9*
		自営業主	0.8	0.9	1.7	4.1	5.7	7.2	4.5
		その他就業	0.5	0.9	0.9	0.9	0.8	0.7	0.8
	無業	求職者	9.3	8.1	5.2	3.9	3.1	3.1	4.2
		非求職無業者	12.9	4.6	3.4	2.6	2.6	2.7	3.2
		独身家事従事者	0.6	0.5	0.4	0.4	0.3	0.3	0.3
		専業主婦（夫）	0.0	0.0	0.0	0.1	0.0	0.1	0.0
		その他無業	9.3	0.7	0.5	0.3	0.3	0.5	0.6
	男性計（%）		100.0	100.0	100.0	100.0	100.0	100.0	100.0
	実数（千人）		331.7	1,880.7	3,442.6	3,917.7	4,748.0	4,763.6	19,084.2
女性	有業	正社員（役員含む）	34.1	51.1	45.7	34.7	29.9	28.4	35.7
		非典型雇用	32.1	30.6	28.9	31.0	33.7	38.2	33.0
		うちパート・アルバイト	*26.0*	*20.2*	*18.3*	*20.7*	*25.2*	*29.9*	*23.7*
		自営業主	0.8	0.6	0.9	1.3	1.8	2.3	1.5
		その他就業	0.4	0.6	0.7	1.3	1.7	1.8	1.3
	無業	求職者	12.1	7.6	6.7	6.6	7.4	7.5	7.2
		非求職無業者	10.1	2.8	2.2	1.5	1.5	1.7	1.9
		独身家事従事者	3.5	1.8	1.6	1.3	1.2	1.3	1.4
		専業主婦（夫）	2.2	4.6	12.9	21.8	22.3	18.3	17.3
		その他無業	4.7	0.4	0.4	0.4	0.5	0.6	0.5
	女性計（%）		100.0	100.0	100.0	100.0	100.0	100.0	100.0
	実数（千人）		253.4	2,041.1	3,382.2	3,832.8	4,627.1	4,672.3	18,808.9

資料出所：労働政策研究・研修機構（2014）

　男性の若年層においては、その分非典型雇用が減り、さらに19歳以下では求職者の減少も明らかである。これに対して、男性の35歳以上の層では正社員の割合は5年前とほとんど変わらない。若年層では正社員の雇用機会が拡大し、非典型雇用や失業状況から正社員に移動する動きがあったと思われるが、より年長層では好景気の影響が正社員雇用には表れていない。2012年の30～34歳層は本調査では35～39歳層にあたるので、一つ年齢階層をずらして正社員比率の変化をみると、2012年の20～24歳（61.1%→75.0%：+13.9）、25～29歳（70.8%→78.0%：+7.2）、30～34歳（75.3%→78.3%：+3.0）、35～39歳（78.0%→78.5%：+0.6）、40～44歳（78.0%→77.7%：-0.3）となり、年齢が高い層ほど、この間の好況は正社員に変わる動きにはつながらなかった。

　女性の正社員の増加は、低年齢層の方が増加幅は大きいが、幅広い年齢で起こっている。減少しているのは、若年層の非典型雇用と幅広い年齢にわたる専業主婦層である。女性の場合は、もともと20歳代後半以降に専業主婦や短時間労働者に変わる動きがあるので、ベクトルが重なる形で変化の背景は複雑である。若年層では非典型雇用から正社員への移動がおこり、年長層では5年前の同年齢層より正社員として残り続ける人の増加という動きかあったのではないかと推測される。

次の図表1－3は15～34歳層について学歴別にみたものである。男女とも、高学歴層ほど正社員が多く、低学歴層ほど非典型雇用、求職者、非求職無業者が多い。この傾向は2007年も2012年も変わらない。

図表1－3　有業・無業状況の学歴別構成比（15－34歳、在学者を除く）

単位：％、太字は実数（千人）

		中学校卒	高校卒	専門学校（1～2年未満）卒	専門学校（2～4年未満）卒	短大・高専卒	大学卒	大学院卒
男性	有業 正社員（役員含む）	45.5	66.6	71.3	74.6	79.4	83.2	89.2
	非典型雇用	21.6	17.1	17.6	15.6	11.7	10.0	6.2
	うちパート・アルバイト	13.0	9.8	8.9	7.5	4.3	4.1	1.2
	自営業主	0.8	0.3	0.3	0.3	0.2	0.1	0.1
	その他就業	0.2	0.1	0.1	0.1	0.1	0.0	0.0
	無業 求職者	0.7	0.4	0.4	0.3	0.4	0.3	0.2
	非求職無業者	1.3	0.6	0.2	0.2	0.1	0.1	0.1
	独身家事従事者	0.2	0.1	0.0	0.0	0.0	0.0	0.0
	専業主婦（夫）	0.3	0.1	0.2	0.2	0.0	0.1	0.1
	その他無業	0.1	0.1	0.0	0.0	0.0	0.0	0.0
男性計（％）		100.0	100.0	100.0	100.0	100.0	100.0	100.0
実数（千人）		490.1	3,075.0	414.9	773.8	248.1	3,242.4	499.3
女性	有業 正社員（役員含む）	11.7	34.5	41.7	52.9	50.9	66.5	74.3
	非典型雇用	43.7	36.7	33.5	27.1	27.8	17.9	14.4
	うちパート・アルバイト	36.0	27.4	23.8	18.1	17.4	8.6	4.5
	自営業主	0.2	0.2	0.2	0.1	0.1	0.1	0.2
	その他就業	0.1	0.1	0.1	0.1	0.1	0.0	0.1
	無業 求職者	1.0	0.6	0.6	0.5	0.5	0.4	0.3
	非求職無業者	0.9	0.5	0.2	0.1	0.1	0.1	0.1
	独身家事従事者	0.6	0.2	0.2	0.1	0.1	0.1	0.0
	専業主婦（夫）	1.5	1.2	1.1	1.1	1.2	0.9	0.4
	その他無業	0.1	0.1	0.0	0.0	0.0	0.0	0.0
女性計（％）		100.0	100.0	100.0	100.0	100.0	100.0	100.0
実数（千人）		393.7	2,453.4	497.4	1,104.1	1,015.5	2,883.2	178.5

注：用語の定義については図表1－1参照。
・専門学校については、修業年限「1年以上2年未満」「2年以上4年未満」「4年以上」の3つにカテゴリーに分けて調査されたが、集計に当たっては、「4年以上」は大卒のカテゴリーに統合して集計した。
・背景がグレーの数値は、2012年調査に比べて2.5％ポイント以上の減少、太字下線は2.5％ポイント以上の増加を示す。45～49歳は、2012年調査については集計していないため、比較はできない。

2012年の個々の数字との比較をすると、男女ともいずれの学歴においても正社員の割合が高まり、求職者の割合が大きく減少している。女性においては、専業主婦の割合もどの学歴でも大幅に減少した。また、女性で正社員の割合が特に高まったのは短大・高専、大学、大学院卒であった。34歳までの若年層の正社員比率の高まりは、男女ともすべての学歴で起こっていたが、とりわけ高学歴女性での増加幅が大きかった。大卒以上の女性の正社員比率は2007年から2012年にかけても上昇しており、長期的なトレンドとなっている[2]。

---

[2] 2012年の高学歴女性の正社員比率は、高専・短大卒43.6％、大卒59.1％、大学院卒65.0％であった。また、2007年の大卒女性の正社員比率は56.3％、大学院卒女性は59.4％で、10年間にわたり上昇して

学歴と年齢の両方の要因を合わせてみているのが、図表１－４である。この表には35〜49歳層についても示した。

図表１－４　有業・無業状況の性・学歴・年齢別人口*に対する比率（在学者を除く）

単位：%

		男性							女性						
		15−19歳	20−24歳	25−29歳	30−34歳	35−39歳	40−44歳	45−49歳	15−19歳	20−24歳	25−29歳	30−34歳	35−39歳	40−44歳	45−49歳
中学卒	正社員	23.3	42.3	47.5	52.1	53.5	52.4	52.3	6.0	11.4	11.2	13.5	13.8	14.5	16.8
	非典型雇用	34.7	26.0	23.1	14.4	15.2	13.9	12.5	39.1	41.2	42.0	47.7	41.0	44.0	39.6
	求職者	11.0	8.6	5.3	7.3	5.1	3.9	4.2	15.3	12.4	10.9	7.2	8.2	3.7	7.4
	非求職無業者	24.2	15.1	11.7	9.1	10.0	10.9	11.2	19.2	7.3	9.1	6.9	9.8	10.9	9.0
	独身家事従事	2.6	1.4	2.3	2.1	1.0	1.8	1.1	6.9	8.1	6.5	5.2	5.8	5.2	6.3
高校卒	正社員	56.1	62.9	67.8	71.2	73.5	75.2	75.6	50.5	41.6	34.4	26.7	25.5	26.7	26.9
	非典型雇用	13.8	21.8	17.4	13.9	10.7	9.3	7.9	23.3	35.2	37.1	39.9	42.4	46.0	47.1
	求職者	5.0	4.6	4.0	3.1	3.2	2.1	2.6	4.8	7.0	6.3	5.9	6.3	5.5	5.1
	非求職無業者	12.1	6.4	5.9	5.1	4.1	3.9	3.6	10.1	4.9	4.6	3.5	2.3	2.5	1.9
	独身家事従事	0.6	0.9	0.8	0.7	0.4	0.7	0.7	1.5	2.4	2.2	2.4	2.0	1.8	1.9
専門2〜（1〜）卒	正社員	50.6	66.0	68.4	76.5	75.5	73.9	71.4	66.5	58.8	40.7	31.9	29.7	28.3	29.5
	非典型雇用	29.8	24.3	19.3	12.4	10.7	8.5	8.0	5.6	28.5	35.9	35.1	40.3	45.7	44.8
	求職者	1.9	5.1	5.1	2.4	2.6	1.7	2.3	11.2	4.9	6.5	5.3	6.0	4.8	4.4
	非求職無業者	13.7	3.1	1.6	1.8	2.0	1.9	2.6	1.4	4.0	2.0	1.3	0.5	0.8	1.0
	独身家事従事	0.0	0.4	0.4	0.1	0.2	0.4	0.4	0.0	1.1	1.9	2.5	1.1	1.3	1.9
専門4〜（2〜）卒	正社員		70.2	72.6	78.3	77.0	78.6	75.1		66.4	55.5	43.7	39.0	41.4	39.0
	非典型雇用		22.2	16.2	11.7	9.9	8.8	8.5		23.3	26.3	29.9	33.9	36.1	39.4
	求職者		4.0	3.7	2.6	2.3	2.0	2.6		4.5	5.7	5.3	5.0	4.3	3.8
	非求職無業者		1.7	2.6	1.5	2.2	1.6	2.0		2.0	0.4	0.8	1.1	0.5	0.7
	独身家事従事		0.2	0.4	0.6	0.5	0.4	0.3		0.2	1.0	0.6	0.6	0.7	1.0
短大・高専卒	正社員		75.5	82.0	79.9	80.5	80.8	83.0		70.0	56.6	37.3	32.7	31.1	29.8
	非典型雇用		11.3	12.0	11.6	8.7	7.8	4.9		21.6	26.0	32.2	36.1	41.1	44.0
	求職者		7.8	2.1	4.0	2.1	2.5	1.7		4.3	4.9	6.2	6.2	5.4	5.5
	非求職無業者		1.7	0.8	0.9	0.9	1.7	2.2		1.7	0.5	1.1	0.5	0.7	0.8
	独身家事従事		1.0	0.0	0.2	0.4	0.4	0.2		0.3	1.0	1.0	1.0	0.8	1.3
大学卒	正社員		81.3	81.9	85.3	86.0	87.1	86.3		79.9	69.9	55.9	45.5	40.8	38.9
	非典型雇用		11.2	11.8	7.9	6.1	4.8	4.5		13.5	17.9	20.2	24.7	30.9	34.0
	求職者		5.0	3.2	2.2	1.5	1.3	1.5		4.0	4.1	4.0	4.4	4.9	4.7
	非求職無業者		1.6	1.3	1.2	1.5	1.7	1.6		0.9	0.8	0.6	0.6	0.5	0.3
	独身家事従事		0.3	0.1	0.4	0.3	0.4	0.3		0.6	0.5	0.6	0.6	0.7	0.9
大学院卒	正社員		89.9	90.2	88.3	90.8	90.9	89.0		93.4	80.3	68.5	63.9	57.8	52.3
	非典型雇用		8.3	5.2	7.0	4.1	4.5	5.5		6.6	15.3	13.9	15.0	22.7	25.7
	求職者		0.0	2.0	1.5	1.2	0.6	0.5		0.0	1.2	4.1	5.2	3.8	2.1
	非求職無業者		0.0	1.5	1.0	1.3	0.5	0.4		0.0	1.4	0.1	0.9	0.1	0.3
	独身家事従事		0.0	0.0	0.1	0.0	0.1	0.5		0.0	0.0	0.1	0.0	0.5	2.7

*人口は在学中の者を除いた人口である、以下すべての表について同じ。
注：用語の定義については図表１－１参照。なお、本表の正社員には役員を含む。
・背景がグレーの数値は、2012年調査に比べて2.5%ポイント以上の減少、太字下線は2.5%ポイント以上の増加を示す。45〜49歳は、2012年調査については集計していないため、比較はできない。
・専門学校については、修業年限「1年以上2年未満」「2年以上4年未満」「4年以上」の3つにカテゴリーに分けて調査されたが、集計に当たっては、「4年以上」は大卒のカテゴリーに統合して集計した。

　男女とも学歴が高いほど正社員比率は高いという点は、いずれの年齢階層でもほぼあてはまる。一方、図表１－２でみた、34歳以下の男性では年齢が高いほど正社員比率が高いという特徴は、短大・高専卒、大卒、大学院卒でははっきりしない。また、女性の正社員比率が20歳代前半で最も高くなっているのは20歳代から入職する高学歴層で、10

いる（労働政策研究・研修機構、2014、2009）。

歳代で入職する高卒や専門（1～2年）卒の場合は 15～19 歳の方が正社員比率が高い。女性の場合は、学卒直後が最も正社員比率が高いといえる。

2012 年調査と比べると、男性の場合、ほとんどの学歴において 20 歳代前半時点で正社員比率の上昇、非典型雇用比率と求職者比率の低下が起きている。とりわけ大卒でのその変化が大きい[3]。低学歴層では 10 歳代後半層での変化も大きかった。これに対してほとんどの学歴で 30 歳代後半以降は大きな変化はない。一方、女性については、どの学歴においても、10 歳代後半から 40 歳代前半まで広い年齢層で正社員比率の増加が見られる。ただし非典型雇用の減少を伴っているのは概ね 20 歳代前半層までで、それ以上になると短大・高専卒や専門学校卒など非典型雇用比率は増加する傾向もみられる。減少しているのは求職者とここでは掲載を省いた専業主婦層である。すなわち、この 5 年の間に、20 歳代前半を中心とした若年男女では正社員での雇用機会が広がり、また、女性は 40 歳代まで含めて、労働市場への参加が進んだということであろう。

1.2 有業・無業と結婚の関係

若年期の就業状況、雇用形態と結婚との関係については 2012 年調査でも検討し、年収が低い、あるいは無業であったり、非典型雇用であったりする場合、男性の有配偶率は低いことを指摘した。少子化の一つの要因に、若者の就業状況の変化があることは間違いないところであろう。

図表 1－5 は、有業・無業状況および個人年収ごとに、年齢階層別の有配偶率を見たものである。男性に注目すると、30 歳代前半に有配偶率は 49.6％と急激に高まるが、非典型雇用や無業では低いままである。年収別にはどの年齢層でもおおむね年収が高いほど有配偶率は高い関係があり、これらは 2012 年と変わらない。2012 年には、非典型雇用の 30 歳代後半から 40 歳代前半層で有配偶率の顕著な低下が見られたが、この 5 年は正社員も含めて全般的にやや低下している。年収別の有配偶率にも変化は見られたが、はっきりした傾向的な変化はつかめなかった。

女性については、結婚や出産の結果、無業や非典型雇用に変わるという行動をとることが少なくないので、正社員より非典型雇用者の方が有配偶率は高く、男性のように単純な読み解きはできない。2012 年との比較では全体としてはやや低下しているのだが、高所得層で、有配偶率の高まりがみられた。この傾向は 2007 年から 2012 年にかけてもやや見られた変化であるが、それがこの 5 年に顕著なものになった。女性においては、高所得の女性と離職して低所得になった女性の両極で有配偶率が高く、最もその比率が低いのは、30 歳以上では年収 200 万～299 万のケースであり、20 歳代後半では 150 万～249 万円のケースであった。

---

[3] 2012 年の大卒 20－24 歳の正社員比率は 69.7％、非典型雇用比率は 18.5％、求職者比率は 8.3％であった（労働政策研究・研修機構、2014）。

図表1－5　年齢階層別にみた有業・無業状況、個人年収別有配偶率（在学者を除く）

単位：％

		男性							女性					
		15－19歳	20－24歳	25－29歳	30－34歳	35－39歳	40－44歳	45－49歳	15－19歳	20－24歳	25・29歳	30－34歳	35－39歳	40－44歳	45－49歳
全体		1.2	5.8	24.5	49.6	61.6	65.3	67.4	3.0	9.2	32.3	58.8	69.7	71.6	72.4
無業計		0.2	1.3	4.6	6.7	11.7	12.7	13.6	7.2	30.9	61.2	78.9	84.0	82.2	79.3
うち 求職者		0.0	2.1	6.4	9.4	18.4	20.0	18.5	4.2	14.5	39.7	61.9	75.0	77.6	76.1
有業計		1.6	6.3	26.2	52.6	65.0	68.8	71.2	1.2	5.8	26.1	51.8	64.3	68.4	70.4
就業形態別	正社員（役員含む）	1.2	7.2	29.1	57.2	69.7	73.0	75.3	0.7	3.7	23.1	46.9	56.1	57.2	58.9
	非典型雇用	2.7	2.8	10.7	19.4	26.0	27.3	33.1	2.3	10.1	31.5	57.4	71.6	76.9	78.4
	うちパート・アルバイト	2.6	2.2	5.6	12.0	18.7	20.2	22.9	2.6	13.4	40.1	66.8	79.1	83.1	83.5
	自営	0.0	7.4	31.1	56.8	65.3	70.4	66.7	0.0	8.3	29.3	49.3	65.9	63.9	62.0
	その他就業	0.0	7.3	23.1	34.7	40.5	39.5	45.5	—	37.3	50.2	80.0	86.8	86.8	87.9
個人年収別	収入なし、50万円未満	0.0	2.6	14.2	32.0	36.3	36.2	42.5	1.0	15.3	47.8	74.1	85.1	84.5	84.1
	50-99万円	5.6	3.3	6.9	19.9	33.0	44.6	45.4	4.0	20.8	56.8	80.9	89.3	92.0	90.7
	100-149万円	1.0	2.2	7.9	19.8	26.4	36.7	40.8	1.0	9.1	34.5	59.9	70.3	76.7	80.5
	150-199万円	0.7	3.2	11.1	19.5	30.1	34.3	40.9	1.1	4.1	18.3	39.9	51.7	57.7	61.1
	200-249万円	1.5	5.7	15.4	32.5	36.2	40.4	42.7	0.3	3.1	16.9	37.8	47.6	52.5	57.2
	250-299万円	1.7	5.8	21.5	38.0	50.0	49.3	49.4	0.5	3.5	20.6	41.2	48.8	48.9	51.7
	300-399万円	1.1	9.2	27.9	50.2	59.6	60.8	61.3	0.0	4.4	23.4	47.4	54.9	53.7	54.7
	400-499万円	16.3	12.8	36.8	61.0	70.7	71.0	70.9	—	7.2	29.6	50.4	60.7	55.7	55.2
	500-599万円	—	21.8	43.9	70.5	78.6	77.5	77.1	—	3.9	24.8	44.2	60.7	61.8	64.1
	600-699万円	—	3.0	60.3	74.8	81.3	84.3	82.6	—	0.0	18.2	40.6	59.8	63.3	62.1
	700-799万円	—	—	59.8	71.4	86.0	88.5	86.1	—	—	77.2	57.7	61.9	65.8	60.7
	800-899万円	—	—	20.1	84.7	81.3	88.6	87.5	—	—	—	51.1	67.5	71.0	56.1
	900万円以上	—	28.8	56.3	81.7	91.1	91.1	92.4	—	—	54.2	75.0	85.8	88.3	90.6

注：背景がグレーの数値は、2012年調査に比べて5％ポイント以上の減少、太字下線は5％ポイント以上の増加を示す。45～49歳は、2012年調査については集計していないため、比較はできない。

・「900万円以上」は、「900～999万円」「1000～1249万円」「1250～1499万円」「1500万円以上」4カテゴリーを合計したものである。

　このデータを基に、30～34歳の男性に限って、グラフ化したのが次の図表1－6である。2002年以降の3回の調査データも加えたので、計4回（15年間）の変化を見ることができる。ここから、就業形態別には、無業や非典型雇用の場合の有配偶率の低下は長期的な傾向であることがわかる。年収については、250万円未満の場合にはやはり長期的に低下の傾向がある。また、この5年には300万円代で有配偶率は低下している。ここからも、低収入や非正規・無業状況が結婚を妨げており、さらにその傾向は強まっていることが推測される。

図表1－6　30～34歳男性の就業状況・年収別有配偶率の推移（在学者を除く）

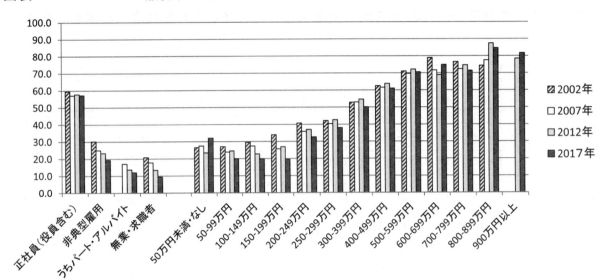

1.3　まとめ

　2017年時点の若者の就業状態を主に2012年のそれとの比較を中心に概観した。2012年までは非典型雇用の割合が高まる傾向が続いたが、この5年は大きく変化し、若年人口減が続く中でも、正社員が割合でも実数でも増加した。中でも高学歴女性での伸びが大きい。

　若年層でのこうした変化に対して、30歳代後半以降の男性では、正社員の割合が高まることはほとんどなかった。

　男性の有配偶率は2012年以前から一貫して、非典型雇用者や無業の求職者、年収の低い者で低い傾向にあるが、今回調査では、さらに正社員や年収の高い者との差が拡大した。

【引用文献】

労働政策研究・研修機構（2005）『若者就業支援の現状と課題―イギリスにおける支援の展開と日本の若者の実態分析から―』労働政策研究報告書№35

労働政策研究・研修機構（2009）『若年者の就業状況・キャリア・職業能力開発の現状―平成19年版「就業構造基本調査」特別集計より―』資料シリーズ№61.

労働政策研究・研修機構（2014）『若年者の就業状況・キャリア・職業能力開発の現状②―平成24年版「就業構造基本調査」特別集計より―』資料シリーズ№144.

第2章　若年期の職業キャリアの変化

2.0　はじめに

　本章では、「平成29年版就業構造基本調査」（総務省統計局）の個票を用いて、若年期の職業キャリアの変化を検討する。職業キャリアとは、個人の過去（初職）から現在（現職）にいたる職業の連鎖であるが、ここでは、同調査において平成19年版から調査項目に加えられた初職の状況に注目し、これと前職、現職の情報をつなげて個人のキャリアとして把握するものである。その際、職業についての情報のうち、就業形態に注目することとし、その初職、前職、現職の間の変化を類型化して把握する[1]。主たる分析対象は15～34歳であるが、最近の政策的関心が「就職氷河期世代」[2]にあることから、この世代およびその前の世代まで含めて比較するために、一部については50歳代まで含めてデータを整理し、検討に加える。

　以下、最初に初職の状況を確認し、また、その初職に就いた時期と卒業時期との関係から「新規学卒就職」を定義し、その状況を経年的に把握する。次いで、就業形態の連鎖の類型化を行い（キャリア類型の作成）、その特徴を概観する。現在の就業形態に過去のキャリアがどう影響しているか、また、将来の就業希望にどのように関連するかを見る。なお、フリーターも就業形態の一つと考え、この分析の折に、フリーター数やその属性的特徴の経年変化などを確認する。さらに、非典型雇用から正社員への移行の状況と近年の変化を明らかにする。最後に全体を通してのファインディングスをまとめる。

　これらの分析の大半は、『若年者の就業状況・キャリア・職業能力開発の現状②―「平成24年版就業構造基本調査」より』（労働政策研究・研修機構 2014）における分析結果と比較可能であり、この2時点間の変化を一つの焦点として分析を行う。

2.1　初職の状況

　本調査の調査票では、まず現職について問い、次いで前職がある場合にはそれについて問うている。そのうえで、最初に就いた仕事[3]とこれらとの異同を問うて、異なる場合に最初の仕事について尋ねる形になっている。そこで、これらの質問への回答を合成する形で、初職情報を作成した。その結果を整理したものが、図表2－1である。

　最初の仕事が「正規の職員・従業員」（以下では正社員）である者の割合に注目すると、男性では7割を超えるが女性は6割強である。年齢階層別には、10歳代後半では男性は5割、女性は4割強と低いが、20歳代以降では、男性は7割以上、女性は6割以上となっている。

---

[1] 本調査で把握できるのは、初職、前職、現職のみであるため、初職から前職までに複数回の移動があっても、ここでのキャリアには反映されないことに留意されたい。

[2] 「就職氷河期世代」にあたる年齢層については、序章および 2.10 による。

[3] 最初の仕事についての設問では、通学のかたわらにするアルバイトなどは含まないことは明示されている。

図表2－1　初職の状況（年齢階層別、在学中を除く）

単位：％、太字は実数（千人）

	15～34歳計（千人）	（%）	15-19歳	20-24歳	25-29歳	30-34歳	35-39歳	40-44歳	45-49歳	50-54歳
男女計（N）	17,451.9		534.9	3,789.6	6,092.7	7,034.6	7,842.8	9,410.5	9,434.9	8,138.1
		100.0	100.0	100.0	100.0	100.0	100.0	100.0	100.0	100.0
正規の職員・従業員	11,825.2	67.8	47.6	67.3	69.7	67.9	67.6	72.5	76.0	74.7
パート	805.7	4.6	3.1	3.6	4.3	5.6	6.2	5.7	5.2	5.2
アルバイト	1,827.0	10.5	15.6	11.8	10.1	9.7	8.8	5.8	3.8	2.7
労働者派遣事業所の派遣社員	299.8	1.7	1.0	1.5	1.6	2.0	2.0	1.2	0.8	0.5
契約社員	767.5	4.4	1.7	4.1	4.5	4.7	4.1	2.7	1.8	1.7
嘱託	86.3	0.5	0.2	0.4	0.5	0.6	0.6	0.5	0.4	0.4
その他	207.5	1.2	1.1	1.2	1.3	1.1	1.2	1.2	1.2	1.1
会社などの役員	60.5	0.3	0.0	0.2	0.3	0.5	1.0	1.4	1.6	1.9
自営業主	210.0	1.2	1.4	1.0	1.1	1.4	1.9	2.3	2.3	2.9
自営業の手伝い	67.8	0.4	0.2	0.3	0.4	0.5	0.7	0.8	0.7	0.9
内職	5.9	0.0	0.1	0.0	0.0	0.0	0.0	0.1	0.1	0.1
形態不詳	44.2	0.3	0.1	0.1	0.2	0.4	0.4	0.5	0.7	2.7
未就業	692.9	4.0	23.6	5.4	3.1	2.5	1.9	1.8	1.6	1.6
不明	551.6	3.2	4.3	3.2	3.0	3.2	3.6	3.7	3.9	3.7
男性計（N）	8,842.2		321.4	1,858.0	3,098.5	3,564.2	3,969.1	4,766.3	4,763.2	4,086.9
		100.0	100.0	100.0	100.0	100.0	100.0	100.0	100.0	100.0
正規の職員・従業員	6,361.0	71.9	50.0	69.5	73.6	73.7	73.8	77.7	79.9	79.0
パート	161.0	1.8	2.0	2.2	1.8	1.6	1.3	0.9	0.6	0.5
アルバイト	800.5	9.1	13.6	10.5	8.9	8.0	7.6	5.2	3.4	2.5
労働者派遣事業所の派遣社員	133.3	1.5	1.2	1.5	1.5	1.6	1.8	1.0	0.5	0.3
契約社員	346.2	3.9	1.5	4.0	3.9	4.1	3.0	1.8	1.5	1.2
嘱託	33.6	0.4	0.2	0.2	0.4	0.5	0.3	0.2	0.2	0.2
その他	106.9	1.2	1.1	1.3	1.2	1.2	1.2	1.1	1.2	1.0
会社などの役員	45.6	0.5	0.0	0.1	0.5	0.8	1.7	2.3	2.6	3.2
自営業主	143.3	1.6	1.4	1.1	1.4	2.1	2.7	3.4	3.6	4.4
自営業の手伝い	45.3	0.5	0.3	0.4	0.5	0.6	0.9	0.8	0.8	0.8
内職	0.5	0.0	0.0	0.0	0.0	0.0	0.0	0.0	0.0	0.0
形態不詳	24.8	0.3	0.0	0.0	0.2	0.4	0.5	0.4	0.7	2.1
未就業	366.8	4.1	24.9	5.8	3.3	2.2	1.6	1.5	1.1	1.0
不明	273.3	3.1	3.8	3.1	3.0	3.1	3.7	3.7	3.8	3.9
女性計（N）	8,609.7		213.5	1,931.6	2,994.2	3,470.4	3,873.7	4,644.2	4,671.8	4,051.2
		100.0	100.0	100.0	100.0	100.0	100.0	100.0	100.0	100.0
正規の職員・従業員	5,464.2	63.5	43.8	65.2	65.6	61.9	61.3	67.1	72.0	70.3
パート	644.7	7.5	4.9	4.9	6.9	9.6	11.2	10.6	9.9	10.1
アルバイト	1,026.5	11.9	18.6	13.0	11.3	11.4	10.0	6.5	4.1	2.9
労働者派遣事業所の派遣社員	166.5	1.9	0.8	1.5	1.8	2.3	2.2	1.4	1.0	0.6
契約社員	421.3	4.9	1.9	4.2	5.2	5.2	5.2	3.6	2.1	2.2
嘱託	52.7	0.6	0.1	0.5	0.6	0.8	0.8	0.8	0.6	0.6
その他	100.6	1.2	1.1	1.1	1.3	1.1	1.1	1.3	1.1	1.2
会社などの役員	14.8	0.2	0.0	0.2	0.1	0.2	0.3	0.4	0.5	0.6
自営業主	66.7	0.8	1.4	0.8	0.7	0.7	1.0	1.2	1.0	1.4
自営業の手伝い	22.5	0.3	0.1	0.1	0.2	0.4	0.6	0.7	0.7	0.9
内職	5.4	0.1	0.2	0.0	0.0	0.1	0.1	0.1	0.1	0.2
形態不詳	19.4	0.2	0.3	0.1	0.2	0.3	0.4	0.5	0.6	3.3
未就業	326.1	3.8	21.6	5.0	2.9	2.7	2.3	2.1	2.2	2.3
不明	278.3	3.2	5.1	3.2	3.1	3.3	3.6	3.7	4.0	3.5

注：背景がグレーの数値は、2012年調査に比べて2.5%ポイント以上の減少、太字下線は2.5%ポイント以上の増加を示す。なお、45歳以上は、2012年調査については集計していないため、比較はできない。
　・「在学中」は分析対象から除外しているが、一般的な「学校」以外に通学する者は含まれている。したがって、15～19歳層の「未就業」には進学予備校などに通う者が含まれる。

10歳代後半では、初職がアルバイトであった者や未就業者が多い。分析対象は在学者を除いた各年齢人口であるため、10歳代後半の者の大半が中学卒、高校卒の学歴である。この年齢

層の正社員比率が低い背景には、学歴の違いが大きく影響していると思われる。

2012年調査（5年前）と比較[4]した時の情報は、表中に、減少幅が大きいものは背景をグレーに、増加幅が大きいものは下線太字にすることで示している。図表2－1のとおり、30歳代後半及び40歳代前半層で男女とも5年前の同年齢層よりも初職正社員比率が低い。この世代は1990年代終わりから2000年代初めにかけて学校を卒業しており、景気の影響等により新卒時の就職環境が良くなかったいわゆる「就職氷河期」の卒業者であるため、正社員就職がより困難だった世代だと考えられる。一方、40歳代後半～50歳代前半層では、どの世代より初職の正社員比率は高く、この世代の多くが学校を卒業した1990年代初めまでの新規学卒労働市場の良好さを示している。

この初職の就業状況を少し集約したうえで学歴別に分けたものが、図表2－2である。まず15～34歳計の正社員とパート・アルバイトの比率に注目すると、男女とも学歴が低いほど初職のパート・アルバイト比率が高く正社員比率は低い。また、どの学歴でも、男性に比べて、女性の方がパート・アルバイト比率が高く正社員比率は低い。初職がパート・アルバイトなどの非典型雇用の者は、低学歴、女性で多い。この傾向は2012年調査と変わらない。

学歴別に年齢階層による違いを見る。中学卒、高校卒の10代後半層では、初職正社員比率は低いが、未就業者が多く、非典型雇用(パート・アルバイトおよび「その他非典型雇用」)の割合は相対的には高くない。5年前の調査(2012年調査)との比較してみると、30歳代、及び女性では40歳代前半も、初職正社員であった割合が低くなっている。新卒の時に就職環境が悪かった世代である。

専門学校（2年～4年未満）、短大・高専、大学、大学院卒については、20歳代前半層の初職正社員比率は（5歳上の世代である）20歳代後半層と同等かそれ以上の水準であり、また2012年調査の同じ年齢層と比べても、軒並み上昇を示している。近年の新卒市場の改善の効果であろう。一方、5年前の同年齢層に比べて正社員比率が低下しているのは、30歳代後半から40歳代前半の就職氷河期世代である。初職の正社員比率には、各学歴による違いと共に、卒業時期の景気の影響が色濃く表れている。

---

[4] 初職の変化については、2012年調査と比較しなくとも、今回調査の5歳上の層との比較でも同様な検討は可能である。ただし、在学中を除いた集計のため、5歳違えば新たに労働市場に参入する人も少なくない。そのため前回調査の同年齢層との比較の方がより的確だと考えられる。

図表2－2　学歴別初職の状況（年齢階層別、在学中を除く）

①男性

単位：％、太字は実数（千人）

学校区分	15～34歳計 (千人)	(%)	年齢・5歳階級 15-19歳	20-24歳	25-29歳	30-34歳	35-39歳	40-44歳	45-49歳
中学計（N）	490.1	100.0	54.8	98.7	145.6	191.0	230.8	297.4	322.1
正社員（役員含む）	176.8	36.1	20.6	32.2	37.2	41.7	50.2	54.1	54.3
パート・アルバイト	155.8	31.8	36.3	34.5	32.5	28.5	22.5	15.8	14.3
その他非典型雇用	36.2	7.4	5.8	7.9	7.1	7.8	7.0	6.2	7.6
自営・自営手伝いなど	29.9	6.1	1.6	4.2	7.2	7.5	8.2	10.5	10.0
未就業・不明	91.4	18.7	35.7	21.2	16.0	14.4	12.0	13.4	13.9
高校計（N）	3,075.0	100.0	261.1	842.8	916.4	1,054.7	1,317.2	1,736.3	1,888.4
正社員（役員含む）	2,005.0	65.2	56.4	65.6	66.6	65.8	72.1	77.9	80.9
パート・アルバイト	441.5	14.4	11.1	14.9	14.7	14.4	11.2	7.1	4.6
その他非典型雇用	224.3	7.3	3.5	6.9	7.2	8.6	5.8	3.9	3.4
自営・自営手伝いなど	81.1	2.6	1.8	2.3	2.5	3.3	4.1	4.7	4.5
未就業・不明	323.0	10.5	27.2	10.2	9.0	8.0	6.7	6.4	6.5
専門学校（1～2年未満）卒（N）	414.9	100.0	3.5	103.4	124.3	183.8	200.0	300.1	259.0
正社員（役員含む）	293.2	70.7	57.1	67.1	70.0	73.4	73.5	77.0	80.1
パート・アルバイト	51.8	12.5	14.0	14.7	14.6	9.7	9.4	5.4	3.3
その他非典型雇用	34.4	8.3	11.1	9.9	7.5	7.9	6.9	4.1	2.7
自営・自営手伝いなど	11.5	2.8	0.0	0.3	2.7	4.2	5.2	7.8	9.1
未就業・不明	24.1	5.8	17.7	7.9	5.2	4.8	5.1	5.7	4.9
専門学校（2～4年未満）卒（N）	773.8	100.0		176.5	254.5	342.7	392.6	430.4	383.0
正社員（役員含む）	576.5	74.5		72.7	74.2	75.7	75.8	83.7	84.5
パート・アルバイト	76.3	9.9		11.0	9.5	9.5	8.6	4.0	3.3
その他非典型雇用	71.6	9.3		10.1	9.6	8.5	7.0	3.8	3.3
自営・自営手伝いなど	18.9	2.4		1.3	2.5	3.0	4.1	4.1	5.1
未就業・不明	30.5	3.9		4.9	4.2	3.3	4.4	4.4	3.7
短大・高専計（N）	248.1	100.0		63.6	79.0	105.5	136.7	173.7	169.9
正社員（役員含む）	199.2	80.3		82.0	82.5	77.6	76.1	84.5	87.8
パート・アルバイト	18.6	7.5		6.0	7.0	8.8	8.7	3.1	2.2
その他非典型雇用	15.1	6.1		4.6	5.8	7.1	4.5	3.9	2.6
自営・自営手伝いなど	4.1	1.7		1.1	1.8	2.0	4.5	4.5	4.2
未就業・不明	11.1	4.5		6.3	2.9	4.5	6.1	4.0	3.3
大学計（N）	3,242.4	100.0		543.0	1,314.9	1,384.5	1367.6	1535.1	1488.7
正社員（役員含む）	2,682.1	82.7		81.5	81.7	84.1	82.2	86.6	90.6
パート・アルバイト	193.3	6.0		6.7	6.8	4.9	5.9	4.4	2.0
その他非典型雇用	197.9	6.1		5.6	6.3	6.1	6.1	3.9	2.1
自営・自営手伝いなど	34.2	1.1		0.3	0.9	1.5	2.0	2.1	2.5
未就業・不明	134.9	4.2		6.0	4.3	3.3	3.7	3.0	2.7
大学院計（N）	499.3	100.0		11.4	226.5	261.5	273.3	232.8	194.9
正社員（役員含む）	438.3	87.8		90.5	89.6	86.1	87.5	89.3	89.1
パート・アルバイト	12.2	2.4		2.1	2.3	2.5	1.5	2.6	1.1
その他非典型雇用	30.8	6.2		5.7	4.5	7.6	8.1	4.7	6.3
自営・自営手伝いなど	7.4	1.5		1.7	1.1	1.9	1.4	2.1	1.7
未就業・不明	10.6	2.1		0.0	2.5	1.9	1.5	1.3	1.8
男性計（N）	8,743.6	100.0	319.3	1,839.3	3,061.2	3,523.8	3,918.3	4,705.8	4,706.1
正社員（役員含む）	6,371.1	72.9	50.3	70.0	74.6	74.9	76.0	80.5	83.0
パート・アルバイト	949.4	10.9	15.5	12.8	10.6	9.7	8.9	6.0	4.0
その他非典型雇用	610.2	7.0	4.0	7.0	6.8	7.4	6.3	4.1	3.3
自営・自営手伝いなど	187.3	2.1	1.7	1.6	1.9	2.7	3.5	4.2	4.4
未就業・不明	625.6	7.2	28.5	8.7	6.1	5.3	5.3	5.2	5.2

②女性

単位：％、太字は実数（千人）

学校区分	15〜34歳計（千人）	（％）	15-19歳	20-24歳	25-29歳	30-34歳	35-39歳	40-44歳	45-49歳
中学計（N）	393.7	100.0	33.5	82.2	127.3	150.8	141.9	170.3	181.7
正社員（役員含む）	43.2	11.0	4.7	9.8	9.8	14.0	19.2	27.0	32.7
パート・アルバイト	237.0	60.2	48.8	58.2	63.9	60.7	52.3	45.5	37.4
その他非典型雇用	21.4	5.4	3.9	4.6	5.3	6.3	6.7	6.0	6.5
自営・自営手伝いなど	7.6	1.9	2.2	0.9	1.7	2.6	2.5	3.7	3.2
未就業・不明	84.5	21.5	40.3	26.5	19.3	16.4	19.2	17.8	20.2
高校計（N）	2,453.4	100.0	174.5	623.9	729.7	925.2	1102.4	1472.0	1828.5
正社員（役員含む）	1,210.5	49.3	51.6	51.5	50.1	46.9	55.5	66.7	72.2
パート・アルバイト	739.4	30.1	18.8	28.1	30.1	33.7	28.9	19.7	15.7
その他非典型雇用	197.5	8.0	3.8	7.2	8.8	8.8	6.2	4.3	3.5
自営・自営手伝いなど	42.1	1.7	1.4	1.9	1.6	1.7	1.7	1.7	1.7
未就業・不明	264.0	10.8	24.5	11.3	9.4	8.9	7.8	7.7	6.9
専門学校（1〜2年未満）卒（N）	497.4	100.0	3.4	126.5	156.0	211.6	239.9	324.9	297.1
正社員（役員含む）	296.8	59.7	56.2	64.1	59.1	57.5	59.4	65.7	67.2
パート・アルバイト	112.4	22.6	27.1	17.4	23.9	24.7	24.9	19.8	15.2
その他非典型雇用	46.0	9.3	0.0	9.8	9.1	9.2	8.2	5.6	6.5
自営・自営手伝いなど	7.0	1.4	0.0	0.9	1.2	1.9	2.9	3.8	3.9
未就業・不明	35.1	7.1	16.7	7.8	6.8	6.6	4.7	5.0	7.3
専門学校（2〜4年未満）卒（N）	1,104.1	100.0		267.2	350.1	486.8	510.0	555.4	494.1
正社員（役員含む）	774.8	70.2		73.2	69.9	68.7	65.4	71.8	77.7
パート・アルバイト	174.9	15.8		14.1	15.1	17.3	19.6	16.1	12.2
その他非典型雇用	93.7	8.5		6.2	9.4	9.1	8.5	5.2	4.3
自営・自営手伝いなど	12.4	1.1		0.8	1.3	1.2	2.5	2.0	1.7
未就業・不明	48.2	4.4		5.7	4.3	3.7	4.0	4.8	4.1
短大・高専計（N）	1,015.5	100.0		230.4	323.7	461.4	714.8	1,072.2	1,046.1
正社員（役員含む）	708.9	69.8		77.4	72.0	64.5	65.9	71.2	78.9
パート・アルバイト	150.7	14.8		10.3	14.4	17.4	18.1	14.3	10.7
その他非典型雇用	105.6	10.4		8.7	8.7	12.4	10.5	8.4	4.4
自営・自営手伝いなど	8.4	0.8		0.3	1.2	0.8	0.8	1.6	1.2
未就業・不明	41.9	4.1		3.3	3.7	4.8	4.7	4.5	4.8
大学計（N）	2,883.2	100.0		578.7	1,196.8	1107.7	1020.8	914.9	713.0
正社員（役員含む）	2,282.8	79.2		81.0	79.1	78.3	70.2	72.5	76.6
パート・アルバイト	223.6	7.8		6.3	8.0	8.2	12.1	11.0	9.5
その他非典型雇用	246.2	8.5		7.0	8.8	9.0	12.3	10.7	7.6
自営・自営手伝いなど	13.3	0.5		0.3	0.4	0.6	1.4	2.0	1.8
未就業・不明	117.3	4.1		5.3	3.6	3.9	4.0	3.7	4.6
大学院計（N）	178.5	100.0		4.4	79.1	95.1	97.4	83.2	47.3
正社員（役員含む）	136.6	76.5		93.4	77.0	75.3	71.0	67.6	62.8
パート・アルバイト	13.0	7.3		4.3	5.7	8.7	6.9	8.9	10.0
その他非典型雇用	21.7	12.2		2.3	13.9	11.2	16.3	17.8	17.9
自営・自営手伝いなど	2.4	1.4		0.0	0.8	1.9	2.1	2.9	4.0
未就業・不明	4.8	2.7		0.0	2.7	2.9	3.7	2.8	5.3
女性計（N）	8,525.9	100.0	211.4	1,913.3	2,962.7	3,438.5	3,827.3	4,592.7	4,607.8
正社員（役員含む）	5,453.6	64.0	44.3	65.7	66.0	62.5	62.0	68.0	73.0
パート・アルバイト	1,651.0	19.4	23.7	17.9	18.2	20.9	21.2	17.0	14.0
その他非典型雇用	732.1	8.6	3.7	7.2	8.9	9.4	9.3	7.1	4.9
自営・自営手伝いなど	93.2	1.1	1.5	1.0	1.0	1.2	1.7	2.0	1.8
未就業・不明	595.8	7.0	26.8	8.1	5.9	6.0	5.8	5.9	6.3

注：高校には高等専修学校を含む。2012年調査から専門学校については、修業年限「1年以上2年未満」「2年以上4年未満」「4年以上」の3つにカテゴリーに分けて調査されたが、「4年以上」は大卒のカテゴリーに統合して集計した。また、2017年調査では高専と短大はカテゴリーを分けて調査されたが、統合して集計した。
・非典型雇用は、パート、アルバイト、派遣社員、契約社員、嘱託、その他。
・背景がグレーの数値は、2012年調査に比べて5％ポイント以上の減少、太字下線は5％ポイント以上の増加を示す。45〜49歳は、2012年調査については集計していないため、比較はできない。

2.2 新規学卒就職状況の経年変化

　新規学卒労働市場の景況の影響をより端的に見るために、卒業年ごとに、その年の６月までに正社員としての初職に就いた者の割合（＝新卒正社員比率と呼ぶ）を推計した。

　それを性・学歴別に見たものが図表２－３である。いずれの学歴でも、新卒正社員比率は1993年卒〜1995年卒あたりから徐々に低下し、最低を記録するのが2000年卒〜2004年卒でその後上昇する。この後、大卒では男性は2010年卒、女性は2009年卒からいったん低下し、2012年卒から再上昇している。「リーマンショック」を受けての採用抑制の影響かと思われるが、他の学歴では目立った落ち込みにはなっていない。その後の景気回復を受けて、2017年卒では、高卒者を除いて、1990年代初めの正社員比率を超える水準まで高まっている。高卒の場合、進学浪人で予備校に通う者なども本調査での卒業者に含まれることが多いため、調査年である2017年の新卒正社員比率は低めに出ていると思われる。

　ただし、それを勘案しても、高卒女性の新卒正社員比率は低い水準にとどまっている。1990年初めは男性以上に新卒正社員比率は高かったのだが、最近では男性よりかなり低い水準で推移している。一方、大卒女性の新卒正社員比率は、かつては男性より低かったのだが、最近では男性を超える水準となっている。女性の就職における学歴差は顕著なものとなった。

図表２－３　新卒正社員比率（卒業年の６月までに正社員として就職した者の割合）の変化
①高校（高等専修学校を含む）卒

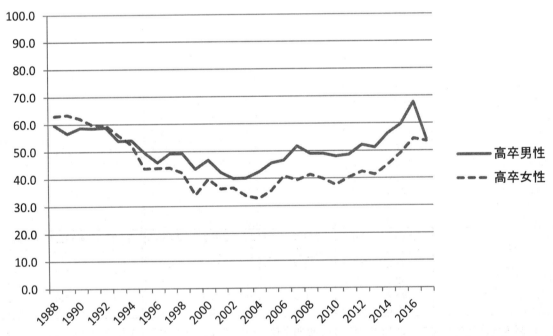

注：2017年卒の正社員比率については、この年は調査年であって、高卒者のうち未就業者は全体の25%を占め、さらに未就業者の４割は通学中（進学予備校などが考えられる）であることに留意されたい。

②専門学校（2～4年未満）卒、および女性の短大卒

③大学（4年以上の専門学校含む）卒

　図表2－4は地域ブロック別に初職正社員比率を見たものである。20歳代以降では地域間の違いは10パーセントポイント程度だが、10歳代後半層については近畿ブロック、関東ブロックは他地域より低い。この傾向は2012年調査時から変わらず、この年齢層が高卒までの学歴の者であることの影響であろう。また、2012年調査と比較すると、大半の地域で20歳代前半層、10歳代後半層の正社員比率が高まっており、特に、北海道・東北ブロック、九州・沖縄ブロックでの上昇幅が大きい。この2地域は2012年には20歳代前半層の初職正社員比

率が低かった地域で、この５年の間に地域間格差が小さくなったといえる。一方、30歳代後半層、及び40歳代前半層の初職の正社員比率の低下はほとんどの地域でみられ、地域による違いはあまりない。

図表２−４　地域ブロック別初職正社員比率（年齢階層別、在学中を除く）　　　　単位：％

	15−34歳合計	15-19歳	20-24歳	25-29歳	30-34歳	35-39歳	40-44歳	45-49歳
男性計	72.9	50.3	<u>70.0</u>	74.6	74.9	76.0	80.5	83.0
北海道・東北	71.5	<u>58.8</u>	<u>71.1</u>	73.6	71.3	75.6	81.5	83.1
関東	72.9	42.0	<u>68.1</u>	74.9	75.6	74.7	79.7	82.4
北陸・東海	77.1	57.2	74.8	78.5	79.3	80.3	84.8	86.2
近畿	69.9	36.3	65.7	72.0	73.2	74.3	77.5	81.0
中国・四国	75.7	56.9	<u>77.0</u>	75.9	76.8	78.9	82.2	84.4
九州・沖縄	68.7	<u>60.8</u>	<u>66.8</u>	70.2	69.4	74.1	77.8	81.4
女性計	64.0	<u>44.3</u>	<u>65.7</u>	66.0	62.5	62.0	68.0	73.0
北海道・東北	62.4	<u>56.7</u>	<u>67.9</u>	63.5	58.8	62.7	67.5	71.9
関東	64.2	<u>36.9</u>	<u>63.3</u>	66.5	63.9	60.9	67.8	73.1
北陸・東海	67.5	51.1	69.1	68.9	66.5	65.8	72.9	76.2
近畿	62.5	33.5	<u>64.8</u>	64.7	60.9	60.4	64.4	70.7
中国・四国	63.1	<u>44.1</u>	<u>68.6</u>	65.6	59.5	62.8	68.6	73.9
九州・沖縄	<u>61.8</u>	49.3	<u>65.1</u>	64.2	59.1	60.5	66.0	71.4

注：正社員には役員を含む。初職正社員比率は在学中を除く同年齢人口に対する正社員の割合。
　・背景がグレーの数値は、2012年調査時に比べて５％ポイント以上の減少、太字下線は５％ポイント以上の増加を示す。45〜49歳は、2012年調査については集計していないため、比較はできない。

2.3　職業キャリアの類型化

　次に、この初職と前職、現職の３時点の就業形態から職業キャリアの類型を作成する。まず、３時点の就業形態を接続して示したのが図表２−５の表側で、これを少しまとめたものがその右の枠囲い内の類型名（キャリア類型１）である。在学中を除く15〜34歳層 17,452千人のうち、現在正社員である者は61.9％であるが、この中では初職が正社員でそのまま現在まで継続している「正社員定着」（42.2％）が多い。現在非典型雇用の者は20.8％で、この中には３時点のいずれも正社員ではなかった「非典型のみ」（12.7％）が多い[5]。

　2012年においては、「正社員定着」37.3％、「非典型のみ」14.2％であったので、５年前に比べて「正社員定着」が増加し、「非典型のみ」が減った。その前の５年（2007年から2012年）には、「非典型のみ」は増加していたので、今回は変化の方向が変わった。

　次の図表２−６では、さらにまとめたキャリア類型２を示した。以下では、主にこの類型を用いて検討するので、改めて、その定義を記すと、下記の通りである。

---

[5] この調査で把握できる初職、前職、現職の３時点で正社員でなかったということで、これまでの全キャリアを通じて正社員を経験しているか、いないかはわからない。

図表２－５　職業キャリアの類型化（15～34歳、在学中を除く、初職→前職→現職状況）

	対象者数（千人）	構成比(%)	分類
在学中を除く15-34歳計	17,452	100.0	
現在正社員(役員を含む)合計	10,811	61.9	
正社員定着	7,357	7,357 / 42.2	正社員定着
（うち新卒就職で正社員定着）	(5,492)		
正社員 → 正社員	1,211	1,996 / 11.4	正社員転職
正社員 → 正社員 →正社員	786		
正社員 →パート・バイト→正社員	149	330 / 1.9	正社員一時非典型
正社員 →その他非典型→正社員	164		
正社員 →自営家業 →正社員	12		
正社員 →形態不明 →正社員	5		
パート・バイト→ 正社員	187	925 / 5.3	初職他形態から正社員
パート・バイト→ 正社員 →正社員	113		
パート・バイト→パート・バイト→正社員	178		
パート・バイト→その他非典型→正社員	61		
パート・バイト→自営・手伝い→正社員	6		
パート・バイト→形態不明 →正社員	2		
その他非典型→ 正社員	163		
その他非典型→ 正社員 →正社員	71		
その他非典型→パート・バイト→正社員	25		
その他非典型→その他非典型→正社員	76		
その他非典型→自営・手伝い→正社員	1		
その他非典型→形態不明 →正社員	2		
形態不明 → 正社員	3		
形態不明 → 正社員 →正社員	10		
形態不明 →パート・バイト→正社員	2		
形態不明 →その他非典型→正社員	2		
形態不明 →自営・手伝い →正社員	0		
形態不明 →形態不明 →正社員	0		
自営・手伝い→ 正社員	12		
自営・手伝い→正社員 →正社員	5		
自営・手伝い→パート・バイト→正社員	1		
自営・手伝い→その他非典型→正社員	2		
自営・手伝い→自営・手伝い →正社員	2		
経歴不明	204	204 / 1.2	

	対象者数（千人）	構成比(%)	分類
現在非典型合計	3,621	20.8	
パート・バイト定着	782	2,225 / 12.7	非典型のみ
パート・バイト→ パート・バイト	171		
パート・バイト→他の非典型	54		
パート・バイト→パート・バイト→パート・バイト	283		
パート・バイト→パート・バイト→他の非典型	69		
パート・バイト→他の非典型 →パート・バイト	38		
パート・バイト→他の非典型 →他の非典型	49		
他の非典型定着	531		
他の非典型→ パート・バイト	42		
他の非典型→ 他の非典型	70		
他の非典型→パート・バイト→パート・バイト	32		
他の非典型→パート・バイト→他の非典型	19		
他の非典型→他の非典型 →パート・バイト	25		
他の非典型→他の非典型 →他の非典型	59		
正社員 → パート・バイト	267	1,118 / 6.4	初職正社員から非典型
正社員 → 他の非典型	175		
正社員 →正社員 →パート・バイト	151		
正社員 →正社員 →他の非典型	132		
正社員 →パート・バイト→パート・バイト	181		
正社員 →パート・バイト→他の非典型	56		
正社員 →他の非典型 →パート・バイト	52		
正社員 →他の非典型 →他の非典型	93		
正社員 →自営・手伝い→パート・バイト	3		
正社員 →自営・手伝い→他の非典型	3		
正社員 →形態不明 →パート・バイト	2		
正社員 →形態不明 →他の非典型	2		
パート・バイト→正社員 →パート・バイト	36	134 / 0.8	初職他形態から非典型
パート・バイト→正社員 →他の非典型	23		
他の非典型 →正社員 →パート・バイト	14		
他の非典型 →正社員 →他の非典型	18		
自営・手伝い→正社員 →パート・バイト	0		
自営・手伝い→正社員 →他の非典型	1		
形態不明 →正社員 →パート・バイト	2		
形態不明 →正社員 →他の非典型	2		
自営・手伝い→ パート・バイト	4		
自営・手伝い→ 他の非典型	4		
自営・手伝い→パート・バイト→パート・バイト	1		
自営・手伝い→パート・バイト→他の非典型	1		
自営・手伝い→他の非典型→パート・バイト	0		
自営・手伝い→他の非典型→他の非典型	2		
自営・手伝い→自営・手伝い→パート・バイト	1		
自営・手伝い→自営・手伝い→他の非典型	1		
自営・手伝い→形態不明 →他の非典型	0		
パート・バイト→自営・手伝い→パート・バイト	4		
パート・バイト→自営・手伝い→他の非典型	3		
他の非典型 →自営・手伝い→パート・バイト	1		
他の非典型 →自営・手伝い→他の非典型	1		
形態不明→ パート・バイト	1		
形態不明→ 他の非典型	0		
形態不明→パート・バイト→パート・バイト	3		
形態不明→パート・バイト→他の非典型	1		
形態不明→他の非典型→パート・バイト	1		
形態不明→他の非典型→他の非典型	2		
形態不明→形態不明 →パート・バイト	1		
形態不明→形態不明 →他の非典型	1		
パート・バイト→形態不明→パート・バイト	3		
パート・バイト→形態不明→他の非典型	1		
他の非典型→形態不明 →パート・バイト	0		
他の非典型→形態不明 →他の非典型	1		
形態不明→自営・手伝い→パート・バイト	0		
経歴不明	145	145 / 0.8	

注：正社員には役員を含む。新卒就職は学校卒業年の６月までに正社員で初職に就いた者。また、「非典型」は勤め先での呼称が「パート」、「アルバイト」、「労働者派遣事業所の派遣社員」、「契約社員」、「嘱託」、「その他」であって、「正規の職員・従業員」ではない者。

	対象者数(千人)	構成比(%)		対象者数(千人)	構成比(%)
現在自営・手伝い合計	455	2.6	現在無業(専業主婦を除く)	1,610	9.2
自営・手伝い定着	225	229　1.3	正社員　　　　　→　　　　　無業	217	423　2.4
自営・手伝い→自営・手伝い	3	自営・手伝い	正社員　　　→正社員　　　→無業	90	初職正社員か
自営・手伝い→自営・手伝い→自営・手伝い	0	のみ	正社員　　　→パート・バイト→無業	68	ら無業
			正社員　　　→他の非典型　→無業	47	
正社員　　　　　→自営・手伝い	57	130　0.7	正社員　　　→自営・手伝い→無業	2	
正社員　　　→正社員　　　→自営・手伝い	45	初職正社員か	正社員　　　→形態不明　　→無業	0	
正社員　　　→パート・バイト→自営・手伝い	17	ら自営・手伝い			
正社員　　　→他の非典型　→自営・手伝い	6		パート・バイト→正社員　　　→無業	30	446　2.6
正社員　　　→自営・手伝い→自営・手伝い	4		他の非典型　→正社員　　　→無業	12	初職他形態か
正社員　　　→形態不明　　→自営・手伝い	1		自営・手伝い→正社員　　　→無業	1	ら無業
			形態不明　　→正社員　　　→無業	1	
パート・バイト→　　　　　自営・手伝い	17	82　0.5	パート・バイト→　　　　　無業	133	
パート・バイト→正社員　　　→自営・手伝い	11	初職他形態か	パート・バイト→パート・バイト→無業	120	
パート・バイト→パート・バイト→自営・手伝い	19	ら自営・手伝い	パート・バイト→他の非典型　→無業	33	
パート・バイト→他の非典型　→自営・手伝い	5		パート・バイト→自営・手伝い→無業	3	
パート・バイト→自営・手伝い→自営・手伝い	3		パート・バイト→形態不明　　→無業	1	
パート・バイト→形態不明　　→自営・手伝い	0		他の非典型→　　　　　　　無業	52	
他の非典型　→　　　　　　自営・手伝い	8		他の非典型→パート・バイト→無業	19	
他の非典型　→正社員　　　→自営・手伝い	5		他の非典型→他の非典型　→無業	28	
他の非典型　→パート・バイト→自営・手伝い	3		他の非典型→自営・手伝い→無業	1	
他の非典型　→他の非典型　→自営・手伝い	8		他の非典型→形態不明　　→無業	0	
他の非典型　→自営・手伝い→自営・手伝い	0		自営・手伝い→　　　　　　無業	7	
他の非典型　→形態不明　　→自営・手伝い	0		自営・手伝い→パート・バイト→無業	2	
自営・手伝い→正社員　　　→自営・手伝い	1		自営・手伝い→他の非典型　→無業	1	
自営・手伝い→パート・バイト→自営・手伝い	1		自営・手伝い→自営・手伝い→無業	0	
自営・手伝い→他の非典型　→自営・手伝い	0		自営・手伝い→形態不明　　→無業	0	
形態不明　　→　　　　　　自営・手伝い	0		形態不明　　→　　　　　　無業	0	
形態不明　　→正社員　　　→自営・手伝い	0		形態不明　　→パート・バイト→無業	2	
形態不明　　→パート・バイト→自営・手伝い	0		形態不明　　→自営・手伝い→無業	1	
形態不明　　→他の非典型　→自営・手伝い	0	経歴不明自	形態不明　　→他の非典型　→無業	1	就業経験な
形態不明　　→自営・手伝い→自営・手伝い	0	営・手伝い	形態不明　　→形態不明　　→無業	0	し・経歴不明
形態不明　　→形態不明　　→自営・手伝い	0		未就業・経歴不明	741	741　4.2
経歴不明	14	14　0.1			

	対象者数(千人)	構成比(%)		対象者数(千人)	構成比(%)
現在専業主婦合計	919	5.3	現在・形態不明	36	0.2
正社員　　　　　→　　　　　無業	255	530　3.0		無回答・不詳	
正社員　　　→正社員　　　→無業	82	初職正社員か			
正社員　　　→パート・バイト→無業	131	ら専業主婦			
正社員　　　→他の非典型→無業	56				
正社員　　　→自営・手伝い→無業	5				
パート・バイト→正社員　　　→無業	14.5	276　1.6			
自営・手伝い→正社員　　　→無業	1	初職他形態か			
形態不明　　→正社員　　　→無業	0	ら専業主婦			
パート・バイト→　　　　　無業	67				
パート・バイト→パート・バイト→無業	93				
パート・バイト→他の非典型　→無業	17				
パート・バイト→自営・手伝い→無業	3				
パート・バイト→形態不明　　→無業	0				
他の非典型　→　　　　　　無業	31				
他の非典型　→正社員　　　→無業	8				
他の非典型　→パート・バイト→無業	19				
他の非典型　→他の非典型　→無業	15				
他の非典型　→自営・手伝い→無業	1				
自営・手伝い→　　　　　　無業	3				
自営・手伝い→パート・バイト→無業	2				
自営・手伝い→他の非典型　→無業	0				
形態不明　　→　　　　　　無業	0				
形態不明　　→パート・バイト→無業	0				
形態不明　　→他の非典型　→無業	0	就業経験なし・			
形態不明　　→形態不明　　→無業	0	経歴不明専業			
		主婦(夫)			
未就業・経歴不明	113	113　0.6			

注：「専業主婦（夫）」は、無業者のうち求職活動をしていない者で、在学も通学もしておらず、配偶者ありで家
　　事をおこなっている者。

図表２－６　キャリア類型の集約（15〜34歳、在学中を除く。構成比は専業主婦（夫）*1も除いた数に対するもの）

2017年調査				2012年調査		2007年調査	
キャリア類型1	キャリア類型2	（千人）	（%）	（千人）	（%）	（千人）	（%）
	在学中と専業主婦（夫）*1を除く計	16,533	100.0	17,707	100.0	20,515	100.0
正社員*2定着	→ 正社員定着	7,357	44.5	7,125	40.2	8,173	39.8
（うち新卒就職*3で定着）	（うち新卒定着）	（5,492 ）（	33.2 ）				
正社員転職	→ 正社員転職	1,996	12.1	2,000	11.3	2,629	12.8
正社員一時非典型*4	→ 正社員一時非典型	330	2.0	415	2.3	456	2.2
初職他形態*5から正社員	→ 他形態から正社員	925	5.6	1,001	5.7	1,078	5.3
経歴不明正社員							
非典型のみ	｝非典型中心	2,358	14.3	2,895	16.3	3,078	15.0
初職他形態から非典型							
初職正社員から非典型	→ 正社員から非典型	1,118	6.8	1,399	7.9	1,646	8.0
経歴不明非典型							
自営・手伝いのみ	｝自営・手伝い	455	2.8	460	2.6	646	3.1
初職正社員から自営・手伝い							
初職他形態から自営・手伝い							
経歴不明自営・手伝い							
初職正社員から無業	｝無業	1,610	9.7	2,057	11.6	2,466	12.0
初職他形態から無業							
就業経験なし							
経歴不明無業							
無回答・不詳	→ 無回答・経歴不詳	384	2.3	355	2.0	343	1.7
初職正社員から専業主婦（夫）	｝除外	919					
初職他形態から専業主婦（夫）							

注：*1「専業主婦（夫）」は、無業者のうち求職活動をしていない者で、在学も通学もしておらず、配偶者ありで家事をおこなっている者。
　　*2「正社員」には役員を含む。
　　*3「新卒就職」は初職が正社員であって、学校卒業年の6月までに入職した者。
　　*4「非典型」は勤め先での呼称が「パート」、「アルバイト」、「労働者派遣事業所の派遣社員」、「契約社員」、「嘱託」、「その他」。
　　*5「他形態」は、「非典型」に「自営・手伝い」および「就業形態不明」を加えたもの。

＜キャリア類型２＞

「正社員定着」：初職が正社員で定着し、現在も同じ仕事に就いている。
　（うち、初職入職が学校卒業年の6月までであった場合を「新卒定着」とする。）
「正社員転職」：転職を経験しているが初職も、前職も現職も正社員である。
「正社員一時非典型」：初職と現職は正社員だが、前職は正社員以外である。
「他形態から正社員」：現職は正社員だが、初職は正社員以外である。
「非典型中心」[6]：現在は非典型雇用で、初職も正社員ではない。
「正社員から非典型」：現在は非典型雇用で、初職は正社員である。
「自営・手伝い」：現在は自営または自営の手伝い。
「無業」：現在は無業。
「無回答・経歴不詳型」：現在は正社員や非典型雇用で経歴が不明な者、また、現在の就業形態不明な者。

なお、キャリア類型２では、専業主婦（夫）になった者は除外している。

---

[6] 労働政策研究・研修機構（2014）では「非典型一貫」としていたが、名称を変更した。

図表2－6には、各類型の構成比を、過去の2時点のそれとともに示した。まず「正社員定着」であるが、15～34歳人口（在学中及び専業主婦（夫）を除く 16,533 千人）に対して44.5％と 2012 年の 40.2％から大幅に増えた。実数では 23 万人余りの増加だが、この間 15～34歳人口が減っていることを考えれば、大きな変化である。減少が大きいのは「非典型中心」（53.7 万人減）「正社員から非典型」（28.0 万人減）、「無業」（44.7 万人減）である。2007年から 2012 年にかけて、「正社員定着」が 100 万人近く減少していたことを鑑みれば（より大幅な人口減がある中であったが）、この 5 年はそれまでとは流れが変わったことは明らかである。なお、今回は「正社員定着」のうち、新卒者として就職した先への定着者（＝以下「新卒定着」と呼ぶ）を別掲したが、この「新卒定着」は「正社員定着」の 75％を占める。

次の図表2－7では、このキャリア類型について、50 歳代前半層まで年齢幅を広げたうえで、性別・年齢階層別にみた。まず男性についてみる。「正社員定着」に注目すると、15～34歳層での増加が大きい。「正社員定着」は、2012 年調査でも若い年齢層ほど（入職からの期間の短さもあり）多かったが、今回はさらにその割合を高めている。学校卒業時の就職環境の改善が背景にあると考えられる。35 歳以上について見ると、「正社員定着」の割合は 50 歳代まで 40％台前半で推移しているが、高年齢層のほうがやや割合は大きい。一般的には、入職からの期間が長ければ、定着者は減っていくと考えられるが、ここでは、高い年齢層のほうが定着者が多いという逆の傾向がみられることは注目すべきであろう。

一方、後から正社員になっている「他形態から正社員」は 30～39 歳で比較的多く、また、2012 年より増えている。2012 年には 30 歳代前半層でやや多かったが、その世代が 30 歳代後半になったことに加えて、当時 20 歳代後半であった他の形態の就業者がその後正社員に移行し、30 歳代前半でこの類型が増えたと推測される。40 歳代になった世代ではこうした増加は見られず、正社員になる移動の起こりやすさは、年齢によって異なることがみてとれる。

図表2－7　性・年齢別キャリア類型（在学中、および専業主婦（夫）を除く）

①男性

単位：％、太字は実数（千人）

	15－34歳合計	15－19歳	20－24歳	25－29歳	30－34歳	35－39歳	40－44歳	45－49歳	50－54歳
正社員定着	49.5	45.9	56.8	51.7	44.0	40.1	40.9	41.7	42.6
（うち新卒定着）	(35.7)	(42.1)	(45.7)	(37.4)	(28.4)	(22.5)	(23.9)	－	－
正社員転職	14.9	1.5	6.5	14.4	20.9	24.5	26.7	26.3	22.9
正社員一時非典型	2.0	0.2	0.7	1.7	3.0	3.3	3.5	3.5	4.8
他形態から正社員	6.1	1.8	3.4	5.7	8.3	8.3	5.3	4.0	4.4
非典型中心	9.9	15.7	14.2	10.0	6.9	5.2	3.7	2.8	2.4
正社員から非典型	3.5	1.4	3.5	3.7	3.4	3.1	3.6	3.7	4.1
自営・手伝い	3.2	1.7	1.8	2.6	4.5	6.4	7.4	8.5	9.0
無業	8.7	30.0	10.7	7.8	6.5	6.3	6.0	6.6	6.8
無回答・経歴不詳	2.4	1.9	2.4	2.4	2.4	2.8	3.0	3.0	3.0
合計（N,千人）	8,837.7	321.4	1,858.0	3,096.7	3,561.6	3,964.6	4,758.7	4,757.8	4,077.5

②女性

	15－34歳合計	15-19歳	20-24歳	25-29歳	30-34歳		35-39歳	40-44歳	45-49歳	50-54歳
正社員定着	**<u>38.8</u>**	**<u>40.4</u>**	**<u>53.2</u>**	**<u>40.4</u>**	**<u>27.8</u>**		20.5	16.9	15.3	13.9
（うち新卒定着）	(30.4)	(37.5)	(45.2)	(31.5)	(19.1)		(11.9)	(9.0)	－	－
正社員転職	8.8	0.9	4.3	10.3	11.0		10.0	10.2	10.1	10.1
正社員一時非典型	2.0	0.1	0.5	2.1	3.1		4.3	5.6	6.4	7.3
他形態から正社員	5.0	1.9	3.0	5.4	6.1		6.5	4.3	2.7	3.3
非典型中心	19.3	21.9	19.2	17.7	20.7		**<u>20.9</u>**	**<u>18.7</u>**	15.8	16.1
正社員から非典型	10.6	2.0	5.8	10.1	14.7		19.8	26.8	31.7	31.2
自営・手伝い	2.3	1.6	1.2	1.9	3.4		4.5	4.9	5.0	5.4
無業	10.9	27.9	10.8	9.9	10.8		10.7	9.7	10.1	10.0
無回答・経歴不詳	2.2	3.2	2.2	2.1	2.4		2.6	2.8	3.1	2.7
合計（N,千人）	7,695.4	209.7	1,866.2	2,737.9	2,881.6		3,165.0	3,958.4	4,047.9	3,455.7

注：背景がグレーの数値は、2012 年調査に比べて 3%ポイント以上の減少、太字下線は 3%ポイント以上の増加を示す。45 歳以上は、2012 年調査については集計していないため、比較はできない。

・学校卒業年が 1988 年以前の場合は、まとめた選択肢となっており卒業年が定められない。そのため、45 歳以上の「新卒定着」は判断不能の者が多く含まれるため、除外する。

参考表２－７　2012 年調査における性・年齢別キャリア類型

①男性

単位：%、太字は実数（千人）

	15－34歳合計	15-19歳	20-24歳	25-29歳	30-34歳		35-39歳	40-44歳
正社員定着	45.9	41.7	51.3	48.6	41.3		41.2	43.3
正社員転職	14.2	1.5	4.7	12.6	21.3		25.9	26.0
正社員一時非典型	2.4	0.1	0.8	2.1	3.5		3.5	3.2
他形態から正社員	6.4	1.4	4.0	6.4	7.9		5.7	3.8
非典型一貫	11.5	18.8	17.8	12.2	7.4		4.4	3.0
正社員から非典型	4.2	1.7	4.0	4.3	4.4		4.2	4.0
自営・手伝い	3.1	1.1	1.4	2.3	4.8		6.3	7.8
無業	10.2	32.1	13.9	9.4	7.2		6.4	6.6
無回答・経歴不詳	2.1	1.6	2.1	2.1	2.2		2.4	2.3
合計（N,千人）	9,568.8	331.7	1,880.3	3,441.3	3,915.5		4,746.0	4,760.0

②女性

	15－34歳合計	15-19歳	20-24歳	25-29歳	30-34歳		35-39歳	40-44歳
正社員定着	33.6	31.9	45.1	36.4	23.4		19.7	16.3
正社員転職	7.9	1.1	3.6	8.3	10.9		9.9	10.2
正社員一時非典型	2.3	0.0	0.6	2.1	3.8		4.3	5.1
他形態から正社員	4.8	1.2	3.8	4.9	5.6		4.0	2.4
非典型一貫	22.0	29.2	24.5	21.2	20.6		17.8	15.5
正社員から非典型	12.3	2.7	6.5	11.1	18.0		24.4	29.9
自営・手伝い	2.0	1.1	1.0	1.7	3.0		4.3	4.9
無業	13.3	31.1	13.2	12.6	12.6		13.6	13.5
無回答・経歴不詳	1.8	1.6	1.8	1.6	2.1		2.2	2.1
合計（N,千人）	8,138.4	247.8	1,948.2	2,945.8	2,996.6		3,596.0	3,817.9

資料出所：労働政策研究・研修機構（2014）

また、40歳代後半以降ではこの類型に該当する者は4％程度であり、「非典型中心」は2％台にとどまっている。初職が正社員であった割合が高い40歳代後半以降の世代と、その割合が低かった30歳代の世代とでは、これまでのキャリアに少なからぬ違いがある。

　女性の場合も、15〜34歳層で「正社員定着」が明らかに増えた。また、20歳代後半まででは「非典型中心」が減っている。ここには最近の新卒就職環境の改善が反映されている。ただし、加齢とともに「正社員定着」は低下し、一方で「正社員から非典型」が増えるというパターンは変わらない。結婚や出産に伴う移動だと推測されるが、それでも、30歳以上での「正社員から非典型」や40歳代での「無業」は2012年より減っており、結婚や出産を機に、正社員を辞めて専業主婦になったり働き方をパートなどに変えたりする行動は減っていると思われる。一方、男性と同様に40歳代後半以降の世代では「非典型中心」や「他形態から正社員」が少なく、30歳代にはこの類型が相対的に多い。学卒就職時の環境の違いと景気回復のタイミングによって、キャリア形成のあり方が変化していることは確かであろう。

　図表2−8は、これを学歴別にみたものである。男性の場合、「正社員定着」と「正社員転職」を合わせた正社員の労働市場内で移動する層は、高学歴であるほど多い傾向があり、「非典型中心」や「無業」は低学歴層で多く、また、より若い層で多い。これらは2012年時と変わらない。また、「他形態から正社員」はどの学歴でも30歳代に多いが、特に高卒では2012年調査と比べての増加幅が大きくなっている。この5年の間に20代後半から30代前半の高卒男性の正社員への移行が進んだことを示している。

　また、大卒や高専・短大、専門学校卒では、40歳代後半の「新卒定着」の割合が、30歳代後半や40歳代前半より高い。「就職氷河期」といわれる新卒時の就職環境の悪化の影響を強く受けたのは、現在、30歳代から40歳代前半になっている世代であろう。

　女性についても、男性同様、「正社員定着」は高学歴層ほど多く、また「非典型中心」と「無業」は低学歴層ほど多い。この傾向は2012年から変わらない。「正社員定着」の増加、「非典型中心」の減少は15〜34歳ではすべての学歴でみられるが、特に大卒、大学院卒で顕著である。

　2012年と比較した時の変化に注目すると、「非典型中心」は、高卒及び中卒では30歳代前半から40歳代前半に増加しており、高等教育卒では30代後半から40歳代前半で増加している。すなわち、学校卒業時点で「就職氷河期」といわれる厳しい就職環境だった層が、非典型雇用のまま年を重ねている可能性がある。

　この図表の後半には、男女それぞれ高卒と大卒について、年齢階層別のキャリア類型の分布を図で示した。男性について見ると、高卒では30歳代は「正社員定着」が最も少なく、また30歳代前半は最も正社員以外で職業キャリアを始めた人（＝「非典型中心」及び「他形態から正社員」）が多い。大卒では、30歳代後半から40歳代前半が「正社員定着」が最も少なく30歳代後半が最も正社員以外で職業キャリアを始めた人が多い。40歳代後半以上では「正社員定着」はより多く、正社員以外でキャリアを始めた人は少ない。特に大卒では50歳代の

「正社員定着」が多い。30歳代から40歳代前半あたりの世代のキャリアはそれ以上の年齢層とは異なる面がある。

図表2-8　性・学歴・年齢別キャリア類型（在学中、および専業主婦（夫）を除く）

①男性

単位：％、太字は実数（千人）

		15-34歳合計	15-19歳	20-24歳	25-29歳	30-34歳	35-39歳	40-44歳	45-49歳	50-54歳
中学	正社員定着	17.3	15.1	19.6	16.6	17.4	21.0	20.1	18.2	19.3
	正社員転職	10.3	2.5	6.7	11.4	13.5	15.1	16.2	16.9	14.7
	正社員一時非典型	1.4	0.2	0.6	1.4	2.3	2.7	3.3	4.8	5.0
	他形態から正社員	14.1	4.5	12.6	14.9	16.9	12.5	9.4	9.6	9.0
	非典型中心	17.6	31.5	21.7	17.8	11.2	11.1	7.3	7.9	6.1
	正社員から非典型	2.7	2.1	2.4	3.7	2.4	3.0	4.9	3.5	5.1
	自営・手伝い	9.3	1.4	6.2	8.9	13.6	13.7	15.4	15.9	14.3
	無業	23.2	40.3	25.4	20.3	19.2	17.3	17.9	18.6	21.5
	無回答・経歴不詳	4.1	2.5	4.7	5.1	3.5	3.6	5.5	4.6	4.9
	合計(N,千人)	489.1	54.8	98.7	145.3	190.3	230.2	296.7	320.5	246.4
高校	正社員定着	41.7	52.6	48.6	41.0	34.0	33.9	37.4	36.5	36.3
	正社員転職	13.7	1.3	8.9	14.7	19.7	23.7	25.3	27.5	23.9
	正社員一時非典型	2.6	0.2	1.1	3.1	4.1	4.6	4.4	4.4	6.7
	他形態から正社員	7.0	1.1	3.1	7.2	11.3	9.3	5.6	4.5	5.7
	非典型中心	12.3	12.3	16.4	12.0	9.4	5.7	4.4	3.1	2.8
	正社員から非典型	4.1	1.2	4.4	4.9	4.0	4.4	4.4	4.2	4.6
	自営・手伝い	3.7	1.8	2.6	3.3	5.3	7.5	8.2	8.9	9.3
	無業	12.3	28.0	12.6	11.2	9.2	8.0	7.0	7.4	7.2
	無回答・経歴不詳	2.6	1.5	2.4	2.8	2.9	2.9	3.2	3.5	3.5
	合計(N,千人)	3,073.8	261.1	842.8	916.0	1,053.9	1,315.4	1,734.6	1,886.5	1,716.6
専門学校(1~2年未満)卒	正社員定着	42.5	49.5	51.8	41.7	37.8	34.9	34.5	33.4	28.9
	正社員転職	17.1	0.0	7.8	16.8	22.8	25.4	27.3	28.9	24.6
	正社員一時非典型	3.0	0.0	1.1	2.0	4.8	4.6	4.5	3.7	7.2
	他形態から正社員	6.9	1.1	3.9	6.1	9.3	8.7	4.9	2.9	3.8
	非典型中心	12.0	24.0	18.6	12.4	7.7	6.5	3.3	2.5	2.2
	正社員から非典型	4.9	5.7	4.3	5.9	4.5	3.5	4.6	5.1	4.5
	自営・手伝い	4.2	0.0	0.6	5.1	5.7	8.7	12.7	14.8	18.8
	無業	6.6	19.7	8.9	7.1	4.7	4.9	4.4	5.7	7.1
	無回答・経歴不詳	2.8	0.0	2.9	3.0	2.8	2.8	3.8	2.9	3.0
	合計(N,千人)	414.2	3.5	103.4	124.3	183.1	199.6	298.9	258.7	192.3
専門学校(2~4年未満)卒	正社員定着	45.1		58.5	43.8	39.1	35.7	38.9	37.0	34.9
	正社員転職	18.8		6.9	19.0	24.7	27.5	29.5	29.5	25.0
	正社員一時非典型	2.6		0.9	2.5	3.6	4.2	4.0	3.8	4.3
	他形態から正社員	7.0		3.3	6.7	9.2	8.0	4.2	2.9	3.8
	非典型中心	10.0		16.2	10.4	6.5	5.9	2.9	3.2	4.1
	正社員から非典型	5.1		4.6	5.3	5.1	3.3	5.2	4.8	5.8
	自営・手伝い	3.9		1.5	3.9	5.2	7.6	8.1	10.6	12.7
	無業	5.7		6.1	6.8	4.7	5.2	4.3	5.6	6.4
	無回答・経歴不詳	1.8		1.9	1.6	1.8	2.5	2.9	2.5	3.1
	合計(N,千人)	772.9		176.5	253.6	342.7	392.1	429.6	383.0	221.8
短大・高専	正社員定着	53.2		66.9	54.3	44.0	39.8	44.3	50.0	41.2
	正社員転職	18.3		7.2	19.4	24.3	25.4	26.7	26.3	26.7
	正社員一時非典型	1.5		0.1	1.9	2.2	4.5	3.5	3.2	4.8
	他形態から正社員	5.3		1.1	5.8	7.4	7.9	3.8	2.1	5.1
	非典型中心	6.7		6.9	6.7	6.6	4.9	2.8	2.4	1.9
	正社員から非典型	4.4		4.2	4.9	4.1	3.1	4.8	2.4	2.2
	自営・手伝い	2.5		1.2	2.3	3.4	6.0	6.4	7.4	10.8
	無業	5.9		10.8	3.0	5.1	4.1	4.7	4.5	4.3
	無回答・経歴不詳	2.3		1.7	1.8	3.0	4.1	3.1	1.7	3.0
	合計(N,千人)	248.1		63.6	79.0	105.5	136.6	173.5	169.6	130.8

		15－34歳合計	15-19歳	20-24歳	25-29歳	30-34歳	35-39歳	40-44歳	45-49歳	50-54歳
大学	正社員定着	60.3		75.6	60.9	53.8	47.0	47.6	53.7	56.0
	正社員転職	16.2		2.4	14.9	22.7	27.6	30.5	26.3	23.3
	正社員一時非典型	1.4		0.1	0.9	2.3	2.2	2.6	2.2	2.4
	他形態から正社員	4.3		2.4	4.0	5.3	7.4	4.9	2.8	2.2
	非典型中心	7.0		9.3	8.3	4.8	3.6	2.6	1.3	1.1
	正社員から非典型	2.7		1.7	3.1	2.8	2.3	2.0	3.1	3.3
	自営・手伝い	1.7		0.3	1.2	2.8	4.2	4.3	5.3	6.0
	無業	4.9		7.1	5.0	3.9	3.6	3.6	3.7	4.1
	無回答・経歴不詳	1.6		1.0	1.8	1.6	2.3	1.8	1.6	1.6
	合計(N,千人)	3,241.7		543.0	1,314.6	1,384.1	1,366.9	1,533.2	1,487.5	1,373.6
大学院	正社員定着	74.2		88.2	82.0	66.8	65.1	62.2	58.5	68.3
	正社員転職	10.5		0.0	5.6	15.2	18.6	22.3	23.7	15.3
	正社員一時非典型	0.3		0.0	0.1	0.5	1.1	0.9	1.8	1.2
	他形態から正社員	3.5		1.7	2.1	4.8	5.5	4.7	4.2	2.8
	非典型中心	5.2		6.1	5.0	5.3	3.2	2.4	3.0	1.2
	正社員から非典型	1.0		2.3	0.2	1.6	0.8	2.0	2.0	2.1
	自営・手伝い	1.4		1.7	1.1	1.7	2.5	3.1	4.0	6.1
	無業	3.1		0.0	3.4	2.9	2.7	1.4	1.5	1.8
	無回答・経歴不詳	0.7		0.0	0.3	1.1	0.5	1.0	1.4	1.1
	合計(N,千人)	499.3		11.4	226.5	261.5	273.3	232.7	194.9	147.4

②女性

単位：％、太字は実数(千人)

		15－34歳合計	15-19歳	20-24歳	25-29歳	30-34歳	35-39歳	40-44歳	45-49歳	50-54歳
中学	正社員定着	4.8	3.9	5.9	3.4	5.6	5.9	5.2	5.4	6.0
	正社員転職	1.1	0.3	0.5	1.1	1.5	2.3	2.8	2.7	2.8
	正社員一時非典型	0.4	0.0	0.1	0.4	0.6	1.2	2.6	4.2	5.6
	他形態から正社員	6.8	2.4	6.7	7.7	7.2	6.6	4.9	6.3	4.6
	非典型中心	44.6	40.3	41.5	44.2	47.5	39.1	37.7	30.2	29.9
	正社員から非典型	4.1	0.4	3.8	3.6	5.4	5.9	11.0	12.3	14.0
	自営・手伝い	3.1	1.5	2.3	3.8	3.5	5.1	6.2	5.9	6.5
	無業	31.5	49.3	35.0	32.7	24.3	30.0	25.3	28.4	26.0
	無回答・経歴不詳	3.7	1.8	4.2	3.2	4.3	4.0	4.2	4.5	4.5
	合計(N,千人)	334.3	30.7	69.3	106.6	127.7	119.8	146.0	156.7	112.1
高校	正社員定着	24.0	47.0	33.1	21.9	13.5	12.8	12.4	11.3	9.6
	正社員転職	6.4	1.0	5.7	8.0	7.0	6.5	8.3	9.4	9.4
	正社員一時非典型	2.2	0.1	0.8	2.7	3.4	5.0	6.2	7.2	8.2
	他形態から正社員	5.7	1.7	3.8	6.2	7.6	5.8	2.9	2.1	2.7
	非典型中心	26.9	18.8	26.7	26.6	29.0	25.1	19.7	16.7	16.8
	正社員から非典型	12.9	2.4	8.9	14.0	17.4	24.2	31.1	35.2	35.2
	自営・手伝い	3.1	1.5	2.4	2.6	4.4	4.5	4.2	4.3	4.8
	無業	16.0	24.1	15.9	15.5	14.7	13.1	11.8	10.7	10.3
	無回答・経歴不詳	2.8	3.5	2.7	2.5	2.9	2.9	3.4	3.1	3.0
	合計(N,千人)	2,163.5	173.8	588.0	637.2	764.5	910.5	1,273.9	1,596.5	1,558.5

専門学校(1~2年未満)卒	正社員定着	28.8	62.2	47.6	24.6	18.1	15.3	14.0	14.6	13.4
	正社員転職	8.6	0.0	5.1	11.7	8.9	9.6	8.4	8.2	9.5
	正社員一時非典型	2.5	0.0	0.7	3.4	3.0	3.6	6.0	6.2	7.8
	他形態から正社員	6.0	11.4	4.3	4.7	8.1	5.7	3.1	3.3	4.1
	非典型中心	23.1	6.2	21.5	24.0	23.8	24.9	21.0	18.3	15.8
	正社員から非典型	12.9	0.0	6.3	14.1	16.9	21.8	29.5	28.7	27.5
	自営・手伝い	3.7	0.0	0.9	3.1	6.2	7.3	6.9	7.5	8.3
	無業	11.5	20.1	10.3	12.1	11.6	9.3	8.5	8.8	10.6
	無回答・経歴不詳	3.0	0	3.3	2.2	3.4	2.5	2.6	4.4	3.1
	合計(N,千人)	442.2	3.1	124.4	140.9	173.8	201.1	284.4	264.7	219.8
専門学校(2~4年未満)卒	正社員定着	41.4		58.0	40.4	31.4	26.2	23.7	21.4	20.4
	正社員転職	10.4		6.5	11.6	12.1	9.7	13.7	12.2	13.2
	正社員一時非典型	2.1		0.6	2.3	2.9	3.6	5.2	6.9	7.6
	他形態から正社員	4.5		2.1	5.8	5.1	5.8	3.4	2.4	4.1
	非典型中心	17.6		16.2	17.2	18.9	19.8	16.9	14.6	15.0
	正社員から非典型	11.9		6.3	10.7	16.4	19.3	22.8	28.9	25.5
	自営・手伝い	2.4		0.7	2.6	3.3	5.4	5.2	4.9	4.5
	無業	8.0		7.4	7.7	8.5	8.2	6.5	6.4	7.9
	無回答・経歴不詳	1.7		2.2	1.7	1.5	1.9	2.7	2.3	1.8
	合計(N,千人)	987.4		260.8	320.0	406.6	430.6	487.8	436.8	329.8
短大・高専	正社員定着	39.6		63.2	39.7	25.0	18.5	16.7	15.2	13.8
	正社員転職	10.1		4.4	14.1	10.5	10.9	9.9	10.9	10.9
	正社員一時非典型	2.4		0.2	2.7	3.5	5.0	5.6	5.9	6.8
	他形態から正社員	5.2		2.5	5.2	6.8	5.8	4.5	2.1	3.5
	非典型中心	18.1		15.2	15.8	21.7	19.8	17.8	13.5	15.7
	正社員から非典型	12.5		6.2	11.6	17.1	24.2	30.4	36.3	34.8
	自営・手伝い	1.4		0.4	1.6	1.9	3.1	4.2	4.5	4.7
	無業	8.7		6.6	7.4	11.0	10.0	8.5	9.2	8.0
	無回答・経歴不詳	2.0		1.2	1.9	2.5	2.6	2.4	2.3	1.8
	合計(N,千人)	890.0		227.3	293.9	368.8	566.3	888.9	895.5	716.7
大学	正社員定着	55.0		74.8	55.1	42.5	29.2	22.8	24.3	25.7
	正社員転職	10.7		2.4	11.2	15.4	14.4	13.6	12.0	11.1
	正社員一時非典型	1.9		0.1	1.7	3.5	4.4	5.8	5.3	5.4
	他形態から正社員	4.1		2.1	4.9	4.4	8.2	6.3	3.6	3.6
	非典型中心	10.5		10.9	10.2	10.5	14.6	14.3	12.3	11.7
	正社員から非典型	8.7		2.4	8.3	13.0	15.8	22.3	27.2	24.9
	自営・手伝い	1.4		0.3	1.2	2.5	4.4	5.7	6.1	7.4
	無業	6.1		5.6	6.0	6.5	7.5	7.7	7.3	8.9
	無回答・経歴不詳	1.5		1.4	1.6	1.6	1.7	1.5	1.9	1.3
	合計(N,千人)	2,633.5		574.9	1,132.6	926.0	812.7	758.6	600.6	441.3
大学院	正社員定着	58.3		93.4	66.9	49.0	40.5	32.0	25.4	30.4
	正社員転職	11.5		0.0	8.0	15.3	18.8	16.2	14.7	17.5
	正社員一時非典型	1.4		0.0	0.6	2.2	2.8	2.4	8.0	12.7
	他形態から正社員	6.1		0.0	5.5	6.9	9.1	13.8	9.7	4.1
	非典型中心	12.3		6.6	13.7	11.3	10.4	13.0	16.8	10.8
	正社員から非典型	2.4		0.0	0.9	3.8	6.0	12.4	10.6	11.3
	自営・手伝い	3.2		0.0	0.8	5.5	3.3	4.6	6.9	5.9
	無業	4.0		0.0	2.7	5.4	7.0	5.2	6.5	5.5
	無回答・経歴不詳	0.7		0.0	0.9	0.6	2.2	0.4	1.3	1.8
	合計(N,千人)	170.7		4.4	78.4	88.0	85.7	74.2	42.6	31.6

③男性・高卒（図）

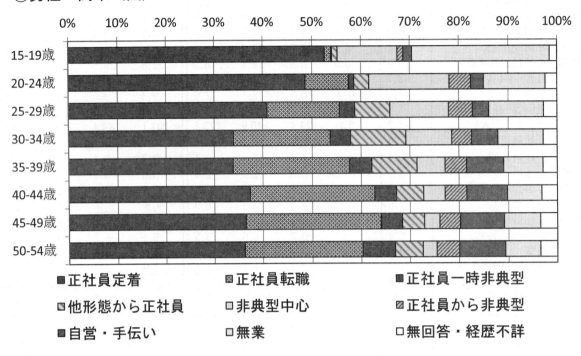

凡例：
- ■ 正社員定着
- ▨ 正社員転職
- ■ 正社員一時非典型
- ▫ 他形態から正社員
- □ 非典型中心
- ▨ 正社員から非典型
- ■ 自営・手伝い
- □ 無業
- □ 無回答・経歴不詳

④男性・大卒（図）

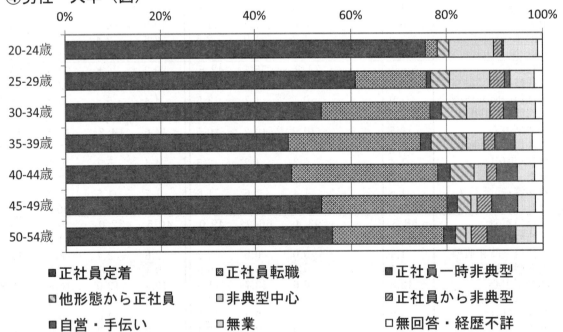

凡例：
- ■ 正社員定着
- ▨ 正社員転職
- ■ 正社員一時非典型
- ▫ 他形態から正社員
- □ 非典型中心
- ▨ 正社員から非典型
- ■ 自営・手伝い
- □ 無業
- □ 無回答・経歴不詳

⑤女性・高卒（図）

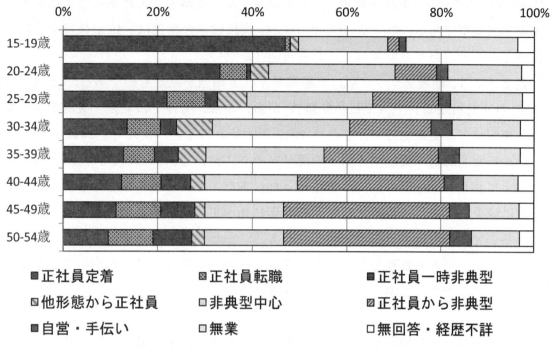

- ■正社員定着
- ☒正社員転職
- ■正社員一時非典型
- ▨他形態から正社員
- □非典型中心
- ▨正社員から非典型
- ■自営・手伝い
- □無業
- □無回答・経歴不詳

⑥女性・大卒（図）

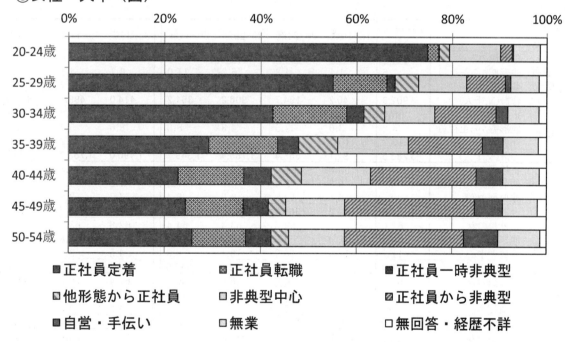

- ■正社員定着
- ☒正社員転職
- ■正社員一時非典型
- ▨他形態から正社員
- □非典型中心
- ▨正社員から非典型
- ■自営・手伝い
- □無業
- □無回答・経歴不詳

注：2012年調査から専門学校については、修業年限「1年以上2年未満」「2年以上4年未満」「4年以上」の3つに
　　カテゴリーに分けて調査されたが、集計に当たっては、「4年以上」は大卒のカテゴリーに統合して集計した。
　・背景がグレーの数値は、2012年調査に比べて3％ポイント以上の減少、太字下線は3％ポイント以上の増加を
　　示す。参考として示した45〜49歳は、2012年調査については集計していないため、比較はできない。

　女性の場合は、「正社員から非典型」が年齢とともに大幅に増加しており、男性とは大きく
異なるが、正社員以外から始まるキャリアに注目すると、高卒では30歳代前半が最も多く、

大卒では、30歳代後半が最も多い。また、大卒では40歳代前半より高齢の世代で「正社員定着」が多くなっている。「正社員定着」は年齢が高くなって減ることはあっても増えることはないキャリア類型である。やはり30歳代から40歳代前半の世代は、40歳代後半以降の世代とは職業キャリアのあり方が変わっている可能性が高い。

次の図表2－9は、地域ブロック別に年齢別キャリア類型を見たものである。「正社員のみ」のキャリア（「正社員定着」＋「正社員転職」）が多いのは、男性では北陸・東海地方、女性では北陸・東海地方と関東地方で、これは2012年と変わらない。ただし、2012年にはこの類型が少なかった北海道・東北や九州・沖縄ブロックにおいて、20歳代での「正社員のみ」が大幅に増えており、地域間の差は小さくなった。また、これらの地域を中心に「非典型中心」も顕著に減少している。全体として、2012年に比べて、地域間でのキャリアの差は小さくなっているのであろう。

なお、巻末には、現在の勤務先企業規模、産業、職業ごとにキャリア類型の分布を検討した結果を示しているので、ご関心があれば参照されたい。

図表2－9　地域ブロック別キャリア類型（在学中、および専業主婦（夫）を除く）
①男性　　　　　　　　　　　　　　　　　　　　　　　　　　単位：％、太字は実数（千人）

性別	地域ブロック		15-34歳合計	15-19歳	20-24歳	25-29歳	30-34歳	35-39歳	40-44歳	45-49歳
男性	北海道・東北	正社員のみ	61.7	56.2	63.6	63.3	60.0	62.1	67.4	68.0
		他形態から正社員	7.6	1.1	4.8	6.2	11.0	8.1	4.5	4.6
		非典型中心	9.0	10.1	11.9	9.7	6.7	6.1	3.7	2.5
		合計(N,千人)	902.3	40.2	194.7	306.2	361.2	414.0	488.4	473.0
	関東	正社員のみ	65.0	39.7	61.9	67.4	66.3	64.6	67.8	68.1
		他形態から正社員	5.8	3.0	3.5	4.8	8.0	8.6	5.4	4.2
		非典型中心	10.2	15.7	15.3	10.6	7.1	6.2	4.2	3.2
		合計(N,千人)	3,283.5	92.1	656.4	1,185.4	1,349.7	1,490.0	1,763.7	1,800.9
	北陸・東海	正社員のみ	68.6	53.8	67.9	70.0	69.3	68.7	72.3	71.2
		他形態から正社員	5.1	0.8	2.4	4.9	7.4	7.2	4.5	3.5
		非典型中心	8.8	18.5	12.8	9.0	5.4	3.7	2.8	2.2
		合計(N,千人)	1,656.0	71.2	366.6	570.6	647.6	718.1	875.7	874.8
	近畿	正社員のみ	62.0	35.0	59.5	63.4	64.4	62.8	63.6	65.7
		他形態から正社員	6.1	2.4	3.3	6.7	7.4	9.2	5.8	3.9
		非典型中心	11.1	17.6	16.9	10.1	8.3	4.5	3.6	2.9
		合計(N,千人)	1,358.4	48.4	283.1	483.9	543.0	604.1	756.8	782.5
	中国・四国	正社員のみ	66.5	54.0	69.7	66.6	66.1	67.4	69.3	69.5
		他形態から正社員	5.7	0.9	3.2	5.2	7.9	7.2	4.6	3.3
		非典型中心	7.8	15.9	9.1	8.8	5.4	4.2	2.8	2.5
		合計(N,千人)	711.9	29.7	156.2	242.3	283.7	317.9	392.4	374.4
	九州・沖縄	正社員のみ	58.7	54.1	59.4	60.7	57.3	60.5	63.0	64.5
		他形態から正社員	8.0	1.1	3.8	8.7	10.4	9.0	7.1	4.5
		非典型中心	11.2	14.3	15.9	11.0	8.5	4.9	4.2	2.8
		合計(N,千人)	925.5	39.8	201.1	308.3	376.4	420.6	481.7	452.2

②女性　　　　　　　　　　　　　　　　　　　　　　　　　　　　　　　　単位：％、太字は実数（千人）

性別	地域ブロック		15-34歳合計	15-19歳	20-24歳	25-29歳	30-34歳	35-39歳	40-44歳	45-49歳
女性	北海道・東北	正社員のみ	44.5	52.5	57.2	46.2	34.2	31.9	28.1	27.1
		他形態から正社員	5.3	1.3	2.2	6.4	6.8	6.0	4.2	2.9
		非典型中心	20.7	20.3	20.0	20.0	21.8	19.4	17.8	16.1
		合計(N,千人)	798.5	27.8	193.9	271.9	305.0	348.7	419.5	419.4
	関東	正社員のみ	49.5	35.2	56.8	53.0	42.1	31.2	26.3	23.9
		他形態から正社員	5.3	2.9	3.7	6.0	5.9	7.5	5.0	2.6
		非典型中心	18.7	20.1	20.2	16.5	19.8	20.5	18.6	16.1
		合計(N,千人)	2,825.5	60.9	675.0	1,038.3	1,051.4	1,113.6	1,374.5	1,435.7
	北陸・東海	正社員のみ	49.3	47.8	60.2	52.3	39.3	29.4	28.4	26.9
		他形態から正社員	4.1	1.3	2.5	4.6	5.0	4.5	3.0	2.3
		非典型中心	18.6	24.8	18.4	17.5	19.3	20.7	17.0	14.5
		合計(N,千人)	1,345.4	41.0	336.3	471.5	496.6	560.5	731.2	742.7
	近畿	正社員のみ	46.8	32.6	56.4	50.2	38.0	30.3	23.9	22.0
		他形態から正社員	4.3	0.5	2.6	4.6	5.5	6.9	3.4	2.4
		非典型中心	19.7	23.2	18.7	18.5	21.3	22.2	20.7	16.8
		合計(N,千人)	1,245.5	29.7	308.9	446.9	460.0	501.1	649.9	687.9
	中国・四国	正社員のみ	46.3	41.0	59.2	49.2	36.0	32.2	30.4	30.3
		他形態から正社員	5.4	4.5	3.2	5.0	7.1	6.9	4.8	3.2
		非典型中心	19.8	21.9	16.6	18.9	22.5	20.1	18.4	14.0
		合計(N,千人)	611.0	20.2	146.7	211.3	232.9	268.9	343.4	338.3
	九州・沖縄	正社員のみ	44.0	43.1	55.7	46.1	35.0	28.3	29.4	27.4
		他形態から正社員	5.4	1.1	3.0	5.4	7.4	6.2	4.9	3.3
		非典型中心	20.2	22.1	19.2	18.4	22.2	22.9	19.8	16.4
		合計(N,千人)	869.3	30.2	205.5	298.0	335.6	372.3	439.9	423.9

注：背景がグレーの数値は、2012年調査に比べて構成比5％ポイント以上の減少、太字下線は5％ポイント以上の増加を示す。45〜49歳は、2012年調査については集計していないため、比較はできない。
・「正社員のみ」は「正社員定着」と「正社員転職」の合計。

2.4　現職の就業形態と職業キャリア

　ここでは現職の就業形態ごとにキャリア類型の構成をみる。例えば、現在、アルバイトで働いている人のうち、初職や前職が正社員であった人はどの程度いるのかなどを明らかにする。非正社員のキャリア形成支援施策を考えるためには、正社員経験があるか否かなど、これまでの経歴情報は重要だろう[7]。

　次の図表2−10に現在の就業形態別のキャリア構成[8]を整理した。現在正社員の人に注目すると、15〜34歳層では男女とも、「他形態から正社員」は1割以下であった。「正社員一時非典型」（初職は正社員で前職が非典型雇用）を含めてもほぼ1割で、正社員以外の働き方を経験した正社員は5年前（2012年調査時）よりも少なくなっている。「他形態から正社員」が多いのは、男性では30歳代前半(10.7％)と30歳代後半（10.5％）、女性では30歳代後半(15.2％)、次いで30歳代前半(12.4％)、40歳代前半(11.0％)である。この年齢層では、5年前より増えており、とりわけ30歳代後半の女性では増えている。

　一方、「非典型雇用計」の欄に注目すると、「非典型のみ」は男女とも若い年齢層ほど多い。

---

[7] この調査で分かるのは初職、前職、現職のみなので、職業キャリアの全体が把握されているわけではない。それでも、とくにキャリアの短い若い世代については、この3時点でもおむねのところは把握できていると考え、ここでは、この3時点を基にしたキャリア類型によって、正社員経験、正社員以外の就業経験を検討する。

[8] 現職に至る経験をみるため、ここではより詳細な「キャリア類型1」を用いている。

年齢が高くなると「初職正社員から非典型」が占める割合が増える。「初職正社員から非典型」の割合はどの年齢層も男性より女性の方が大きい。これらは5年前と変わらない。2012年と比べた増減では、男女とも、30歳代と40歳代前半の「非典型のみ」の割合が増加し、「初職正社員から非典型」の割合が減少した。この年齢層は、この5年の間に正社員に変わった人が多い年齢層でもあった。正社員に移行できる人は移行した結果、現在、非典型雇用にとどまっている30〜44歳層の半数近く（男性の49.6%、女性の42.7%）は、初職も、前職も、現職も非典型雇用であるキャリアの人となった。正社員への移行者も増えたが、非典型雇用に固定化されていると思われる状態の人も増えた。

　表には非典型雇用の内訳（アルバイト、パート、派遣社員、契約社員、嘱託、その他）ごとにもキャリア構成を示した。30歳代から40歳代前半では、ほとんどの雇用形態において2012年調査に比べて「非典型のみ」が増加し「初職正社員から非典型」が減少した。

　2012年調査の分析においては、40歳代前半の男性のアルバイトでは「初職正社員から非典型」が多く、20歳代前半までのアルバイト就業者とは経験が異なること、また、その中で「非典型のみ」の40歳代は少数派で、景気が良い時期にも正社員としての職についていなかった人であり、若者の「正社員経験なし」とは異なる重さを持つので、キャリア支援施策にもきめ細かな配慮が必要だと指摘した。今回調査でその割合の拡大が見られた30歳代から40歳代前半の「非典型のみ」についても、これまでのキャリアに配慮した就業支援が必要なことは同様だろう。こうした非典型雇用者が少数派ではなくなってきており、腰を据えた支援策が必要になっている。

図表2−10　現職就業形態別キャリアの構成（性・年齢階層別、在学中・専業主婦（夫）を除く）

①男性

単位：%、太字は実数・千人

現職就業形態		15-34歳合計	15-19歳	20-24歳	25-29歳	30-34歳	35-39歳	40-44歳	45-49歳
正規の職員・従業員	正社員定着	67.2	91.1	82.9	69.1	56.8	51.3	52.4	54.8
	正社員転職	19.9	2.9	9.4	19.1	26.5	31.2	33.5	32.9
	正社員一時非典型	2.6	0.4	1.0	2.3	3.8	4.4	4.5	4.4
	初職他形態から正社員	8.2	3.5	4.9	7.5	10.7	10.5	6.7	5.0
	経歴不明正社員	2.0	2.2	1.8	2.0	2.2	2.6	2.9	2.8
	合計(N,千人)	6,442.7	161.9	1,270.2	2,296.7	2,714.0	2,971.7	3,506.6	3,404.4
非典型雇用計	非典型のみ	67.0	88.9	74.2	65.9	58.5	50.0	40.2	33.0
	初職他形態から非典型	4.0	0.3	2.4	4.2	5.9	9.0	6.7	6.9
	初職正社員から非典型	24.9	7.9	18.6	26.0	31.7	35.1	46.2	53.2
	経歴不明非典型	4.1	2.9	4.9	3.9	3.9	5.9	6.9	7.0
	合計(N,千人)	1,228.7	56.8	345.8	443.1	383.0	347.6	371.6	332.9
パート	非典型のみ	69.9	91.9	78.5	66.8	63.7	49.2	39.1	30.6
	初職他形態から非典型	3.7	0.0	1.5	3.0	6.8	9.6	7.1	5.7
	初職正社員から非典型	21.9	8.1	13.7	24.5	27.2	36.4	45.3	56.3
	経歴不明非典型	4.5	0.0	6.3	5.7	2.2	4.8	8.4	7.4
	合計(N,千人)	159.7	6.0	43.0	57.9	52.9	53.5	53.1	52.9
アルバイト	非典型のみ	70.0	88.9	74.6	67.1	61.0	53.0	41.7	35.2
	初職他形態から非典型	3.0	0.1	2.5	3.7	3.8	9.1	5.7	9.9
	初職正社員から非典型	21.8	8.0	16.5	24.6	30.4	29.9	43.1	47.1
	経歴不明非典型	5.1	2.9	6.4	4.6	4.8	8.0	9.5	7.8
	計	458.6	37.2	158.9	152.6	109.9	85.7	81.0	62.1
労働者派遣事業所の派遣社員	非典型のみ	59.1	85.9	67.0	55.2	56.0	47.1	41.6	29.4
	初職他形態から非典型	5.8	1.2	4.7	5.8	6.9	9.7	5.5	6.7
	初職正社員から非典型	31.6	12.9	25.5	36.2	32.3	36.4	46.8	56.7
	経歴不明非典型	3.5	0.0	2.9	2.8	4.8	6.8	6.1	7.2
	合計(N,千人)	160.8	4.2	37.4	59.5	59.6	57.1	66.9	59.3
契約社員	非典型のみ	65.1	90.5	71.9	68.0	56.2	45.3	35.0	31.0
	初職他形態から非典型	4.3	1.1	1.4	4.2	6.3	8.9	7.1	6.2
	初職正社員から非典型	28.1	8.4	23.6	25.5	34.7	41.7	53.3	56.6
	経歴不明非典型	2.6	0.0	3.1	2.2	2.7	4.2	4.6	6.2
	合計(N,千人)	345.6	5.7	81.4	134.6	124.0	111.9	126.2	115.2
嘱託	非典型のみ	63.7		71.9	60.7	60.1	55.8	39.3	26.6
	初職他形態から非典型	3.8		10.1	1.1	3.7	9.1	13.7	4.9
	初職正社員から非典型	29.1		18.0	33.3	32.3	23.3	37.0	65.6
	経歴不明非典型	3.4		0.0	4.9	3.8	11.8	9.9	2.9
	合計(N,千人)	23.5	0.6	4.7	9.3	8.9	11.6	12.9	13.2
その他	非典型のみ	69.2	81.9	84.7	71.8	53.6	64.7	55.9	50.2
	初職他形態から非典型	5.8	0.0	0.6	6.7	9.4	6.0	6.8	6.4
	初職正社員から非典型	19.3	0.0	12.7	15.6	30.2	25.0	30.1	34.9
	経歴不明非典型	5.7	18.1	2.0	5.9	6.8	4.3	7.2	8.4
	合計(N,千人)	80.4	3.1	20.5	29.2	27.6	27.8	31.4	30.1
会社などの役員	正社員定着	45.0		70.9	49.6	41.7	48.3	45.0	40.7
	正社員転職	37.5		21.9	35.1	39.4	32.9	39.5	44.2
	正社員一時非典型	3.1		0.0	1.4	4.0	2.1	4.2	4.5
	初職他形態から正社員	11.6		7.1	11.2	12.1	12.1	7.9	6.8
	経歴不明正社員	2.7		0.0	2.7	2.9	4.5	3.5	3.9
	合計(N,千人)	94.0	0.0	3.7	25.8	64.5	134.3	237.1	295.7
自営業・手伝い	自営家業のみ	57.0	97.1	76.6	60.2	49.9	43.5	46.5	42.4
	初職正社員から自営・手伝い	25.2	2.9	9.9	23.0	30.4	34.6	38.4	45.3
	初職他形態から自営・手伝い	14.5	0.0	10.9	14.9	15.6	17.6	10.9	7.6
	経歴不明自営・手伝い	3.2	0.0	2.6	2.0	4.1	4.3	4.2	4.6
	無回答・不詳	0.0	0.0	0.0	0.0	0.0	0.0	0.0	0.1
	合計(N,千人)	278.0	5.5	33.9	79.3	159.4	252.5	349.3	401.5

②女性

単位：％、太字は実数（千人）

現職就業形態		15-34歳合計	15-19歳	20-24歳	25-29歳	30-34歳	35-39歳	40-44歳	45-49歳
正規の職員・従業員	正社員定着	70.1	91.6	85.9	68.6	57.2	49.1	45.2	44.3
	正社員転職	15.8	2.0	7.0	17.4	22.3	23.3	26.6	27.5
	正社員一時非典型	3.6	0.1	0.7	3.5	6.3	10.0	14.6	18.1
	初職他形態から正社員	8.9	4.4	4.8	9.1	12.4	15.2	11.0	7.5
	経歴不明正社員	1.6	1.9	1.5	1.4	1.9	2.5	2.6	2.6
	合計(N,千人)	4,240.5	92.6	1,150.7	1,609.0	1,388.2	1,303.5	1,441.8	1,348.3
非典型雇用計	非典型のみ	58.6	82.8	72.2	57.7	51.7	44.9	36.1	29.4
	初職他形態から非典型	3.5	1.3	1.4	3.4	4.7	4.6	3.5	2.5
	初職正社員から非典型	34.0	7.8	22.1	34.9	40.1	47.0	56.9	64.0
	経歴不明非典型	3.9	8.1	4.4	4.0	3.5	3.5	3.6	4.1
	合計(N,千人)	2,392.7	54.7	486.8	794.8	1,056.4	1,336.6	1,867.7	2,003.3
パート	非典型のみ	54.9	85.9	65.4	56.9	50.8	44.6	35.9	30.1
	初職他形態から非典型	3.5	1.6	2.4	3.5	3.8	4.0	3.0	2.3
	初職正社員から非典型	37.8	10.3	27.4	36.1	41.5	48.1	57.6	63.7
	経歴不明非典型	3.8	2.2	4.7	3.4	3.9	3.3	3.4	3.9
	合計(N,千人)	1,060.6	12.4	132.8	312.5	602.9	869.2	1,297.3	1,412.8
アルバイト	非典型のみ	68.8	83.0	77.3	63.4	61.7	51.3	38.7	33.3
	初職他形態から非典型	2.8	0.7	1.6	2.6	4.9	5.0	4.0	3.2
	初職正社員から非典型	23.2	5.2	15.7	27.5	31.2	41.0	52.6	58.6
	経歴不明非典型	5.2	11.0	5.3	6.6	2.7	2.7	4.7	5.0
	合計(N,千人)	522.8	32.1	175.8	174.2	140.7	130.9	149.8	142.1
労働者派遣事業所の派遣社員	非典型のみ	48.6	60.5	57.4	43.7	48.7	39.3	33.8	26.2
	初職他形態から非典型	4.2	12.6	0.6	4.0	5.8	5.9	3.5	3.0
	初職正社員から非典型	43.3	18.0	36.3	47.5	43.2	50.1	59.1	64.7
	経歴不明非典型	3.9	8.9	5.7	4.8	2.2	4.7	3.6	6.1
	合計(N,千人)	261.0	2.4	49.5	96.4	112.7	117.0	145.6	151.5
契約社員	非典型のみ	59.1	85.4	75.4	58.1	49.0	44.4	35.6	24.2
	初職他形態から非典型	4.1	0.0	0.7	4.1	6.4	6.4	4.6	3.0
	初職正社員から非典型	34.0	14.6	21.5	36.0	40.5	45.2	55.4	69.4
	経歴不明非典型	2.8	0.0	2.5	1.8	4.1	4.0	4.3	3.4
	合計(N,千人)	411.1	4.6	96.2	159.6	150.7	149.0	176.7	180.5
嘱託	非典型のみ	57.9		80.8	62.2	41.6	44.4	35.1	22.9
	初職他形態から非典型	3.1		0.0	1.9	5.7	4.8	6.9	4.5
	初職正社員から非典型	37.5		17.8	35.3	50.3	47.1	56.6	70.8
	経歴不明非典型	1.5		1.4	0.5	2.4	3.7	1.4	1.8
	合計(N,千人)	58.8	0.2	12.9	21.5	24.2	35.8	49.4	59.8
その他	非典型のみ	71.2	80.8	87.0	72.7	55.8	51.7	43.6	33.7
	初職他形態から非典型	3.3	0.0	0.5	2.8	6.4	6.0	4.7	1.5
	初職正社員から非典型	21.1	5.6	11.9	18.9	32.8	38.5	48.6	60.3
	経歴不明非典型	4.4	13.6	0.5	5.6	4.9	3.8	3.1	4.5
	合計(N,千人)	78.4	2.9	19.7	30.6	25.2	34.7	48.9	56.6
会社などの役員	正社員定着	41.4		77.4	34.1	36.9	23.1	29.7	27.5
	正社員転職	27.4		3.0	21.1	34.4	36.9	34.7	44.9
	正社員一時非典型	14.1		0.0	20.1	14.8	16.0	17.3	16.5
	初職他形態から正社員	16.4		19.6	24.7	12.9	20.6	16.0	8.4
	経歴不明正社員	0.7		0.0	0.0	1.0	3.3	2.3	2.8
	合計(N,千人)	33.9	0.0	4.3	7.6	21.9	38.8	62.5	81.8
自営業・手伝い	自営家業のみ	41.2	91.9	70.4	43.7	31.3	27.7	32.2	28.9
	初職正社員から自営・手伝い	32.9	0.0	12.5	28.1	41.3	45.9	47.6	56.2
	初職他形態から自営・手伝い	22.8	1.2	14.1	23.1	25.5	23.2	15.8	12.3
	経歴不明自営・手伝い	3.1	7.0	2.9	5.1	1.9	3.1	4.4	2.2
	合計(N,千人)	163.7	3.4	21.1	47.7	91.5	133.4	179.8	190.8

注：背景がグレーの数値は、2012年調査に比べて5％ポイント以上の減少、太字下線は5％ポイント以上の増加を示す。45〜49歳は、2012年調査については集計していないため、比較はできない。

・ここでは、現職への経路に注目しているため、詳細な「キャリア類型1」の分類を用いた。

2.5 就業形態・職業キャリアと労働時間・収入

　この節では、現職の就業形態およびキャリア類型によって、労働時間や収入がどのように異なるのかをみる。

　図表２－１１は就業形態を正社員とパート・アルバイト、「その他の非典型雇用」、および「その他の就業形態」の４つに分けて、それぞれについて週労働時間と現職から得られる年間収入、さらにこの２つから計算した「時間当たり収入」（＝年収／（週労働時間×50 週））を提示したものである。年収、および週労働時間はカテゴリー変数であるが、カテゴリーの中央値をそれぞれその変数の値として、平均値を算出した。また、週労働時間は「だいたい規則的に」または「年間 200 日以上」働いている場合のみ問うかたちであるため、この分析での対象者もこれに該当する者のみである。

図表２－１１　現職就業形態別と労働時間、収入（15～34 歳、在学中を除く、実測値）

就業形態		男女計			男性			女性		
		週労働時間（時間）	年収（万円）	時間当たり収入（円）	週労働時間（時間）	年収（万円）	時間当たり収入（円）	週労働時間（時間）	年収（万円）	時間当たり収入（円）
正社員	平均値	45.3	319.6	1,635	47.0	348.5	1,726	42.8	276.1	1,498
	N(人)	67,380	68,683	67,024	40,520	41,265	40,308	26,860	27,418	26,716
パート・アルバイト	平均値	30.9	121.2	916	34.9	137.1	916	29.5	115.7	916
	N(人)	12,901	14,899	12,810	3,204	3,815	3,177	9,697	11,084	9,633
その他非典型	平均値	40.5	204.8	1,152	42.8	225.4	1,206	38.8	189.7	1,114
	N(人)	8,725	9,203	8,681	3,665	3,882	3,645	5,060	5,321	5,036
その他就業	平均値	41.2	145.3	859	44.9	182.7	975.9	34.4	84.8	645
	N(人)	2,849	3,346	2,825	1,851	2,069	1,832	998	1,277	993
合計	平均値	42.7	271.8	1,464	45.8	316.6	1,607	39.1	221.1	1,300
	N(人)	91,855	96,131	91,340	49,240	51,031	48,962	42,615	45,100	42,378

注：ウエイトバック前の実測値による。
・年収、労働時間共にカテゴリー変数であるが、各カテゴリーの中央値をそれぞれその値として平均値を求めた。
・週労働時間は、「だいたい規則的に」または「年間 200 日以上」働いている場合のみ。
・時間当たり収入は年収／（週労働時間×50 週）で、年収、週労働時間のいずれにも有効な回答があったケースのみを対象にしている。
・背景がグレーの数値は、2012 年調査に比べて 5%以上の減少、太字下線は 5%以上の増加を示す。

　結果を見ると、年収も「時間当たり収入」も正社員が最も高く、パート・アルバイトが最も低い。その他の非典型雇用の場合はこの間の値になっている。この傾向は５年前と変わらない。2012 年調査と比較すると、男女とも、就業形態を問わず「時間当たり収入」が増加している。2017 年調査では、2012 年調査より全般に収入の増加が見られており、これを反映した結果である。

　次の図表２－１２は、正社員とパート・アルバイトについて、大卒と高卒に限って、性別・年齢階層別の収入を見たものである。

図表2−12　性、学歴、雇用形態別にみた年齢と年収・時間当たり収入の関係（在学中を除く、実測値）

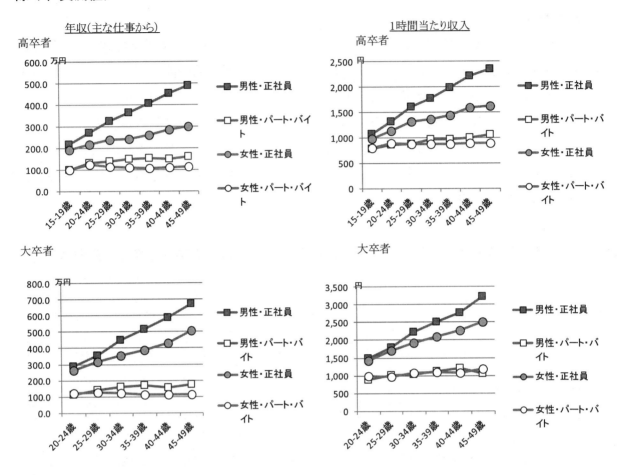

注：ウエイトバック前の実測値による。
　・年収、労働時間共にカテゴリー変数であるが、各カテゴリーの中央値をそれぞれその値として平均値を求めた。
　・週労働時間は、「だいたい規則的に」または「年間200日以上」働いている場合のみ。
　・時間当たり収入は年収／（週労働時間×50週）で求めた。

　パート・アルバイトにおいては、大卒であっても高卒であっても、あるいは男性でも女性でも、年収および「時間当たりの収入」のいずれについても、10歳代から40歳代までほとんど変わらない。一方、正社員の場合は年齢階層が高ければ年収も「時間当たり収入」も高いという関係が明らかにある。2012年調査時に比べて、全体としての収入水準は上がっているものの、雇用形態によって差があり、年齢が高くなるほど開きが大きくなる点は変わっていない。

　さらに、これを2012年調査結果と比較したものが次の図表2−13である。「年収」については、全体に高まる中で、大卒40〜44歳層の男性の正社員並びにパート・アルバイト、同女性の正社員では2012年の同年齢層より低い水準であった。高卒では、35〜39歳層の男性パート・アルバイト、女性正社員で差は小さいがやはり2012年より低い。また、「時間当たり収入」についても、男女とも全体としては上昇していたが、大卒40〜44歳層の女性におい

ては、正社員では横ばい、パート・アルバイトでは低下している。高卒35〜39歳の男性のパート・アルバイトも同様に低下している。いずれもこの5年の間に雇用形態の移動が少なからずあった年齢層であり、その影響があることが考えられる。なお、これらの図表のバックデータ、および他の就業形態、学歴についての同様の試算の結果は巻末の付表2−5に示している。

図表2−13　性、学歴、雇用形態別にみた年齢と年収・時間当たり収入の関係（在学中を除く、実測値）

①年収:高卒

	男性・正社員		男性・パート・バイト		女性・正社員		女性・パート・バイト	
	2012年	2017年	2012年	2017年	2012年	2017年	2012年	2017年
15-19歳	207.5 <	217.6	95.9 <	100.4	177.4 <	191.5	101.9 >	97.8
20-24歳	263.3 <	272.1	125.6 <	131.0	208.6 <	218.9	115.2 <	123.6
25-29歳	304.4 <	324.6	145.3 >	140.3	221.9 <	239.1	110.1 <	113.3
30-34歳	351.0 <	362.7	147.1 <	150.5	234.1 <	241.4	105.3 <	110.2
35-39歳	402.4 <	406.5	157.6 >	154.5	264.7 >	260.4	101.9 <	107.4
40-44歳	453.2 ≒	454.6	149.8 ≒	150.5	276.9 <	285.9	103.1 <	109.2

②年収:大卒

	男性・正社員		男性・パート・バイト		女性・正社員		女性・パート・バイト	
	2012年	2017年	2012年	2017年	2012年	2017年	2012年	2017年
20-24歳	277.4 <	288.0	111.4 <	114.1	254.1 <	265.1	113.3 <	123.9
25-29歳	351.6 <	355.7	138.8 ≒	139.9	310.4 <	316.9	118.9 <	128.6
30-34歳	429.7 <	447.8	152.8 <	159.9	345.9 <	354.6	119.4 <	121.9
35-39歳	513.2 ≒	514.9	158.7 <	169.2	395.3 >	386.6	108.3 <	112.6
40-44歳	617.1 >	586.9	165.9 >	156.8	467.1 >	432.0	108.3 <	114.3

③時間当たり収入:高卒

	男性・正社員		男性・パート・バイト		女性・正社員		女性・パート・バイト	
	2012年	2017年	2012年	2017年	2012年	2017年	2012年	2017年
15-19歳	939 <	1,075	714 <	787	839 <	985	728 <	799
20-24歳	1,187 <	1,318	801 <	868	1,000 <	1,132	776 <	886
25-29歳	1,348 <	1,603	865 <	884	1,108 <	1,326	799 <	879
30-34歳	1,565 <	1,775	895 <	962	1,196 <	1,366	800 <	876
35-39歳	1,780 <	1,981	1,007 >	967	1,371 <	1,446	807 <	873
40-44歳	2,040 <	2,213	962 <	1,002	1,404 <	1,595	827 <	900

④時間当たり収入:大卒

	男性・正社員		男性・パート・バイト		女性・正社員		女性・パート・バイト	
	2012年	2017年	2012年	2017年	2012年	2017年	2012年	2017年
20-24歳	1,249 <	1,491	827 <	881	1,179 <	1,427	843 <	998
25-29歳	1,516 <	1,783	967 <	1,016	1,433 <	1,707	855 <	973
30-34歳	1,859 <	2,226	954 <	1,029	1,630 <	1,933	949 <	1,070
35-39歳	2,204 <	2,519	953 <	1,120	1,956 <	2,087	1,054 <	1,096
40-44歳	2,620 <	2,768	917 <	1,211	2,275 ≒	2,278	1,091 >	1,071

注：ウエイトバック前の実測値による。
・年収、労働時間共にカテゴリー変数であるが、各カテゴリーの中央値をそれぞれその値として平均値を求めた。
・週労働時間は、「だいたい規則的に」または「年間200日以上」働いている場合のみ。
・時間当たり収入は年収／（週労働時間×50週）で求めた。

収入は生活を支えるものであり、家族の状況などによって、その意味が異なる面があろう。家族内の役割分業の結果としてパート・アルバイトを選ぶことも考えられる。次の図表２－１４では、パート・アルバイト労働者の年齢階層別収入分布を、世帯主であるか、世帯主の配偶者であるのか、あるいは世帯の中での「子」であるのかを分けてみたものである。

　男性世帯主で30歳代後半から40歳代前半であれば、年収のピークは200～249万円であり、若年層や「子」の場合より高い。それでも半数以上は年収199万円以下である。

　女性の世帯主では年齢に関わらず100～149万円がピークで、これは「世帯主の配偶者」よりは高いが「子」とは変わらない。30歳以上の女性の世帯主では約8割が年収199万円以下である。巻末の付表２－６には図のバックデータ、およびその他の就業形態や家族類型ごとの年収分布を示した。

図表２－１４　性・世帯主との続柄、年齢階層別パート・アルバイトの収入分布（在学中を除く）

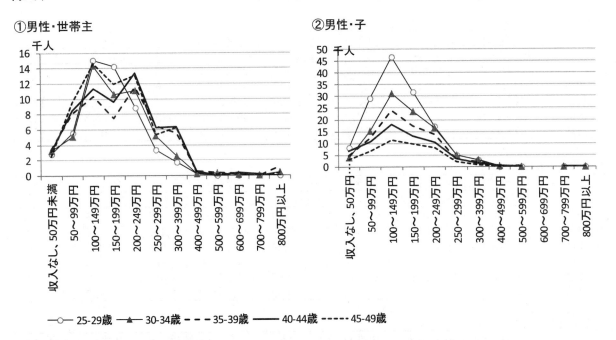

①男性・世帯主　　　　　②男性・子

―○― 25-29歳　―▲― 30-34歳　－－－ 35-39歳　―――― 40-44歳　----- 45-49歳

③女性・世帯主

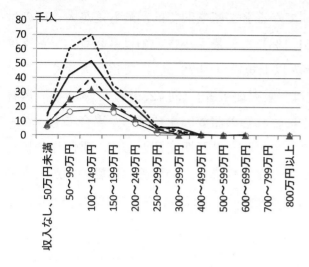

④女性・子

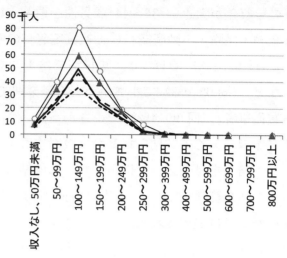

⑤女性・世帯主の配偶者

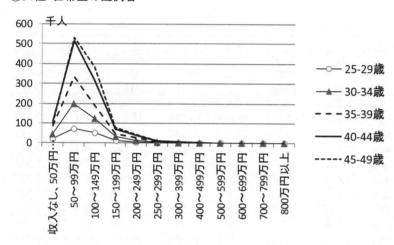

　次に、同じ正社員でもこれまでのキャリアによって労働時間と収入がどのように異なるのかを検討する。図表２－１５では、15～34歳と35～44歳の２つの年齢層について、それぞれ職業キャリア別に労働時間、年収、「時間当たり収入」をみた。表のとおり、どちらの年齢層も「正社員定着」が年収も「時間当たり収入」も最も高く、正社員以外の就業形態を経験した者では低い。その差の程度を年収でみると、15～34歳男性では、「他形態から正社員」は「正社員定着」の88.3％、同女性では85.1％の水準であり、35～44歳男性では、同じく「他形態から正社員」は75.5％、同女性では77.7％であった。正社員の中でも、収入の差は年齢階層が高いほど大きい。「就職氷河期」世代の問題の一つは、非典型雇用から正社員になったとしても、収入がなかなか伸びないことであろう。

　なお、2012年調査との比較（15～34歳のみ）では、全般に収入は高まっており、労働時間は減少している。

　これを性・学歴・年齢階層別にみたものを巻末の付表２－７に、現職の勤務先の産業、企

業規模、職業別にみたものを付表2－8に掲載した。「他形態から正社員」と「正社員定着」との年収差が大きい 35～44 歳男性を取り上げてみると、産業別では、最も差が大きいのは「金融・保険・不動産業」（「正社員定着」の 61.1%）で、最も小さいのは「教育、学習支援業」（同 90.8%）であった。規模別では 1,000 人以上規模（同 72.4%）で差が大きく「官公庁など」（同 92.0%）で小さかった。職業別では「販売従事者」（同 72.5%）で大きく「農林漁業従事者」（同 90.4%）で小さかった。さらにこれらの諸要因を統制した場合でも、キャリア類型による差が見られるかを検討するために、年収を被説明変数として、重回帰分析を行った結果を付表2－9に示した。この結果から、企業規模などの要因の影響の方が大きいが、これを統制しても、「正社員定着」に比べて「他形態から正社員」の年収は低かった。ご関心があれば参照されたい。

図表2－15　正社員のキャリア別労働時間、収入（在学中を除く、実測値）

①15～34 歳

就業形態		男女計			男性			女性		
		週労働時間（時間）	年収（万円）	時間当たり収入（円）	週労働時間（時間）	年収（万円）	時間当たり収入（円）	週労働時間（時間）	年収（万円）	時間当たり収入（円）
正社員定着	平均値	45.3	326.9	1,669	46.8	356.2	1,764	43.3	285.5	1,535
	N(人)	44,753	45,614	44,575	26,220	26,704	26,118	18,533	18,910	18,457
正社員転職	平均値	45.5	320.5	1,653	47.3	346.2	1,732	42.0	268.2	1,490
	N(人)	13,191	13,440	13,160	8,858	9,009	8,837	4,333	4,431	4,323
正社員一時非典型	平均値	44.9	276.5	1,420	48.3	313.7	1,492	41.2	236.1	1,341
	N(人)	2,420	2,476	2,414	1,259	1,289	1,257	1,161	1,187	1,157
他形態から正社員	平均値	45.0	284.8	1,458	47.2	314.6	1,543	41.9	243.0	1,338
	N(人)	6,086	6,245	6,065	3,555	3,644	3,546	2,531	2,601	2,519
合計	平均値	45.3	319.6	1,635	47.0	348.5	1,726	42.8	276.1	1,498
	N(人)	67,380	68,683	67,024	40,520	41,265	40,308	26,860	27,418	26,716

②35～44 歳

就業形態		男女計			男性			女性		
		週労働時間（時間）	年収（万円）	時間当たり収入（円）	週労働時間（時間）	年収（万円）	時間当たり収入（円）	週労働時間（時間）	年収（万円）	時間当たり収入（円）
正社員定着	平均値	45.9	486.1	2,420	47.4	530.7	2,575	42.1	378.5	2,044
	N(人)	35,672	36,205	35,491	25,258	25,581	25,129	10,414	10,624	10,362
正社員転職	平均値	46.2	419.0	2,070	47.8	453.6	2,180	41.2	315.5	1,737
	N(人)	22,238	22,565	22,167	16,709	16,910	16,654	5,529	5,655	5,513
正社員一時非典型	平均値	43.7	319.5	1,665	47.7	380.5	1,817	40.5	271.4	1,544
	N(人)	5,119	5,227	5,100	2,266	2,306	2,257	2,853	2,921	2,843
他形態から正社員	平均値	45.4	357.9	1,768	47.9	400.7	1,904	41.8	293.9	1,564
	N(人)	6,664	6,821	6,638	4,012	4,083	3,997	2,652	2,738	2,641
合計	平均値	45.8	438.7	2,183	47.6	484.5	2,338	41.6	336.5	1,835
	N(人)	71,142	72,240	70,681	49,284	49,906	48,959	21,858	22,334	21,722

注：ウエイトバック前の実測値による。
・年収、労働時間共にカテゴリー変数であるが、各カテゴリーの中央値をそれぞれその値として平均値を求めた。
・週労働時間は、「だいたい規則的に」または「年間 200 日以上」働いている場合のみ。
・時間当たり収入は年収／（週労働時間×50 週）で求めた。

図表2-16は、「就職氷河期世代」にほぼ対応する35〜44歳層の非典型雇用者を対象に、これまでのキャリアによって労働時間や年収に差があるかどうかを検討したものである。これまでのキャリアとしては、非典型雇用者の大半がそのいずれかである「非典型のみ」「初職正社員から非典型」の2つのキャリアについて見た。表に見る通り、男性の場合は、年収については「正社員から非典型」のほうが5％程度高い。ただし、「時間当たり収入」は2つのキャリアの間でほとんど変わらず、正社員経験があることが市場に評価されて収入が高いとはいいがたい。一方、女性では逆に「非典型中心」のほうが年収も「時間当たり収入」も高い。女性の場合、正社員から非典型雇用に変わる背景に、育児などの家族関係の要因がある可能性が高く、正社員経験の有無より労働時間の制約の要因の方が大きいのではないかと思われる。

図表2-16　35〜44歳の非典型雇用者のキャリア別労働時間、収入（在学中を除く、実測値）

就業形態		男女計			男性			女性		
		週労働時間（時間）	年収（万円）	時間当たり収入（円）	週労働時間（時間）	年収（万円）	時間当たり収入（円）	週労働時間（時間）	年収（万円）	時間当たり収入（円）
非典型中心	平均値	31.4	145.9	1,065	39.5	213.3	1,253	29.5	130.1	1,021
	N（人）	11,816	13,248	11,777	2,217	2,514	2,207	9,599	10,734	9,570
正社員から非典型	平均値	30.1	138.4	1,020	40.8	224.7	1,265	28.5	124.9	981
	N（人）	14,094	15,414	14,062	1,923	2,082	1,918	12,171	13,332	12,144

注：ウエイトバック前の実測値による。
・年収、労働時間共にカテゴリー変数であるが、各カテゴリーの中央値をそれぞれその値として平均値を求めた。
・週労働時間は、「だいたい規則的に」または「年間200日以上」働いている場合のみ。
・時間当たり収入は年収／（週労働時間×50週）で求めた。

2.6　就業形態・職業キャリアと就業継続・転職希望

　この節では現在の就業形態、およびこれまでの職業キャリアによって、今後の仕事の継続ないし転職の希望が異なるかを見る。

　まず、図表2-17は現職の就業形態別に就業継続および転職の希望についてみたものである。15〜34歳層においては、「この仕事を続けたい」とする者（就業継続希望者）は、およそ7割（男性の73.1％、女性の70.0％）で、「他の仕事に変わりたい」とする者（転職希望者）は15％前後（男性の14.5％、女性の17.0％）である。就業形態別には、男性のパート・アルバイトでは他の就業形態の者より就業継続希望者が少なく（45.5％）、転職希望者が多く（32.7％）、また「別の仕事もしたい」とする追加就業希望者もやや多い（16.8％）[9]。女性のパート・アルバイトでは就業継続希望者が62.7％、転職希望者20.2％であり、男女のその他の非典型雇用もほぼこれと同じ水準である。正社員以外の雇用者に転職希望者が多い。

---

[9] 就業形態をより細分化すると（付表2-11）、就業継続希望者の割合は、男性のアルバイト及び労働者派遣事業所の派遣社員が40％台、女性のアルバイト及び労働者派遣事業所の派遣社員が50％台と、他より低い。

図表２－17　現職就業形態別　就業継続・転職希望（15〜34歳・在学中を除く）

単位：％、太字は実数(千人)

性別	就業形態	合計（N）		この仕事を続けたい	この仕事のほかに別の仕事もしたい	他の仕事に変わりたい	仕事をすっかりやめてしまいたい	不詳
		（千人）	（％）					
男性	正社員(役員含む)	6,536.7	100.0	76.8	8.1	12.4	2.0	0.7
	パート・アルバイト	618.4	100.0	45.4	16.8	32.7	3.4	1.6
	その他非典型雇用	610.3	100.0	60.5	12.2	23.1	3.0	1.2
	その他就業	304.7	100.0	75.0	9.9	5.6	0.9	8.5
	合計	8,070.1	100.0	73.1	9.2	14.5	2.1	1.1
女性	正社員(役員含む)	4,274.3	100.0	74.2	7.1	15.2	2.9	0.6
	パート・アルバイト	1,583.5	100.0	62.7	13.2	20.2	3.0	0.9
	その他非典型雇用	809.2	100.0	61.4	12.1	22.5	3.0	1.0
	その他就業	186.0	100.0	73.5	12.5	8.5	1.6	3.8
	合計	6,853.1	100.0	70.0	9.3	17.0	2.9	0.8
男女計	正社員(役員含む)	10,811.1	100.0	75.8	7.7	13.5	2.3	0.7
	パート・アルバイト	2,201.8	100.0	57.8	14.2	23.7	3.1	1.1
	その他非典型雇用	1,419.5	100.0	61.0	12.2	22.8	3.0	1.1
	その他就業	490.7	100.0	74.4	10.9	6.7	1.1	6.8
	合計	14,923.1	100.0	71.7	9.2	15.7	2.5	1.0

　次の図表２－18では、これを年齢階層別に分け、さらに35〜49歳層も加えて示した。男性のパート・アルバイトで転職希望が多いのは20〜34歳層（30％台半ば）で、35歳以上では25％前後となっている。その他の非典型雇用では年齢による差は小さく、20歳代後半から30歳代で転職希望がやや多い程度である。

図表2－18　現職就業形態・年齢階層別就業継続・転職希望（在学中を除く）

①男性

単位：%、太字は実数(千人)

就業形態	年齢	合計（N）		この仕事を続けたい	この仕事のほかに別の仕事もしたい	他の仕事に変わりたい	仕事をすっかりやめてしまいたい	不詳
		（千人）	（%）					
正社員(役員含む)	15-19歳	**161.9**	100.0	85.1	4.3	8.3	1.0	1.3
	20-24歳	**1,273.9**	100.0	76.7	8.4	12.5	1.6	0.7
	25-29歳	**2,322.4**	100.0	75.2	8.6	13.5	1.9	0.9
	30-34歳	**2,778.5**	100.0	77.7	7.8	11.6	2.3	0.6
	35-39歳	**3,106.0**	100.0	80.1	7.1	10.3	1.5	0.9
	40-44歳	**3,743.7**	100.0	82.0	6.0	9.5	1.7	0.9
	45-49歳	**3,700.0**	100.0	85.1	4.6	7.9	1.6	0.8
	合計	**17,086.5**	100.0	80.3	6.7	10.4	1.8	0.8
パート・アルバイト	15-19歳	**43.2**	100.0	55.0	18.5	18.5	4.0	3.9
	20-24歳	**201.9**	100.0	43.8	18.3	33.1	2.5	2.3
	25-29歳	**210.5**	100.0	43.9	17.8	33.4	3.8	1.1
	30-34歳	**162.9**	100.0	46.9	13.3	35.1	3.7	1.0
	35-39歳	**139.2**	100.0	54.7	16.9	24.3	2.4	1.6
	40-44歳	**134.2**	100.0	54.2	14.5	25.3	3.6	2.4
	45-49歳	**115.1**	100.0	56.0	14.5	24.8	2.8	2.0
	合計	**1,006.9**	100.0	49.1	16.3	29.7	3.2	1.8
その他非典型雇用	15-19歳	**13.6**	100.0	68.6	11.6	11.4	2.6	5.8
	20-24歳	**143.9**	100.0	61.8	13.7	20.4	2.9	1.1
	25-29歳	**232.7**	100.0	60.8	11.5	24.5	2.1	1.1
	30-34歳	**220.1**	100.0	58.7	12.0	24.2	3.9	1.2
	35-39歳	**208.4**	100.0	54.4	15.0	24.8	4.9	0.8
	40-44歳	**237.4**	100.0	62.9	11.6	22.4	2.2	0.9
	45-49歳	**217.8**	100.0	62.0	11.3	21.8	2.9	2.0
	合計	**1,273.9**	100.0	60.2	12.4	23.0	3.1	1.2
その他就業	15-19歳	**6.3**	100.0	80.1	4.0	2.8	0.0	13.1
	20-24歳	**39.0**	100.0	71.5	7.3	7.8	0.8	12.6
	25-29歳	**89.7**	100.0	75.2	7.9	5.4	0.9	10.6
	30-34歳	**169.6**	100.0	75.5	11.8	5.4	0.9	6.4
	35-39歳	**261.6**	100.0	79.8	10.5	4.4	1.7	3.6
	40-44歳	**357.8**	100.0	80.8	9.4	4.1	2.2	3.4
	45-49歳	**412.2**	100.0	79.0	9.9	5.4	2.0	3.7
	合計	**1,336.3**	100.0	78.7	9.9	4.9	1.8	4.7
合計	15-19歳	**224.9**	100.0	78.2	7.5	10.3	1.6	2.4
	20-24歳	**1,658.7**	100.0	71.3	10.1	15.6	1.8	1.2
	25-29歳	**2,855.3**	100.0	71.7	9.5	15.6	2.0	1.2
	30-34歳	**3,331.2**	100.0	74.9	8.6	13.3	2.4	0.9
	35-39歳	**3,715.3**	100.0	77.7	8.2	11.2	1.8	1.1
	40-44歳	**4,473.0**	100.0	80.0	6.8	10.2	1.8	1.2
	45-49歳	**4,445.1**	100.0	82.6	5.7	8.8	1.7	1.2
	合計	**20,703.5**	100.0	77.5	7.7	11.7	1.9	1.1

②女性

就業形態	年齢	合計(N)		この仕事を続けたい	この仕事のほかに別の仕事もしたい	他の仕事に変わりたい	仕事をすっかりやめてしまいたい	不詳
		(千人)	(%)					
正社員(役員含む)	15-19歳	92.6	100.0	73.0	9.9	14.4	1.8	0.9
	20-24歳	1,155.0	100.0	72.3	8.2	15.9	2.8	0.7
	25-29歳	1,616.6	100.0	74.7	6.7	15.3	2.7	0.5
	30-34歳	1,410.1	100.0	75.3	6.5	14.5	3.2	0.6
	35-39歳	1,342.2	100.0	80.7	5.2	10.8	2.7	0.6
	40-44歳	1,504.3	100.0	81.5	4.9	10.4	2.4	0.7
	45-49歳	1,430.1	100.0	82.4	4.4	9.4	3.0	0.8
	合計	8,551.0	100.0	77.9	6.0	12.7	2.8	0.7
パート・アルバイト	15-19歳	44.5	100.0	56.1	18.7	22.6	2.1	0.6
	20-24歳	308.6	100.0	53.5	17.2	24.1	4.1	1.2
	25-29歳	486.7	100.0	61.4	12.4	21.6	3.6	1.0
	30-34歳	743.7	100.0	67.7	11.8	17.6	2.3	0.7
	35-39歳	1,000.1	100.0	72.7	10.0	14.5	2.5	0.4
	40-44歳	1,447.1	100.0	74.5	8.6	14.2	2.2	0.6
	45-49歳	1,555.0	100.0	74.9	8.2	13.7	2.5	0.6
	合計	5,585.7	100.0	70.9	10.0	15.8	2.6	0.6
その他非典型雇用	15-19歳	10.2	100.0	56.6	8.5	21.2	4.6	9.0
	20-24歳	178.2	100.0	61.6	12.1	21.9	3.0	1.4
	25-29歳	308.1	100.0	60.8	11.9	23.1	3.4	0.9
	30-34歳	312.8	100.0	62.1	12.5	22.3	2.6	0.6
	35-39歳	336.5	100.0	64.4	10.4	21.1	3.2	0.8
	40-44歳	420.5	100.0	65.4	10.3	21.5	2.4	0.4
	45-49歳	448.3	100.0	68.3	10.7	18.2	1.9	0.9
	合計	2,014.6	100.0	64.3	11.1	21.1	2.7	0.8
その他就業	15-19歳	4.0	100.0	78.4	0.0	12.2	0.0	9.4
	20-24歳	23.4	100.0	66.2	12.4	14.6	0.9	5.9
	25-29歳	54.9	100.0	70.1	14.1	9.8	1.6	4.4
	30-34歳	103.8	100.0	76.8	12.2	6.3	1.8	2.9
	35-39歳	147.3	100.0	73.4	14.0	7.5	2.2	2.8
	40-44歳	201.1	100.0	76.0	10.8	6.4	2.7	4.0
	45-49歳	206.2	100.0	77.4	11.6	6.0	2.5	2.5
	合計	740.7	100.0	75.3	12.1	7.0	2.3	3.3
合計	15-19歳	151.2	100.0	67.1	12.1	17.2	2.0	1.6
	20-24歳	1,665.2	100.0	67.6	10.3	18.1	3.0	0.9
	25-29歳	2,466.2	100.0	70.2	8.7	17.4	2.9	0.7
	30-34歳	2,570.3	100.0	71.5	9.0	16.0	2.8	0.7
	35-39歳	2,826.1	100.0	75.6	8.0	13.2	2.6	0.7
	40-44歳	3,573.1	100.0	76.4	7.4	13.0	2.3	0.8
	45-49歳	3,639.6	100.0	77.2	7.2	12.1	2.6	0.8
	合計	16,891.9	100.0	73.8	8.2	14.5	2.7	0.8

　女性のパート・アルバイトでは年齢が高まるほど継続希望者の割合が高まり転職希望が減っており、35～49歳では転職希望者は14％前後にとどまっている。その他の非典型雇用では年齢による差は小さいが、年齢が高い層でやや継続希望者が多い。

　先に見た通り、パート・アルバイトをはじめとする非典型雇用の場合、収入面では、年齢が高くなるほど正社員との差が大きくなるのだが、それでも、年齢が高いほど現職を続けたいという人が多い。この背景に考えられることの一つは、家族内に、他に主な稼ぎ手がいる

ことである。そこで、本人が世帯主であるケースに限って、就業継続・転職の希望状況を見たのが図表２－１９である。転職希望者の割合を図表２－１８と比較すると、パート・アルバイトの３０歳代以上の男女、その他の非典型雇用の３０代後半以降の女性において、その値はやや大きいものの、せいぜい５～６％程度の範囲である。世帯主に限ったとしても、転職を望む者は多くない。収入はさておいても、労働時間の制約などの他の要因があって、現在の非典型雇用の継続を望む人が多いのではないかと推測される。

図表２－１９　世帯主である非典型雇用者の年齢階層別就業継続・転職希望（在学中を除く）

単位：％、太字は実数(千人)

性別	就業形態	年齢	合計(N) (千人)	合計(N) (%)	この仕事を続けたい	この仕事のほかに別の仕事もしたい	他の仕事に変わりたい	仕事をすっかりやめてしまいたい	不詳
男性	パート・アルバイト	15-19歳	4.9	100.0	72.3	6.4	8.6	0.0	12.7
		20-24歳	39.8	100.0	42.9	23.4	26.7	3.6	3.3
		25-29歳	52.2	100.0	38.5	22.2	33.8	5.5	0.0
		30-34歳	53.6	100.0	40.9	13.4	38.3	6.8	0.7
		35-39歳	55.8	100.0	52.3	19.5	25.6	1.3	1.2
		40-44歳	61.4	100.0	50.2	12.4	30.9	4.3	2.2
		45-49歳	65.9	100.0	53.3	15.8	26.7	2.6	1.6
		合計	333.6	100.0	47.3	17.2	30.0	3.9	1.6
	その他非典型雇用	15-19歳	3.2	100.0	76.9	19.8	1.9	1.5	0.0
		20-24歳	52.4	100.0	58.4	15.4	19.4	5.0	1.7
		25-29歳	99.6	100.0	63.0	13.9	20.4	1.9	0.8
		30-34歳	114.3	100.0	56.4	14.2	24.5	3.9	1.0
		35-39歳	120.0	100.0	51.0	18.0	23.5	7.0	0.4
		40-44歳	148.0	100.0	63.1	13.2	20.4	2.5	0.8
		45-49歳	148.1	100.0	60.9	12.1	22.2	3.8	1.1
		合計	685.7	100.0	59.1	14.3	21.9	3.9	0.9
女性	パート・アルバイト	15-19歳	6.7	100.0	55.5	21.7	22.4	0.0	0.4
		20-24歳	54.9	100.0	53.6	19.4	22.4	3.3	1.3
		25-29歳	71.6	100.0	57.2	14.5	22.2	4.1	2.0
		30-34歳	102.8	100.0	56.1	16.5	23.3	3.0	1.1
		35-39歳	112.7	100.0	61.1	15.8	19.1	3.9	0.1
		40-44歳	171.8	100.0	63.8	13.2	18.7	3.5	0.8
		45-49歳	215.6	100.0	64.9	12.5	19.4	2.7	0.6
		合計	736.0	100.0	61.2	14.5	20.3	3.2	0.8
	その他非典型雇用	15-19歳	2.3	100.0	60.1	11.5	3.4	0.0	25.0
		20-24歳	48.7	100.0	59.8	14.5	19.8	3.5	2.5
		25-29歳	72.8	100.0	64.4	12.5	18.0	3.3	1.9
		30-34歳	78.2	100.0	63.2	16.1	19.4	1.1	0.1
		35-39歳	81.8	100.0	57.7	12.9	26.8	1.7	0.9
		40-44歳	101.7	100.0	57.7	11.1	28.2	2.6	0.4
		45-49歳	116.1	100.0	59.7	12.2	24.8	1.4	1.9
		合計	501.7	100.0	60.2	13.0	23.4	2.1	1.3

　次に、これまでのキャリアによって今後の就業継続や転職の希望が異なるかを検討する。図表２－２０がその関係をみたものである。現在非典型雇用である男女は、これまでに（初職、前職、現職の範囲であるが）正社員を経験したか否かで「非典型中心」と「正社員から

非典型」の２つの類型に分けられる。他の類型に比べれば、このいずれの類型も転職希望者が多く、男性で 30％前後、女性の 20％以上となっている。この２つのキャリアの間では、女性はほとんど差がないが、男性の場合は「正社員から非典型」のほうが就業継続希望者が少なく、転職希望者が多い。2012 年調査では両者の差はほとんどなかったのだが、「非典型中心」で就業継続希望が増え転職希望が減るという変化があった故である。

　一方、現在正社員である場合には、最も就業継続希望者が多いのは「正社員定着」で、転職経験のある人、特に非典型雇用経験のある人では少ない傾向がある。この点は 2012 年調査時から変わらない。

図表２－２０　キャリア類型別就業継続・転職希望（15～34 歳・在学中を除く有業者）

単位：%、太字は実数(千人)

性別	キャリア類型	合計(N) (千人)	(%)	この仕事を続けたい	この仕事のほかに別の仕事もしたい	他の仕事に変わりたい	仕事をすっかりやめてしまいたい	不詳
男性	正社員定着	4,371	100.0	78.4	8.0	11.7	1.8	0.1
	正社員転職	1,317	100.0	76.8	7.9	13.2	2.0	0.2
	正社員一時非典型	173	100.0	69.6	9.2	17.5	3.5	0.3
	他形態から正社員	541	100.0	72.0	8.8	16.2	2.8	0.2
	非典型中心	873	100.0	<u>55.4</u>	14.4	26.7	3.1	0.3
	正社員から非典型	305	100.0	49.4	15.0	32.1	3.5	0.1
	自営家業	278	100.0	81.0	10.8	6.0	1.0	1.2
	無回答・経歴不詳	211	100.0	44.0	<u>10.4</u>	9.0	1.5	35.2
	合計	8,070	100.0	73.1	9.2	14.5	2.1	1.1
女性	正社員定着	2,986	100.0	75.6	6.7	14.6	2.9	0.2
	正社員転職	680	100.0	73.0	6.8	17.5	2.5	0.1
	正社員一時非典型	156	100.0	71.1	6.9	17.2	4.4	0.5
	他形態から正社員	383	100.0	71.0	<u>10.2</u>	16.5	2.3	0.0
	非典型中心	1,485	100.0	62.3	13.0	21.1	3.4	0.3
	正社員から非典型	813	100.0	63.7	12.3	21.5	2.5	0.0
	自営家業	176	100.0	<u>76.3</u>	<u>13.0</u>	8.5	1.7	0.6
	無回答・経歴不詳	173	100.0	48.2	<u>12.9</u>	12.5	2.6	23.9
	合計	6,853	100.0	70.0	9.3	17.0	2.9	0.8
男女計	正社員定着	7,357	100.0	77.3	7.5	12.8	2.2	0.2
	正社員転職	1,996	100.0	75.5	7.5	14.6	2.2	0.2
	正社員一時非典型	330	100.0	70.3	8.1	17.3	3.9	0.4
	他形態から正社員	925	100.0	71.6	9.3	16.3	2.6	0.1
	非典型中心	2,358	100.0	59.7	13.5	23.2	3.3	0.3
	正社員から非典型	1,118	100.0	59.8	13.1	24.4	2.8	0.1
	自営家業	455	100.0	79.2	11.7	7.0	1.2	0.9
	無回答・経歴不詳	384	100.0	45.9	<u>11.5</u>	10.6	2.0	30.1
	合計	14,923	100.0	71.7	9.2	15.7	2.5	1.0

注：背景がグレーの数値は、2012 年調査に比べて３%ポイント以上の減少、太字下線は３%ポイント以上の増加を示す。

　これを年齢階層別に展開して、35～49 歳までの情報を加えたものが図表２－２１である。まず、現在、非典型雇用である２つのキャリアを注目すると、男性の場合、転職希望者が多いのは、いずれのキャリアでも 20 歳代から 30 歳代前半であり、30 代後半以降は低下する傾

向がある。女性では、より早く 30 歳代前半から低下している。出産や育児期にあたる年齢であることから、非典型雇用を続けたいとする人が多いと思われる。男性の場合推測されるのは、この 5 年の間に「非典型中心」も「正社員から非典型」も大幅にその数を減らしていること、すなわち、正社員等への移行を希望する人は少なからず移行を果たし、また、新たに正社員から非典型雇用に変わる人も減ったことから、非典型雇用にある年長の人には転職希望者が少なくなったというストーリーである。2012 年には 30〜34 歳の「非典型中心」の男性は 289.2 千人いたが、彼らが 2017 年に該当する 35〜39 歳の「非典型中心」は 204.8 千人と大幅に減少している。一方で、35〜39 歳の「他形態から正社員」「自営・手伝い」は 5 年前の 30〜34 歳時より増加しており、正社員や自営等への移動があったことが窺われる。こうした経緯を考えると、年長の非典型雇用者で転職希望を示していない人の中には、様々な制約から非典型雇用にとどまらざるを得ない人が少なからずいることが考えられる。

図表２−２１　キャリア類型・年齢階層別就業希望意識（在学中を除く有業者）

①男性　　　　　　　　　　　　　　　　　　　　　　　　　単位：％、太字は実数（千人）

キャリア類型	年齢	合計(N) (千人)	(%)	この仕事を続けたい	この仕事のほかに別の仕事もしたい	他の仕事に変わりたい	仕事をすっかりやめてしまいたい	不詳
正社員定着	15-19歳	147.4	100.0	86.0	4.3	8.5	1.1	0.1
	20-24歳	1,055.6	100.0	77.5	8.2	12.5	1.6	0.1
	25-29歳	1,600.7	100.0	76.3	8.6	13.2	1.8	0.2
	30-34歳	1,567.2	100.0	80.4	7.6	9.9	2.0	0.1
	35-39歳	1,590.7	100.0	83.9	6.4	8.2	1.5	0.1
	40-44歳	1,944.2	100.0	86.4	4.9	6.8	1.6	0.2
	45-49歳	1,986.1	100.0	89.2	3.7	5.4	1.5	0.2
	合計	9,891.9	100.0	83.0	6.3	8.9	1.7	0.2
正社員転職	15-19歳	4.7	100.0	83.2	8.3	8.5	0.0	0.0
	20-24歳	120.1	100.0	78.5	7.9	11.8	1.6	0.2
	25-29歳	446.6	100.0	75.8	8.0	13.7	2.2	0.4
	30-34歳	745.2	100.0	77.0	7.8	13.1	2.0	0.0
	35-39歳	970.3	100.0	79.0	7.3	11.9	1.6	0.1
	40-44歳	1,269.4	100.0	79.7	7.1	11.5	1.7	0.1
	45-49歳	1,250.5	100.0	82.2	5.5	10.4	1.6	0.3
	合計	4,806.8	100.0	79.4	6.9	11.8	1.7	0.2
正社員一時非典型	15-19歳	0.6	100.0	56.9	15.4	27.7	0.0	0.0
	20-24歳	12.9	100.0	71.4	14.5	10.3	3.9	0.0
	25-29歳	53.0	100.0	70.2	8.9	18.3	1.6	1.0
	30-34歳	106.6	100.0	69.1	8.6	17.9	4.4	0.0
	35-39歳	132.2	100.0	72.2	10.3	15.3	1.9	0.3
	40-44歳	167.2	100.0	76.4	7.0	14.8	1.8	0.0
	45-49歳	164.7	100.0	77.9	7.3	13.0	1.7	0.2
	合計	637.3	100.0	74.0	8.3	15.2	2.2	0.2
他形態から正社員	15-19歳	5.7	100.0	90.1	2.5	7.4	0.0	0.0
	20-24歳	62.7	100.0	70.3	11.6	16.6	1.0	0.5
	25-29歳	175.8	100.0	72.8	8.5	16.6	2.0	0.2
	30-34歳	297.3	100.0	71.5	8.5	16.0	3.8	0.2
	35-39歳	328.9	100.0	74.1	9.8	14.6	1.6	0.0
	40-44歳	252.2	100.0	73.5	8.4	15.4	2.5	0.1
	45-49歳	191.2	100.0	79.0	6.8	11.4	2.9	0.0
	合計	1,313.8	100.0	73.8	8.7	14.9	2.5	0.1
非典型中心	15-19歳	50.6	100.0	60.6	16.4	16.6	3.8	2.6
	20-24歳	264.6	100.0	54.2	15.1	27.9	2.5	0.2
	25-29歳	310.7	100.0	54.7	15.3	27.1	2.8	0.2
	30-34歳	246.8	100.0	56.6	12.0	27.2	4.1	0.1
	35-39歳	204.9	100.0	57.4	15.6	22.7	4.0	0.3
	40-44歳	174.3	100.0	62.3	12.7	21.9	2.9	0.3
	45-49歳	132.7	100.0	64.9	11.8	19.6	3.1	0.6
	合計	1,384.5	100.0	57.5	14.1	24.8	3.2	0.3
正社員から非典型	15-19歳	4.5	100.0	51.2	23.0	25.7	0.0	0.0
	20-24歳	64.3	100.0	45.8	20.2	30.0	3.6	0.4
	25-29歳	115.3	100.0	50.2	13.2	33.1	3.6	0.0
	30-34歳	121.3	100.0	50.4	13.6	32.5	3.5	0.0
	35-39歳	122.2	100.0	50.4	16.5	29.1	3.8	0.3
	40-44歳	171.8	100.0	59.2	12.2	25.9	2.6	0.1
	45-49歳	177.0	100.0	58.3	12.9	26.0	2.7	0.1
	合計	776.4	100.0	53.7	14.1	28.9	3.2	0.1

キャリア類型	年齢	合計(N) (千人)	(%)	この仕事を続けたい	この仕事のほかに別の仕事もしたい	他の仕事に変わりたい	仕事をすっかりやめてしまいたい	不詳
自営・手伝い	15-19歳	5.5	100.0	92.2	4.6	3.2	0.0	0.0
	20-24歳	34.0	100.0	79.8	8.4	9.0	1.0	1.9
	25-29歳	79.4	100.0	83.4	8.9	6.1	1.0	0.5
	30-34歳	159.6	100.0	79.7	12.5	5.4	0.9	1.4
	35-39歳	253.8	100.0	81.8	10.7	4.4	1.8	1.3
	40-44歳	350.0	100.0	82.2	9.6	4.2	2.2	1.7
	45-49歳	402.3	100.0	80.6	10.1	5.5	2.0	1.8
	合計	1,284.5	100.0	81.4	10.2	5.0	1.8	1.6
無回答・経歴不詳	15-19歳	6.0	100.0	28.0	4.2	0.0	2.7	65.1
	20-24歳	44.4	100.0	36.9	12.5	10.7	1.4	38.4
	25-29歳	73.8	100.0	40.4	10.8	9.1	1.5	38.2
	30-34歳	87.2	100.0	51.8	9.3	8.6	1.4	29.0
	35-39歳	112.3	100.0	54.4	6.4	9.2	1.7	28.2
	40-44歳	143.9	100.0	53.4	6.5	11.4	1.1	27.5
	45-49歳	140.7	100.0	57.0	4.7	10.7	1.2	26.5
	合計	608.3	100.0	51.2	7.4	10.0	1.4	30.1
合計	15-19歳	224.9	100.0	78.2	7.5	10.3	1.6	2.4
	20-24歳	1,658.7	100.0	71.3	10.1	15.6	1.8	1.2
	25-29歳	2,855.3	100.0	71.7	9.5	15.6	2.0	1.2
	30-34歳	3,331.2	100.0	74.9	8.6	13.3	2.4	0.9
	35-39歳	3,715.3	100.0	77.7	8.2	11.2	1.8	1.1
	40-44歳	4,473.0	100.0	80.0	6.8	10.2	1.8	1.2
	45-49歳	4,445.1	100.0	82.6	5.7	8.8	1.7	1.2
	合計	20,703.5	100.0	77.5	7.7	11.7	1.9	1.1

②女性

キャリア類型	年齢	合計(N) (千人)	(%)	この仕事を続けたい	この仕事のほかに別の仕事もしたい	他の仕事に変わりたい	仕事をすっかりやめてしまいたい	不詳
正社員定着	15-19歳	84.8	100.0	73.9	9.4	15.0	1.8	0.0
	20-24歳	992.1	100.0	73.2	8.0	15.7	2.8	0.3
	25-29歳	1,106.9	100.0	76.2	6.1	15.0	2.5	0.1
	30-34歳	801.8	100.0	78.0	5.7	12.4	3.7	0.2
	35-39歳	648.4	100.0	84.8	4.0	8.1	3.0	0.2
	40-44歳	670.1	100.0	87.2	3.3	6.5	2.8	0.1
	45-49歳	619.3	100.0	87.8	3.0	6.2	2.9	0.1
	合計	4,923.4	100.0	80.0	5.4	11.6	2.9	0.2
正社員転職	15-19歳	1.8	100.0	79.6	3.2	9.4	7.9	0.0
	20-24歳	80.5	100.0	70.3	8.4	18.6	2.8	0.0
	25-29歳	280.9	100.0	74.4	6.6	16.3	2.5	0.2
	30-34歳	316.6	100.0	72.3	6.7	18.3	2.5	0.2
	35-39歳	318.0	100.0	79.9	5.0	12.8	2.1	0.3
	40-44歳	405.5	100.0	78.2	5.3	13.9	2.3	0.2
	45-49歳	407.0	100.0	80.4	5.5	10.1	3.8	0.3
	合計	1,810.3	100.0	77.0	5.9	14.2	2.7	0.2
正社員一時非典型	15-19歳	0.1	100.0	100.0	0.0	0.0	0.0	0.0
	20-24歳	8.5	100.0	72.0	11.5	11.5	3.7	1.2
	25-29歳	57.3	100.0	69.3	6.2	18.4	5.1	1.0
	30-34歳	90.4	100.0	72.1	6.8	17.0	4.0	0.1
	35-39歳	136.1	100.0	76.0	8.3	13.2	2.5	0.0
	40-44歳	221.4	100.0	76.2	6.7	14.6	2.4	0.2
	45-49歳	258.0	100.0	78.2	5.3	13.8	2.3	0.5
	合計	772.0	100.0	75.8	6.5	14.6	2.8	0.3

他形態から正社員	15-19歳	4.0	100.0	<u>**67.9**</u>	<u>**22.5**</u>	9.6	0.0	0.0
	20-24歳	56.2	100.0	66.8	<u>**11.4**</u>	19.1	2.7	0.0
	25-29歳	148.1	100.0	71.2	10.5	15.4	3.0	0.0
	30-34歳	174.7	100.0	72.2	<u>**9.2**</u>	16.9	1.7	0.0
	35-39歳	206.5	100.0	73.7	7.4	15.4	3.4	0.0
	40-44歳	169.0	100.0	77.8	7.4	13.0	1.7	0.0
	45-49歳	108.4	100.0	76.4	6.5	15.0	2.1	0.0
	合計	867.0	100.0	73.6	8.5	15.4	2.4	0.0
非典型中心	15-19歳	46.0	100.0	<u>**58.7**</u>	14.9	22.5	3.0	0.9
	20-24歳	358.3	100.0	56.3	14.9	24.6	3.7	0.6
	25-29歳	485.8	100.0	61.3	12.6	22.0	3.9	0.2
	30-34歳	595.3	100.0	66.9	12.1	18.0	2.8	0.2
	35-39歳	662.3	100.0	71.9	9.0	15.9	3.1	0.1
	40-44歳	739.2	100.0	73.5	9.0	14.6	2.8	0.1
	45-49歳	638.8	100.0	75.3	8.5	13.1	3.0	0.2
	合計	3,525.8	100.0	68.8	10.6	17.3	3.1	0.2
正社員から非典型	15-19歳	4.2	100.0	<u>**65.9**</u>	12.3	21.8	0.0	0.0
	20-24歳	107.4	100.0	58.9	16.2	21.9	2.8	0.1
	25-29歳	277.4	100.0	62.1	11.4	23.1	3.3	0.1
	30-34歳	424.1	100.0	65.8	12.0	20.3	1.9	0.0
	35-39歳	627.8	100.0	70.2	11.2	16.5	2.1	0.1
	40-44歳	1,062.0	100.0	72.1	8.9	17.0	1.8	0.1
	45-49歳	1,283.1	100.0	73.2	9.0	15.6	2.1	0.1
	合計	3,785.8	100.0	70.3	10.1	17.4	2.1	0.1
自営・手伝い	15-19歳	3.5	100.0	81.0	0.0	12.2	0.0	<u>**6.7**</u>
	20-24歳	21.8	100.0	<u>**69.7**</u>	12.9	<u>**15.7**</u>	1.0	0.7
	25-29歳	52.2	100.0	<u>**73.0**</u>	14.8	10.0	1.6	0.5
	30-34歳	99.0	100.0	<u>**79.2**</u>	12.5	6.0	1.9	0.4
	35-39歳	143.5	100.0	74.7	14.4	7.7	2.3	1.0
	40-44歳	195.1	100.0	77.7	11.0	6.4	2.8	2.1
	45-49歳	200.7	100.0	79.0	11.8	6.1	2.5	0.5
	合計	715.7	100.0	77.1	12.4	7.1	2.3	1.1
無回答・経歴不詳	15-19歳	6.7	100.0	27.4	<u>**30.4**</u>	16.7	0.0	25.5
	20-24歳	40.5	100.0	<u>**48.3**</u>	13.0	7.7	<u>**5.4**</u>	25.6
	25-29歳	57.5	100.0	44.5	<u>**14.4**</u>	13.0	2.2	25.9
	30-34歳	68.4	100.0	53.2	9.8	14.4	1.5	21.0
	35-39歳	83.6	100.0	<u>**61.8**</u>	7.3	12.4	1.7	16.8
	40-44歳	110.8	100.0	61.3	8.0	9.9	1.9	19.0
	45-49歳	124.4	100.0	60.3	7.1	11.1	2.1	19.4
	合計	491.9	100.0	56.5	9.3	11.5	2.2	20.5
合計	15-19歳	151.2	100.0	67.1	12.1	17.2	2.0	1.6
	20-24歳	1,665.2	100.0	67.6	10.3	18.1	3.0	0.9
	25-29歳	2,466.2	100.0	70.2	8.7	17.4	2.9	0.7
	30-34歳	2,570.3	100.0	71.5	9.0	16.0	2.8	0.7
	35-39歳	2,826.1	100.0	75.6	8.0	13.2	2.6	0.7
	40-44歳	3,573.1	100.0	76.4	7.4	13.0	2.3	0.8
	45-49歳	3,639.6	100.0	77.2	7.2	12.1	2.6	0.8
	合計	16,891.9	100.0	73.8	8.2	14.5	2.7	0.8

注：背景がグレーの数値は、2012年調査に比べて3％ポイント以上の減少、太字下線は3％ポイント以上の増加を示す。

2.7 フリーター数の変化と属性別傾向

　この節では、フリーターについて、前回調査での分析を踏襲して、今回の調査からわかることを整理しておく。フリーターとは、1980年代後半に生まれた言葉で、2000年代半ばからは、労働政策における就業支援の対象層として認識されている。統計的に把握する場合の定義は、年齢は15～34歳で、在学しておらず、女性については未婚者に限定し、①有業者については勤め先における呼称がパートまたはアルバイトである雇用者、②現在無業である者については家事も通学もしておらず、パート・アルバイトの仕事を希望する者とされてきた。当機構では、「就業構造基本調査」を基にこの定義により、フリーターの就業状況を整理して来ており[10]、今回の調査結果から2017年のフリーターの状況を描く。

　まず図表２－２２には、フリーター数の1982年からの推移を示した。2017年調査では、146.1万人と2012年調査の192.4万人から大きく減少している[11]。近年の好況と人手不足で正社員市場が拡大したこと、若年人口の減少などが背景にある要因であろう。

図表２－２２　フリーター*数の推移　　　　　　　　　　　　　　　　　　　単位：万人

		1982年	1987年	1992年	1997年	2002年	2007年	2012年	2017年
男女計	15-34歳計	59.1	95.5	109.7	173.3	250.8	191.4	192.4	146.1
	15-19歳	9.9	21.2	21.2	24.5	29.1	16.7	13.6	9.8
	20-24歳	24.7	41.2	50.0	83.1	102.0	74.7	66.4	48.6
	25-29歳	15.0	22.8	27.9	46.8	75.6	59.9	67.8	50.1
	30-34歳	9.6	10.3	10.7	18.9	44.1	40.1	44.6	37.6
	35-39歳						25.7	36.7	29.9
	40-44歳						16.6	28.4	28.9
	45-49歳								25.7
男性	15-34歳計	26.9	42.1	48.9	73.5	105.9	84.8	87.9	66.3
	15-19歳	5.4	11.0	11.7	13.1	13.7	7.4	6.2	5.0
	20-24歳	9.7	16.9	20.9	33.0	44.1	32.1	28.8	21.5
	25-29歳	6.2	8.6	11.0	18.7	31.1	27.0	31.7	22.1
	30-34歳	5.7	5.6	5.2	8.6	16.9	18.2	21.2	17.8
	35-39歳						13.8	18.2	15.3
	40-44歳						9.1	16.3	15.3
	45-49歳								14.0
女性	15-34歳計	32.2	53.5	60.8	99.8	144.9	106.7	104.5	79.8
	15-19歳	4.5	10.2	9.4	11.4	15.4	9.3	7.4	4.8
	20-24歳	15.0	24.3	29.0	50.1	57.9	42.6	37.6	27.1
	25-29歳	8.8	14.2	16.8	28.0	44.4	32.8	36.1	28.0
	30-34歳	3.9	4.7	5.5	10.3	27.2	21.9	23.4	19.8
	35-39歳						11.8	18.6	14.6
	40-44歳						7.5	12.1	13.6
	45-49歳								11.7

---

[10] 「就業構造基本調査」の調査内容に変動があったため、2002年のフリーターの定義のみ若干異なる。すなわち、調査項目に未婚と離死別の区別がなく、無業の場合の働き方の希望において、パート・アルバイトと契約社員の区別がないため、フリーターの中に、離死別による無配偶の女性、また無業で契約社員での仕事を希望する者を含んでいる。

[11] 厚生労働省では「労働力調査詳細集計」を基に、同様の定義でフリーター数を求めているが、これによるとフリーター数は、2003年の217万人が最大で、2008年の170万人まで減少し、以降若干増加している。年による増減の傾向は一致している。なお、「労働力調査」と「就業構造基本調査」では、就業の定義が異なり、「労働力調査」では月末1週間の状況によって、「就業構造基本調査」ではふだんの状況によって判断している。こうした違いが推計されるフリーター数の差につながっていると思われる。

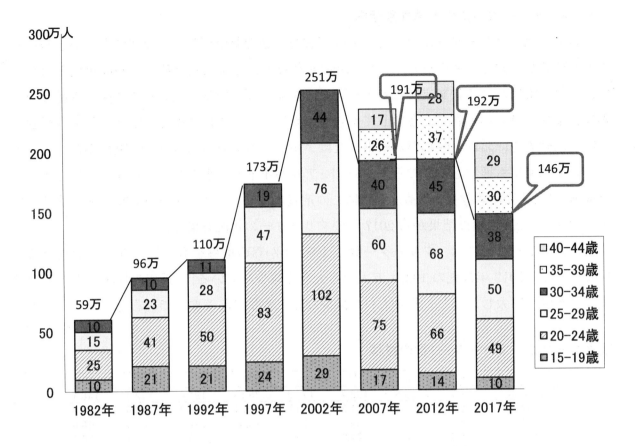

①男性 ②女性

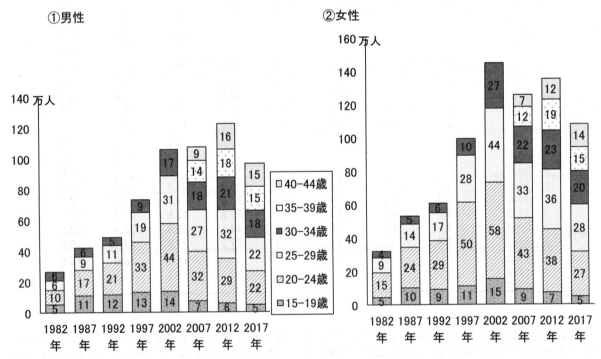

注：フリーターは、年齢は 15-34 歳、在学しておらず、女性については未婚者に限定し、①有業者については勤め先における呼称がパートまたはアルバイトである雇用者、②現在無業である者については家事も通学もしておらずパート・アルバイトの仕事を希望する者。ただし、2002 年調査のみ、女性未婚者の中に離死別による無配偶の女性を含み、また無業でパート・アルバイトを希望する者に、契約社員を希望する者も含まれる。以下の図表での定義は同じ。

フリーター数は、性別には、男性が 66.3 万人 (45.4%)、女性が 79.8 (54.6%) であり、男女比は 1982 年の最初の集計以来ほぼ一定である。年齢別には、30 歳代前半まで全ての年齢階層で減少が見られるが、特に 20 歳代での減少数が大きい。

図表には参考値として、年齢を 35〜44 歳と設定して、他の定義をフリーターに設定した時の「年齢超えフリーター」の数を示した。さらに、今回は、5 年前の調査時の 40〜44 歳層の後の状況を確認する意味もあって、45〜49 歳についても同様の数値を示した。「年齢超えフリーター」は 58.8 万人で、2012 年の 65.1 万人から減少した。

次の図表 2−23 はフリーターの年齢構成の変化を見たものである。長期的に若年層の割合が減り年長層の割合が増しており、今回の結果もその延長上にある。

図表２−２３　フリーターの年齢構成の推移　　　　　　　　　　　　　　　　単位：％

		1982年	1987年	1992年	1997年	2002年	2007年	2012年	2017年
男性	15-19歳	19.9	26.1	24.0	17.8	12.9	8.8	7.1	7.5
	20-24歳	36.0	40.2	42.8	45.0	41.7	37.9	32.8	32.4
	25-29歳	22.9	20.4	22.6	25.5	29.4	31.9	36.0	33.2
	30-34歳	21.2	13.2	10.6	11.8	16.0	21.5	24.1	26.8
	男性計	100.0	100.0	100.0	100.0	100.0	100.0	100.0	100.0
女性	15-19歳	14.1	19.1	15.5	11.4	10.6	8.7	7.1	6.1
	20-24歳	46.4	45.5	47.7	50.2	39.9	40.0	36.0	34.0
	25-29歳	27.4	26.5	27.7	28.1	30.7	30.8	34.6	35.1
	30-34歳	12.0	8.9	9.1	10.3	18.8	20.5	22.4	24.9
	女性計	100.0	100.0	100.0	100.0	100.0	100.0	100.0	100.0

注：フリーターの定義については、図表２−２２の注のとおり。

図表２−２４　フリーターの学歴構成の推移　　　　　　　　　　　　　　　　単位：％

		1982年	1987年	1992年	1997年	2002年	2007年	2012年	2017年
男性	中学	29.1	25.5	25.6	21.1	20.5	15.2	13.9	11.4
	高校	53.7	58.4	58.2	56.2	52.8	50.1	45.1	48.6
	専門・短大・高専[*1]	5.0	6.1	7.4	10.1	11.9	18.1	16.7	16.9
	大学・大学院[*2]	12.2	10.0	8.8	12.5	14.8	16.4	23.2	21.8
	男性計	100.0	100.0	100.0	100.0	100.0	100.0	100.0	100.0
女性	中学	13.2	14.7	14.7	9.4	11.7	9.8	10.1	9.0
	高校	51.8	55.2	54.9	53.2	52.5	46.9	44.0	44.9
	専門・短大・高専[*1]	25.6	22.3	23.2	28.8	27.4	31.1	28.8	28.8
	大学・大学院[*2]	9.3	7.8	7.1	8.4	8.5	11.7	16.2	16.0
	女性計	100.0	100.0	100.0	100.0	100.0	100.0	100.0	100.0

注：フリーターの定義については、図表２−２２の注のとおり。
　・学歴計には、学歴不明を含む。
*1 2002 年までは短大・高専のみ、2007 年では専門学校を加え、また、2012 年調査では専門学校については、修業年限「１年以上２年未満」「２年以上４年未満」「４年以上」の３つのカテゴリーに分けて調査されたが、「１年以上２年未満」「２年以上４年未満」は「短大・専門」に統合して集計した。
*2 2012 年以降、専門学校（４年以上）を加えている。

図表２−２４は学歴構成である。これも一貫して、低学歴者の割合が低下し、高学歴者の割合が上昇しているが、多くを占めるのが高卒者であることは変わらない。

　若年人口全体における年齢構成や学歴構成の違いの影響を除いて、フリーターになり易いのはどのような属性の人かを探るために、本調査の分析においては、「フリーター率」を設定して掲載してきた。フリーター率は、分母を、年齢は 15−34 歳、在学しておらず、女性については未婚者に限定し、①役員を除く雇用者であるか、または、②無業で「何か収入のある仕事をしたいと思っている者」とし、分子をフリーター数とするものである。これを性別、年齢、学歴別に集計することで、どの様な属性の人がフリーターになりやすのかを明らかにすることができる。

　その結果が図表２−２５、２−２６である。まず、男性と女性を比べると、男性の 8.1％に対して女性は 16.6％で、女性の方が約２倍フリーターになり易いことがわかる。この傾向は長期的に変わっていない。年齢階層別には、男性は年齢が若いほどフリーターになりやすい傾向が一貫してあり、女性は 15〜19 歳層が特に高く、それ以上の年齢では大きな違いはない。

　図表２−２６で学歴別にみると、低学歴層ほどフリーターになりやすい傾向は、男女ともに、一貫している。とくに中学卒の女性の場合、2002 年以降フリーター率は 50％程度で推移しており、高い。最近５年の低下は男女ともに、すべての学歴で起きている。

図表２−２５　年齢階層別フリーター率*の推移　　　　　　　　単位：％

		1982年	1987年	1992年	1997年	2002年	2007年	2012年	2017年
男性	15−19歳	7.8	14.8	15.7	24.4	32.0	23.8	23.4	19.5
	20−24歳	3.8	6.1	6.6	10.6	17.8	15.0	16.1	12.2
	25−29歳	1.7	2.5	3.0	4.4	7.3	7.6	9.7	7.6
	30−34歳	1.3	1.6	1.5	2.4	4.0	4.3	5.9	5.5
	男性計	2.4	4.0	4.4	6.4	9.3	8.3	9.9	8.1
女性	15−19歳	6.7	14.4	15.1	29.2	43.7	36.8	35.6	28.4
	20−24歳	6.1	8.9	9.2	16.9	24.2	20.4	21.8	16.5
	25−29歳	9.6	12.1	10.2	13.6	17.7	15.2	18.0	15.2
	30−34歳	10.5	13.4	10.8	14.3	20.0	16.1	18.6	17.5
	女性計	7.3	10.8	10.2	16.3	21.9	18.2	20.1	16.6

注：フリーター率は、分母を、年齢は 15−34 歳、在学しておらず、女性については未婚者に限定し、①役員を除く雇用者であるか、または、②無業で「何か収入のある仕事をしたいと思っている者」とし、分子をフリーター数とするものである。フリーターの定義については、図表２−２２の注のとおり。

図表２－２６　学歴別フリーター率の推移

単位：％

		1982年	1987年	1992年	1997年	2002年	2007年	2012年	2017年
男性	中学	4.3	9.1	12.3	15.6	21.7	18.7	22.2	19.3
	高校・旧中	2.4	4.4	4.9	7.2	10.7	10.6	12.4	11.6
	専門・短大・高専[*1]	2.2	3.3	3.1	5.1	7.6	7.8	9.6	8.3
	大学・大学院[*2]	1.2	1.4	1.4	2.7	4.5	3.9	5.8	4.0
	男性計	2.4	4.0	4.4	6.4	9.3	8.2	9.9	8.1
女性	中学	12.9	27.2	32.1	42.4	50.2	47.3	50.3	47.4
	高校・旧中	6.5	10.7	11.1	20.0	30.4	28.3	31.4	28.9
	専門・短大・高専[*1]	7.3	8.2	6.9	12.1	16.0	14.3	17.4	15.9
	大学・大学院[*2]	8.0	8.9	6.8	9.6	9.6	8.0	9.6	6.6
	女性計	7.3	10.8	10.2	16.3	21.9	18.1	20.1	16.6

注：フリーター率は、分母を、年齢は 15－34 歳、在学しておらず、女性については未婚者に限定し、①役員を除く雇用者であるか、または、②無業で「何か収入のある仕事をしたいと思っている者」とし、分子をフリーター数とするものである。フリーターの定義については、図表２－２２の注のとおり。
　・学歴計には、学歴不明を含む。
*1 2002 年までは短大・高専のみ、2007 年では専門学校を加え、また、2012 年調査では専門学校については、修業年限「1 年以上 2 年未満」「2 年以上 4 年未満」「4 年以上」の 3 つにカテゴリーに分けて調査されたが、「1 年以上 2 年未満」「2 年以上 4 年未満」は「短大・専門」に統合して集計した。
*2 2012 年では専門学校(4 年以上）を加えている。

　さて、この節の最後に、1982 年調査から今回までの 8 回の調査結果をつないで、疑似的なコーホートにみたて、世代別のフリーター動向を検討する。

　ここでは、次の 7 つの世代を設定する。すなわち、各調査年に 20～24 歳であった世代に注目し、それぞれの調査年を世代名とする。すなわち、87 世代、92 世代、97 世代、02 世代、07 世代、12 世代、17 世代である。この世代ごとに複数年次の同調査からフリーター数を求めてつないだのが、次の図表２－２７の上段である。いずれの世代の男女でも、20 歳代前半が最もフリーター数が多い年齢階級であるが、飛びぬけて 02 世代が多く、次いで 97 世代となっている。1990 年代末から 2000 年代前半に高校や大学を卒業した世代で、フリーターはこれらの世代の登場で問題として認識されるようになった。さてグラフの形状を見ると、それぞれ 20 歳代後半、30 歳代と年長になるにしたがって、数を減らしている。フリーターからの離脱のプロセスがここに描かれる。

　この減少の仕方に注目すると、87 世代は 20 歳代後半には減少が始まるが、92 世代は 30 歳代前半までほとんど減少していない。女性では 30 歳代後半に減少がみられるが、男性ではこの年代の減少幅も小さい。一方、97 世代は 30 歳代前半、02 世代は 20 歳代後半で大きく減っている。各世代で減少期が一階層ずつずれているが、これを年齢でなく暦年でみれば、同じ時期に減少していることがわかる。すなわち、どの世代も景気拡大期にフリーター数が大幅に減っているということである。それを示すために、図の様式を変えたのが、下段である。2002 年から 2007 年にかけて、そして今回の 2012 年から 2017 年にかけて、20 歳代前半以上の年齢になっている世代はほとんどが下げている。フリーターからの離脱、すなわちパート・アルバイトから正社員に移行するには、景気拡大があって労働力需要が高まることが非常に

重要だということがわかる。

その下げの角度に注目すると、2012年から2017年の減少幅が大きいのは、2012年時に20歳代後半になっていた07世代、30歳代前半であった02世代、そして20歳代前半であった12世代である。より高い年齢でこの景気拡大期を迎えた97世代や92世代は、減少幅が小さいか、変わらない。景気拡大とともにその時の年齢が重要だということがわかる。

図表2-27　フリーター数の世代別推移（疑似コーホート）

①男性　　　　　　　　　　　　　　　　②女性

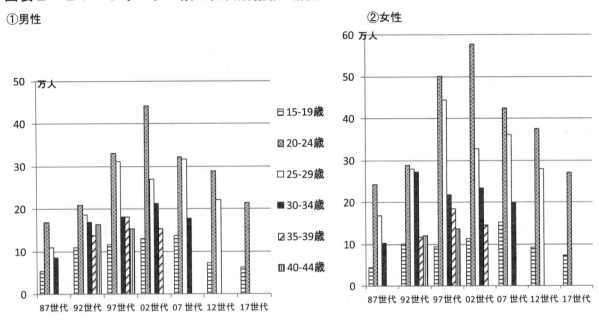

③男性　　　　　　　　　　　　　　　　④女性

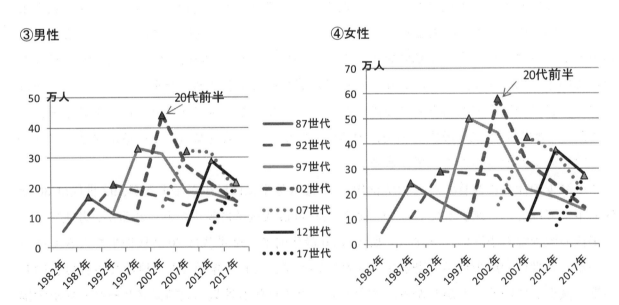

2.8 フリーターの就業継続・転職希望

次に、フリーターがそのままの就業を希望しているのか、転職を希望しているのかをみる。すでに 2.6 節において、職業キャリアとの関係から検討した調査項目であるが、フリーターという観点からも確認しておく。この調査項目は有業者に対してのものであり、該当するのはフリーターのうちでも有業者、すなわち、パート・アルバイトで働いている者ということになる。

図表 2 - 28 のとおり、フリーターと正社員を比べると、フリーターの方が就業継続希望者は少なく、転職や追加就業を希望する者が多い。転職希望者は、男性の 32.7%、女性の 25.7% を占めており、他の働き方を希望している者は少なくない。

図表 2 - 28　フリーターと正社員の就業継続・転職希望（15～34 歳、在学中を除く有業者、女性は未婚に限定）

単位：%、太字は実数(千人)

		合計(N)（千人）	(%)	この仕事を続けたい	この仕事のほかに別の仕事もしたい	他の仕事に変わりたい	仕事をすっかりやめてしまいたい	不詳
男女計	正社員	**7,015.6**	100.0	76.3	8.2	12.8	2.1	0.7
	フリーター	**1,358.9**	100.0	49.9	16.3	28.9	3.5	1.4
男性	正社員	**6,442.7**	100.0	76.7	8.1	12.5	2.0	0.7
	フリーター	**618.4**	100.0	45.4	16.8	32.7	3.4	1.6
女性	正社員	**572.9**	100.0	71.3	9.1	16.4	2.9	0.4
	フリーター	**740.6**	100.0	53.6	15.8	25.7	3.6	1.2

注：フリーターの定義については、図表 2 - 22 の注のとおり。

図表 2 - 29　年齢階層別フリーターの就業継続・転職希望（有業者のみ、35 歳以上は参考値）

単位：%、太字は実数(千人)

		合計(N)（千人）	(%)	この仕事を続けたい	この仕事のほかに別の仕事もしたい	他の仕事に変わりたい	仕事をすっかりやめてしまいたい	不詳
男性	15-19歳	**43.2**	100.0	<u>55.0</u>	18.5	18.5	4.0	3.9
	20-24歳	**201.9**	100.0	<u>43.8</u>	18.3	33.1	2.5	2.3
	25-29歳	**210.5**	100.0	43.9	17.8	33.4	3.8	1.1
	30-34歳	**162.9**	100.0	46.9	13.3	35.1	3.7	1.0
	(35-39歳)	**139.2**	100.0	<u>54.7</u>	16.9	24.3	2.4	1.6
	(40-44歳)	**134.2**	100.0	<u>54.2</u>	14.5	25.3	3.6	2.4
	(45-49歳)	**115.1**	100.0	56.0	14.5	24.8	2.8	2.0
女性	15-19歳	**42.2**	100.0	<u>55.7</u>	18.8	22.7	2.2	0.6
	20-24歳	**255.1**	100.0	51.4	17.5	26.0	3.7	1.4
	25-29歳	**260.5**	100.0	53.1	14.2	27.0	4.7	1.0
	30-34歳	**182.7**	100.0	57.2	14.9	24.3	2.5	1.2
	(35-39歳)	**131.4**	100.0	63.4	12.6	21.2	2.1	0.7
	(40-44歳)	**124.4**	100.0	<u>64.5</u>	12.7	17.2	3.6	1.9
	(45-49歳)	**109.4**	100.0	63.4	12.1	20.2	2.9	1.4

注：フリーターの定義については、図表 2 - 22 の注のとおり。
・背景がグレーの数値は、2012 年調査に比べて 5% ポイント以上の減少、太字下線は 5% ポイント以上の増加を示す。45～49 歳は、2012 年調査については集計していないため、比較はできない。

図表2－29では、この希望状況をフリーターに限って年齢階層別にみた。男女とも転職希望者は20歳代に多く、特に男性で顕著である。また、女性の20歳代後半以降では、2.5節でみたパート・アルバイトの転職希望率に比し、より高くなるが、これは家庭生活との関係から非典型雇用での就業継続を希望することの多い既婚女性がフリーターの定義から除かれていることからくる差異だと思われる。

　2012年調査との比較を表中に示した。すなわち、5%ポイント以上の減少があればグレーの背景、5%ポイント以上の増加があれば太字下線とした。男性の29歳以下と30歳代後半では、転職希望者が減り、就業継続希望者が増えている。女性でも10歳代後半や40歳代前半で就業継続希望者が増えた。転職希望が減る傾向は、2012年にも確認され、景気拡大期に非正規から正規に移行しやすくなったため、調査時には比較的転職希望が弱い人がフリーターとして残ったという解釈を示したが、さらに長期の好況下にあるため、一層、転職希望がない人がフリーターであり続けているという解釈が成り立つ。また、特に今回10歳代後半の転職希望者が減っているが、ここには新規高卒労働市場の売り手市場状況が続いており、新たにフリーターになる10歳代の若者が減っていることが理由のひとつとして挙げられるだろう。

　図表2－30はこれを学歴別に見たものである。男性では高学歴になるほど転職希望者が多く、就業継続希望者が少ない。2012年に比べて男性の中学卒、高校卒で転職希望者が減り、就業継続希望者が増えたため、学歴差は明確になった。高学歴のフリーターには転職希望者が多いという傾向は2012年から変わらない。②には参考として、35～44歳の「年齢超えフリーター」についても、学歴別別の就業継続・転職希望をみた。この年齢層でも、男性の場合は大学・大学卒の方が転職希望者は多い。女性でもやや高学歴者の方が転職希望者は多いが、大きな違いではない。

図表2－30　学歴別フリーターの就業継続・転職希望（15～34歳、有業者のみ）
①フリーター（15～34歳）　　　　　　　　　　　　　　単位：%、太字は実数（千人）

		合計(N)（千人）	(%)	この仕事を続けたい	この仕事のほかに別の仕事もしたい	他の仕事に変わりたい	仕事をすっかりやめてしまいたい	不詳
男性	中学卒	63.5	100.0	<u>56.3</u>	18.3	18.8	2.9	3.7
	高校卒	301.6	100.0	<u>51.4</u>	15.5	28.0	3.8	1.3
	専門・短大・高専卒[*1]	105.7	100.0	38.2	17.4	39.9	3.5	1.0
	大学・大学院卒[*2]	139.9	100.0	33.9	18.2	44.7	2.6	0.6
女性	中学	58.2	100.0	54.9	17.1	23.2	3.5	1.3
	高校	331.8	100.0	56.8	15.2	23.2	3.7	1.1
	専門・短大・高専[*1]	217.0	100.0	52.7	15.3	26.7	3.9	1.4
	大学・大学院[*2]	122.8	100.0	45.4	18.4	32.9	3.1	0.2

②参考：年齢超えフリーター（35〜44歳）　　　　　　　　　　単位：%、太字は実数(千人)

		合計(N)（千人）	(%)	この仕事を続けたい	この仕事のほかに別の仕事もしたい	他の仕事に変わりたい	仕事をすっかりやめてしまいたい	不詳
男性	中学卒	**37.7**	100.0	52.2	19.6	21.8	2.2	4.2
	高校卒	**121.2**	100.0	58.4	13.5	23.8	2.7	1.6
	専門・短大・高専卒[*1]	**54.4**	100.0	53.5	17.6	23.1	4.7	1.2
	大学・大学院卒[*2]	**55.8**	100.0	48.9	15.6	31.8	2.7	0.9
女性	中学	**18.1**	100.0	73.7	4.9	16.7	3.3	1.4
	高校	**112.6**	100.0	67.4	10.2	18.2	2.8	1.4
	専門・短大・高専[*1]	**88.8**	100.0	58.9	17.0	20.8	2.6	0.6
	大学・大学院[*2]	**33.3**	100.0	61.1	14.0	20.1	3.3	1.6

注：フリーターの定義については、図表２−２２の注のとおり。
*1　2002年までは短大・高専のみ、2007年では専門学校を加え、また、2012年調査では専門学校については、
　　修業年限「１年以上２年未満」「２年以上４年未満」「４年以上」の３つにカテゴリーに分けて調査されたが、
　　「１年以上２年未満」「２年以上４年未満」は「短大・専門」に統合して集計した。
*2　2012年では専門学校（４年以上）を加えている。

　次の図表２−３１は、過去の調査結果を合わせて就業継続・転職希望の変化を見たものである。2007年まで男性フリーターでは就業継続希望者より転職希望者の方が多かった。2012年に逆転し、2017年はさらに転職希望者が減った。女性の場合、転職希望者のこの５年の減少はわずかであるが、長期的には減少を続けている。転職希望者の減少傾向は、長期的趨勢である。

図表２−３１　フリーターの就業継続・転職希望の推移（有業者のみ）　　　単位：%

		この仕事を続けたい	この仕事のほかに別の仕事もしたい	他の仕事に変わりたい	仕事をすっかりやめてしまいたい
男性フリーター	1997年	37.0	13.3	47.0	2.7
	2002年	36.5	14.2	46.1	2.1
	2007年	40.1	13.2	43.3	2.0
	2012年	41.4	15.7	38.5	2.8
	2017年	45.4	16.8	32.7	3.4
女性フリーター	1997年	48.5	13.9	35.5	3.0
	2002年	50.5	14.2	32.4	2.1
	2007年	53.1	13.9	29.8	1.0
	2012年	55.0	15.2	26.4	2.5
	2017年	53.6	15.8	25.7	3.6

注：2012年までは労働政策研究・研修機構（2014）による。

　転職希望者にはその主な理由を問う質問があるので、ここから転職希望の正社員とフリーターの場合の理由の違いを検討する。図表２−３２がその結果だが、正社員に比べて、フリーターの場合は、「一時的についた仕事だから」という者が圧倒的に多い。次いで大きな理由となっている「収入が少ない」は正社員の転職希望理由とも共通するものである。

図表2－32　転職希望のフリーターと正社員の転職希望理由（15～34歳、在学中を除く有業者、女性は未婚に限定）

単位：%、太字は実数(千人)

		合計(千人)	一時的についた仕事だから	収入が少ない	事業不振や先行き不安	定年又は雇用契約の満了に備えて	時間的・肉体的に負担が大きい	知識や技能を生かしたい	余暇を増やしたい	家事の都合	その他	不詳
男女計	正社員	897.6	3.0	30.5	11.4	0.1	28.8	7.8	4.8	1.0	12.4	0.3
	フリーター	393.0	36.6	31.1	4.3	0.6	8.4	6.9	1.2	0.2	10.3	0.3
男性	正社員	803.9	3.1	31.8	12.0	0.1	28.1	8.0	4.6	0.9	11.1	0.3
	フリーター	202.3	42.3	30.0	3.8	0.7	5.8	6.5	1.4	0.1	9.1	0.3
女性	正社員	93.7	2.3	19.8	6.3	0.3	34.4	6.1	5.8	1.8	23.1	0.0
	フリーター	190.7	30.6	32.3	4.9	0.5	11.1	7.3	1.1	0.4	11.6	0.4

注：フリーターの定義については、図表2－22の注のとおり。

　これをフリーターに限って年齢階層別に見たのが図表2－33である。若年層ほど「一時的についた仕事だから」という理由が多く、年齢が高いほど「収入が少ない」という理由が多い。男性では30歳代以上では「収入が少ない」という理由を挙げる人が最も多くなっている。女性では25歳以上で逆転し、40～44歳層では半数以上に達している。また、年齢の高い層では「時間的・肉体的に負担が大きい」を挙げる者も多くなっている。

　「一時的についた仕事だから」という理由は、有期雇用のため転職せざるを得ないという意味と、キャリア探索の過程として選んだ働き方という意味の2つの解釈が可能であるが、若年層ではキャリア探索的な側面も強いと思われる。年長層で収入や安定を求める傾向が強いのは、やはり自らの仕事で生活を支える必要性の高まりがあるからだろう。

図表2－33　年齢階層別転職希望のフリーターの転職希望理由（35歳以上は参考値）

単位：%、太字は実数(千人)

		合計(千人、N)	一時的についた仕事だから	収入が少ない	事業不振や先行き不安	定年又は雇用契約の満了に備えて	時間的・肉体的に負担が大きい	知識や技能を生かしたい	余暇を増やしたい	家事の都合	その他	不詳
男性	15-19歳	8.0	66.6	11.5	1.5	0.0	4.3	8.6	0.0	0.0	7.6	0.0
	20-24歳	66.8	46.4	24.8	3.4	1.7	3.1	7.6	3.3	0.3	9.2	0.1
	25-29歳	70.3	43.5	31.2	4.0	0.2	6.1	4.8	0.7	0.0	9.5	0.0
	30-34歳	57.2	32.8	37.4	4.2	0.2	8.8	7.1	0.2	0.0	8.6	0.8
	(35-39歳)	33.9	28.9	38.6	6.2	0.3	9.4	5.6	0.9	0.2	9.2	0.6
	(40-44歳)	33.9	31.4	39.4	6.3	0.8	9.7	3.8	0.2	0.3	8.2	0.0
	(45-49歳)	28.5	23.1	45.4	6.5	0.8	11.9	6.1	0.2	0.5	5.4	0.0
女性	15-19歳	9.6	52.9	21.9	5.0	2.0	6.8	1.0	0.7	0.0	9.2	0.5
	20-24歳	66.5	35.8	28.8	4.6	0.3	11.2	8.0	1.2	0.1	9.7	0.4
	25-29歳	70.3	27.9	34.0	2.9	0.6	12.3	8.1	1.3	0.6	12.1	0.2
	30-34歳	44.4	22.0	37.0	8.5	0.3	9.9	6.1	0.7	0.6	14.2	0.7
	(35-39歳)	27.9	19.0	44.5	5.9	0.0	13.2	4.2	1.9	1.6	9.6	0.0
	(40-44歳)	21.4	9.6	51.6	3.8	0.7	19.6	2.6	1.4	0.4	10.3	0.0
	(45-49歳)	22.1	15.0	38.4	6.2	0.2	20.6	2.3	0.3	5.3	10.2	1.5

注：フリーターの定義については、図表2－22の注のとおり。

　学歴別には（図表2－34）、「一時的についた仕事だから」という理由を挙げるのは、男

性の場合は高学歴層ほど多く、女性では大学・大学院卒が多く、他は変わらない。「収入が少ない」は男性では低学歴層の方がこの理由を選ぶ者が多い傾向にある。学歴は親の家計状況に規定されるところが大きいが、それがまた、フリーター離脱希望理由の違いに表れているのではないかと推測される。

　②の35歳以上の場合を見ると、男女とも「一時的についた仕事だから」はより学歴の低い層で多く挙げられ、「収入が少ない」はむしろ学歴の高い方で多く挙げられている。34歳以下とは逆の傾向である。探索的な意味でアルバイトに就く年齢ではなくなり、「一時的についた仕事だから」という転職理由は、有期雇用のため転職せざるを得ないという意味を増しているのだと思われる。

図表２－３４　学歴別転職希望のフリーターの転職希望理由

①フリーター（15〜34歳）　　　　　　　　　　　　　　単位：%、太字は実数(千人)

		合計(千人)	一時的についた仕事だから	収入が少ない	事業不振や先行き不安	定年又は雇用契約の満了に備えて	時間的・肉体的に負担が大きい	知識や技能を生かしたい	余暇を増やしたい	家事の都合	その他	不詳
男性	中学	12.0	39.8	37.8	4.1	0.0	7.1	1.9	0.0	0.0	9.2	0.0
	高校	84.4	38.8	33.8	4.7	0.2	7.2	6.4	0.3	0.0	8.4	0.2
	専門・短大・高専*1	42.1	41.3	31.1	2.9	1.5	5.9	6.3	3.7	0.5	6.7	0.0
	大学・大学院*2	62.6	49.1	21.6	3.0	1.0	3.7	7.9	1.6	0.0	11.7	0.5
女性	中学	13.5	27.2	28.3	11.9	0.0	14.7	2.0	0.0	0.0	15.6	0.4
	高校	77.1	27.9	35.0	5.2	0.4	14.1	3.8	1.2	0.2	11.8	0.4
	専門・短大・高専*1	57.9	27.9	33.2	5.5	0.2	9.1	9.8	1.7	0.1	12.4	0.0
	大学・大学院*2	40.3	40.3	28.1	1.2	1.2	7.7	12.3	0.4	1.2	7.0	0.6

②参考：年齢超えフリーター（35〜44歳）　　　　　　　　単位：%、太字は実数(千人)

		合計(千人)	一時的についた仕事だから	収入が少ない	事業不振や先行き不安	定年又は雇用契約の満了に備えて	時間的・肉体的に負担が大きい	知識や技能を生かしたい	余暇を増やしたい	家事の都合	その他	不詳
男性	中学	8.2	33.4	32.8	4.4	0.0	10.6	8.2	2.2	0.9	7.4	0.0
	高校	28.8	34.9	34.9	6.4	1.3	10.2	1.9	0.6	0.4	9.5	0.0
	専門・短大・高専*1	12.6	20.3	40.3	7.7	0.0	12.4	6.8	0.0	0.0	12.4	0.0
	大学・大学院*2	17.7	28.7	46.1	5.9	0.0	6.2	6.2	0.3	0.0	5.6	1.1
女性	中学	3.0	30.7	19.8	12.4	0.0	9.0	0.0	3.4	0.0	24.7	0.0
	高校	20.5	13.0	50.3	5.4	0.7	14.3	1.3	0.6	2.6	11.6	0.0
	専門・短大・高専*1	18.5	13.0	50.4	1.9	0.0	18.9	4.9	3.3	0.0	7.6	0.0
	大学・大学院*2	6.7	17.4	47.6	9.3	0.0	14.4	5.9	0.0	0.0	5.4	0.0

注：フリーターの定義については、図表２－２２の注のとおり。
*1 2002年までは短大・高専のみ、2007年では専門学校を加え、また、2012年調査では専門学校については、修業年限「1年以上2年未満」「2年以上4年未満」「4年以上」の3つにカテゴリーに分けて調査されたが、「1年以上2年未満」「2年以上4年未満」は「短大・専門」に統合して集計した。
*2 2012年では専門学校（4年以上）を加えている。

次に、転職を希望している場合、どのような就業形態で働くことを望んでいるのかをみる。図表2－35にみるとおり、転職希望のフリーター男性の8割弱、女性の7割弱が正社員を望んでいる。35歳以上では少し割合は下がるが、多くが望んでいるのは正社員である。女性の場合は年齢が高くなるとパート・アルバイト等の非典型雇用を希望する人が増えている。また、男性の40歳代前半では「自分で事業を起こしたい」という希望も1割を超える。

図表2－35　年齢階層別転職希望フリーターの希望する就業形態

単位：%、太字は実数（千人）

		合計(N)（千人）	(%)	正社員	パート・アルバイト、契約社員、派遣社員	自分で事業を起こしたい	家業を継ぐ、内職、その他	不詳
男性	15-19歳	8.0	100.0	65.5	13.3	9.4	6.6	5.3
	20-24歳	66.8	100.0	75.6	8.3	1.8	13.1	1.2
	25-29歳	70.3	100.0	80.3	6.7	4.0	7.5	1.5
	30-34歳	57.2	100.0	77.3	6.9	8.7	6.7	0.3
15－34歳計		202.3	100.0	77.3	7.6	4.8	9.1	1.2
	(35-39歳)	33.9	100.0	72.6	9.6	5.9	10.0	1.8
	(40-44歳)	33.9	100.0	72.7	7.7	12.1	7.2	0.3
	(45-49歳)	28.5	100.0	71.7	12.7	4.8	10.2	0.5
女性	15-19歳	9.6	100.0	76.6	13.4	2.7	6.8	0.5
	20-24歳	66.5	100.0	72.3	20.6	2.0	3.2	1.9
	25-29歳	70.3	100.0	64.0	25.4	3.9	6.4	0.4
	30-34歳	44.4	100.0	60.8	24.1	2.2	9.5	3.5
15－34歳計		190.7	100.0	66.8	22.8	2.8	6.0	1.6
	(35-39歳)	27.9	100.0	67.3	22.3	5.2	4.9	0.3
	(40-44歳)	21.4	100.0	58.0	28.0	2.8	10.0	1.2
	(45-49歳)	22.1	100.0	52.5	29.9	1.3	7.3	8.8

これを学歴別にみると（図表2－36）、男女とも学歴が高い層で正社員志向が強いことがわかかる。さらに②の35歳以降についてみると、大学・大学院卒では男女とも「自分で事業を起こしたい」が増え、一方中学卒男性ではパート・アルバイト希望者が増え、学歴による希望の違いが、よりはっきりしたものになっている。

図表2－36　学歴別転職希望フリーターの希望する就業形態
①フリーター（15～34歳）

単位：%、太字は実数(千人)

		合計(N)（千人）	(%)	正社員	パート・アルバイト、契約社員、派遣社員	自分で事業を起こしたい	家業を継ぐ、内職、その他	不詳
男性	中学卒	12.0	100.0	65.0	11.0	1.0	14.4	8.5
	高校卒	84.4	100.0	76.0	7.9	4.9	10.1	1.1
	専門・短大・高専卒	42.1	100.0	75.5	9.3	4.9	9.5	0.8
	大学・大学院卒	62.6	100.0	82.8	4.8	5.5	6.7	0.2
女性	中学卒	13.5	100.0	56.0	39.8	1.4	2.4	0.4
	高校卒	77.1	100.0	66.8	22.7	2.3	6.9	1.3
	専門・短大・高専卒	57.9	100.0	64.3	25.3	4.1	4.6	1.7
	大学・大学院卒	40.3	100.0	76.6	12.9	2.5	5.4	2.7

②参考：年齢超えフリーター（35〜44 歳）　　　　　　　　　　　　単位：%、太字は実数(千人)

		合計(N)		正社員	パート・アルバイト、契約社員、派遣社員	自分で事業を起こしたい	家業を継ぐ、内職、その他	不詳
		（千人）	（%）					
男性	中学卒	8.2	100.0	60.6	23.6	5.5	9.5	0.8
	高校卒	28.8	100.0	75.0	6.2	6.7	10.8	1.3
	専門・短大・高専卒	12.6	100.0	73.3	7.1	8.0	11.1	0.5
	大学・大学院卒	17.7	100.0	73.4	7.1	15.3	3.1	1.1
女性	中学卒	3.0	100.0	66.7	26.1	1.8	5.5	0.0
	高校卒	20.5	100.0	54.7	33.1	1.5	10.2	0.6
	専門・短大・高専卒	18.5	100.0	73.5	17.9	5.3	3.2	0.0
	大学・大学院卒	6.7	100.0	62.7	17.7	10.6	6.7	2.3

2.9　非典型雇用から正社員への移行

　この節では、非典型雇用から正社員への移行がどこでどの程度起きているのかを把握し、さらにどのような人が正社員へ移行しているのか、移行者の特徴を明らかにする。これまでの本研究で分析対象としてきた 35 歳未満の若者ばかりでなく、現下の好況の中にあっても、取り残された世代として政策的関心を集めている「就職氷河期世代」（35〜44 歳）の非典型雇用者についても合わせて取り上げる。

　なお、本調査で把握できる非典型雇用から正社員への移行は、企業間移動をした場合のみである。企業間移動を伴わない場合、すなわち、企業内で例えば契約社員から正社員に登用されたりした場合は把握されない。その点では限定的な検討である[12]。

　さて、最初に分析対象を限定する。この調査の特徴として、現職と前職との間の移動だけが雇用形態の変化とその時期を把握できる。すなわち複数回企業間移動がある場合には最後の移動のみが把握されている。あまり古くまでさかのぼって移動を捉えても、把握しているものは全体の移動の一部にとどまる。そこでここで分析の対象とするのは、過去 1 年間に離職した者とする。

　図表 2 − 3 7 は、2016 年 10 月から調査時点である 2017 年 10 月 1 日までの過去 1 年間に離職した者（15〜44 歳、非在学）の前職雇用形態別に調査時点現在の状況を見たものである。観測された離職者は 29,916 名（実測値）、このうち現在は正社員である者は 33.8%、現在は無業である者（無業で家事、無業で通学、無業でその他）は 29.0% を占める。なお、2012 年調査で同様に把握した過去 1 年間の離職者数は 24,694 人であり、今回は 5,222 人（21.1%）増加している。また、その現職については、正社員割合が 10.1% ポイント増加し、無業者割合は 12.5% ポイント減少している。移動が活発になり、かつ正社員に多くが採用されている。

　さて、ここでの「非典型雇用からの移行」の分析対象とするのは、非典型雇用（パート、アルバイト、派遣社員、契約社員、嘱託、その他）の職を辞した 15,705 人である。

---

[12] 労働政策研究・研修機構（2009、2013）では、企業内での登用を含む非典型雇用から正社員への移行を検討し、正社員への移行全体の中でおよそ 2〜3 割が内部登用であると推測している。

図表２－３７　過去１年間に離職した者の前職就業形態別現在の状況（2017 年 10 月時点；15-44 歳、在学中は除く、実測値）

単位：％、太字は実数

前職	合計(人)	正規の職員・従業員	パート	アルバイト	派遣社員	契約社員	嘱託	その他雇用	会社などの役員	自営	自営手伝い・内職	無業家事	無業通学	無業その他	不詳
正規の職員・従業員	13,261	49.5	6.8	4.3	3.4	5.4	0.8	0.9	0.8	2.4	0.5	12.9	0.5	11.8	0.1
パート	6,341	12.7	37.2	3.3	3.5	3.6	1.0	0.8	0.2	1.1	0.6	29.6	0.2	6.0	0.1
アルバイト	4,029	26.8	8.8	19.5	4.2	5.1	0.9	0.8	0.2	1.1	0.5	16.5	0.5	15.0	0.0
労働者派遣業の派遣社員	1,979	20.0	9.0	4.1	29.0	7.0	0.7	1.2	0.3	0.5	0.3	16.5	0.2	11.1	0.1
契約社員	2,377	30.5	7.7	4.6	5.7	18.6	1.3	1.0	0.4	1.3	0.6	15.1	0.8	12.3	0.0
嘱託	397	30.5	11.3	4.3	2.8	6.5	12.1	2.8	0.3	1.5	0.3	21.9	0.3	5.5	0.0
その他	582	27.7	8.2	3.8	2.9	5.3	3.1	11.3	0.7	4.0	0.5	16.8	0.5	15.1	0.0
会社などの役員	87	36.8	8.0	3.4	2.3	1.1	0.0	0.0	9.2	12.6	0.0	11.5	1.1	12.6	1.1
自営業主で雇人あり	87	37.9	8.0	2.3	5.7	4.6	0.0	0.0	5.7	9.2	0.0	14.9	0.0	11.5	0.0
自営業主で雇人なし	291	29.9	9.3	3.8	2.7	4.8	0.0	2.1	2.4	11.3	1.4	17.9	0.0	14.4	0.0
自営業の手伝い	165	20.0	17.0	7.9	2.4	9.7	0.6	1.2	1.8	6.1	0.6	22.4	1.2	9.1	0.0
内職	58	1.7	53.4	3.4	0.0	1.7	0.0	0.0	0.0	0.0	3.4	25.9	0.0	8.6	1.7
不詳	262	34.0	17.9	6.5	6.5	7.6	1.5	1.9	1.1	1.9	1.1	8.4	0.0	9.5	1.5
合計	29,916	33.8	14.1	6.2	5.4	6.2	1.1	1.1	0.6	1.9	0.5	17.6	0.5	10.9	0.1

注：背景がグレーの数値は、2012 年調査に比べて５％ポイント以上の減少、太字下線は５％ポイント以上の増加を示す。
　　ウエイトバック前の実測値を用いた。

　図表２－３８は、この 15,705 人の調査時点現在の状況である。正社員になっている者は 20.9％で、無業の者が 32.3％、その約半数が求職活動をしている。非典型雇用離職者は、性別には女性が４分の３と多いのだが、正社員移行率は男性のほうが 35.0％と高く、女性は 16.0％にとどまる。2012 年の正社員移行率は男女計 14.9％（男性 25.7％、女性 10.7％）であり、今回は男女とも大幅に高まっている。2011 年 10 月からの１年間は、大震災後の混乱の残る時期で景気も良くなかったため、正社員への移行率が特に低かった可能性もあるので、2007 年の調査データも掲載した。2007 年の正社員移行率は 16.1％で、2012 年とあまり変わらない水準である。やはり今回調査では、非典型雇用から正社員への移行は格段に増えたといえる。

図表２－３８　過去１年間に非典型雇用から離職した者の移行状況（15～44 歳、在学中を除く、実測値）

単位：％、太字は実数

	2017年調査				2012年調査	2007年調査
	男女計(人)	（％）	うち男性	うち女性	男女計	男女計
非典型雇用からの離職者合計(N)	15,705		4,035	11,670	14,129	15,424
％		100.0	100.0	100.0	100.0	100.0
正規の職員・従業員へ	3,286	20.9	35.0	16.0	14.9	16.1
非典型雇用（パート、アルバイト、派遣、契約、嘱託、その他）	7,018	44.7	35.2	48.0	40.5	40.2
自営・経営（役員、自営業主、自営手伝い、内職）へ	322	2.1	2.9	1.8	1.5	1.4
無業（求職者）へ	2,493	15.9	18.7	14.9	25.8	25.0
無業（白書定義無業）へ	415	2.6	5.8	1.6	2.7	2.8
無業（独身家事従事）へ	234	1.5	1.2	1.6	1.3	1.2
無業（専業主婦、その他）へ	1,937	12.3	1.1	16.2	13.2	13.2

また、図表２－３９には、今回調査について 15～34 歳層と 35～44 歳層に分けたときの状況を示した。15～34 歳層に比べて、35～44 歳層では男女とも正社員移行率は低く、非典型雇用で再就職している者が多い。また求職者の割合もやや高い。35～44 歳層の方が正社員移行は困難であることが窺える。また、35～44 歳の男性では「自営・経営」が若干多い。年齢越えフリーターの「自分で事業を起こしたい」という希望の実現とみることもできよう。

図表２－３９　過去１年間に非典型雇用から離職した者の移行状況（15～44 歳、在学中を除く、実測値）

単位：％、太字は実数

	2017年							
	15～34歳				35～44歳			
	男女計(人)	(%)	男性	女性	男女計(人)	(%)	男性	女性
非典型雇用からの離職者合計(N)	**8,991**		**2,843**	**6,148**	**6,714**		**1,192**	**5,522**
％		100.0	100.0	100.0		100.0	100.0	100.0
正規の職員・従業員へ	**2,242**	24.9	37.8	19.0	**1,044**	15.5	28.4	12.8
非典型雇用へ	**3,612**	40.2	34.0	43.0	**3,406**	50.7	38.0	53.5
自営・経営へ	**164**	1.8	2.1	1.7	**158**	2.4	4.8	1.8
無業(求職者)へ	**1,420**	15.8	18.2	14.7	**1,073**	16.0	20.1	15.1
無業(白書定義無業)へ	**290**	3.2	5.9	2.0	**125**	1.9	5.6	1.1
無業(独身家事従事)へ	**163**	1.8	1.3	2.1	**71**	1.1	1.2	1.0
無業(専業主婦、その他)へ	**1,100**	12.2	0.8	17.5	**837**	12.5	1.9	14.7

　非典型雇用から正社員に変わった場合、どのような職種、産業で採用されているのか。非典型雇用である前職との関係はどの程度あるのか。次の図表２－４０は職業と産業について、非典型雇用である前職のそれとの関係を整理したものである。

　職業については、前職と同種の職種で正社員になっていることが多いのは、「専門的・技術的職業」、「事務職」、「生産工程従事者」である。また、前職が他の職種でも入職している人が多い職種もある。これはおそらく未経験者でも採用されることが多い職種ということであろうが、男性では「生産工程従事者」と「建設・採掘・運搬・清掃」の仕事、女性では「事務」や「サービス職業従事者」である。

　産業についても同じ産業で正社員になっている者が多い産業があり、これには、「医療・福祉」、「製造業」、「教育・学習支援」、「建設業」などがある。他産業出身者でも採用されることが多い産業は、「医療・福祉」、「製造業」、「卸売・小売」である。

図表2－40 過去1年間に非典型雇用から正社員への移行した者の前職と現職の関係（15～44歳、在学中を除く、実側値）

①職業

単位：％、太字は実数

前職職種		合計（人）	現在の職種									
			専門的・技術的職業従事者	事務従事者	販売従事者	サービス職業従事者	保安職業従事者	農林漁業従事者	生産工程従事者	輸送・機械運転従事者	建設・採掘・運搬・清掃	管理的職業・分類不能職業
男女計	専門的・技術的職業従事者	377	67.6	12.7	4.5	6.4	0.3	0.3	5.3	0.3	2.4	0.3
	事務従事者	663	10.4	60.6	8.3	7.7	1.8	0.5	5.7	0.9	3.5	0.6
	販売従事者	555	8.6	22.3	25.8	13.7	2.2	1.6	15.0	2.5	7.7	0.5
	サービス職業従事者	664	17.0	20.5	13.7	30.1	1.7	1.4	9.2	1.1	4.8	0.6
	保安職業従事者	28	3.6	10.7	10.7	10.7	28.6	0.0	21.4	7.1	7.1	0.0
	農林漁業従事者	26	3.8	11.5	15.4	0.0	0.0	23.1	26.9	11.5	7.7	0.0
	生産工程従事者	434	3.7	9.9	8.1	11.5	2.1	0.5	43.3	4.8	14.7	1.4
	輸送・機械運転従事者	45	6.7	6.7	2.2	4.4	0.0	6.7	15.6	37.8	17.8	2.2
	建設・採掘・運搬・清掃	288	4.9	11.1	11.8	10.1	2.4	1.4	23.6	7.6	26.7	0.3
	管理的職業・分類不能職業	206	9.2	12.6	9.2	14.6	0.0	1.0	14.1	2.9	15.0	21.4
	合計	3,286	16.4	25.0	12.2	14.2	1.8	1.2	15.4	3.0	8.9	1.9
男性	専門的・技術的職業従事者	135	60.7	10.4	5.9	5.9	0.7	0.0	8.9	0.7	5.9	0.7
	事務従事者	133	17.3	39.8	9.0	3.8	6.8	1.5	6.8	3.0	11.3	0.8
	販売従事者	239	5.0	10.9	25.9	8.8	4.6	2.5	21.8	4.6	15.1	0.8
	サービス職業従事者	237	12.7	13.5	12.2	25.7	3.0	2.5	15.2	2.5	12.2	0.4
	保安職業従事者	23	4.3	8.7	13.0	8.7	26.1	0.0	26.1	4.3	8.7	0.0
	農林漁業従事者	20	5.0	5.0	10.0	0.0	0.0	25.0	30.0	15.0	10.0	0.0
	生産工程従事者	277	2.9	6.5	6.5	9.0	2.9	0.4	46.2	6.5	17.7	1.4
	輸送・機械運転従事者	37	2.7	2.7	2.7	5.4	0.0	8.1	18.9	37.8	21.6	0.0
	建設・採掘・運搬・清掃	207	2.9	5.3	9.2	7.7	2.9	1.0	27.5	10.1	32.9	0.5
	管理的職業・分類不能職業	106	9.4	2.8	6.6	6.6	0.0	1.9	18.9	4.7	25.5	23.6
	合計	1414	12.3	11.4	11.4	10.4	3.4	1.9	23.6	5.9	17.3	2.5
女性	専門的・技術的職業従事者	242	71.5	14.0	3.7	6.6	0.0	0.4	3.3	0.0	0.4	0.0
	事務従事者	530	8.7	65.8	8.1	8.7	0.6	0.2	5.5	0.4	1.5	0.6
	販売従事者	316	11.4	31.0	25.6	17.4	0.3	0.9	9.8	0.9	2.2	0.3
	サービス職業従事者	427	19.4	24.4	14.5	32.6	0.9	0.7	5.9	0.2	0.7	0.7
	生産工程従事者	157	5.1	15.9	10.8	15.9	0.6	0.6	38.2	1.9	9.6	1.3
	建設・採掘・運搬・清掃	81	9.9	25.9	18.5	16.0	1.2	2.5	13.6	1.2	11.1	0.0
	管理的職業・分類不能職業	100	9.0	23.0	12.0	23.0	0.0	0.0	9.0	1.0	4.0	19.0
	合計	1,872	19.5	35.2	12.9	17.0	0.6	0.6	9.3	0.8	2.5	1.5

②産業　　　　　　　　　　　　　　　　　　　　　　　　　　　　　　　　　単位：％、太字は実数

前職産業	合計(人)	現職産業													
		農林漁業・鉱業	建設業	製造業	情報通信業	運輸・郵便業	卸売・小売業	金融・保険・不動産業	学術研究・専門サービス業	宿泊・飲食サービス業	生活サービス・娯楽業	教育、学習支援業	医療、福祉	複合・その他サービス業	公務、公益業
農林漁業・鉱業	30	16.7	6.7	23.3	0.0	13.3	13.3	3.3	3.3	0.0	3.3	0.0	10.0	6.7	0.0
建設業	95	1.1	36.8	15.8	0.0	8.4	6.3	7.4	4.2	4.2	4.2	1.1	4.2	5.3	1.1
製造業	455	1.3	9.0	41.5	1.8	5.1	9.7	3.5	2.4	2.0	2.9	0.7	7.7	10.8	0.7
情報通信業	64	0.0	6.3	12.5	26.6	1.6	12.5	3.1	10.9	1.6	1.6	0.0	7.8	14.1	1.6
運輸・郵便業	124	1.6	8.1	21.8	1.6	23.4	12.9	3.2	5.6	2.4	0.0	1.6	7.3	8.1	1.6
卸売・小売業	694	2.2	6.8	15.3	2.6	6.1	24.4	6.9	3.2	3.6	5.2	1.4	13.0	7.5	1.6
金融・保険・不動産業	78	1.3	5.1	9.0	2.6	9.0	10.3	20.5	2.6	5.1	5.1	6.4	9.0	11.5	2.6
学術研究・専門サービス業	72	0.0	5.6	19.4	5.6	0.0	6.9	5.6	25.0	1.4	1.4	11.1	8.3	8.3	1.4
宿泊・飲食サービス業	407	1.5	6.1	10.6	4.4	2.5	12.0	7.6	1.7	12.8	4.4	4.4	21.1	6.9	3.2
生活サービス・娯楽業	147	0.7	6.8	9.5	6.1	5.4	17.0	12.2	1.4	2.7	11.6	1.4	12.9	8.2	4.1
教育、学習支援業	180	1.7	2.2	6.7	2.8	0.6	5.6	5.6	3.3	2.8	2.2	40.0	15.6	3.3	7.8
医療、福祉	405	0.5	2.5	4.0	0.5	0.5	4.0	5.2	0.5	1.0	1.0	4.2	71.1	2.7	1.7
複合サービス業・サービス業	186	1.6	8.6	14.5	3.2	3.8	10.8	6.5	3.2	3.2	3.8	2.7	15.1	14.5	6.5
公務、公益業	117	0.0	6.0	10.3	0.0	5.1	8.5	5.1	5.1	2.6	1.7	6.0	16.2	7.7	25.6
合計	3,286	1.5	7.3	16.0	3.0	4.8	12.5	6.3	3.2	3.9	3.6	4.6	20.3	7.8	3.2

注：対象数の少ない職種は掲載を省いた。分類不能の産業については掲載を省いた。
　・背景がグレーの数値は、2012年調査時に比べて5％ポイント以上の減少、太字下線は5％ポイント以上の増加を
　　示す。

　非典型雇用離職者が正社員として採用された実績について、過去4回の調査結果をつなげて
みたのが次の図表2－41、図表2－42である。今回調査は、これまでのいずれの時点より
も正社員移行者が多いが、最も多くの採用実績のある職業は一貫して変わらず、男性では「技
能工・採掘・製造・建設、労務従事者」、女性では「事務」である。いずれも、2012年にいっ
たん減少しているが、今回は大幅に増えた（図表2－41）。

**図表2－41　過去1年間に非典型雇用から正社員への移行した者の現職職種（大分類；15～44
歳、在学中を除く、実測値）**

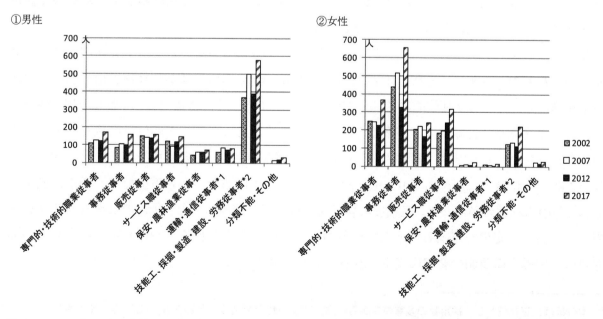

①男性　　　　　　　　　　　　　　　　　　　②女性

注：*1　2012年以降は運輸・機械運転従事者　*2　2012年以降は生産工程従事者、建設・採掘、運搬・清掃。

図表2－42　過去 1 年間に非典型雇用から正社員への移行した者の現職産業（大分類；15～44歳、在学中を除く、実測値）

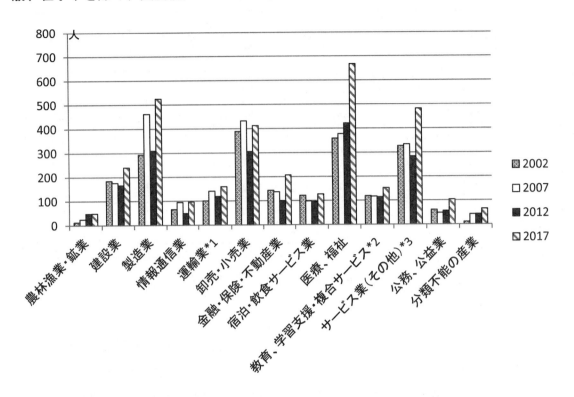

注：*1　2012 年以降は運輸・郵便業
　　*2　2012 年以降は教育・学習支援業
　　*3　2012 年以降は複合サービスを含む。

　産業別には、医療・福祉が最も多くの非典型雇用離職者を正社員として採用している産業である。2012 年も同様だったが、今回は大幅に採用者を増やした。この他、製造業、サービス業（その他）、卸売・小売業での採用が多い。これらの産業が非典型雇用離職者を比較的多く採用する産業であることは変わらない（図表2－42）。

　なお、次の図表2－43には、採用された職業と就職先産業について、小分類ベースで記載の多かったものから順に、それぞれ 25 件ずつ示した。非典型雇用者が正社員採用されやすい職種や産業について、より具体的にイメージすることができよう。職業では、一般事務職、販売店員、総合事務職や介護職員などが多く、2012 年に上位にあった職業と順位は前後しているものの、変わらない。産業では、建設業、老人福祉・介護事業、病院、児童福祉事業などとなっており、これも上位 3 つは順位も 2012 年と同じである。20 位あたりから下位では、職業、産業とも、若干の入れ替えがあった。産業での警備業、職業での警備員など、最近のセキュリティを重視する社会への変化を反映して増えているのではないかと思われる。やはり正社員としての働き口は、労働力需要側の要因に規定されるところが大きい[13]。

───────────────

[13]　本分析は、正社員として採用数の多寡のみから職業、産業の特徴を見るにとどまる。「採用されやすさ」といっても、採用者全体に占める非典型雇用離職者の割合が高いという意味合いはない。

図表２－４３　過去１年間に非典型雇用から正社員への移行した者において多い現職職業と産業（小分類上位 25 職種：15～44 歳、在学中を除く、実測値）

①職業

順位	男女計(人)	男(人)	女(人)
1 位 その他の一般事務従事者	247	61	186
2 位 販売店員	151	53	98
3 位 総合事務員	150	13	137
4 位 介護職員（医療・福祉施設等）	141	46	95
5 位 庶務・人事事務員	130	26	104
5 位 会計事務従事者	130	17	113
7 位 金融・保険営業職業従事者	109	10	99
8 位 調理人	87	40	47
9 位 保育士	83	5	78
10 位 その他の営業職業従事者	81	55	26
11 位 自動車運転従事者	75	64	11
12 位 食料品製造従事者	71	42	29
13 位 看護師（准看護師を含む）	67	4	63
14 位 分類不能の職業	61	33	28
15 位 営業・販売事務従事者	58	17	41
16 位 配達員	48	40	8
17 位 その他の社会福祉専門職業従事者	45	15	30
18 位 娯楽場等接客員	42	14	28
19 位 **受付・案内事務員**	36	4	32
19 位 飲食物給仕・身の回り世話従事者	36	16	20
21 位 **電気機械器具組立従事者**	34	24	10
22 位 **機械器具・通信・システム営業職業従事者**	33	26	7
23 位 その他の保健医療サービス職業従事者	32	1	31
24 位 土木従事者	31	28	3
25 位 **警備員**	30	26	4
25 位 その他の製品製造・加工処理従事者（金属製品を除く）	30	17	13

②産業

順位	男女計(人)	男(人)	女(人)
1 位 建設業	240	153	87
2 位 老人福祉・介護事業（訪問介護事業を除く	166	45	121
3 位 病院	142	28	114
4 位 児童福祉事業	115	12	103
5 位 保険業（保険媒介代理業, 保険サービス業を含む）	114	7	107
6 位 道路貨物運送業	112	82	30
7 位 学校教育（専修学校, 各種学校を除く）	109	42	67
8 位 一般診療所	93	5	88
9 位 分類不能の産業	65	31	34
10 位 市町村機関	58	32	26
11 位 食堂, そば・すし店	55	38	17
12 位 他に分類されない事業サービス業	53	17	36
13 位 ソフトウェア業	51	30	21
14 位 金属製品製造業	50	33	17
15 位 障害者福祉事業	47	14	33
16 位 自動車・同附属品製造業	44	32	12
17 位 医薬品・化粧品小売業	44	7	37
18 位 歯科診療所	43	2	41
19 位 他に分類されない小売業	41	14	27
20 位 自動車小売業	40	20	20
21 位 **警備業**	40	29	11
22 位 宿泊業	37	18	19
23 位 **廃棄物処理業**	37	27	10
24 位 農業（農業サービス業を除く）	33	17	16
25 位 **プラスチック製品製造業（別掲を除く）**	32	22	10

注：太字で背景着色は 2012 年には 25 位以内に入っていなかった職業、産業。

　次に、どのような人が正社員に移行しやすいのかを検討する。まず、影響が考えられる諸要因との関係を見る。

　最初の図表２－４４は性別、年齢との関係である。図で経年的な傾向を含めてみると、男性では 2012 年に 30 歳代後半以降を中心に移行率は低下したが、今回はすべての年齢層で上昇した。特に 10 歳代後半の上昇幅は大きいが、対象数がごく少ないことからくる偏りも考えられる。女性も全ての年齢層で上昇した。女性で特に増加幅が大きいのは 20 歳代前半層である。

　図表２－４５は、この他の、本調査から得られる正社員への移行に関連する可能性のある諸変数との関係である。まず、基本的な情報として、非典型雇用である前職の雇用形態(呼称)、そして①個人の側の正社員への移行意志に影響するであろう変数として、１年前における就業の位置づけ（主な仕事か、家事や通学の傍らの仕事か、など）、婚姻状況、及び世帯の中での本人の続き柄（世帯主であるか、世帯主の配偶者であるか、あるいは世帯の中で子という立場なのか、など）、また、②労働力需要の強さに関係するであろう変数として、地域、学歴（採用条件として働く可能性は高い）、前職の産業・職業（前職経験が評価される可能性は高い）を取り上げた。

図表２－４４　　過去 1 年間に非典型雇用から離職した者の性・年齢階層別正社員移行率（15〜44 歳、在学中を除く、実測値）

単位：%、太字は実数

	2017年調査			2012年調査	2007年調査
	非正規職離職者計（人）	構成比	正社員移行率	正社員移行率	正社員移行率
非典型雇用離職者計(男女計)	15,705	100.0	20.9	14.9	16.1
15-19歳	348	2.2	29.9	16.4	12.0
20-24歳	2,364	15.1	32.7	21.9	22.2
25-29歳	3,081	19.6	25.5	18.3	19.7
30-34歳	3,198	20.4	18.1	13.0	13.4
35-39歳	3,197	20.4	15.5	10.9	11.7
40-44歳	3,517	22.4	15.6	10.2	11.5
男性　計	4,035	100.0	35.0	25.7	27.7
15-19歳	161	4.0	37.3	15.7	16.1
20-24歳	913	22.6	38.4	28.3	28.4
25-29歳	987	24.5	40.1	29.3	30.7
30-34歳	782	19.4	34.3	26.3	27.7
35-39歳	608	15.1	29.8	21.3	25.6
40-44歳	584	14.5	27.1	20.6	25.7
女性　計	11,670	100.0	16.0	10.7	11.9
15-19歳	187	1.6	29.9	17.1	9.0
20-24歳	1,451	12.4	32.7	18.1	18.3
25-29歳	2,094	17.9	25.5	12.3	14.4
30-34歳	2,416	20.7	18.1	8.4	9.5
35-39歳	2,589	22.2	15.5	8.2	8.9
40-44歳	2,933	25.1	15.6	7.8	9.2

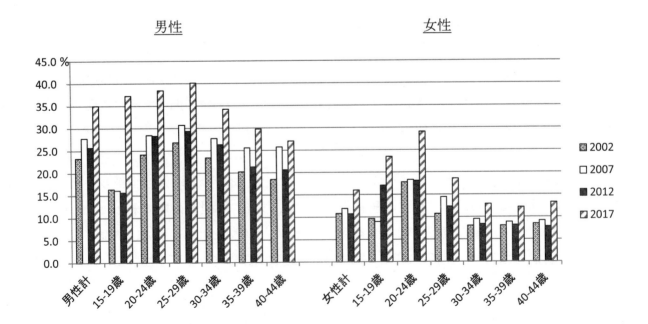

男性　　　　　　　　　　女性

図表２－４５　過去１年間に非典型雇用から離職した者の諸属性と正社員移行率（15～44歳、在学中を除く、実測値）

単位：％、太字は実数

		非正規職離職者計(人)	構成比	2017年調査			2012年調査		
				正社員移行率			正社員移行率		
				男女計	男性	女性	男女計	男性	女性
非典型雇用離職者計		14,129	100.0	20.9	35.0	16.0	14.9	25.7	10.7
前職雇用形態	パート	6,341	44.9	12.7	27.3	11.4	9.2	21.2	8.1
	アルバイト	4,029	28.5	26.8	35.2	21.0	19.0	25.7	13.9
	労働者派遣事業所の派遣社員	1,979	14.0	20.0	29.7	15.5	12.7	21.2	8.3
	契約社員	2,377	16.8	30.5	39.3	24.5	20.9	29.7	14.8
	嘱託	397	2.8	30.5	53.6	23.0	21.1	41.0	15.2
	その他	582	4.1	27.7	40.3	20.2	18.7	25.1	14.4
1年前の状況	仕事をおもにしていた	9,801	69.4	26.5	36.9	21.6	17.3	26.1	12.8
	家事・通学のかたわらにしていた	3,328	23.6	14.1	49.5	10.7	11.2	43.0	8.0
婚姻状況	未婚	7,201	51.0	28.6	32.6	25.3	19.3	21.7	17.3
	配偶者あり	7,385	52.3	12.9	47.3	9.3	10.1	43.0	5.6
	死別・離別	1,024	7.2	24.7	31.6	24.0	15.9	26.3	14.6
世帯主との続き柄	世帯主	2,767	19.6	32.6	41.4	25.5	26.2	35.8	17.7
	世帯主の配偶者	5,686	40.2	8.7	36.1	8.5	5.1	20.0	5.0
	子	5,998	42.5	27.2	32.0	23.7	18.1	21.0	16.0
地域ブロック	北海道・東北	2,199	15.6	21.1	34.7	16.6	17.5	27.1	12.8
	関東	3,138	22.2	20.7	33.9	15.4	15.2	28.7	9.7
	北陸・東海	3,191	22.6	21.2	36.7	16.1	13.9	25.9	9.9
	近畿	2,005	14.2	18.5	32.5	13.5	13.8	24.0	10.3
	中国・四国	2,479	17.5	22.1	39.0	17.3	15.2	25.7	11.4
	九州・沖縄	2,693	19.1	21.4	33.8	16.9	14.3	22.4	10.9
学歴	中学卒	1,196	8.5	13.3	22.2	8.5	10.0	17.9	4.0
	高校卒	6,394	45.3	19.0	32.5	13.8	13.1	23.5	8.7
	専門学校(1～2年未満)卒	1,048	7.4	19.2	32.9	15.0	16.2	23.7	**13.8**
	専門学校(2～4年未満)卒	1,634	11.6	21.5	34.3	17.6	18.4	29.6	14.4
	短大・高専卒	1,986	14.1	17.2	36.4	16.0	11.2	20.5	10.6
	大学卒	3,078	21.8	29.6	45.8	22.3	20.9	31.5	15.1
	大学院卒	234	1.7	36.3	41.3	32.0	39.6	57.8	21.7
前職産業*	農林漁業・鉱業	210	1.5	14.3	23.5	8.0	15.5	20.2	9.5
	建設業	343	2.4	27.7	33.2	20.9	24.9	29.8	13.3
	製造業	2,068	14.6	22.0	32.7	15.5	12.4	19.3	7.3
	情報通信業	291	2.1	22.0	28.9	18.9	11.8	25.3	5.3
	運輸・郵便業	608	4.3	20.4	30.1	12.5	16.3	23.9	8.5
	卸売・小売業	3,455	24.5	20.1	39.9	14.5	14.0	26.4	10.6
	金融・保険・不動産業	351	2.5	22.2	46.0	18.3	16.9	36.7	12.1
	学術研究・専門サービス業	301	2.1	23.9	39.7	19.3	18.9	38.8	**12.2**
	宿泊・飲食サービス業	1,891	13.4	21.5	39.1	16.5	14.4	27.6	10.4
	生活サービス・娯楽業	715	5.1	20.6	33.7	16.3	13.9	28.1	**8.7**
	教育、学習支援業	770	5.4	23.4	47.6	16.7	21.8	44.3	15.2
	医療、福祉	1,869	13.2	21.7	39.8	19.9	16.7	26.6	15.7
	複合サービス・その他サービス業	963	6.8	19.3	28.9	15.1	14.3	24.9	8.9
	公務、公益業	548	3.9	21.4	41.3	16.7	10.3	24.7	7.5
前職職業*	専門的・技術的職業従事者	1,404	9.9	26.9	44.6	22.0	23.3	42.6	18.0
	事務従事者	3,340	23.6	19.9	36.2	17.8	11.0	26.8	8.9
	販売従事者	2,627	18.6	21.1	40.3	15.5	16.2	28.5	12.6
	サービス職業従事者	3,197	22.6	20.8	38.9	16.5	14.7	27.6	11.1
	保安職業従事者	89	0.6	31.5	32.9	26.3	25.0	28.6	13.0
	農林漁業従事者	176	1.2	14.8	25.3	6.2	17.6	22.7	9.7
	生産工程従事者	2,011	14.2	21.6	33.4	13.3	12.5	18.9	7.2
	運輸・機械運転従事者	136	1.0	33.1	33.3	32.0	25.8	27.0	**18.2**
	建設・採掘・運搬・清掃	1,542	10.9	18.7	29.8	9.6	15.7	24.7	7.0
前職就業期間	1年未満	5,006	35.4	15.2	25.5	11.0	10.8	17.7	7.7
	1年以上2年未満	3,403	24.1	21.4	36.7	16.5	15.8	26.3	11.7
	2年以上3年未満	2,180	15.4	23.5	38.6	18.7	18.6	35.6	11.9
	3年以上5年未満	2,423	17.1	27.1	46.7	20.3	18.5	31.7	13.9
	5年以上10年未満	1,820	12.9	24.7	43.4	19.2	17.6	33.3	13.2
	10年以上	670	4.7	21.2	36.6	16.6	16.8	40.2	8.2
初職	初職正社員以外	8,243	58.3	18.5	29.0	13.9	14.7	23.0	10.6
	初職正社員	7,462	52.8	23.7	44.5	18.1	15.2	29.6	10.8
過去1年に自己啓発を実施		3,124	22.1	27.8	37.9	23.4	18.5	28.4	14.3

注：無回答、不明、対象数の少ないカテゴリー等は掲載を省いた。

さらに、③需要側の採否の判断に影響し、かつ政策的対応が考えられる要因として、前職の就業期間、初職が正社員であったか、過去1年の間に自己啓発を実施したか、の3つを加えた。これらの変数、それぞれの正社員移行率との関係をみる。

　まず雇用形態では、移行率の高いのは嘱託と契約社員で、低いのはパートである。とりわけ女性のパートが低い。2012年調査における移行率と比較すると、全般に高まっているが、なかでも男性の嘱託およびその他の増加幅が大きい。1年前に通学・家事の傍らに仕事をしていた場合、あるいは有配偶の場合、さらに世帯主の配偶者の場合、女性の移行率は低い。この傾向もこれまでと変わらない。主婦パートタイマーが正社員への移行を望まないことが多いということを示すものであろう。

　労働力需要側との関連が強いと考えた変数では、まず地域ブロックであるが、2012年には北陸・東海地域の男性の移行率が低くなったが今回はこれが回復した。また、2012年も2007年も男性では最も移行率が低い地域だった九州・沖縄地域も大幅に上昇し、全国的に人材需要が高まっていることが窺われた。学歴では高学歴層の方が移行率が高い傾向は変わらない。大学院卒男性の移行率が2012年より低くなっているが、対象数が少ないため揺れ幅が大きいのかもしれない。前職産業では、建設業で高く、学術研究・専門サービス業、教育・学習支援業がこれに次ぐが、これらはやや平均より高い程度である。職業では運輸・機械運転、保安、専門的・技術的職業の経験者が正社員採用されることが多い。前職経験は3年から5年程度の場合に移行率が高い。初職が正社員であったかどうかでは明らかに違いが見え、この点は2012年と大きく異なる。また、自己啓発をした人の方が移行率は高い。

　これらの諸要因を総合的に分析するために、多変量解析をおこなう。2007年、2012年と同様に、労働力供給側（個人）の行動に影響する可能性の高い要因群と、労働力需要側の需要の強さに影響しそうな要因群、さらに、需要側の採否の判断に影響し、かつ政策的対応が考えられる要因群に分けて、順次これを投入する形でのロジステック回帰分析を行なう。

　図表2－46がその結果である。過去1年間の非典型雇用離職者のうち、正社員に移行したものを1、他を0として、両者を分ける要因を検討した。

　まずモデル(1)は、説明変数として、前職雇用形態と性、年齢、仕事の主従、配偶状況、世帯内で＜子＞であるか否かという個人の側（供給側）の条件を投入したものである。ここで＊印のついた統計的に有意な変数に注目する。アルバイトよりも嘱託や契約社員からのほうが移行しやすい、女性より男性が移行しやすい、年齢は20歳代前半が最も移行しやすい、配偶者のいない者、世帯内の＜子＞ではない者が移行しやすい、などのことが分かる。これらの点は2007年、2012年と変わらない。

　モデル(2)では主に労働力需要側の需要の強さや選好を表すと思われる変数を投入した。地域では関東に比べて、中国・四国、北海道・東北、北陸・東海で正社員になりやすくなっている。今回の労働力不足は、地方でも深刻化している故だろう。地域については2012年とは異なった。学歴については、高卒を基準としているが、より高い学歴の人ほど正社員になりやすい。この

点は、2007年、2012年から変わらない。また、前職の職業については、生産工程職を基準としているが、運輸・機械運転職、専門的・技術的職業、事務職がより正社員になりやすい。産業については、製造業を基準に示しているが、建設業や医療・福祉は製造業と差がない程度に正社員になりやすく、ここで有意差の出ている教育・学習支援業や情報通信業、公益・公務はより正社員になった人が少ない産業である。

さらにモデル(3)で、前職の就業期間、初職が正社員であるか、過去1年に自己啓発経験があるか、を加えたが、ここからは2年未満の期間で前職を離職した場合、正社員にはなりにくく、3年以上の勤続者はより正社員になりやすいことが示された。また、初職が正社員であれば正社員で就職しやすく、また、自己啓発経験者も正社員になりやすかった。これも2012年とほぼ同じ結果である。

全体的には、2007年、および2012年の分析結果がほぼ踏襲された。正社員への移行を規定する要因として、個人の生活キャリアとの兼ね合いでの正社員への移行への希望、景気や産業構造、地域などを背景にした労働力需要の強さと選好が挙げられるが、これに加えて、前職期間、初職正社員、自己啓発の要因がプラスの効果を持った。最後の3点は、職業能力形成上のポイントと考えて入れた変数である。非正規である前職を2年以上続けることで身に就けうる能力、新卒就職することで得られる新卒向けの教育訓練、そして自己啓発、こうした能力開発を経験することが、正社員への移行を後押しするということであり、それは、こうした要素をもった政策が有効だということを示唆する。これは2007年調査、2012年調査の分析と同じ結論である。

図表２－４６　過去１年間に非典型雇用の職を離職した者（15－44歳、在学中を除く）の正社員への移行規定要因（ロジステック回帰分析、正社員への移行＝1）

方程式中の変数	モデル(1) B	Exp(B)		モデル(2) B	Exp(B)		モデル(3) B	Exp(B)	
雇用形態D＜基準：アルバイト＞									
パート	-0.329	0.719	***	-0.354	0.702	***	-0.394	0.674	***
労働者派遣事業所の派遣社員	-0.169	0.845	*	-0.220	0.802	**	-0.144	0.866	
契約社員	0.345	1.412	***	0.219	1.244	**	0.122	1.130	
嘱託	0.580	1.786	***	0.369	1.446	**	0.252	1.287	
その他	0.225	1.252	*	0.156	1.169		0.149	1.161	
女性	-0.672	0.511	***	-0.757	0.469	***	-0.797	0.451	***
年齢：基準：15-19歳＞									
20-24歳	0.171	1.186		-0.149	0.861		-0.329	0.719	*
25-29歳	-0.090	0.914		-0.507	0.602	***	-0.810	0.445	***
30-34歳	-0.362	0.696	**	-0.772	0.462	***	-1.200	0.301	***
35-39歳	-0.410	0.664	**	-0.806	0.447	***	-1.294	0.274	***
40-44歳	-0.363	0.695	**	-0.725	0.484	***	-1.311	0.269	***
家事・通学の傍らに仕事	-0.112	0.894		-0.202	0.817	**	-0.278	0.758	***
配偶者あり	-0.561	0.571	***	-0.603	0.547	***	-0.676	0.508	***
子	-0.159	0.853	**	-0.187	0.830	**	-0.191	0.826	***
地域D＜基準：関東＞									
北海道・東北				0.185	1.204	*	0.184	1.202	*
北陸・東海				0.176	1.192	**	0.152	1.164	*
近畿				-0.110	0.896		-0.100	0.905	
中国・四国				0.247	1.280	***	0.250	1.285	***
九州・沖縄				0.117	1.125		0.153	1.166	*
学歴D＜基準：高校卒＞									
中学卒				-0.599	0.549	***	-0.381	0.683	***
専門学校（1〜2年未満）卒				0.081	1.085		0.029	1.029	
専門学校（2〜4年未満）卒				0.238	1.268	**	0.212	1.237	**
短大・高専卒				0.237	1.267	**	0.213	1.237	**
大学卒				0.580	1.786	***	0.526	1.692	***
大学院卒				0.758	2.134	***	0.855	2.350	***
その他・不詳				0.047	1.049		0.223	1.250	
前職職種D＜基準：生産工程職＞									
専門的・技術的職業従事者				0.381	1.464	**	0.325	1.384	*
事務従事者				0.270	1.309	**	0.257	1.293	**
販売従事者				0.169	1.184		0.148	1.159	
サービス職業従事者				0.197	1.218		0.174	1.189	
運輸・機械運転従事者				0.512	1.669	*	0.457	1.580	*
その他・分類不能の職業				-0.063	0.939		-0.041	0.960	
前職産業D＜基準：製造業＞									
農林漁業・鉱業				-0.438	0.646		-0.366	0.693	
建設業				0.064	1.066		0.023	1.023	
情報通信業				-0.528	0.590	**	-0.506	0.603	**
運輸・郵便業				-0.334	0.716	*	-0.268	0.765	
卸売・小売業				-0.185	0.831		-0.213	0.808	
金融・保険・不動産業				-0.057	0.944		-0.034	0.967	
学術研究・専門サービス業				-0.229	0.795		-0.146	0.864	
宿泊・飲食サービス業				-0.182	0.833		-0.199	0.819	
生活サービス・娯楽業				-0.270	0.763		-0.252	0.777	
教育、学習支援業				-0.585	0.557	***	-0.537	0.584	***
医療、福祉				0.053	1.054		0.103	1.109	
複合・その他サービス業				-0.395	0.674	**	-0.331	0.718	**
公務、公益業				-0.517	0.596	**	-0.422	0.656	**
分類不能の産業				-0.289	0.749	*	-0.236	0.790	
前職継続年数D＜基準：2年以上3年未満＞									
1年未満							-0.775	0.461	***
1年以上2年未満							-0.263	0.769	***
3年以上5年未満							0.230	1.259	**
5年以上10年未満							0.274	1.315	*
10年以上							-0.121	0.886	
初職が正社員							0.730	2.074	***
過去1年に自己啓発あり							0.189	1.208	***
定数	-0.300	0.741	*	-1.164	0.312	***	0.300	1.349	
Nagelkerke R2 乗	0.110			0.142			0.188		
N	15,609			15,609			15,609		

注：＜　＞内はリファレンス・グループ、***＝ p＜0.001、**＝ p＜0.01、*＝ p＜0.05.

2.10 「就職氷河期世代」の移行

本節では、新卒正社員率によりカテゴリー化した「就職氷河期世代」とキャリアとの関係を整理する。

ここまでは５歳刻みの分析に依拠してきたが、「就業構造基本調査」上の５歳刻みの年齢区分がそのまま「就職氷河期世代」と対応しているかどうかは議論のあるところである。５歳刻みの分析は過去の当機構の分析結果と比較することができ、現在の状況をより鮮明にとらえやすいという利点がある。ただし学術的には例えば太田・玄田・近藤（2007）のように、労働市場における世代は、性別、学歴、卒業年によって区分されたグループとみなされるようになってきている。

そこで堀（2019）では性別、学歴、卒業年の組み合わせにより「世代」を捉えて「就職氷河期世代」をカテゴリー化した。1993年〜2004年に学校卒業期を迎えた者が政策的に「就職氷河期世代」とみなされていることからこの層を「就職氷河期世代」とみなし、新卒正社員率の水準が異なることから前期と後期に分割し、以下のように６期に分類した（なお調査項目において、初職年は1988年以降のみに限られている）。

卒業年が88年〜92年を「バブル後期」、93年〜98年を「就職氷河期前期」、99年〜04年を「就職氷河期後期」、05年〜09年を「回復期」、10年〜11年を「リーマンショック期」、12年〜17年を「アベノミクス期」である。

こうしてみると、高卒女性については「就職氷河期前期」以降はかなり低迷し、近年になってやっと「就職氷河期前期」の水準になったに過ぎないことが分かる。高卒男性も高卒女性ほどではないものの、厳しい時期が長く続いた。大卒女性は近年では大卒男性を上回る水準となっており、改善が目覚ましい。

図表２−47　新卒正社員率による世代のカテゴリー化

高卒者卒業年	世代名	男性	女性
88年〜92年	バブル後期	57.6%	61.5%
93年〜98年	就職氷河期前期	49.7%	47.4%
99年〜04年	就職氷河期後期	42.1%	35.5%
05年〜09年	回復期	48.3%	39.2%
10年〜11年	リーマンショック期	48.3%	38.9%
12年〜17年	アベノミクス期	56.8%	47.6%
大卒者卒業年	世代名	男性	女性
88年〜92年	バブル後期	76.2%	68.6%
93年〜98年	就職氷河期前期	67.8%	58.6%
99年〜04年	就職氷河期後期	57.4%	54.7%
05年〜09年	回復期	66.4%	65.2%
10年〜11年	リーマンショック期	63.1%	62.8%
12年〜17年	アベノミクス期	70.1%	76.5%

資料出所：堀（2019）

続いて「就職氷河期世代」の現在の状況をキャリア類型から把握する（図表２−４８）。ここではキャリア類型２（図表２−６参照）を用いて、「正社員定着」を「学卒就職正社員定着」（初職が正社員で定着し、現在も同じ仕事に就いており、初職入職が学校卒業年の６月までの者）と「その他正社員定着」（初職が正社員で定着し、現在も同じ仕事に就いているが、初職入職が学校卒業年の７月以降の者）に分けて分析する。高卒の「アベノミクス期」においては、まだ高校を卒業したばかりの若者が含まれており、無業に浪人生が含まれていると推測される。

　男性高卒者においては他の世代と比較して「就職氷河期前期」はもちろん「就職氷河期後期」においても「学卒正社員定着」が少なく、「他形態から正社員」が高くなっている。また男性大卒者でも同様の傾向が見られ、「就職氷河期後期」の方が「就職氷河期前期」よりも「学卒正社員定着」割合が低い。「就職氷河期世代」と呼ばれていても前半と後半では新卒正社員率の水準が異なるため、「就職氷河期後期」のキャリアはより厳しいものとなっている。

　女性高卒者については結婚・出産などで仕事を離れる者が多いため明確な傾向は見出しづらいが、「他形態から正社員」が「就職氷河期後期」で高い。女性大卒者についても女性高卒者と同様ではあるものの、「就職氷河期前期」「就職氷河期後期」の方が、年齢が上の「バブル後期」の「学卒正社員定着」比率よりも低くなっているという現象は、新卒時の厳しい雇用状況の爪痕が残っているということであろう。以上のように簡単な分析ではあるが、新しいカテゴリー分けにおいても「就職氷河期世代」がキャリアにおいて不安定な状態にあることが見出された。

図表２－４８　他世代と比較した「就職氷河期世代」のキャリア

①男性・高卒

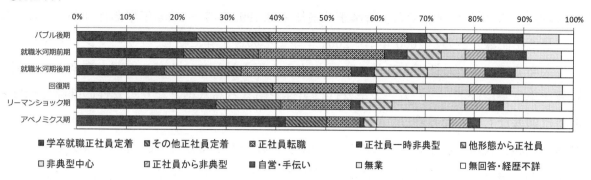

②男性・大卒

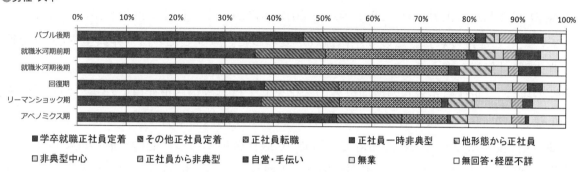

③女性・高卒

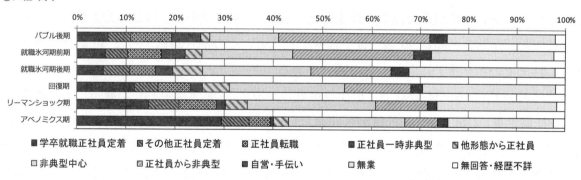

④女性・大卒

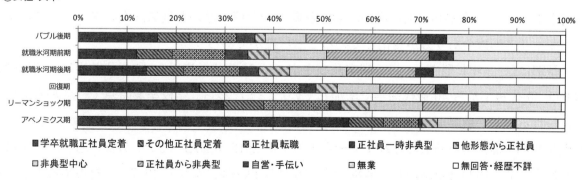

2.11 まとめ

卒業年ごとに、その年の6月までに正社員としての初職に就いた者の割合（＝新卒正社員比率）をみると、いずれの学歴でも、新卒正社員比率は1993年卒～1995年卒あたりから徐々に低下し、最低を記録するのが2000年卒～2004年卒でその後上昇に転じ、「リーマンショック」を受けて大卒ではいったん低下するが、2012年卒から再上昇している。この間、高卒女性の新卒正社員比率は特に低下し、一方、大卒女性は男性を超える高水準となり、女性の就職における学歴差は顕著なものとなった。

初職、前職、現職の就業状況をつないでキャリア類型としてみると、若年人口が減少し続ける中で、2017年の15～34歳層における「正社員定着」は、2012年に比べて23万人余り増え、同年齢人口（ここでは在学中及び専業主婦（夫）を除く16,533千人）に対する割合は44.5%と2012年の40.2%から上昇した。2007年から2012年にかけて「正社員定着」が100万人近く減少していたことを鑑みれば、この5年は流れが変わった。減少したのは「非典型中心」「正社員から非典型」「無業」である。

男性の場合、「正社員定着」の増加以外の変化としては、後から正社員になっている「他形態から正社員」が30～39歳で増えている。2012年には30歳代前半層でやや多かったが、その世代が30歳代後半になったことに加えて、当時20歳代後半であった他の形態の就業者がその後正社員に移行し、30歳前半でこの類型が増えたと推測される。40歳代になった世代ではこうした増加は見られず、正社員になる移動の起こりやすさは、年齢によって異なることがみてとれる。また、40歳代後半以降ではこの類型は4%程度、「非典型中心」は2%台と少なく、初職が正社員であった割合が高い40歳代後半以降の世代と、その割合が低かった30歳代の世代とでは、これまでのキャリアに少なからぬ違いがある。

女性においても15～34歳層で「正社員定着」が増え、「非典型中心」が減った。加齢とともに「正社員定着」が減少し「正社員から非典型」が増えるというパターンは変わらないが、30歳以上での「正社員から非典型」や40歳代での「無業」は2012年より減っており、正社員を辞めて専業主婦になったり働き方をパートなどに変えたりする行動は減っていると思われる。一方、男性と同様に40歳代後半以降の世代では「非典型中心」や「他形態から正社員」が少なく、30歳代にはこの類型が相対的に多い。学卒就職時の環境の違いと景気回復のタイミングによって、キャリア形成のあり方が変化していることは確かであろう。

学歴別には、「非典型中心」は、高卒及び中卒では30歳代前半から40歳代前半に、高等教育卒では30代後半から40歳代前半で増加していた。すなわち、学校卒業時点で「就職氷河期」といわれる厳しい就職環境だった層が、非典型雇用のまま年を重ねている可能性がある。

現在非典型雇用である人のこれまでのキャリアを2012年と比べると、男女とも、30～44歳の「非典型中心」の割合が増加し、半数近く（男性の49.6%、女性の42.7%）を占めるようになった。好況が続いたこの5年間に正社員に移行する人も増えたが、非典型雇用に固定化された状態の人も増えた。

今後については、15～34 歳のパート・アルバイトでは、男性の 32.7%、女性 20.2% が転職を希望しているが、継続就業を希望する人のほうが多かった（男性の 76.8%、女性の 62.7%）。35～49 歳のパート・アルバイトでは、転職希望者はさらに減り、男性の 25% 前後女性の 14% 前後にとどまる。世帯主に限ると、転職希望者の割合は 5～6% 高まるが、やはり継続就業希望者のほうが多い。

　これまでのキャリアが「非典型中心」であっても「正社員から非典型」であっても、非典型雇用である男性では 30 歳代後半以降、女性では 30 歳代前半から転職希望者は減少している。2012年には 30～34 歳の「非典型中心」の男性は 289.2 千人いたが、彼らが 2017 年に該当する 35～39 歳の「非典型中心」は 204.8 千人と大幅に減少している。一方で、35～39 歳の「他形態から正社員」「自営・手伝い」は 5 年前の 30～34 歳時より増加しており、正社員や自営等への移動があったことが窺われる。こうした経緯を考えると、年長の非典型雇用者で転職希望を示していない人の中には、様々な制約から非典型雇用にとどまらざるを得ない人が少なからずいることが考えられる。

　本章ではフリーターの数の推移やその属性的特徴、転職希望についても検討した。この調査から算出されたフリーター数（15～34 歳）は 146.1 万人で、2012 年の 192.4 万人から大幅に減少した。すべての年齢階層で減少がみられたが、とりわけ 20 歳代の減少が大きかった。年齢を35～44 歳に変えた「年齢超えフリーター」数も 2012 年の 65.1 万人から 58.8 万人へと減少した。

　性別には女性が 54.6% で、この調査を基に推計を始めた 1982 年以来ほぼ一定である。学歴は高学歴者が徐々に増えているが高卒が半数程度を占めていることは変わらない。フリーターになりやすさを示す「フリーター率」を設定して検討すると、女性、低学歴、低年齢であるほどなりやすく、この傾向も長期に変わっていない。

　1982 年調査から 8 回の調査結果を基に疑似コーホートを作り、世代別のフリーターの動向を検討すると、まず、1990 年代末から 2000 年代前半に高校や大学を卒業した世代で、とびぬけてその数が多く、フリーターはこれらの世代の登場で問題化したことがわかる。20 歳代後半以降は各世代のグラフは下降し減少のプロセスを描くが、その下げの角度に注目すると、景気拡大期に角度は急になる。ただし、その時期にすでに 30 歳代後半に入っていた世代では減少は鈍い。フリーターからの離脱には、景気拡大とともにその時の年齢が重要だということがわかる。

　フリーターのうち転職希望をもつ者は 20 歳代で多い。転職希望率の経年的な変化をみると、2007 年までは男性フリーターでは就業継続より転職を望む人のほうが多かったが、2012 年以降は逆転し、今回はさらに転職希望者が減った。女性フリーターも男性ほど顕著ではないが一貫して転職希望者は減少している。転職希望理由で最も多いのは「一時的についた仕事だから」であるが、年長になるにつれて「収入が少ない」や「時間的・肉体的に負担が大きい」が多くなる。望んでいる就業形態は正社員が大半だが、男性の 40 歳代前半では「自分で事業を起こしたい」も 1 割を超えていた。

次に、非典型雇用から正社員への移行を規定する要因について、多変量解析による分析を試みたが、結果は2007年、2012年調査で行った同様の分析と概ね変わらなかった。この分析からは、非典型雇用である前職を2年以上続けることで身に就けうる能力、新卒就職することで得られる新卒向けの教育訓練、そして自己啓発、こうした能力開発を経験することが、正社員への移行を後押しするということであり、それは、こうした要素をもった政策が有効だということを示唆する。これは2007年調査、2012年調査の分析と同じ結論である。

　さらに世代を、性別・学歴・卒業年の状況（新卒正社員率）によって分類し、「就職氷河期世代」のキャリア類型を見たところ、卒業時の状況が今日のキャリアにまで影響を及ぼし続けていることが把握された。初めて労働市場に入るときの状況がライフチャンスに大きな影響を与えるという点は「就職氷河期世代」に限ったことではなく、今後も新卒一括採用の負の側面を補う政策を地道に継続することが重要だと思われる。

【引用文献】

堀有喜衣（2019）「『就職氷河期世代』の現在―移行研究からの検討」『日本労働研究雑誌』No.706.

労働政策研究・研修機構（2005）『若者就業支援の現状と課題―イギリスにおける支援の展開と日本の若者の実態分析から―』労働政策研究報告書No.35

労働政策研究・研修機構（2009）『若年者の就業状況・キャリア・職業能力開発の現状―平成19年版「就業構造基本調査」特別集計より―』資料シリーズNo.61.

労働政策研究・研修機構（2014）『若年者の就業状況・キャリア・職業能力開発の現状②―平成24年版「就業構造基本調査」特別集計より―』資料シリーズNo.144.

第3章　非求職無業者（ニート）の経歴と意識、世帯の状況

3.0　はじめに

　本章では、「平成29年版就業構造基本調査」（総務省統計局）の個票を用いて、無業で求職活動をしていない若者について、どのような人たちなのか、その属性を明らかにするとともに、就業経験の有無、1年前の状況との異動、就業希望の有無やその理由、属する世帯の状況などを明らかにする。2012年の本調査でも同様の分析を行っているので、その時点からの変化についても留意する。分析に当たっては、下記のとおり、無業の若者を4つの類型に分け、このうち主に②の非求職無業者[1]に注目するが、必要に応じて他の分類も参照する。なお、この②の定義は、「労働経済白書」において「労働力調査」（総務省統計局）を基にいわゆる「ニート」としてその数を推計した際に用いた際の定義にほぼ対応するものである[2]。

①求職者は、ふだん無業で就業を希望し実際に求職活動や開業の準備をしている者、在学中の者を除く。

②非求職無業者は、無業で求職活動をしていない者のうち、卒業者かつ通学しておらず、配偶者なしで家事をおこなっていない者を指す。

③独身家事従事者は、無業者のうち求職活動をしていない者で、卒業者かつ通学しておらず、配偶者なしで家事をおこなっている者を指す。

④専業主婦（夫）は、無業者のうち求職活動をしていない者で、在学も通学もしておらず、配偶者ありで家事をおこなっている者を指す。

3.1　非求職無業者の諸属性とその変化

　まず図表3－1には、若年無業者の全体状況について1992年調査からの推移を示した[3]。非求職無業者数は、2017年調査では53.5万人[4]で、2002年の64.7万人をピークに減少傾向にある。ただし、若年人口（非在学）そのものの減少が大きいので、人口に対する比率では、3.1％と微増となっている。性別には、男性でこの比率が高まっている。

　なお、「独身家事従事者」という「家事をしているかどうか」という点のみ非求職無業者と

---

[1] 2007調査の分析（労働政策研究・研修機構2009）においては、「白書定義無業者」と名付けていた類型であるが、わかりやすさを増すため名称を変えた。

[2] 総務省統計局では「労働力調査（基本集計）」の年平均結果概要において「若年無業者」数を発表している。厚生労働省においてはこれを「ニート」としてその趨勢を把握する基本資料としているが、その際の定義は「非労働力人口のうち家事も通学もしていない者」である。本書における「非求職無業者」においては、さらに学校卒業や配偶者なしという条件を付したものとなっている。巻末の都道府県別集計表・表8を参照されたい。

[3] 2012年までの数値は労働政策研究・研修機構（2014）による。以下、全ての図表は同じ。

[4] 総務省統計局が「労働力調査」を用いて推計した「若年無業者」は2017年平均で54万人、2018年平均で53万人となっており、若干の定義の違いはあるが、数はほぼ同じであった。

定義が異なるカテゴリーを設けているが、このカテゴリーと非求職無業者とを合わせた比率は 2012 年まで男女であまり変わらなかった。「家事をしている」と答えるか否かを除外すれば、男女で求職活動をしていない無業者の比率はほぼ変わらない状況が続いていた。2017 年調査では女性の「独身家事従事者」が減少する一方、男性では増加し、２つのカテゴリーのいずれかに属する無業者の割合は男性の方が高くなった。

図表３－１　無業状況の推移（15～34 歳・在学者を除く）

単位：％、太字は実数（千人）

		実数（千人）						構成比（%）					
		1992年	1997年	2002年	2007年	2012年	2017年	1992年	1997年	2002年	2007年	2012年	2017年
男女計	求職者	1,150	1,613	1,923	1,342	1,180	779	4.6	6.2	7.7	6.0	6.2	4.5
	非求職無業者	479	525	647	577	564	535	1.9	2.0	2.6	2.6	3.0	3.1
	独身家事従事者	153	157	206	182	190	171	0.6	0.6	0.8	0.8	1.0	1.0
	専業主婦（夫）	2,875	2,807	2,543	1,934	1,375	919	11.6	10.9	10.1	8.7	7.2	5.3
	その他無業	217	202	182	122	124	124	0.9	0.8	0.7	0.5	0.6	0.7
	有業	19,998	20,527	19,627	18,105	15,650	14,923	80.4	79.5	78.1	81.3	82.0	85.5
	合計	24,872	25,832	25,128	22,262	19,082	17,452	100.0	100.0	100.0	100.0	100.0	100.0
男性	求職者	311	530	803	537	516	320	2.5	4.1	6.4	4.8	6.0	3.6
	非求職無業者	312	326	397	363	348	333	2.5	2.5	3.2	3.3	3.6	3.8
	独身家事従事者	5	11	18	24	38	48	0.0	0.1	0.1	0.2	0.4	0.5
	専業主婦（夫）	0	1	2	4	4	5	0.0	0.0	0.0	0.0	0.0	0.1
	その他無業	130	105	111	68	73	67	1.0	0.8	0.9	0.6	0.8	0.8
	有業	11,609	11,946	11,227	10,127	8,595	8,070	93.9	92.5	89.4	91.1	89.8	91.3
	合計	12,369	12,920	12,557	11,122	9,573	8,842	100.0	100.0	100.0	100.0	100.0	100.0
女性	求職者	839	1,083	1,120	806	664	459	6.7	8.4	8.9	7.2	7.0	5.3
	非求職無業者	167	199	250	213	216	202	1.3	1.5	2.0	1.9	2.3	2.3
	独身家事従事者	148	146	188	158	152	123	1.2	1.1	1.5	1.4	1.6	1.4
	専業主婦（夫）	2,875	2,806	2,541	1,931	1,371	914	23.0	21.7	20.2	17.3	14.4	10.6
	その他無業	88	97	71	54	51	58	0.7	0.8	0.6	0.5	0.5	0.7
	有業	8,388	8,582	8,400	7,979	7,055	6,853	67.1	66.5	66.8	71.6	74.2	79.6
	合計	12,505	12,913	12,570	11,140	9,509	8,610	100.0	100.0	100.0	100.0	100.0	100.0

注：「求職者」は、ふだん無業で就業を希望し実際に求職活動や開業の準備をしている者、在学中の者を除く。
・「非求職無業者」は、無業者のうち求職活動をしていない者で、卒業者かつ通学しておらず、配偶者なしで家事をおこなっていない者。
・「独身家事従事者」は、無業者のうち求職活動をしていない者で、卒業者かつ通学しておらず、配偶者なしで家事をおこなっている者。
・「専業主婦（夫）」は、無業者のうち求職活動をしていない者で、在学も通学もしておらず、配偶者ありで家事をおこなっている者。
・2012 年までの数値は労働政策研究・研修機構（2014）による。以下、全ての図表は同じ。

　図表３－２は、非求職無業者数を年齢階層別に示したもので、2007 年以降については 35 歳から 44 歳まで、今回はさらに 49 歳までの情報を付加した[5]。また、この図表の下段は、年齢階層別の変化を２つの方法で図示したものである。

　まず、表をみると、15～34 歳の非求職無業者数は減少傾向にあるが、この５年の減少はほとんど 20 歳代後半層の減少によることがわかる。人口比においても、この年齢層のみ減少を示しており、20 歳代後半層の非求職無業化を阻む何らか要因があった可能性がある。

---

[5]　「求職者」及び「独身家事従事者」の年齢階層別の構成及び対人口比率については、巻末の付表３－１，３－２に示した。

図表3－2　年齢階層別非求職無業者数と対人口（在学者を除く）比率の推移

単位：％、太字は実数（千人）

		非求職無業者数（千人）								非求職無業者の人口比（％）							
		15-34歳計	15-19歳	20-24歳	25-29歳	30-34歳	35-39歳	40-44歳	45-49歳	15-34歳計	15-19歳	20-24歳	25-29歳	30-34歳	35-39歳	40-44歳	45-49歳
男女計	1992年	479	159	154	99	68	—	—	—	1.9	9.5	2.1	1.2	0.9	—	—	—
	1997年	525	133	172	138	83	—	—	—	2.0	10.9	2.4	1.5	1.0	—	—	—
	2002年	647	100	190	193	164	—	—	—	2.6	10.5	3.4	2.1	1.7	—	—	—
	2007年	577	73	160	171	173	161	138	—	2.6	10.9	3.4	2.3	1.9	1.7	1.7	—
	2012年	564	68	143	191	161	194	207	—	3.0	11.7	3.7	2.8	2.1	2.1	2.2	—
	2017年	535	69	141	164	161	174	215	217	3.1	13.0	3.7	2.7	2.3	2.2	2.3	2.3
男性	1992年	312	121	97	52	42	—	—	—	2.5	12.7	2.8	1.3	1.1	—	—	—
	1997年	326	92	104	77	54	—	—	—	2.5	13.0	3.1	1.6	1.3	—	—	—
	2002年	397	60	116	117	104	—	—	—	3.2	11.4	4.4	2.5	2.2	—	—	—
	2007年	363	48	100	105	111	101	93	—	3.3	13.0	4.4	2.8	2.4	2.1	2.3	—
	2012年	348	43	87	117	102	125	130	—	3.6	12.9	4.6	3.4	2.6	2.6	2.7	—
	2017年	333	45	85	102	101	116	143	147	3.8	14.1	4.6	3.3	2.8	2.9	3.0	3.1
女性	1992年	167	38	56	47	25	—	—	—	1.3	5.3	1.4	1.2	0.7	—	—	—
	1997年	199	41	68	62	29	—	—	—	1.5	8.0	1.8	1.3	0.7	—	—	—
	2002年	250	39	74	76	60	—	—	—	2.0	9.2	2.6	1.7	1.3	—	—	—
	2007年	213	25	60	66	62	60	45	—	1.9	8.4	2.4	1.8	1.4	1.3	1.1	—
	2012年	216	26	57	75	59	68	78	—	2.3	10.1	2.8	2.2	1.5	1.5	1.7	—
	2017年	202	24	56	62	61	58	72	69	2.3	11.3	2.9	2.1	1.7	1.5	1.6	1.5

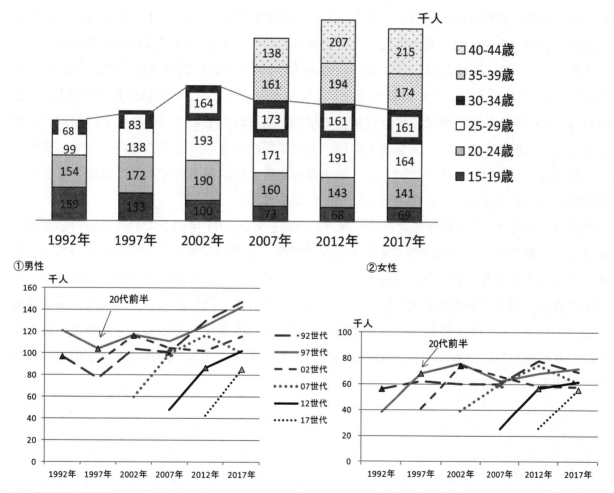

注：「非求職無業者」は、無業者のうち求職活動をしていない者で、卒業者かつ通学しておらず、配偶者なしで家事をおこなっていない者。人口比は、在学中の者を除く同年齢階層の者に対しての割合。

次に、35～44歳まで対象を拡大してみると、この年齢層の非求職無業者は38.9万人で、2012年の40.1万人からわずかに減少した。ただし、40歳代前半ではこの5年も増加し続けている。この年齢層に団塊ジュニア世代が含まれていることが影響していると思われる。

　こうした変化をより直感的に見るために、図示したのが中段以下の図である。まず中段の図は、年齢階級別の非求職無業者数の経年変化である。10歳代後半の減少は2007年ごろまで、20歳代前半の減少は2012年までで、今回は20歳代後半が減少している。

　下段の図は、年齢階層別の変化を疑似的なコーホートにみたて、世代別の動向をみたものである。まず、各調査年に20～24歳であった世代に注目し、それぞれの調査年を世代名とした。すなわち、92世代、97世代、02世代、07世代、12世代、17世代の6つである。この世代ごとに複数年次の同調査から非求職無業者数を求めてつないだ。各世代非求職無業者数の加齢による変化が折れ線グラフの形状からわかり、またその時期が横軸でわかる。

　フリーターについても同様の図を描いて検討し、各世代とも20歳代前半が人数のピークなっており、とりわけ97世代と02世代でその数が多いことを見た（第2章）。この世代は1990年代末から2000年代前半の不況期に高校や大学を卒業した世代で、フリーターはこれらの世代の世代問題という面があった。一方、非求職無業者については、20歳代前半の時点（図中の△印）を見れば、他の世代よりやや多いものの、とびぬけて多いわけではない。

　また、フリーターの場合は、2002年から2007年、2012年から2017年の景気拡大があった時期には20歳代前半以上の年齢層で減少する傾向がみられたが、非求職無業者の場合、2012年から2017年には、07世代の男女で減少の傾向が見られたものの、男性の92世代～02世代までは逆に増加している。景気拡大に伴い人材需要が強まることで正社員へ移行しやすくなったとみられるフリーターに対して、非求職無業者には、好景気であれば減少するといった直接的な連動は起きにくいのではないかと推測される。

　図表3－3では、非求職無業者の学歴構成の推移、及び2017年調査での男女別の学歴構成を示した。90年代には非求職無業者の6割が高校卒、3割が中学卒の学歴の人だったが、近年は高等教育卒業者の割合が高まっていた。今回調査ではやや高等教育卒業者が減少し、再び高卒者が6割近くを占めるようになった。いずれにせよ、同年齢人口全体では、中学卒業学歴の人は5.1％、高校卒業学歴の人は31.7％（いずれも在学中を除く）であることを考えれば、非求職無業の若者は、同世代に比べれば、早い階層で学校を離れた人が圧倒的に多いことは明らかである。

図表３－３　非求職無業者（15～34歳）の学歴構成

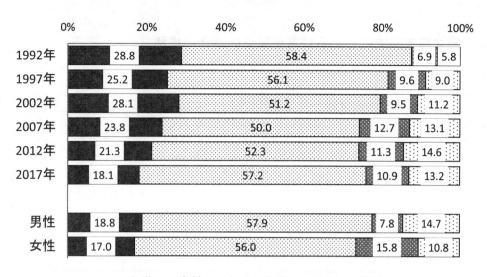

■中学　□高校　▨短大・専門　□大学・大学院

注：専門学校については、修業年限「１年以上２年未満」「２年以上４年未満」「４年以上」の３つにカテゴリーに
　　分けて調査されたが、集計に当たっては、「４年以上」は「大卒・大学院卒」に、「１年以上２年未満」「２
　　年以上４年未満」は「短大・専門」に統合して集計した。以下すべての図表において、学歴については同じ
　　扱いをしている。

3.2　就業希望の有無とその理由

　次に、非求職無業者の就業に対する意識について検討する。本調査では、無業の場合には、
何か収入になる仕事をしたいと思っているか否かを尋ね、次いで仕事をしたいと思っている
人にはその理由と希望職種、希望就業形態を尋ねる形になっている。

　まず、15～34歳の男女の非求職無業者のうち、就業希望を持っている人は42.4％（22.7万
人）、就業希望のない人は56.2％（30.1万人）である（不明1.4％）。2012年に比べると、就
業希望者は割合も、人数も減少した。図表３－４①で経年的な変化を見ると、2000年代以降
の就業希望者は全体の半数近くと、90年代に比べて高い水準で推移してきたが、今回は減少
傾向が見られる。その比率と推移には男女差はほとんどない。

　年齢階層別には、10歳代後半では就業希望者は少なく、20歳代後半では多い。今回付け加
えた35歳以上についてみると、35～44歳層は、就業希望を持っている人は42.2％（16.4万
人）、就業希望のない人は56.9％（22.1万人）であり（不詳1.0％）、20歳代後半から30歳
代前半とほぼ同じような水準だといえる。40歳代後半の女性では就業希望者は30％台と少
なくなっている。

　図表３－４②はこれを学歴別に見たものである。これをみると高等教育（短大・専門学校、
および大学・大学院）卒業者と中学、高校卒業者との差が大きい。高等教育卒業者では男性
の３分の２が、女性の６割が就業を希望しているのに対して、中学・高校卒では、就業の希
望を持たない人が６割を占める。この状況は長く続いている。また、今回追加した35～44歳

層においても、女性については差がやや小さいが、同様の傾向が確認される。

図表3－4　非求職無業者に占める就業希望者の割合の推移

①年齢階層別　　　　　　　　　　　　　　　　　　　　　　　　　　　　　　　　　単位：%、（　）内太字は実数（千人）

		1992年	1997年	2002年	2007年	2012年	2017年（千人）	
15-34歳・男女計		35.8	38.3	47.7	48.3	46.5	42.4（	**226.7**　）
男性	15-34歳計	34.9	38.0	49.3	49.5	47.6	42.7（	**142.1**　）
	15-19歳	20.1	25.5	38.8	32.4	28.5	29.1（	**13.2**　）
	20-24歳	38.0	41.8	53.2	51.3	50.1	43.8（	**37.4**　）
	25-29歳	50.5	44.5	48.6	56.7	54.1	48.2（	**49.1**　）
	30-34歳	50.7	42.9	52.0	48.5	46.0	42.2（	**42.4**　）
	（35-39歳）				43.3	47.4	48.9（	**56.6**　）
	（40-44歳）				39.9	48.8	42.0（	**60.1**　）
	（45-49歳）						42.2（	**62.1**　）
女性	15-34歳計	37.5	38.8	45.0	46.2	44.9	41.8（	**84.6**　）
	15-19歳	27.6	28.8	37.6	33.3	36.6	26.3（	**6.3**　）
	20-24歳	38.7	45.6	46.1	50.8	43.5	41.7（	**23.3**　）
	25-29歳	41.6	42.0	49.3	50.0	48.8	50.1（	**30.9**　）
	30-34歳	42.4	30.2	42.9	43.1	44.8	39.7（	**24.1**　）
	（35-39歳）				44.2	39.1	41.8（	**24.0**　）
	（40-44歳）				32.8	40.7	41.5（	**23.3**　）
	（45-49歳）						32.3（	**22.0**　）

②学歴別　　単位：%

		15-34歳						35-44歳
		1992年	1997年	2002年	2007年	2012年	2017年	2017年
男性	男性計	34.9	38.0	49.3	49.5	47.6	42.7	45.1
	中学卒	37.1	37.8	43.1	42.9	44.4	42.0	39.2
	高校卒	30.8	35.0	47.6	44.2	40.6	34.7	39.8
	短大・専門卒	69.9	60.1	72.7	75.6	64.8	65.0	55.3
	大学・大学院卒	51.7	48.7	62.3	62.0	66.7	62.2	59.0
女性	女性計	37.5	38.8	45.0	46.2	44.9	41.8	36.4
	中学卒	31.4	29.7	39.4	41.4	39.2	43.9	34.1
	高校卒	37.1	38.6	41.1	41.0	39.4	32.3	35.1
	短大・専門卒	45.2	50.0	51.7	58.7	58.0	59.5	42.6
	大学・大学院卒	48.0	41.9	66.5	60.6	58.9	63.2	38.0

　図表3－5は、就業希望がある場合の希望理由である。2012年調査との比較のために、表の最上段には2012年における15〜34歳の男女計の数値を掲載し、また、表中の背景がグレーの部分は2012年に比べて減少が大きい項目、太字下線は増加が大きい項目をそれぞれ示す。

　挙げられた理由のうち最も多いのは「その他」であるが、これを除けば「社会に出たい」が多い。「社会に出たい」は2002年調査から増加して来た理由だが、今回は2012年とほぼ変わらない。次いで多いのは「収入を得る必要が生じた」だが、これは長期的に同じ水準である。

図表3-5　就業希望のある非求職無業者の就業希望理由

①年齢階層別

単位：％、太字は実数（千人）

性別		合計 (%)	合計 実数 (千人)	失業している	学校を卒業した	収入を得る必要が生じた	知識や技能をを生かしたい	社会に出たい	時間に余裕ができた	健康を維持したい	その他	不詳
15-34歳男女計・2012年		100.0	262.3	17.5	4.9	18.1	7.2	23.1	1.1	2.6	24.2	1.4
15-34歳男女計		100.0	226.7	16.2	5.4	17.9	7.4	22.9	1.3	2.2	26.2	0.6
男性	15-34歳計	100.0	142.1	17.9	7.0	18.6	6.5	21.6	1.1	1.6	25.2	0.6
男性	15-19歳	100.0	13.2	2.7	18.8	19.3	7.4	18.1	0.5	1.2	32.1	0.0
男性	20-24歳	100.0	37.4	15.8	9.4	16.3	10.2	18.5	1.2	0.4	27.9	0.3
男性	25-29歳	100.0	49.1	18.5	6.2	16.0	5.5	26.4	1.8	1.8	22.8	1.0
男性	30-34歳	100.0	42.4	23.7	2.0	23.4	4.0	19.9	0.4	2.6	23.5	0.6
男性	35-44歳計	100.0	116.7	25.2	0.0	13.7	5.6	19.6	0.1	4.9	29.7	1.3
男性	(35-39歳)	100.0	56.6	23.1	0.0	15.6	4.5	22.5	0.2	3.6	29.7	0.8
男性	(40-44歳)	100.0	60.1	27.1	0.0	11.9	6.6	16.9	0.0	6.1	29.7	1.7
男性	(45-49歳)	100.0	62.1	24.3	0.0	16.2	4.5	18.1	0.3	7.3	27.1	2.2
女性	15-34歳計	100.0	84.6	13.2	2.9	16.7	8.9	25.1	1.7	3.1	27.8	0.6
女性	15-19歳	100.0	6.3	4.2	2.7	16.2	8.6	26.1	0.9	0.0	34.6	6.7
女性	20-24歳	100.0	23.3	19.4	6.4	10.9	9.3	23.3	4.2	2.4	23.8	0.3
女性	25-29歳	100.0	30.9	13.3	1.9	18.0	11.5	27.8	1.0	3.6	22.9	0.0
女性	30-34歳	100.0	24.1	9.6	0.7	20.8	5.2	23.2	0.4	3.9	36.2	0.1
女性	35-44歳計	100.0	47.3	16.8	0.1	19.6	5.6	21.9	1.4	7.7	26.3	0.8
女性	(35-39歳)	100.0	24.0	15.1	0.0	19.6	5.1	25.3	1.9	5.8	26.2	1.0
女性	(40-44歳)	100.0	23.3	18.6	0.1	19.5	6.1	18.3	0.8	9.6	26.3	0.6
女性	(45-49歳)	100.0	22.0	14.8	0.6	15.3	4.6	11.6	0.0	5.2	47.3	0.6

②学歴別

単位：％、太字は実数（千人）

性別		合計 (%)	合計 実数 (千人)	失業している	学校を卒業した	収入を得る必要が生じた	知識や技能をを生かしたい	社会に出たい	時間に余裕ができた	健康を維持したい	その他	不詳
15-34歳男女計		100.0	226.7	16.2	5.4	17.9	7.4	22.9	1.3	2.2	26.2	0.6
男性	中学卒	100.0	26.3	14.2	6.5	16.8	4.3	23.6	2.9	1.3	30.5	0.0
男性	高校卒	100.0	66.9	15.6	4.1	17.4	6.7	23.2	1.0	1.8	29.0	1.3
男性	短大・専門卒	100.0	17.0	20.9	3.5	24.4	6.5	24.9	0.0	4.2	15.5	0.0
男性	大学・大学院卒	100.0	30.5	23.5	15.9	20.5	8.0	12.9	0.3	0.2	18.6	0.0
女性	中学卒	100.0	15.1	5.6	1.7	10.0	3.1	45.1	0.0	0.3	31.9	2.3
女性	高校卒	100.0	36.6	14.6	2.1	18.7	5.4	23.9	1.4	4.9	28.5	0.5
女性	短大・専門卒	100.0	19.1	14.7	1.0	23.4	14.7	13.6	4.7	3.0	24.9	0.0
女性	大学・大学院卒	100.0	13.8	15.9	8.9	9.6	16.3	22.3	0.0	1.6	25.4	0.0
35-44歳男女計		100.0	164.0	22.7	0.0	15.4	5.6	20.2	0.5	5.7	28.7	1.1
男性	中学卒	100.0	21.7	20.5	0.0	17.5	1.8	24.2	0.0	7.7	25.9	2.4
男性	高校卒	100.0	48.3	24.9	0.0	15.3	5.2	15.8	0.0	6.6	31.4	0.8
男性	短大・専門卒	100.0	16.4	33.0	0.0	6.4	11.6	15.6	0.5	4.3	26.9	1.8
男性	大学・大学院卒	100.0	29.7	23.7	0.0	12.3	5.8	24.7	0.2	0.4	32.0	1.0
女性	中学卒	100.0	11.0	6.1	0.0	20.2	2.1	35.7	3.3	0.0	29.7	2.9
女性	高校卒	100.0	21.5	14.4	0.0	17.3	4.1	21.6	1.3	12.4	28.6	0.2
女性	短大・専門卒	100.0	9.7	32.9	0.3	25.7	5.5	4.2	0.0	9.5	21.8	0.0
女性	大学・大学院卒	100.0	4.5	22.3	0.0	17.7	22.1	18.3	0.0	0.8	18.7	0.0

注：学歴不明は掲載を省いた。背景がグレーの数値は、2012年調査時に比べて5％ポイント以上の減少、太字下線は5％ポイント以上の増加を示す。45～49歳、および学歴別35～44歳については、2012年は集計していないので、比較できない。

次が「失業している」で、これは 2002 年には最も多い理由だったが、毎回減少してきた。2000 年代初めごろは不況が背景にあっての無業が多かったが、近年は変化したということだろう。

35～44 歳の男性では、「失業している」が「その他」に次いで多いが、この 5 年では減少した理由である。景気改善を受けての減少だと思われる。35～44 歳の女性では「その他」の次は「社会に出たい」「収入を得る必要が生じた」となっている。「収入を得る必要が生じた」はこの 5 年で増えた理由である。

図表 3－5②は学歴別である。学歴については、15～34 歳層については 2012 年も検討しているので、この年齢層のみ 5 年前との比較もできる。「社会に出たい」は 15～34 歳でも、35～44 歳でも、中学卒の女性に特に多い。早い年代で学校を離れ、何らかの問題を抱えて就業を希望しながらもできないでいると考えられ、長期化していることが推測される。35～44 歳で多い「失業している」は、男女とも短大・専門卒で多い。職業につながる専門教育が多い学校種であるが、学卒時の不況が何らかの形で影響していることも考えられる。

次の図表 3－6 はどのような働き方を希望しているのかである。15～34 歳の男性の半数以上、女性の 4 割近くが正社員での就業を希望している。2002 年以降、正社員希望者の割合は高まっていたのだが、この 5 年は男女とも低下した。年齢層も 20 歳代から 30 歳代と幅広い年齢層で低下を見せている。さらに女性では、パート・アルバイトを希望する人が増えた。

図表 3－6　　就業希望のある非求職無業者が希望する就業形態

①年齢階層別　　　　　　　　　　　　　　　　　　　　　　　　単位：%、太字は実数（千人）

| | | 合計 | | 就業希望の形態 | | | | | | | | |
		(%)	実数（千人）	正規の職員・従業員	パート・アルバイト	労働者派遣事業所の派遣社員	契約社員	自分で事業を起こしたい	家業を継ぎたい	内職	その他	不詳
	15-34歳男女計・2012年	100.0	262.3	53.6	19.1	0.7	1.4	3.3	0.6	2.0	17.6	1.7
	15－34歳男女計	100.0	226.7	47.4	22.1	0.3	0.8	3.9	0.6	2.1	19.7	3.0
男性	15-34歳計	100.0	142.1	52.4	15.1	0.3	0.9	3.9	0.8	1.7	22.0	2.8
	15-19歳	100.0	13.2	54.6	20.8	0.0	0.0	6.2	0.0	0.6	17.3	0.6
	20-24歳	100.0	37.4	56.2	17.4	0.5	0.5	4.0	0.6	1.0	17.5	2.3
	25-29歳	100.0	49.1	52.1	10.6	0.5	0.6	2.4	1.1	2.8	27.0	2.9
	30-34歳	100.0	42.4	48.9	16.6	0.1	1.9	4.7	0.9	1.4	21.7	3.9
	35-44歳計	100.0	116.7	45.5	15.8	2.0	1.0	8.5	0.6	1.5	22.1	3.0
	（35-39歳）	100.0	56.6	50.4	11.4	2.9	0.4	8.2	0.4	0.7	23.0	2.6
	（40-44歳）	100.0	60.1	41.0	19.9	1.1	1.6	8.9	0.7	2.3	21.3	3.4
	（45-49歳）	100.0	62.1	43.6	19.3	0.7	2.3	3.9	0.5	1.1	25.7	2.9
女性	15-34歳計	100.0	84.6	39.0	33.7	0.3	0.7	4.0	0.3	2.7	15.9	3.4
	15-19歳	100.0	6.3	38.1	35.2	0.0	1.4	0.8	0.0	0.0	13.1	11.5
	20-24歳	100.0	23.3	46.2	30.8	0.4	1.2	4.0	0.0	3.2	10.7	3.0
	25-29歳	100.0	30.9	34.7	35.0	0.6	0.0	3.8	0.0	2.4	20.8	2.7
	30-34歳	100.0	24.1	37.8	34.7	0.0	1.0	4.4	0.9	3.3	15.3	2.6
	35-44歳計	100.0	47.3	29.1	37.4	2.0	1.5	4.3	0.1	2.7	21.5	1.4
	（35-39歳）	100.0	24.0	25.1	38.8	2.1	2.5	2.5	0.0	3.3	24.6	1.1
	（40-44歳）	100.0	23.3	33.2	36.0	1.9	0.5	6.3	0.3	2.1	18.2	1.7
	（45-49歳）	100.0	22.0	31.6	42.2	0.0	0.0	5.0	0.0	1.8	15.7	3.6

②学歴別
単位：％、太字は実数（千人）

		合計		就業希望の形態								
		（％）	実数（千人）	正規の職員・従業員	パート・アルバイト	労働者派遣事業所の派遣社員	契約社員	自分で事業を起こしたい	家業を継ぎたい	内職	その他	不詳
15-34歳男女計		100.0	226.7	47.4	22.1	0.3	0.8	3.9	0.6	2.1	19.7	3.0
男性	中学卒	100.0	26.3	39.4	24.8	0.2	1.1	8.0	0.3	0.9	23.4	1.9
	高校卒	100.0	66.9	48.6	17.3	0.2	0.5	3.5	1.0	2.5	23.3	3.1
	短大・専門卒	100.0	17.0	57.0	10.4	1.1	3.6	1.3	0.5	0.0	24.1	2.0
	大学・大学院卒	100.0	30.5	68.3	5.3	0.4	0.3	2.7	1.0	1.7	17.9	2.5
女性	中学卒	100.0	15.1	15.5	49.2	0.5	1.3	8.7	0.0	3.2	16.9	4.6
	高校卒	100.0	36.6	37.9	34.4	0.2	0.6	1.2	0.4	2.8	19.7	2.9
	短大・専門卒	100.0	19.1	37.0	34.4	0.0	1.0	7.5	0.0	4.1	12.6	3.4
	大学・大学院卒	100.0	13.8	70.3	14.2	0.8	0.0	1.3	0.6	0.0	9.4	3.5
35-44歳男女計		100.0	164.0	40.8	22.0	2.0	1.1	7.3	0.4	1.9	21.9	2.5
男性	中学卒	100.0	21.7	30.5	29.7	3.0	0.3	6.1	0.1	1.0	25.7	3.6
	高校卒	100.0	48.3	46.8	13.0	2.4	2.2	6.4	0.9	2.4	21.5	4.4
	短大・専門卒	100.0	16.4	51.9	10.6	1.6	0.0	1.8	0.5	1.5	28.4	3.7
	大学・大学院卒	100.0	29.7	51.8	12.1	0.6	0.0	17.7	0.3	0.4	17.1	0.0
女性	中学卒	100.0	11.0	21.1	41.6	0.0	1.0	0.8	0.0	2.0	30.6	2.9
	高校卒	100.0	21.5	26.5	42.4	2.6	2.2	2.2	0.0	2.8	19.8	1.4
	短大・専門卒	100.0	9.7	32.7	33.7	0.0	1.4	12.0	0.6	1.4	17.8	0.3
	大学・大学院卒	100.0	4.5	56.6	11.8	8.4	0.0	7.3	0.0	6.9	8.9	0.0

注：学歴不明は掲載を省いた。背景がグレーの数値は、2012年調査時に比べて5％ポイント以上の減少、太字下線は5％ポイント以上の増加を示す。45〜49歳、および学歴別35〜44歳ついては、2012年は集計していないので、比較できない。

　35〜44歳層では、正社員希望者が男性の5割弱、女性の3割となっている。女性ではパート・アルバイト希望者の方が多い。2012年からの変化という点では、正社員希望者の割合の低下が見られ、特に男性で顕著である。女性では「その他」が増加している。

　図表3－6②はこれを学歴別に見たものである。15〜34歳層をみると、男女とも、正社員の希望は高学歴層ほど多く、パート・アルバイトの希望は低学歴層ほど多い。この傾向はこれまでも一貫して見られたものである。この5年の変化としては、女性の大学・大学院卒を除いて、男女とも、どの学歴でも正社員希望者の割合が低下した。女性では、加えてパート・アルバイトの希望者が増えた。

　35〜44歳層でも、高学歴者に正社員希望者が多く、低学歴層にパート・アルバイト希望が多い。この傾向は男女ともみられる。

　希望する職業について（図表3－7）、まず15〜34歳層をみると、男女とも「仕事の種類にこだわっていない」が最も多く、続いて専門的・技術的職業を希望する者が多い。これらの特徴は変わっていない。2012年までは、年齢が若いほど「仕事の種類にこだわっていない」とする傾向があったが、今回、この選択肢は男性の若年層で選ぶ人が減り、はっきりしたものではなくなった。また、女性では専門的・技術的職業希望者が増え、2012年は順位が上だったサービス職や事務職と入れかわった。

　35〜44歳層でも「仕事の種類にこだわらない」が最も多く、専門的・技術的職業が続いている。やはり女性でサービス職や事務職希望が減少して、専門的・技術的職業の順位が上がった。

図表3－7　非求職無業者の希望する職業

①年齢階層別　　　　　　　　　　　　　　　　　　　　単位：%、太字は実数（千人）

		合計		就業希望の職業									
		(%)	実数(千人)	製造・生産工程職	建設・採掘職	輸送・機械運転職	営業・販売職	サービス職業	専門的・技術的職業	管理的職業	事務職	保安・農林漁業他	仕事の種類にこだわっていない
15-34歳男女計・2012年		100.0	262.3	5.9	0.9	0.7	2.3	11.4	14.0	0.4	8.7	7.0	46.8
15-34歳男女計		100.0	226.7	4.3	0.7	0.5	1.9	9.5	16.0	0.7	8.4	6.4	49.6
男性	15-34歳計	100.0	142.1	5.3	1.2	0.6	1.7	6.5	14.8	1.0	5.6	8.2	53.3
	15-19歳	100.0	13.2	3.8	4.5	0.4	2.9	5.2	14.0	1.0	0.9	10.2	57.0
	20-24歳	100.0	37.4	5.8	0.7	0.6	2.1	7.1	16.1	0.2	10.0	8.1	47.2
	25-29歳	100.0	49.1	4.9	1.5	0.2	0.7	5.0	14.4	0.2	6.2	4.8	60.8
	30-34歳	100.0	42.4	5.7	0.2	1.2	2.1	8.3	14.3	2.7	2.4	11.6	48.9
	35-44歳計	100.0	116.7	9.0	1.9	2.4	2.0	9.8	14.3	1.9	6.6	6.0	44.0
	(35-39歳)	100.0	56.6	8.1	2.1	1.8	3.2	7.2	15.4	2.2	6.2	5.6	47.1
	(40-44歳)	100.0	60.1	9.8	1.6	3.1	1.0	12.3	13.3	1.6	7.0	6.5	41.0
	(45-49歳)	100.0	62.1	8.2	6.4	3.9	0.2	5.4	13.3	1.9	4.9	5.2	47.7
女性	15-34歳計	100.0	84.6	2.8	0.0	0.3	2.3	14.5	18.2	0.1	13.2	3.3	43.4
	15-19歳	100.0	6.3	0.7	0.0	0.0	5.8	17.8	15.9	0.0	3.6	1.2	45.8
	20-24歳	100.0	23.3	1.2	0.0	0.0	1.0	16.1	16.9	0.0	14.0	2.5	44.8
	25-29歳	100.0	30.9	2.8	0.0	0.0	1.7	8.2	24.1	0.0	15.5	3.4	44.4
	30-34歳	100.0	24.1	4.8	0.0	1.1	3.5	20.0	12.3	0.3	12.1	4.4	40.0
	35-44歳計	100.0	47.3	4.9	0.2	0.0	4.8	11.7	13.4	0.9	12.7	4.1	44.2
	(35-39歳)	100.0	24.0	6.0	0.4	0.0	4.5	12.3	11.9	1.4	13.5	4.1	45.4
	(40-44歳)	100.0	23.3	3.9	0.0	0.0	5.1	11.0	14.8	0.4	11.8	4.2	42.9
	(45-49歳)	100.0	22.0	2.6	0.0	0.0	4.2	10.7	11.3	1.2	17.2	1.9	48.1

②学歴別　　　　　　　　　　　　　　　　　　　　　　単位：%、太字は実数（千人）

		合計		就業希望の職業									
		(%)	実数(千人)	製造・生産工程職	建設・採掘職	輸送・機械運転職	営業・販売職	サービス職業	専門的・技術的職業	管理的職業	事務職	保安・農林漁業他	仕事の種類にこだわっていない
15-34歳男女計		100.0	226.7	4.3	0.7	0.5	1.9	9.5	16.0	0.7	8.4	6.4	49.6
男性	中学卒	100.0	26.3	3.9	3.0	0.6	2.0	7.4	9.5	0.0	3.6	8.8	59.1
	高校卒	100.0	66.9	5.7	1.3	0.7	1.4	8.2	10.0	0.5	4.0	8.3	56.9
	短大・専門卒	100.0	17.0	5.5	0.0	0.8	2.8	3.0	22.7	0.5	2.5	5.8	56.0
	大学・大学院卒	100.0	30.5	5.6	0.0	0.4	1.3	4.3	26.1	3.5	10.1	8.3	40.2
女性	中学卒	100.0	15.1	2.8	0.0	0.0	2.1	14.4	15.4	0.0	1.3	3.6	56.6
	高校卒	100.0	36.6	2.4	0.0	0.7	2.5	14.5	13.9	0.0	11.9	5.0	47.3
	短大・専門卒	100.0	19.1	5.1	0.0	0.0	2.1	20.9	20.2	0.0	10.9	1.1	37.7
	大学・大学院卒	100.0	13.8	0.4	0.0	0.0	2.4	5.6	29.6	0.5	32.9	1.4	26.3
35-44歳男女計		100.0	164.0	7.8	1.4	1.7	2.8	10.3	14.0	1.6	8.4	5.5	44.0
男性	中学卒	100.0	21.7	9.3	4.5	7.4	1.4	10.9	6.9	3.1	3.7	6.7	42.7
	高校卒	100.0	48.3	12.0	2.1	2.4	1.4	10.6	9.1	0.2	6.1	5.0	49.2
	短大・専門卒	100.0	16.3	4.3	0.0	0.6	4.3	15.3	25.0	1.5	5.2	3.6	36.4
	大学・大学院卒	100.0	29.7	6.6	0.7	0.0	2.3	5.0	22.6	4.2	10.5	8.7	39.4
女性	中学卒	100.0	11.0	3.4	0.0	0.0	4.5	8.8	7.1	0.8	10.3	2.9	58.7
	高校卒	100.0	21.5	7.3	0.4	0.0	8.2	14.5	12.0	0.2	11.3	3.9	37.1
	短大・専門卒	100.0	9.7	4.0	0.0	0.0	0.0	11.9	18.0	0.0	12.1	7.5	46.2
	大学・大学院卒	100.0	4.5	0.0	0.0	0.0	2.8		27.2	6.4	27.8	1.5	34.3

注：学歴不明、職種不詳は省いた。背景がグレーの数値は、2012年調査時に比べて5％ポイント以上の減少、太字下線は5％ポイント以上の増加を示す。45～49歳、および学歴別35～44歳については、2012年には集計していないため比較はできない。

学歴別にみると（図表３－７②）、高学歴者に専門的・技術的職業を希望する人が多い傾向は以前から変わっていない。女性では今回、大学・大学院卒と並んで中学卒でも専門的・技術的職業希望者が増えている。

ではなぜ求職活動をしないのか。図表３－８がその答えだが、15～34歳層男女で、最も多い理由は、「病気・けがのため」で29.9％を占める。「その他」を除けば、「知識・能力に自信がない」が12.6％でこれに次ぐ。2012年には比較的多かった「学校以外で進学や資格取得などの勉強をしている」と「探したがみつからなかった」は減少した。「探したがみつからなかった」は男女とも29歳以下のすべての年齢階層で減少している。

35～44歳層は「病気・けがのため」がさらに多い。35～39歳女性では64.6％にも達している。また、男性は45～49歳でより多くなっており、年齢が高まるほどこの理由が多くなる傾向がはっきりしている。

学歴別には（図表３－８②）、「探したがみつからなかった」が減っているのは、中学、高校卒の男性と高等教育卒の女性であった。「学校以外での勉強」は、35歳以上層を含めて、大学・大学院卒の女性に多い。

この５年はほぼ好況下にあり、失業率が低下する中で、「探したが見つからない」ために非求職無業者になっている人は若年層を中心に確実に減ったのであろう。「病気・けが」は年齢が高いほど多くなっており、40歳代の非求職無業者支援を考えるなら、医療や福祉との連携を進める必要があると思われる。

図表３－８　就業希望のある非求職無業者が求職活動をしない理由

①年齢階層別

単位：％、太字は実数（千人）

	合計		求職活動をしない理由									
	（％）	実数（千人）	探したが見つからなかった	希望する仕事がありそうにない	知識・能力に自信がない	出産・育児のため	介護・看護のため	病気・けがのため	通学のため	学校以外で進学や資格取得などの勉強をしている	急いで仕事につく必要がない	その他
15-34歳男女計・2012年	100.0	260.3	11.7	6.6	11.2	1.2	0.9	26.5	0.3	12.4	5.1	23.8
15-34歳男女計	100.0	226.7	6.0	5.6	12.6	0.8	0.9	29.9	0.3	7.6	7.9	26.8
男性 15-34歳計	100.0	142.1	7.1	6.3	12.9	0.0	0.9	25.9	0.5	7.5	7.8	29.0
15-19歳	100.0	13.2	2.5	7.6	8.5	0.0	0.0	10.6	1.0	26.1	7.0	36.4
20-24歳	100.0	37.4	6.8	9.4	11.1	0.0	0.0	15.0	0.8	11.0	8.0	35.5
25-29歳	100.0	49.1	6.6	4.4	13.7	0.0	2.4	30.8	0.4	5.0	8.2	26.6
30-34歳	100.0	42.4	9.6	5.3	14.8	0.0	0.2	34.6	0.0	1.7	7.4	23.7
35-44歳計	100.0	116.7	8.9	3.4	9.0	0.0	1.2	43.8	0.1	3.1	5.7	23.6
（35-39歳）	100.0	56.6	10.1	2.6	13.2	0.0	0.3	38.5	0.2	3.5	6.5	24.8
（40-44歳）	100.0	60.1	7.8	4.2	5.1	0.0	2.0	48.8	0.0	2.7	4.9	22.6
（45-49歳）	100.0	62.1	7.0	5.4	5.6	0.0	2.9	54.1	0.0	1.8	3.6	18.3
女性 15-34歳計	100.0	84.6	4.1	4.3	12.2	2.2	0.9	36.6	0.2	7.8	8.1	23.0
15-19歳	100.0	6.3	3.6	4.1	1.1	5.8	0.0	8.4	1.1	27.7	14.8	28.0
20-24歳	100.0	23.3	3.2	7.1	17.9	0.9	2.2	28.1	0.0	7.2	11.6	21.6
25-29歳	100.0	30.9	3.6	3.6	12.9	2.7	0.0	41.8	0.0	6.2	7.5	21.7
30-34歳	100.0	24.1	5.8	2.7	8.8	1.9	0.9	45.5	0.3	5.4	3.7	24.8
35-44歳計	100.0	47.3	5.0	2.4	4.4	2.1	1.8	61.8	0.0	1.8	2.6	17.5
（35-39歳）	100.0	24.0	3.4	2.6	3.6	4.1	0.7	64.6	0.0	2.6	1.0	17.1
（40-44歳）	100.0	23.3	6.5	2.1	5.2	0.1	3.0	58.9	0.0	1.0	4.2	17.8
（45-49歳）	100.0	22.0	2.6	3.0	3.9	0.8	3.7	55.2	0.0	3.4	2.0	22.5

② 学歴別

	合計		求職活動をしない理由									
	（%）	実数（千人）	探したが見つからなかった	希望する仕事がありそうにない	知識・能力に自信がない	出産・育児のため	介護・看護のため	病気・けがのため	通学のため	学校以外で進学や資格取得などの勉強をしている	急いで仕事につく必要がない	その他
15-34歳男女計	100.0	226.7	6.0	5.6	12.6	0.8	0.9	29.9	0.3	7.6	7.9	26.8
男性　中学卒	100.0	26.3	5.6	5.0	16.3	0.0	0.9	23.1	0.3	4.7	7.1	36.0
男性　高校卒	100.0	66.9	5.3	8.2	10.6	0.0	1.2	26.9	0.6	9.1	6.1	29.4
男性　短大・専門卒	100.0	17.0	13.1	2.4	13.0	0.0	1.5	29.3	0.0	6.0	4.4	30.0
男性　大学・大学院卒	100.0	30.5	8.5	5.7	11.7	0.0	0.0	25.5	0.6	7.8	14.4	22.9
女性　中学卒	100.0	15.1	4.0	2.3	10.8	4.8	0.0	43.4	0.0	2.9	9.5	19.6
女性　高校卒	100.0	36.6	4.0	6.2	12.2	2.1	0.1	36.9	0.3	9.0	5.5	23.4
女性　短大・専門卒	100.0	19.1	6.1	4.2	13.6	0.5	3.5	35.0	0.0	3.1	11.2	22.8
女性　大学・大学院卒	100.0	13.8	1.6	1.7	12.0	2.2	0.0	30.3	0.2	16.8	9.0	26.1
35-44歳男女計	100.0	164.0	7.8	3.1	7.7	0.6	1.4	49.0	0.1	2.7	4.8	21.9
男性　中学卒	100.0	21.7	13.1	3.3	7.1	0.0	0.3	46.2	0.0	0.0	3.1	23.5
男性　高校卒	100.0	48.3	7.5	4.8	7.1	0.0	1.5	43.8	0.0	1.8	7.1	25.6
男性　短大・専門卒	100.0	16.3	8.0	4.5	3.1	0.0	2.6	49.5	0.0	2.3	1.5	27.7
男性　大学・大学院卒	100.0	29.7	7.7	0.7	17.1	0.0	0.4	39.5	0.4	7.8	7.8	18.3
女性　中学卒	100.0	11.0	8.3	1.7	2.3	0.0	1.0	64.4	0.0	0.0	0.6	19.5
女性　高校卒	100.0	21.5	5.0	1.7	1.7	0.1	2.9	68.9	0.0	0.5	3.6	15.5
女性　短大・専門卒	100.0	9.7	3.7	1.8	14.0	9.5	0.0	45.2	0.0	0.0	1.8	23.8
女性　大学・大学院卒	100.0	4.5	0.0	8.6	1.9	1.4	0.0	55.4	0.0	16.9	4.9	10.8

注：学歴不明、理由不詳は省いた。背景がグレーの数値は、2012年調査時に比べて5％ポイント以上の減少、太字下線は5％ポイント以上の増加を示す。45〜49歳、および学歴別35〜44歳については、2012年には集計していないため比較はできない。

　次の図表3−9は、就業希望がある非求職無業者に、仕事があればすぐつくつもりがあるかを尋ねたものである。

　「すぐつくつもり」という人は、15〜34歳層で17.3％、35〜44歳で14.6％となっており、やや男性の方が多い。「すぐではないがつくつもり」はそれぞれ48.8％、44.7％で、女性がやや多い。「つくかどうかわからない」はそれぞれ31.7％、37.6％で35〜44歳の方が多い。

図表3－9　就業希望のある非求職無業者の仕事があれば就く意思

①年齢階層別　　　　　　　　　　　　　　　　　　　単位：％、太字は実数（千人）

		合計		仕事があれば			
		(%)	実数（千人）	すぐつくつもり	すぐではないがつくつもり	つくかどうかわからない	不詳
15－34歳男女計		100.0	226.7	17.3	48.8	31.7	2.2
男性	15-34歳計	100.0	142.1	19.9	45.5	32.0	2.6
	15-19歳	100.0	13.2	22.6	49.1	28.0	0.3
	20-24歳	100.0	37.4	25.0	42.0	30.6	2.4
	25-29歳	100.0	49.1	17.7	47.4	32.3	2.6
	30-34歳	100.0	42.4	17.1	45.4	34.1	3.5
	35-44歳計	100.0	116.7	16.4	44.9	36.5	2.2
	（35-39歳）	100.0	56.6	18.0	48.1	29.7	4.2
	（40-44歳）	100.0	60.1	14.6	41.1	42.2	2.1
	（45-49歳）	100.0	62.1	15.7	40.5	42.2	1.5
女性	15-34歳計	100.0	84.6	13.0	54.3	31.3	1.4
	15-19歳	100.0	6.3	6.1	53.6	34.8	5.5
	20-24歳	100.0	23.3	14.7	63.6	19.1	2.7
	25-29歳	100.0	30.9	18.3	44.9	36.8	0.0
	30-34歳	100.0	24.1	6.6	57.5	35.0	0.9
	35-44歳計	100.0	47.3	10.4	45.4	41.5	2.7
	（35-39歳）	100.0	24.0	10.6	44.8	42.9	1.7
	（40-44歳）	100.0	23.3	10.1	45.5	39.7	4.7
	（45-49歳）	100.0	22.0	9.8	50.0	37.4	2.7

②学歴別　　　　　　　　　　　　　　　　　　　　単位：％、太字は実数（千人）

		合計		仕事があれば			
		(%)	実数（千人）	すぐつくつもり	すぐではないがつくつもり	つくかどうかわからない	不詳
15-34歳男女計		100.0	226.7	17.3	48.8	31.7	2.2
男性	中学卒	100.0	26.3	18.1	46.0	32.4	3.5
	高校卒	100.0	66.9	17.3	43.6	35.5	3.6
	短大・専門卒	100.0	17.0	30.2	42.8	25.2	1.7
	大学・大学院卒	100.0	30.5	21.3	49.3	29.1	0.3
女性	中学卒	100.0	15.1	14.9	44.8	38.0	2.3
	高校卒	100.0	36.6	11.9	53.0	34.5	0.6
	短大・専門卒	100.0	19.1	11.1	57.6	28.0	3.3
	大学・大学院卒	100.0	13.8	16.7	63.3	20.0	0.0
35-44歳男女計		100.0	164.0	14.6	44.7	37.6	3.1
男性	中学卒	100.0	21.7	11.9	44.7	39.1	4.3
	高校卒	100.0	48.3	15.6	43.8	37.0	3.6
	短大・専門卒	100.0	16.3	22.0	34.5	41.2	2.4
	大学・大学院卒	100.0	29.7	17.6	51.2	30.4	0.8
女性	中学卒	100.0	11.0	7.8	32.8	55.9	3.5
	高校卒	100.0	21.5	12.5	42.8	42.9	1.8
	短大・専門卒	100.0	9.7	7.8	62.6	22.1	7.6
	大学・大学院卒	100.0	4.5	13.3	53.6	33.1	0.0

すぐつくつもりか否かは、求職活動をしない理由との関連が考えられるので、次の図表3－10でこの関連を検討した[6]。求職活動をしない理由に「病気・けが」を挙げる人が最も多かったが、やはりこの理由である場合は「すぐつくつもり」は少ない。すぐつくつもりのある人が多いのは、学校以外での資格取得などの勉強を理由とした35歳以上の女性で、同男性も比較的多い。また、「見つからなかった」ことが理由の男性もすぐつくつもりの人が多い。最も就業に移行しやすいのはこうした人たちだと思われる。

図表3－10　就業希望のある非求職無業者の仕事があれば就く意思（非求職理由別）

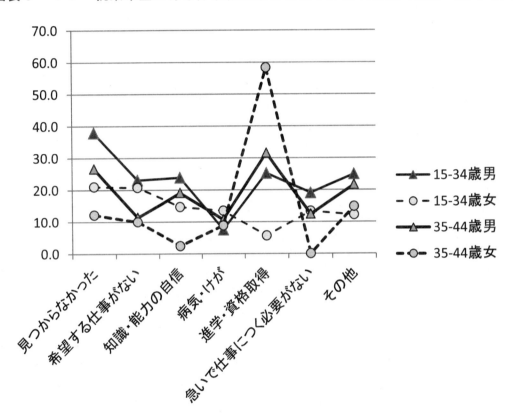

　一方、就職希望そのものを持っていない人は15～34歳・非求職無業者の56.2%（30.1万人）を占めた。この人たちが就業を希望していない理由を見たのが次の図表3－11である。こちらでも、最も多い理由は「病気・けがのため」で、年齢が高いほどこの理由をあげる人が多く、35～44歳では、男性の半数弱、女性の6割弱に達する。「その他」を除けば、次は「特に理由はない」、「学校以外で進学や資格取得などの勉強をしている」の順である。「学校以外で勉強している」は10歳代後半で多いが、この5年では減少している。

　図表3－11②は学歴別である。高卒以下の学歴の人に就業希望がないことが多かったので、高卒、中卒に注目する。15～34歳を見ると、「病気・けが」を理由とする人の割合は、大卒・大学院卒よりやや多い。これと「その他」以外の理由を挙げる人は少ないが、高卒男性

---

[6]　詳細は付表3－3に示した。

図表３－１１　就業希望のない非求職無業者が就業を希望しない理由

①年齢階層別

単位：％、太字は実数（千人）

		合計		就業を希望しない理由									
		（％）	実数（千人）	出産・育児のため	介護・看護のため	家事(出産・育児・介護・看護以外)のため	通学のため	病気・けがのため	学校以外で進学や資格取得などの勉強をしている	ボランティア活動に従事している	仕事をする自信がない	その他	特に理由はない
15-34歳男女計・2012年		*100.0*	*292.4*	*0.6*	*0.3*	*0.2*	*1.8*	*30.2*	*13.2*	*0.8*	*7.2*	*29.2*	*15.9*
15-34歳男女計		100.0	301.1	0.2	0.3	0.1	1.8	32.0	8.7	0.1	8.0	30.0	18.2
男性	15-34歳計	100.0	186.5	0.0	0.3	0.0	1.8	28.9	9.3	0.2	8.7	33.0	17.5
	15-19歳	100.0	31.8	0.0	0.0	0.0	8.5	10.9	36.1	1.0	4.9	25.7	12.5
	20-24歳	100.0	46.7	0.0	0.2	0.0	1.1	26.2	8.2	0.0	9.5	36.4	18.5
	25-29歳	100.0	51.0	0.0	1.0	0.0	0.2	32.6	2.2	0.1	10.7	35.8	17.1
	30-34歳	100.0	57.1	0.0	0.0	0.0	0.0	37.9	1.7	0.0	8.4	31.7	20.0
	35-44歳計	100.0	139.5	0.0	0.9	0.1	0.0	48.0	0.5	0.3	7.6	23.5	18.3
	（35-39歳）	100.0	58.6	0.0	0.2	0.0	0.0	46.6	1.0	0.5	8.6	24.5	17.7
	（40-44歳）	100.0	81.0	0.0	1.5	0.2	0.0	49.0	0.1	0.1	6.9	22.8	18.7
	（45-49歳）	100.0	83.8	0.0	0.9	0.0	0.0	59.6	0.0	0.0	6.0	21.1	11.0
女性	15-34歳計	100.0	114.5	0.5	0.3	0.4	1.8	36.9	7.7	0.1	6.9	25.2	19.3
	15-19歳	100.0	17.2	0.7	0.0	1.3	8.7	14.1	22.5	0.0	4.3	24.5	20.8
	20-24歳	100.0	31.7	1.0	0.2	0.0	1.8	34.6	11.2	0.0	9.4	20.9	19.5
	25-29歳	100.0	29.8	0.3	0.0	0.4	0.0	39.2	2.0	0.0	7.0	29.1	22.0
	30-34歳	100.0	35.8	0.3	0.8	0.2	0.0	48.1	2.1	0.2	5.7	26.1	16.1
	35-44歳計	100.0	81.5	0.0	1.3	0.1	0.0	58.4	1.4	0.4	4.0	21.2	11.1
	（35-39歳）	100.0	33.2	0.0	1.5	0.0	0.0	55.1	2.7	0.0	2.7	19.9	12.9
	（40-44歳）	100.0	48.3	0.0	1.1	0.2	0.0	60.7	0.4	0.6	4.9	22.1	9.9
	（45-49歳）	100.0	46.5	0.0	1.7	1.1	0.2	63.9	0.1	0.0	4.2	17.5	9.8

②学歴別

単位：％、太字は実数（千人）

		合計		就業を希望しない理由									
		（％）	実数（千人）	出産・育児のため	介護・看護のため	家事(出産・育児・介護・看護以外)のため	通学のため	病気・けがのため	学校以外で進学や資格取得などの勉強をしている	ボランティア活動に従事している	仕事をする自信がない	その他	特に理由はない
15-34歳男女計		100.0	301.1	0.2	0.3	0.1	1.8	32.0	8.7	0.1	8.0	30.0	18.2
男性	中学卒	100.0	35.3	0.0	1.0	0.0	0.2	34.3	5.3	0.0	15.4	24.1	18.8
	高校卒	100.0	124.6	0.0	0.1	0.0	2.5	28.4	10.4	0.3	6.3	38.2	13.8
	短大・専門卒	100.0	8.8	0.0	0.5	0.0	1.1	30.5	3.6	0.0	10.7	17.0	36.5
	大学・大学院卒	100.0	17.7	0.0	0.0	0.0	0.6	21.1	12.8	0.2	11.5	21.7	32.1
女性	中学卒	100.0	18.9	1.4	0.0	0.0	0.0	45.0	1.9	0.0	7.2	28.0	14.2
	高校卒	100.0	74.8	0.3	0.5	0.4	2.5	38.3	7.4	0.0	6.3	26.2	17.1
	短大・専門卒	100.0	12.3	0.7	0.0	0.3	0.0	25.0	12.8	0.7	10.5	15.9	34.1
	大学・大学院卒	100.0	8.1	0.5	0.0	1.0	2.3	22.6	16.0	0.0	5.8	23.2	28.6
35-44歳男女計		100.0	221.0	0.0	1.1	0.1	0.0	51.8	0.8	0.3	6.3	22.7	15.6
男性	中学卒	100.0	33.2	0.0	0.5	0.0	0.0	54.5	0.0	0.0	8.0	24.9	11.7
	高校卒	100.0	71.8	0.0	0.8	0.2	0.0	48.5	0.5	0.5	4.7	25.6	18.1
	短大・専門卒	100.0	13.1	0.0	4.3	0.0	0.0	36.0	0.5	0.0	18.4	12.2	28.7
	大学・大学院卒	100.0	20.2	0.0	0.2	0.0	0.0	41.8	1.0	0.0	10.4	21.3	24.0
女性	中学卒	100.0	21.0	0.0	1.5	0.0	0.0	64.0	0.0	0.0	6.8	15.6	3.7
	高校卒	100.0	39.4	0.0	1.0	0.2	0.0	55.4	0.0	0.3	2.3	28.6	12.1
	短大・専門卒	100.0	13.0	0.0	0.9	0.0	0.0	58.3	1.7	1.5	6.2	11.2	20.2
	大学・大学院卒	100.0	7.4	0.0	3.1	0.0	0.0	59.8	12.2	0.0	1.2	12.3	11.5

注：学歴不明、理由不詳は省いた。背景がグレーの数値は、2012年調査時に比べて5％ポイント以上の減少、太字下線は5％ポイント以上の増加を示す。45～49歳、および学歴別35～44歳については、2012年は集計していないので、比較できない。

の場合は「学校以外で勉強している」が、中卒男性では「仕事をする自信がない」が比較的多い。35〜44歳では、いっそう「病気・けが」に集中しているために、これ以外には目立って多い理由はない。

3.3　就業経験と前職離職時期

　この節では、ニート状態になる前の就業経験について検討する。

　図表3－12は、非求職無業者の1年前の状況である。「仕事を主にしていた」は15〜34歳で8.5%（男性7.5%、女性10.2%）と少ない。この割合は2007年から徐々に低下しており、増加しているのは、「その他」（＝通学も家事もしていない無業）で、今回調査では74.4%（男性76.8%、女性で70.5%）となった。年齢階層別には、男性は年齢が高いほどこの割合は大きく40歳代では9割を超える。女性では30歳代以降は、80%代前半で推移している。

　表の右端には、これまで就業経験がない者の割合を示した。若いほど就業経験者は少なく、学校卒業（中退）後、無業のままでいると思われる。15〜34歳層全体の数字を見ると、63.9%と2012年より高くなっている。就業経験のない者の割合については、1992年からの推移がわかるので、図表3－13に示した。90年代末から2000年代初めにかけては、就業経験のない人が減った、つまりいったん就業した後に非求職無業になる人の割合が増えたが、2012年ごろからはそうした人は減り、学卒後、就業経験のないまま無業状況でいる人が増えている。

図表3－12　非求職無業者の1年前の就業状況と就業経験

①年齢階層別　　　　　　　　　　　　　　　　　　　　　　　単位：%、太字は実数（千人）

		合計		1年前の就業状況						就業経験のない者の割合
		(%)	実数（千人）	家事をしていた	通学していた	その他	仕事をおもにしていた	家事・通学などのかたわらにしていた	不詳	
15－34歳男女計・2012年		100.0	563.7	3.0	12.7	72.3	9.6	0.5	1.9	60.4
15－34歳男女計		100.0	535.3	2.6	12.0	74.4	8.5	1.2	1.3	63.9
男性	15－34歳計	100.0	333.1	1.0	12.7	76.8	7.5	0.8	1.3	65.8
	15-19歳	100.0	45.4	0.1	68.8	28.1	1.9	0.4	0.8	90.6
	20-24歳	100.0	85.4	0.6	9.1	79.2	8.3	1.5	1.3	71.1
	25-29歳	100.0	101.9	1.4	1.9	85.4	8.6	0.6	2.1	62.2
	30-34歳	100.0	100.5	1.3	1.3	87.9	8.2	0.4	0.8	54.0
	35-44歳計	100.0	258.7	2.1	0.1	89.4	5.8	0.0	2.6	36.7
	（35-39歳）	100.0	115.8	2.2	0.2	87.9	7.1	0.0	2.6	39.9
	（40-44歳）	100.0	142.9	2.0	0.0	90.6	4.8	0.0	2.5	34.1
	（45-49歳）	100.0	147.3	2.5	0.1	92.7	3.5	0.0	1.2	27.5
女性	15－34歳計	100.0	202.2	5.2	10.8	70.5	10.2	2.0	1.2	60.7
	15-19歳	100.0	24.0	3.1	57.2	31.7	1.6	3.1	3.4	88.2
	20-24歳	100.0	55.8	2.4	13.3	66.0	15.5	2.5	0.3	61.6
	25-29歳	100.0	61.7	9.1	1.1	76.6	10.7	0.8	1.7	57.7
	30-34歳	100.0	60.7	4.8	0.2	84.0	8.1	2.2	0.7	52.2
	35-44歳計	100.0	130.0	8.4	0.0	83.3	5.7	0.9	1.7	39.0
	（35-39歳）	100.0	57.8	9.9	0.0	82.2	6.3	0.8	0.7	44.7
	（40-44歳）	100.0	72.2	7.2	0.0	84.1	5.3	1.0	2.4	34.4
	（45-49歳）	100.0	69.2	9.4	0.1	83.2	5.0	0.2	2.1	32.2

②学歴別 単位：％、太字は実数（千人）

		合計		1年前の就業状況						就業経験のない者の割合
		(％)	実数(千人)	家事をしていた	通学していた	その他	仕事をおもにしていた	家事・通学などのかたわらにしていた	不詳	
15－34歳男女計		100.0	535.3	2.6	12.0	74.4	8.5	1.2	1.3	63.9
男性	中学卒	100.0	62.5	0.8	8.2	81.3	6.9	0.8	2.2	67.8
	高校卒	100.0	193.0	0.8	15.2	**78.4**	4.6	0.4	0.6	72.3
	短大・専門卒	100.0	26.1	1.7	4.5	**80.6**	11.0	1.0	1.1	39.7
	大学・大学院卒	100.0	48.9	1.3	13.3	63.5	**18.1**	2.2	1.6	51.3
女性	中学卒	100.0	34.5	9.6	4.3	77.9	4.7	1.2	2.3	69.8
	高校卒	100.0	113.3	4.9	13.1	74.4	4.8	1.6	1.3	**69.0**
	短大・専門卒	100.0	32.0	2.7	11.1	58.4	24.4	3.4	0.0	**36.0**
	大学・大学院卒	100.0	21.9	3.9	9.2	56.2	**26.2**	3.4	1.1	39.6
35-44歳男女計		100.0	388.7	4.2	0.1	87.4	5.8	0.3	2.3	37.5
男性	中学卒	100.0	55.5	1.1	0.0	91.8	3.3	0.0	3.7	38.9
	高校卒	100.0	121.4	2.1	0.0	89.5	5.6	0.0	2.8	41.2
	短大・専門卒	100.0	29.5	3.0	0.0	85.8	10.9	0.0	0.3	24.2
	大学・大学院卒	100.0	50.4	2.7	0.4	89.8	5.6	0.2	1.2	30.8
女性	中学卒	100.0	32.4	7.9	0.0	84.7	4.2	2.1	1.1	51.9
	高校卒	100.0	61.1	8.3	0.0	86.2	3.2	0.4	1.9	41.7
	短大・専門卒	100.0	22.7	9.4	0.0	77.5	11.1	0.0	2.0	17.8
	大学・大学院卒	100.0	11.9	8.6	0.0	78.8	10.5	2.1	0.0	30.5

注：学歴不明は省いた。背景がグレーの数値は、2007年調査時に比べて5％ポイント以上の減少、太字下線は5％ポイント以上の増加を示す。45〜49歳、および学歴別35〜44歳については、2012年は集計していないので、比較できない。

　15〜34歳層の非求職無業者においては、経年的に若年層の割合が減少し続けている。若年層が増えているなら、就業経験のない人の割合が増えることは理解しやすいが、若年者の割合が減る中で就業経験のない人が増えているのである。就業経験のないまま無業が長期化した人の割合が高まっていると思われる。

図表3－13　非求職無業者(15〜34歳)のうち就業経験のない者の割合の推移

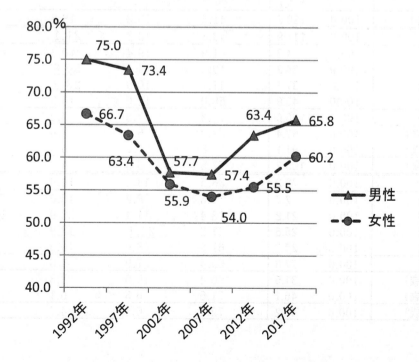

図表３－１２①に戻って、35歳以上の年齢層を見ると、１年前は、やはり「その他」（＝通学も家事もしていない無業）が多い。その水準は若年層より高く、男性では９割前後、女性でも８割以上となっている。しかし、右端の就業経験のない者の割合を見ると、３〜４割程度と34歳以下の層より少ない。30歳代後半以降の場合、就業経験はあるが、１年以上無業状態を続けている人が多いということである。ただし、2012年との比較で見れば、40〜44歳層の男性においては、就業経験のない人の割合が高まっている。就業経験のないまま中年期に入っている人が増えている。

　図表３－１２②は学歴別である。就業経験のない人は15〜34歳層の中学、高校卒業者で多い。年長層においても、中学、高校卒の方が就業経験のない人は多いが、高等教育卒業者との差は小さい。

　次に、就業経験のある非求職無業者について、前職離職の時期がある程度分かるので、ここから無業期間の長さを検討する（図表３－１４）。15〜34歳層では、2017年（＝調査時期が10月なので10か月以内）の離職者は22.6％で、一方2014年以前（＝２年10月以上前）に離職した人は41.6％と多い。離職からの期間が長い人は、年齢が高い人に多く、35歳以上についても年齢階層が上がるほど多い。図表３－１４②をみると、15〜34歳層では、学歴が高い方が離職からの期間が短い傾向がある。35〜44歳層では、学歴による差ははっきりしない。

図表３－１４　就業経験のある非求職無業者の前職離職時期

①年齢階層別　　　　　　　　　　　　　　　　　　　　　　　　　単位：％、太字は実数（千人）

		合計		前職離職年				
		（％）	実数（千人）	2014年以前	2015年	2016年	2017年	不明
15-34歳男女計		100.0	**190.2**	41.6	13.2	18.6	22.6	3.9
男性	15-34歳計	100.0	**111.9**	43.8	12.3	21.1	18.2	4.5
	15-19歳	100.0	**4.2**	1.9	19.4	10.3	68.5	0.0
	20-24歳	100.0	**24.3**	19.3	14.1	30.8	30.4	5.5
	25-29歳	100.0	**37.7**	47.1	10.9	23.3	14.8	3.9
	30-34歳	100.0	**45.8**	58.0	12.0	15.3	9.9	4.9
	35-44歳計	100.0	**158.6**	71.3	7.3	7.2	7.1	7.0
	（35-39歳）	100.0	**67.4**	67.9	6.8	7.6	10.0	7.6
	（40-44歳）	100.0	**91.1**	73.8	7.7	6.9	5.0	6.6
	（45-49歳）	100.0	**105.2**	77.2	5.3	4.1	3.3	10.1
女性	15-34歳計	100.0	**78.2**	38.5	14.5	14.9	29.0	3.0
	15-19歳	100.0	**2.7**	4.6	8.2	15.0	70.4	1.8
	20-24歳	100.0	**21.2**	13.4	11.4	22.9	51.6	0.7
	25-29歳	100.0	**25.6**	37.2	24.1	12.9	21.7	4.1
	30-34歳	100.0	**28.7**	61.3	8.9	10.9	15.0	3.9
	35-44歳計	100.0	**77.6**	69.4	7.9	7.0	8.3	7.3
	（35-39歳）	100.0	**31.5**	66.4	10.0	8.3	9.6	5.6
	（40-44歳）	100.0	**46.1**	71.5	6.5	6.1	7.5	8.4
	（45-49歳）	100.0	**45.2**	72.1	6.4	4.7	6.2	10.6

②学歴別 単位：％、太字は実数（千人）

		合計		前職離職年				
		（％）	実数 （千人）	2014年以前	2015年	2016年	2017年	不明
15－34歳男女計		100.0	190.2	41.6	13.2	18.6	22.6	3.9
男性	中学卒	100.0	19.6	48.6	9.5	23.2	17.0	1.7
	高校卒	100.0	53.0	49.0	13.2	18.0	15.0	4.8
	短大・専門卒	100.0	15.6	43.6	19.0	16.2	13.3	7.9
	大学・大学院卒	100.0	23.5	29.0	7.3	30.0	29.8	4.0
女性	中学卒	100.0	10.2	64.0	8.7	10.1	14.2	3.0
	高校卒	100.0	34.5	41.3	20.7	15.5	19.3	3.3
	短大・専門卒	100.0	20.5	29.7	8.3	16.8	41.7	3.5
	大学・大学院卒	100.0	13.0	25.2	12.6	14.6	46.7	1.0
35-44歳男女計		100	236.2	70.7	7.5	7.1	7.5	7.1
男性	中学卒	100.0	32.4	73.0	4.9	6.5	3.3	12.3
	高校卒	100.0	68.9	71.1	7.6	7.5	6.8	6.9
	短大・専門卒	100.0	22.0	68.2	10.3	6.2	12.3	2.9
	大学・大学院卒	100.0	34.5	72.3	7.3	7.8	7.6	5.0
女性	中学卒	100.0	15.4	67.7	0.2	10.4	7.1	14.5
	高校卒	100.0	34.9	72.2	11.7	5.3	4.5	6.3
	短大・専門卒	100.0	18.3	71.0	5.2	7.3	11.4	5.1
	大学・大学院卒	100.0	8.3	61.2	13.2	7.7	16.1	1.9

注：背景がグレーの数値は、2012年調査時に比べて5％ポイント以上の減少、太字下線は5％ポイント以上の増加を示す。45〜49歳、および学歴別35〜44歳については、2012年は集計していないので、比較できない。

　就業経験の有無や前職離職からの期間によって、（就業希望のある人の）求職活動をしない理由は異なるのだろうか。図表3－15はその関係を示している。

　まず、15〜34歳で就業経験がある人とない人を比べると、ない人のほうが「病気やけが」を理由とすることが少なく、「学校以外での勉強」がやや多い。就業経験がある場合の前職離職時期別を見ると、離職時期が2017年内である場合は、「病気・けが」を理由とする人が少なく、「学校以外での勉強」が多い傾向にある。これらは2012年にも見られた特徴である。2012年にはこうした特徴から、就業経験のない人や離職から日の浅い人は、資格取得などの意欲があり、自学自習の形でこれに取り組んでいることが推測された。しかし、5年前と比べて、これらの人たちにおいて「学校以外での勉強」が減少しており、同時に「探したが見つからない」も減っている。「学校以外での勉強」という理由が減ったのは、勉強する人の多くが非求職無業者から就業者などに移行したのか、また、「仕事が見つからない」ことが少なくなったので、あきらめて非求職無業者になる人が減少したということだろうか。就業経験のない非求職無業者の割合は高まっているが、同時にその人たちの非求職の理由も変化していると思われる。

　35〜44歳層では、やはり就業経験のない人の方が「病気・けが」を理由とすることが少ない。若年層と比べると、就業経験がある人との差が大きい。離職時期との関係は、若年層と違って2017年内の離職者が最も「病気・けが」を理由とする人が多く、6割を超える。2015〜16年離職者で「病気・けが」を理由とする人が少なくなるのは、2、3年で健康を回復し

て、無業状態から脱する人が少なからずいるということだろう。この年齢で就業経験のある人が非求職無業となるのは「病気・けが」が理由であることが多く、この年齢層への非求職無業の支援は、治療と就業の両立支援など、医療との連携にも視野を広げる必要があるのではないだろうか。

図表３－１５　就業希望のある非求職無業者の非求職理由（就業経験、離職時期別）

単位：％、太字は実数（千人）

		合計（千人、N)	探したが見つからなかった	希望する仕事がありそうにない	知識・能力に自信がない	出産・育児のため	介護・看護のため	病気・けがのため	通学のため	学校以外で進学や資格取得などの勉強をしている	急いで仕事につく必要がない	その他
15―34歳	就業経験なし	101.1	3.5	4.5	13.3	0.5	0.5	24.6	0.6	10.3	7.5	33.3
	就業経験あり	122.7	8.3	6.5	12.2	1.1	1.2	34.9	0.1	5.6	8.1	21.7
	前職離職年 2017年	30.1	4.1	5.1	11.4	2.7	2.1	23.7	0.3	10.6	17.0	23.1
	2015～16年	41.0	10.8	6.7	11.6	0.7	0.7	36.6	0.1	6.0	5.0	21.6
	2014年以前	122.7	8.5	6.3	13.7	0.7	1.2	40.0	0.0	2.6	5.9	21.1
35―44歳	就業経験なし	28.9	7.3	5.7	10.5	0.7	1.4	36.8	0.0	1.5	1.9	34.2
	就業経験あり	130.7	7.9	2.6	7.2	0.6	1.4	52.8	0.1	3.1	5.6	18.5
	前職離職年 2017年	11.8	8.3	0.0	1.6	0.0	0.4	62.7	0.0	4.7	3.5	18.1
	2015～16年	20.8	10.5	1.8	4.7	0.3	1.2	46.9	0.5	2.9	7.6	23.6
	2014年以前	89.4	7.3	3.5	9.2	0.8	1.5	52.1	0.0	3.2	5.7	16.6

注：背景がグレーの数値は、2012年調査に比べて5％ポイント以上の減少、太字下線は5％ポイント以上の増加を示す。35～44歳については、2012年は集計していないので、比較できない。

　就業経験の有無や離職からの期間によって、仕事に就く意思も違っているかを次の図表３－１６でみる。就業経験がある人とない人を比べると、15～34歳では明らかに就業経験のある人の方が「すぐつくつもり」が多く「つくかどうかわからない」が少ない。35～44歳層では、差は大きくないが同じような傾向がある。

図表３－１６　就業希望のある非求職無業者の仕事があれば就く意思
（就業経験、離職時期別）

単位：％、太字は実数（千人）

		合計 (%)	合計 実数（千人）	すぐつくつもり	すぐではないがつくつもり	つくかどうかわからない	不詳
15―34歳	就業経験なし	100.0	102.1	12.8	45.3	40.8	1.0
	就業経験あり	100.0	123.2	21.3	52.4	24.5	1.8
	前職離職年 2017年	100.0	30.1	17.4	60.9	18.8	2.9
	2015～16年	100.0	41.0	31.0	50.5	18.5	0.0
	2014年以前	100.0	47.6	16.2	47.8	33.9	2.1
35―44歳	就業経験なし	100.0	29.1	13.4	36.8	48.9	0.9
	就業経験あり	100.0	131.3	15.2	47.5	35.8	1.5
	前職離職年 2017年	100.0	12.1	22.3	51.9	23.3	2.5
	2015～16年	100.0	20.8	17.6	53.6	26.0	2.8
	2014年以前	100.0	89.7	14.4	47.1	37.7	0.8

前職の離職年との関係では、いずれの年齢層も、離職から３年以上経つと「つくかどうかわからない」が増える。離職から３年以上経った人の場合、15～34歳でも「病気・けが」が多く、やはり医療と連携したアプローチが重要ではないだろうか。

　就業への希望を持たない人たちについても同様に、就業経験との関係を検討する。図表３－１７にみるとおり、15～34歳層では就業経験の有無にかかわらず「病気・けが」が３割程度を占める。就業経験の有無で異なるのは「仕事をする自信がない」で、この理由は就業経験のある人の方が多く挙げている。前職での経験が自信を失わせている可能性がある。35～44歳層では、就業経験のある人で「病気・けが」の割合が６割を超える。離職時期では2017年内の離職の場合は、「自信がない」が相対的には多い。病気やけがにはメンタルヘルスの問題も含まれるだろう。ハラスメントをはじめ、職場のあり方に起因する問題も考えられる。

図表３－１７　就業希望のない「非求職無業者」の就業を希望しない理由（就業経験、離職時期別）

単位：％、太字は実数（千人）

		合計(千人、N)	出産・育児のため	介護・看護のため	家事(出産・育児・介護・看護以外)のため	通学のため	病気・けがのため	学校以外で進学や資格取得などの勉強をしている	ボランティア活動に従事してい	仕事をする自信がない	その他	特に理由はない
15―34歳	就業経験なし	232.4	0.2	0.2	0.2	2.1	31.6	8.7	0.2	7.0	32.9	16.2
	就業経験あり	66.5	0.4	0.6	0.0	0.7	31.9	8.8	0.1	11.7	20.1	25.8
	前職離職年 2017年	12.6	1.3	0.0	0.0	3.5	17.8	32.4	0.0	2.5	17.7	24.7
	2015～16年	19.6	0.5	0.8	0.0	0.0	22.0	8.0	0.2	14.3	23.8	30.3
	2014年以前	31.5	0.0	0.8	0.0	0.0	44.4	0.6	0.0	14.5	16.0	23.7
35―44歳	就業経験なし	112.2	0.0	0.4	0.1	0.0	42.5	0.3	0.4	5.9	31.9	16.9
	就業経験あり	104.3	0.0	1.8	0.1	0.0	62.5	1.4	0.2	7.0	12.6	13.6
	前職離職年 2017年	5.7	0.0	5.1	0.0	0.0	46.6	5.5	0.0	15.4	18.8	8.6
	2015～16年	13.8	0.0	1.4	0.0	0.0	65.4	0.6	0.0	5.2	11.1	16.3
	2014年以前	77.0	0.0	1.8	0.1	0.0	63.8	1.4	0.2	7.0	11.5	13.4

注：背景がグレーの数値は、2012年調査に比べて５％ポイント以上の減少、太字下線は５％ポイント以上の増加を示す。35～44歳については、2012年は集計していないので、比較できない。

3.4　１年前の状況との異同

　この節では、どのような属性の人が非求職無業者から離脱しているのかを検討するために、調査項目から１年前の就業状況を示す変数を作成し、これと現在の状況との関係を検討する[7]。

　１年前の状況については、調査では、有業者、無業者それぞれに「１年前は何をしていたか」を尋ねており、仕事をしていない場合は「家事」、「通学」、「その他」の３つ選択肢のいずれかを、仕事をしていた場合は「仕事を主にしていた」か「家事・通学の傍らにしていた」かの２つのいずれかを選ぶようになっている。この設問と、現職への入職時期、前職の離職時期、前職在職期間などの時期を示す変数をもとに把握した2016年10月時点での就業状況を組み合わせて、１年前の就業状況を示す変数を作成した[8]。

---

[7] 前節では、調査時点で非求職無業者である人の１年前の状況を見たが、この節では、１年前に無業であった人が、調査時点でどのような就業状況にあるかを見る。

[8] １年前の就業状況別にみた現在の就業状況についての全体像は巻末の付表３－４に示した。

なお、非求職無業者は、無業者のうち求職活動をしていない者で、卒業者かつ通学しておらず、配偶者なしで家事を行っていない者という定義であるが、1年前の時点での求職活動の有無や学校在学、配偶関係はこの調査ではわからない。そこで、1年前については、無業で家事も通学もしておらず、かつ（1年後の）現在において卒業者で配偶者がいない者を「無業・非家事非通学・無配偶・卒業」として、非求職無業の状況に近い者としてくくった。したがって、求職活動をしていた者（求職者）は分離されず、ここに含まれている。

　その上で、図表3－18は、1年前の時点で「無業・非家事非通学・無配偶・卒業」状態であった者が、現在どのような状況にあるかをみている。非求職無業からの離脱の状況をみるための図表であるが、ただし、この対象者は既述の通り求職者を含んでおり、対象者数も15～34歳の男女計で92.8万人と調査時点での非求職無業者53.5万人よりかなり多い数となっている。

　この人たちの現在の状況を示しているのが表中の数値だが、男女計で、正社員になっている割合が18.0%、非正規雇用になっているのは19.2%（パート・アルバイト、派遣社員、契約・嘱託・その他の合計）、求職者17.6%、非求職無業者40.5%となっている。2012年調査においては、正社員への移行が15.9%、非正規雇用へは22.4%、求職者23.1%、非求職無業者33.8%であったので、正社員へ移行した者の割合は高まっているが、同時に非求職無業者となっている者の割合もかなり高まっている。1年前の「無業・非家事非通学・無配偶・卒業」には求職者が含まれているため、正社員への移行割合が高まったのは、人材需要が強くなっている近年の状況の下、求職活動をしていた人たちが就職したことによる可能性が高い。

　最も気にかかるのは1年後も非求職無業者である人の割合が2012年より高まっていることである。前節では、若年層が減少する中で就業経験のない人の割合が高まっていることから、長期にニート状態に滞留する人の増加を指摘したが、これと平仄のあう結果である。

　40歳代を含めて年齢別にみると、男女とも30歳代後半以上では非求職無業者にとどまる割合が高い。2012年との比較では、男性においては、比較可能なすべての年齢層（15～44歳）で非求職無業者にとどまる割合が高まっている。

　学歴別には、15～34歳層では、男女とも高学歴者ほど正社員移行者が多い傾向があり、また、非求職無業者にとどまる割合が低い。これは2012年にも見られた傾向であるが、男性においては大学、大学院卒以外の学歴では、非求職無業者にとどまる割合が2012年時より高まっており、学歴による違いは大きくなっている。35～44歳層についても、ある程度は同様の傾向があるが、男性では大卒者の非求職無業者の割合が専門学校や短大・高専卒より高いなど、異なる傾向もみられ、学歴の影響は若年層より小さい。

図表3−18　1年前「無業・非家事非通学・無配偶で卒業者」（非求職無業+求職者）であった者の現状

①年齢階層別

単位：％、太字は実数（千人）

		合計(千人,N)	正規の職員・従業員	パート・アルバイト	労働者派遣事業所の派遣社員	契約・嘱託・その他雇用	役員・自営業主・自営手伝い	家事等が主で有業	求職者	非求職無業者	独身・家事	その他無業
	15-34歳男女計	982.8	18.0	10.5	3.4	5.2	1.4	0.9	17.6	40.5	1.9	0.4
男性	15-34歳計	596.3	18.3	8.5	2.6	4.4	1.5	0.6	19.7	42.9	0.8	0.6
	15-19歳	28.9	16.1	13.0	5.2	0.9	0.0	1.8	13.5	44.1	1.9	3.5
	20-24歳	165.8	20.6	11.8	2.8	3.8	0.4	1.3	17.5	40.8	0.6	0.5
	25-29歳	214.3	22.0	8.3	2.4	4.9	2.0	0.3	18.9	40.6	0.3	0.3
	30-34歳	187.3	12.5	5.1	2.4	5.0	2.3	0.2	23.4	47.2	1.3	0.5
	35-44歳計	401.8	8.8	4.0	3.3	3.3	1.9	0.2	19.1	57.6	1.5	0.4
	（35-39歳）	183.1	9.8	4.3	1.5	3.2	2.5	0.2	21.2	55.6	1.3	0.4
	（40-44歳）	218.7	7.9	3.8	4.7	3.3	1.4	0.2	17.4	59.2	1.7	0.3
	（45-49歳）	219.5	6.1	2.9	1.6	1.9	1.6	0.2	20.9	62.2	2.2	0.4
女性	15-34歳計	386.5	17.4	13.6	4.7	6.5	1.2	1.4	14.5	36.9	3.6	0.2
	15-19歳	16.6	16.4	11.8	1.4	2.9	0.5	1.9	13.4	45.8	5.6	0.5
	20-24歳	121.6	22.7	16.6	2.7	7.0	1.2	1.6	15.1	30.2	2.7	0.2
	25-29歳	139.2	18.3	14.0	4.8	8.2	1.6	1.6	14.0	34.0	3.4	0.3
	30-34歳	109.0	10.7	10.1	7.4	4.3	0.8	0.8	14.4	46.8	4.7	0.1
	35-44歳計	200.9	7.7	8.1	4.1	3.7	0.7	2.0	13.0	53.9	6.4	0.5
	（35-39歳）	93.2	8.4	8.0	3.6	3.2	0.6	3.0	13.7	51.0	7.4	1.0
	（40-44歳）	107.7	7.1	8.2	4.5	4.0	0.9	1.1	12.4	56.4	5.5	0.0
	（45-49歳）	112.5	10.2	7.4	5.4	2.7	0.4	3.6	12.1	51.1	6.8	0.3

②学歴別

＜15〜34歳＞

単位：％、太字は実数（千人）

		合計(千人,N)	正規の職員・従業員	パート・アルバイト	労働者派遣事業所の派遣社員	契約・嘱託・その他雇用	役員・自営業主・自営手伝い	家事等が主で有業	求職者	非求職無業者	独身・家事	その他無業
男性	中学卒	86.2	4.1	7.9	2.5	2.2	0.3	2.4	19.2	58.9	2.5	0.0
	高校卒	277.5	12.0	8.3	2.8	3.3	0.8	0.4	16.1	54.5	0.6	1.0
	専門学校(1〜2年未満)卒	24.5	23.9	9.5	8.5	11.6	1.0	0.0	19.4	26.1	0.0	0.0
	専門学校(2〜4年未満)卒	44.5	23.3	12.3	2.0	6.4	2.6	0.2	23.5	28.1	1.6	0.0
	短大・高専卒	8.1	33.5	12.5	2.6	0.0	1.2	0.0	23.5	26.6	0.0	0.0
	大学卒	134.7	33.7	8.4	1.4	5.6	3.3	0.3	26.1	20.6	0.1	0.5
	大学院卒	18.2	41.9	4.2	1.1	12.3	3.4	0.0	19.0	18.2	0.0	0.0
女性	中学卒	48.4	3.8	13.6	2.4	2.7	0.4	1.1	15.7	55.5	4.8	0.0
	高校卒	156.0	5.7	12.7	4.4	3.8	0.9	1.5	11.4	54.0	5.3	0.3
	専門学校(1〜2年未満)卒	18.1	23.9	9.5	5.3	1.5	2.7	3.9	11.0	38.0	4.2	0.0
	専門学校(2〜4年未満)卒	37.3	29.0	21.3	7.7	4.1	2.7	1.0	15.3	16.7	2.3	0.0
	短大・高専卒	31.1	29.7	16.0	7.4	9.2	1.6	0.8	16.9	18.1	0.3	0.0
	大学卒	89.5	33.3	12.6	4.5	13.5	1.1	1.2	18.4	13.1	1.9	0.4
	大学院卒	3.6	47.2	10.9	0.0	10.9	0.0	0.0	13.7	17.2	0.0	0.0

		合計 (千人,N)	正規の 職員・ 従業員	パート・ アルバ イト	労働者派 遣事業所 の派遣社 員	契約・嘱 託・その 他雇用	役員・自 営業主・ 自営手 伝い	家事等 が主で 有業	求職者	非求職 無業者	独身・ 家事	その他 無業
男性	中学卒	73.8	5.4	3.6	2.0	1.6	1.0	0.0	15.0	69.1	1.4	0.9
	高校卒	181.8	7.3	4.0	2.7	3.2	1.8	0.3	19.5	59.8	1.3	0.1
	専門学校(1～2年未満)卒	17.9	10.3	3.0	4.4	8.8	4.0	0.0	24.2	44.5	0.8	0.0
	専門学校(2～4年未満)卒	31.3	8.1	5.9	6.0	1.4	6.0	0.0	26.5	44.1	2.1	0.0
	短大・高専卒	9.0	14.5	3.9	9.5	0.5	1.8	0.0	26.1	39.6	4.2	0.0
	大学卒	79.5	12.7	3.6	4.0	5.0	1.3	0.0	18.5	52.6	1.8	0.5
	大学院卒	7.4	30.2	6.6	0.0	1.8	0.0	3.2	8.7	47.6	0.0	1.9
女性	中学卒	37.2	0.4	5.2	2.4	0.7	0.3	2.5	8.3	73.9	6.4	0.0
	高校卒	84.9	3.8	7.9	2.0	1.9	1.2	0.8	13.4	62.0	7.1	0.0
	専門学校(1～2年未満)卒	10.6	11.8	11.5	7.2	4.2	0.0	8.2	23.1	25.3	8.7	0.0
	専門学校(2～4年未満)卒	15.8	28.2	8.0	9.2	1.8	1.5	0.9	9.7	40.0	0.7	0.0
	短大・高専卒	24.9	9.3	11.5	6.2	8.9	0.0	1.2	19.2	34.7	5.0	3.9
	大学卒	24.1	14.3	9.8	6.9	8.5	0.3	4.0	9.9	38.0	8.5	0.0
	大学院卒	2.0	29.0	0.0	8.0	25.8	0.0	0.0	24.9	12.3	0.0	0.0

注：背景がグレーの数値は、2012年調査時に比べて5%ポイント以上の減少、太字下線は5%ポイント以上の増加
　　を示す。45～49歳、および学歴別35～44歳については、2012年は集計していないので、比較できない。

3.5　属する世帯の状況

　この節では、非求職無業者が属する世帯の状況についてみていく。ここでは「非求職」であることが世帯の状況とかかわるのかを検討したい。そこで最初に、求職活動をしている無業者と比較することで、その特徴を検討する。ただし、求職者で配偶者がいる場合は世帯の状況が大きく変わるので、比較対象は、（非求職無業者に合わせて）配偶者のいない求職者に限ることにする。また、後半では、非求職無業者である本人が「子」として属する世帯の世帯全体の収入や世帯主の就業状況などについて、同年齢層で正社員である「子」がいたり、求職者である「子」がいたりする世帯との違いを検討する。

　まず、図表3－19では、非求職無業者と世帯主との関係である。15～34歳層ではおよそ2割（9.9万人）は本人が世帯主である。最も多いのは世帯主である親がいて、本人は「子」である場合で4分の3程度（40.6万人）を占める。35～44歳層では本人が世帯主である割合が4割（15.9万人）と多くなり、「子」である割合は半数強（22.1万人）である。女性の方がやや世帯主の割合が大きいが、男女の差は小さい。

　参考表として、同年齢層の配偶者のいない求職者の場合を示した。15～34歳では、本人が世帯主である割合は2割弱、世帯の中で「子」である割合が4分の3程度と、非求職無業者と変わらない。一方、35～44歳では世帯主である割合は3割強、「子」である割合は6割強で、非求職無業者より世帯主は少ない。女性の方が世帯主が多い点は非求職無業者と変わらない。

図表3－19　非求職無業者の世帯主との関係

単位：％、太字は実数（千人）

		合計		世帯主	子	孫	兄弟姉妹	他の親族	その他
		(%)	(千人、N)						
15～34歳	男性	100.0	**333.1**	17.0	78.0	4.0	0.6	0.3	0.1
	女性	100.0	**202.2**	20.9	72.3	5.7	0.5	0.0	0.5
	男女計	100.0	**535.3**	18.5	75.9	4.6	0.6	0.2	0.3
35～44歳	男性	100.0	**258.7**	38.6	59.2	0.6	1.2	0.2	0.1
	女性	100.0	**130.0**	45.4	52.2	0.5	1.2	0.0	0.7
	男女計	100.0	**388.7**	40.9	56.9	0.6	1.2	0.1	0.3

参考表3－19　配偶者のいない求職者の世帯主との関係

単位：％、太字は実数（千人）

		合計		世帯主	子	子の配偶者	孫	兄弟姉妹	他の親族	その他	不詳
		(%)	(千人、N)								
15～34歳	男性	100.0	**293.7**	15.2	78.2	0.1	4.6	0.9	0.2	0.8	0.0
	女性	100.0	**266.3**	19.6	71.0	0.0	5.1	1.5	0.1	2.5	0.0
	男女計	100.0	**560.0**	17.3	74.8	0.0	4.8	1.2	0.2	1.6	0.0
35～44歳	男性	100.0	**143.7**	27.6	69.6	0.0	1.1	0.8	0.6	0.4	0.0
	女性	100.0	**105.6**	38.8	54.3	0.0	0.9	3.3	0.1	2.6	0.0
	男女計	100.0	**249.2**	32.3	63.1	0.0	1.0	1.9	0.3	1.3	0.0

　次の図表3－20は、15～34歳の非求職無業者が属する世帯の類型である。男女であまり変わらず、夫婦と子どもから成る世帯に「子」として属するケースが約半数、ひとり親と子どもから成る世帯に（ほとんど「子」として）属するケースが約16％、単身世帯は先にみた通り2割弱である。表側は本人と世帯主との関係で、本人が世帯主であれば、男女とも約9割が単身世帯であり、加えて、女性では5％ほどが母子世帯（本人が親）である。

図表3－20　世帯主との関係別　非求職無業者の世帯類型（15～34歳）

単位：％、太字は実数（千人）

		合計		夫婦と子供から成る世帯	夫婦,子供と両親から成る世帯	夫婦,子供とひとり親から成る世帯	ひとり親と子供から成る世帯（母子世帯,父子世帯を除く）	兄弟姉妹のみから成る世帯	単身世帯	母子世帯	上記以外
		(%)	(千人、N)								
男性	男性計	100.0	**333.1**	50.5	2.1	6.5	15.9	0.9	15.2	0.1	8.8
	（うち）世帯主	100.0	**56.6**	0.0	0.0	0.0	1.5	2.9	89.4	0.0	6.2
	子	100.0	**259.8**	64.8	1.1	7.4	19.9	0.0	0.0	0.2	6.7
女性	女性計	100.0	**202.2**	46.5	2.1	6.7	15.6	0.1	19.2	1.1	8.7
	（うち）世帯主	100.0	**42.3**	0.0	0.0	0.0	1.8	0.3	91.9	5.2	0.8
	子	100.0	**146.3**	64.2	0.8	7.6	21.0	0.0	0.0	0.0	6.4

参考表3-20　世帯主との関係別 配偶者のいない求職者の世帯類型（15～34歳）

単位：％、太字は実数（千人）

		合計 (%)	合計 (千人、N)	夫婦と子供から成る世帯	夫婦,子供と両親から成る世帯	夫婦,子供とひとり親から成る世帯	ひとり親と子供から成る世帯（母子世帯,父子世帯を除く）	兄弟姉妹のみから成る世帯	単身世帯	母子世帯	父子世帯	上記以外
男性	男性計	100.0	**293.7**	50.1	2.3	5.9	16.9	0.6	14.0	0.3	0.2	9.8
	（うち）世帯主	100.0	**44.8**	0.3	0.0	0.0	1.5	1.3	91.9	0.0	1.5	3.5
	子	100.0	**229.7**	64.0	1.2	6.6	20.8	0.0	0.0	0.4	0.0	7.0
女性	女性計	100.0	**266.3**	44.1	1.6	5.6	16.8	1.3	15.4	3.1		12.0
	（うち）世帯主	100.0	**52.3**	0.2	0.0	0.0	1.0	2.3	78.4	15.4	0.0	2.7
	子	100.0	**189.1**	62.0	0.4	6.1	23.3	0.0	0.0	0.1	0.0	8.1

　参考表には同年齢層の配偶者のいない求職者の場合を載せたが、その世帯構成は非求職無業者とあまり違わない。異なるのは、女性で世帯主の場合で、母子世帯が15.4％と多いことである。

　次の図表3-21は、これを35～44歳層で見たものである。30歳代前半までの年齢層に比べ、夫婦と子どもから成る世帯が3～4割程度まで減り、単身世帯がほぼ同じ程度まで増えている。女性で世帯主の場合の母子世帯も13.2％と増えている。

　参考表は同年齢層の配偶者のいない求職者の場合である。こちらも同様に夫婦と子どもから成る世帯が減っているが、増えたのは単身世帯だけでなく、ひとり親と子どもから成る世帯も増えた。女性で世帯主である場合の母子世帯の割合は36.1％とかなり高い。

図表3-21　世帯主との関係別 非求職無業者の世帯類型（35～44歳）

単位：％、太字は実数（千人）

		合計 (%)	合計 (千人、N)	夫婦と子供から成る世帯	夫婦,子供と両親から成る世帯	夫婦,子供とひとり親から成る世帯	ひとり親と子供から成る世帯（母子世帯,父子世帯を除く）	兄弟姉妹のみから成る世帯	単身世帯	母子世帯	上記以外
男性	男性計	100.0	**258.7**	37.8	0.1	1.9	18.0	1.0	36.3	0.0	4.9
	（うち）世帯主	100.0	**99.9**	0.2	0.0	0.0	3.0	1.1	94.0	0.0	1.7
	子	100.0	**153.2**	63.6	0.1	2.9	28.0	0.0	0.0	0.0	5.3
女性	女性計	100.0	**130.0**	33.0	0.2	3.0	14.1	0.8	37.4	6.0	5.6
	（うち）世帯主	100.0	**59.0**	0.1	0.0	0.0	2.2	0.5	82.3	13.2	1.7
	子	100.0	**67.9**	63.0	0.4	5.0	24.5	0.0	0.0	0.0	7.1

参考表３－２１　　世帯主との関係別 配偶者のいない求職者の世帯類型（35〜44歳）

単位：％、太字は実数（千人）

		合計		夫婦と子供から成る世帯	夫婦,子供と両親から成る世帯	夫婦,子供とひとり親から成る世帯	ひとり親と子供から成る世帯（母子世帯,父子世帯を除	兄弟姉妹のみから成る世帯	単身世帯	母子世帯	父子世帯	上記以外
		(%)	(千人、N)									
男性	男性計	100.0	143.7	40.1	0.1	3.4	23.8	0.8	24.0	0.0	0.4	7.5
	(うち)　世帯主	100.0	39.6	1.4	0.0	0.0	7.0	0.5	87.0	0.0	1.4	2.7
	子	100.0	100.0	57.1	0.0	4.4	31.4	0.0	0.0	0.0	0.0	7.1
女性	女性計	100.0	105.6	29.3	0.2	1.8	20.9	1.5	20.6	14.0	0.0	11.8
	(うち)　世帯主	100.0	41.0	0.0	0.0	0.0	7.3	0.8	53.0	36.1	0.0	2.7
	子	100.0	57.4	53.9	0.0	3.2	30.1	0.0	0.0	0.0	0.0	12.8

　次に、個人の１年間の収入の種類についても調査項目となっているので、これについても非求職無業者と配偶者のいない求職者を対比してみてみよう。

　まず図表３－２２は、15〜34歳の非求職無業者があげた主な収入の種類である。「なし」が最も多く、男性の65.3％、女性の57.1％を占める。次に多いのが「年金・恩給」で男女ともほぼ17％である。これと「雇用保険」「その他給付」[9]を合わせたものが社会保障給付で、男性の22.5％が、女性25.0％が社会保障給付を主な収入としている。とりわけ世帯主となるとその割合は大きく、「年金・恩給」を主な収入とする者が男性の44.4％、女性の34.7％（社会保障給付全体では、男性の58.0％、女性の49.8％）となっている。なお、ここでの「年金・恩給」については老齢年金は考えられないので、障害年金や労災年金[10]である可能性が高い。

図表３－２２　世帯主との関係別　非求職無業者の主な収入の種類（15〜34歳）

単位：％、太字は実数（千人）

		合計		賃金・給料	事業収入	社会保障			仕送り	家賃・地代	利子・配当	その他	なし	不詳
		(%)	(千人、N)			年金・恩給	雇用保険	その他の給付						
男性	男性計	100.0	333.1	2.7	0.0	17.0	0.4	5.1	1.8	0.5	0.4	3.9	65.3	3.0
	(うち)　世帯主	100.0	56.6	1.4	0.0	44.4	0.2	13.4	9.1	2.1	0.1	8.4	19.1	1.8
	子	100.0	259.8	2.9	0.0	11.9	0.3	3.4	0.3	0.2	0.4	2.8	74.7	3.2
女性	女性計	100.0	202.2	5.7	0.0	17.3	0.7	7.0	2.9	0.0	0.3	5.5	57.1	3.4
	(うち)　世帯主	100.0	42.2	6.6	0.0	34.7	0.6	14.5	13.4	0.2	0.2	12.1	17.8	0.0
	子	100.0	146.3	5.5	0.1	13.5	0.7	5.0	0.0	0.0	0.4	3.6	66.8	4.3

---

[9]　具体的には、生活扶助や児童扶養手当などが考えられる。
[10]　18歳以下なら遺族年金も考えられる。

参考表３－２２　世帯主との関係別　配偶者のいない求職者の主な収入の種類（15〜34歳）

単位：％、太字は実数（千人）

		合計		賃金・給料	事業収入	社会保障			仕送り	家賃・地代	利子・配当	その他	なし	不詳
		(%)	(千人、N)			年金・恩給	雇用保険	その他の給付						
男性	男性計	100.0	**293.7**	21.3	0.0	1.2	2.7	2.5	3.6	0.0	0.3	4.3	60.2	3.9
	（うち）世帯主	100.0	**44.8**	31.0	0.0	1.1	3.9	5.5	20.3	0.2	0.0	4.1	31.1	2.8
	子	100.0	**229.7**	19.5	0.0	1.3	2.3	2.1	0.6	0.0	0.4	4.1	65.4	4.4
女性	女性計	100.0	**266.3**	26.7	0.0	1.6	3.8	2.1	3.1	0.0	0.0	7.0	51.0	4.6
	（うち）世帯主	100.0	**52.3**	32.2	0.1	1.5	3.4	4.3	12.1	0.0	0.0	14.6	29.9	1.8
	子	100.0	**189.1**	25.2	0.0	1.7	3.8	1.6	0.8	0.0	0.0	4.9	56.7	5.4

　参考表で同年齢層の配偶者のいない求職者についてみると、「なし」は男性 60.2％、女性 51.0％で非求職無業者とさほど違わない。異なるのは社会保障給付である。「雇用保険」は求職者の方が受給割合が高い。一方、「年金・恩給」は大幅に少ない。社会保障給付としてまとめると、男性の 6.3％、女性の 7.5％がこれを主な収入としていた。世帯主であるケースに限っても、男性の 10.5％、女性の 9.1％に止まっている。この点において、非求職無業者とは大きく異なる。

　次は同じ設問への 35〜44 歳層の回答である。図表３－２３をみると、「なし」は男性の 50.6％、女性の 35.0％で 30 歳代前半までの層より少ない。「年金・恩給」は男性 23.5％、女性 30.3％で、社会保障給付としてまとめると、男性の 32.4％、女性の 46.3％がこれを主な収入としている。さらに、本人が世帯主であるケースでは、「年金・恩給」は男性の 37.4％、女性の 38.4％、社会保障給付としてまとめると男性の 53.3％、女性の 61.7％と高い割合となっている。この年齢層では、「その他の給付」も多いが、これは生活扶助費である可能性が高いだろう。

　参考表で同年齢層の配偶者のいない求職者についてみると、「なし」は男性の 55.9％、女性の 42.0％で、非求職無業者よりやや多い。大きく異なるのは社会保障給付で、社会保障給付合計の受給者割合は、男性で 11.8％、女性で 17.4％と非求職無業者より大幅に少ない。その内訳では、「雇用保険」と「その他の給付」が中心で「年金・恩給」は少ない。本人が世帯主である場合に限っても社会保障給付合計の受給者は男性の 21.0％、女性の 24.0％に止まっており、やはり非求職無業者より大幅に少ない。

図表3－23　世帯主との関係別　非求職無業者の主な収入の種類（35～44歳）

単位：％、太字は実数（千人）

		合計 (%)	合計 (千人、N)	賃金・給料	事業収入	社会保障 年金・恩給	社会保障 雇用保険	社会保障 その他の給付	仕送り	家賃・地代	利子・配当	その他	なし	不詳
男性	男性計	100.0	258.7	2.6	0.0	23.5	0.3	8.5	1.3	0.3	1.0	9.4	50.6	2.3
	（うち）世帯主	100.0	99.9	3.9	0.0	37.4	0.2	15.6	3.1	0.2	1.2	14.6	20.9	2.8
	子	100.0	153.2	1.9	0.0	14.5	0.4	3.9	0.2	0.5	0.9	6.2	69.5	2.1
女性	女性計	100.0	130.0	2.4	0.1	30.3	0.8	15.3	1.1	0.1	0.3	12.0	35.0	2.7
	（うち）世帯主	100.0	59.0	2.0	0.2	38.4	0.3	23.0	2.2	0.3	0.1	19.4	12.3	1.9
	子	100.0	67.9	2.9	0.0	24.0	1.2	8.5	0.3	0.0	0.4	5.8	53.4	3.6

参考表3－23　　世帯主との関係別　配偶者のいない求職者の主な収入の種類（35～44歳）

単位：％、太字は実数（千人）

		合計 (%)	合計 (千人、N)	賃金・給料	事業収入	社会保障 年金・恩給	社会保障 雇用保険	社会保障 その他の給付	仕送り	家賃・地代	利子・配当	その他	なし	不詳
男性	男性計	100.0	143.7	15.5	0.2	2.1	4.8	4.9	2.1	0.5	1.3	10.8	55.9	1.6
	（うち）世帯主	100.0	39.6	20.3	0.0	2.9	6.3	11.8	6.3	1.2	1.7	19.0	27.2	2.0
	子	100.0	100.0	13.7	0.3	1.5	4.3	2.3	0.1	0.2	1.0	7.8	67.2	1.6
女性	女性計	100.0	105.6	21.7	0.0	5.4	6.0	6.1	3.7	0.5	0.1	9.8	42.0	4.8
	（うち）世帯主	100.0	41.0	21.7	0.0	6.9	4.3	12.7	8.6	1.1	0.0	16.3	22.6	5.6
	子	100.0	57.4	23.0	0.0	5.0	7.4	1.9	0.0	0.1	0.3	5.3	52.4	4.6

　次の、図表3－24、3－25は本人が世帯主である場合の世帯全体の年間収入額である。年齢階層・性別に配偶者のいない求職者と対比する形で示した[11]。

図表3－24　世帯主である非求職無業者と無配偶求職者の世帯全体の年間収入額（15～34歳）

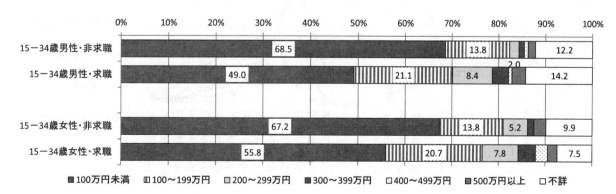

	100万円未満	100～199万円	200～299万円	300～399万円	400～499万円	500万円以上	不詳
15－34歳男性・非求職	68.5	13.8					12.2
15－34歳男性・求職	49.0	21.1	8.4	2.0			14.2
15－34歳女性・非求職	67.2	13.8	5.2				9.9
15－34歳女性・求職	55.8	20.7	7.8				7.5

図表3-25 世帯主である非求職無業者と無配偶求職者の年間収入（35〜44歳）

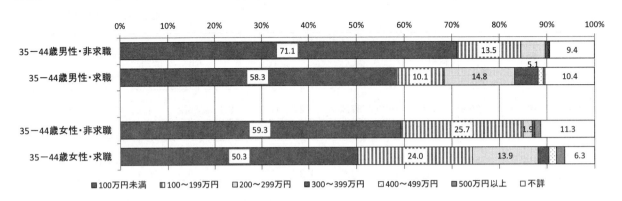

年齢階層、性別にそれぞれ比較しているが、いずれにおいても、本人が世帯主である場合、非求職無業者の年間収入は配偶者のいない求職者より低く、世帯全体の年間収入が100万円未満である者は、15〜34歳の男性非求職無業者の68.5%、同女性の67.2%を占め、また35〜44歳の同男性の71.1%、同女性の59.3%を占める。

次に、本人が「子」として属している世帯についても検討する[12]。先に見た通り、15〜34歳層では非求職無業者の4分の3は、世帯の中で「子」である。まず図3-26は、その属する世帯の世帯全体の収入の分布である。非求職無業者である「子」のいる世帯と比較するために、同年齢の異なる就業状態の「子」のいる世帯のそれを併せて掲載している[13]。

図表3-26 世帯の中で「子」である本人の就業状況別 世帯全体の年間収入額

①「子」である本人が15〜34歳　　②「子」である本人が35〜44歳

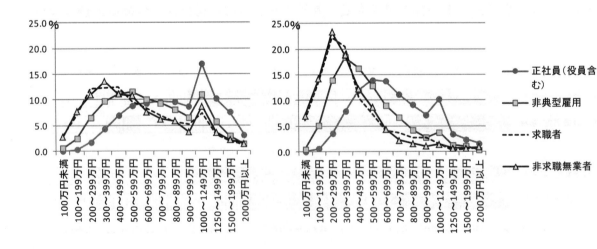

---

[12] 「子」として属する世帯全体の収入や世帯主の就業状況については、「子」のデータに世帯主のデータを接続して分析に用いている。

[13] バックデータは付表3-7に示した。なお、同表には男女別も掲載した。

①は「子」である本人が 15～34 歳である場合で、非求職無業者の属する世帯全体の収入は、求職者である「子」がいる世帯とはほとんど変わらないが、正社員や非典型雇用の「子」がいる世帯に比べて、その全体収入は低い方に多く分布している。年収 300 万円未満の世帯の割合でいえば、非求職無業者の属する世帯の場合は 21.5％だが、同年齢の正社員の「子」が属する世帯では、2.2％に過ぎない。

　②は「子」である本人が 35～44 歳である場合である。グラフの形状は 15～34 歳とは大きく変わった。非求職無業者が属する世帯では、年収 300 万円未満の世帯が半数近く（44.5％）を占めている。「子」が求職者の場合とはやはりほとんど変わらない（41.9％）が、正社員である場合（4.3％）とは大きく異なる。「子」の年齢が上がったことでグラフの形状が大きく変化した背景にあるのは、世帯主である親も年齢が高くなり（平均年齢が、58 歳→70 歳）、主な収入が「年金・恩給」に変わっているからである（図表３－27）。世帯年収が大きく低下したことで、「就職氷河期世代」の非求職無業者の問題は、35 歳以下の若年層での問題とは異なる性質をもつようになっており、世帯全体の問題としてとらえ、対応していく必要が出てきている[14]。

図表３－27　世帯の中で「子」である本人の就業状況別 世帯主の主な収入の種類

① 「子」である本人（15～34 歳）

	賃金・給料	事業収入	内職収入	社会保障			仕送り	家賃・地代	利子・配当	その他	なし	不詳	合計（千人）
				年金・恩給	雇用保険	その他の給付							
正社員（役員含む）	74.4	9.3	0.0	11.6	0.2	0.2	0.1	0.6	0.1	0.5	1.8	1.0	4,213.6
非典型雇用	70.7	10.0	0.1	13.0	0.3	0.4	0.3	0.7	0.1	0.8	2.4	1.2	1,741.6
求職者	67.7	8.2	0.0	15.5	0.4	0.9	0.2	0.7	0.0	1.2	3.3	1.9	433.0
非求職無業者	67.7	8.0	0.0	16.7	0.4	0.7	0.2	1.4	0.1	1.7	2.1	1.0	406.1

② 「子」である本人が 35～44 歳

	賃金・給料	事業収入	内職収入	社会保障			仕送り	家賃・地代	利子・配当	その他	なし	不詳	合計（千人）
				年金・恩給	雇用保険	その他の給付							
正社員（役員含む）	27.8	10.9	0.0	56.7	0.1	0.1	0.0	1.3	0.0	0.5	1.4	1.1	1,773.2
非典型雇用	26.0	8.6	0.1	59.4	0.1	0.2	0.1	1.2	0.1	0.6	2.0	1.7	751.7
求職者	24.9	6.3	0.0	63.6	0.1	0.2	0.0	0.5	0.1	0.9	1.9	1.6	170.8
非求職無業者	19.2	7.1	0.0	66.9	0.1	0.4	0.2	1.4	0.0	1.5	2.4	0.7	221.1

　さらに、次の図表３－28は、世帯主が女性（≒母親）である場合の世帯全体の年間収入である。非求職無業者の「子」がいる世帯の場合、「子」が 15～34 歳でも年収 200 万円未満の世帯が３分の１（32.3％）を占め、35～44 歳なら半数を超える（52.0％）。世帯全体が貧困の問題を抱えている可能性は高い[15]。

---

[14] 付表３－7，3－8には、15～34 歳、35～44 歳に加えて、45～54 歳の非求職無業者の「子」のいる世帯の収入額、収入の種類についても掲載した。45～54 歳の「子」のいる世帯は、いわゆる「80-50」問題に対応する層であり、この調査から推計すると、その数はおよそ 17 万人（世帯）となる。

[15] なお、付表３－9～3－13は、貧困の世代間連鎖を検討する資料として、親の学歴や収入の種類と「子」の就業状況、職業キャリアの関係について整理したものである。

図表3−28　世帯の中で「子」である本人の就業状況別　世帯全体の年間収入額（世帯主が女性）

① 「子」である本人が 15〜34 歳　　　② 「子」である本人が 35〜44 歳

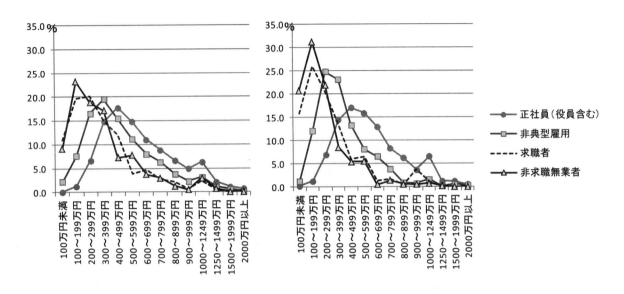

凡例：
- 正社員（役員含む）
- 非典型雇用
- 求職者
- 非求職無業者

3.6　まとめ

　本章では、非求職無業者（無業で求職活動をしていない若者）について概観した。15〜34歳層では53.5万人で減少傾向にあるが、この5年で減少したのは主に20歳代後半層であった。35〜44歳では38.9万人で、団塊ジュニア世代を含む40歳代前半層で増えた。

　2002年の同調査から今回調査までをつないで疑似コーホートとして世代別の変化を検討すると、フリーターと異なり、特定世代が特に多い傾向はなく、また、好況期に減少するといった景気変動との関係も明確には見られなかった。

　学歴の上では、高卒者が6割を占め、同年齢人口の学歴構成と比較すると、低学歴層に偏っており、この傾向は変わらない。

　15〜34歳の非求職無業者のうち就業希望者は42.4%（22.7万人）、就業希望のない者は56.2%（30.1万人）であった。2000年代に入ってからは、就業希望者割合は5割弱で推移してきたが、今回やや低下した。年齢階層別には、20歳代後半では就業希望を持つ者が多く、10歳代後半では少ない。35歳以上については、20歳代後半から30歳代前半とあまり変わらない。学歴別には、高学歴者には就業希望を持つ者が多く、低学歴者には少ない傾向がある。

　就業希望の理由は「その他」を除けば、15〜34歳では「社会に出たい」が多く、35〜44歳層では「失業している」が多い。希望している働き方は正社員が多いが、35〜44歳の女性ではパート・アルバイトの方が多い。正社員希望者の割合はこの5年では低下している。

　求職活動をしていない理由としては「病気・けが」が最も多い。この理由は年齢が高いほど多くなり、40歳代の男性では半数に達し、また30歳代後半の女性では6割を超える。2012年には比較的多かった「探したが見つからなかった」は若年層を中心に減少した。また、就

業希望のない者に希望しない理由を問うと、最も多い理由は「病気・けが」であった。これも年齢が高いほど多い理由で、35〜44歳では、男性の半数弱、女性の6割弱を占めた。

　非求職無業者のうち1年前の状況が「通学も家事もしていない無業」であった者は15〜34歳層で7割を超える。40歳代男性では9割を超え、30歳代後半以降の女性では80%代前半で推移している。これまでに就業経験のない者の割合の推移をみると、90年代初めから2000年代半ばまで低下したが、この10年は上昇している。非求職無業者のうち若年層が減少する中で就業経験のない者が増えており、ニート状態が長期化した人が増えている可能性がある。

　1年前に無業であったが者（求職者を含む）について現在の就業状況を見ると、15〜34歳では、非求職無業者である割合は40.5%と2012年の33.8%よりかなり高い。一方、正社員に変わった者の割合も高まっている（2012年の15.8%から今回18.0%）が、求職者が減っており（同23.1%から17.6%）、正社員に移行したのは求職者であると思われる。非求職無業者のままとどまっている者が増えている可能性がある。

　非求職無業者が属する世帯の状況について、配偶者のいない求職者との対比でその特徴を検討した。15〜34歳の非求職無業者では、本人が世帯主である場合がおよそ2割、世帯主である親がいて本人は子どもである場合が4分の3程度であった。35〜44歳層では本人が世帯主である割合が4割で、子どもである割合は半数強であった。配偶者のいない求職者では35〜44歳層で本人が世帯主である場合が若干少ないが、ほとんどこれと変わらない。

　15〜34歳の非求職無業者の場合、個人の主な年間収入の種類は、「なし」が男性の65.3%、女性の57.1%で、「年金・恩給」とする者が男女ともほぼ17%、これに「雇用保険」「その他給付」　を合わせた社会保障給付全体では、男性の22.5%、女性25.0%となった。本人が世帯主であれば主な収入が「年金・恩給」である割合は男性の44.4%、女性の34.7%（社会保障給付全体では、男性の58.0%、女性の49.8%）であった。ここでの「年金・恩給」は障害年金や労災年金である可能性が高い。

　また、35〜44歳では、本人の主な主収入が「年金・恩給」である者は男性23.5%、女性30.3%（社会保障給付全体では、男性の32.4%、女性の46.3%）となった。さらに、本人が世帯主であるケースでは、「年金・恩給」は男性の37.4%、女性の38.4%（社会保障給付全体では男性の53.3%、女性の61.7%）と高い割合となっている。この年齢層では、「その他給付」も多いが、これは生活扶助費である可能性が高い。

　配偶者のいない求職者では、収入「なし」の割合はあまり変わらないが、社会保障給付を主な収入とする者は格段に少なく（15〜34歳の男性6.3%、女性の7.5%、35〜44歳の男性で11.8%、女性で17.4%）、またその内訳として「雇用保険」が占める割合が大きい。

　非求職無業者には、少なからず障害を持つ人が含まれ、また福祉による下支えを受けている人が少なくないことが推測される。

　本人が「子」として属している世帯について、世帯全体の収入をみると、その収入額は、同年齢の正社員や非典型雇用の「子」がいる世帯に比べて、明らかに少ない。とりわけ本人

が 35〜44 歳では差が大きく、年収 300 万円未満の世帯の割合でいえば、非求職無業者の属する世帯の場合は 44.5%だが、同年齢の正社員の「子」が属する世帯では 4.3%に過ぎない。さらに世帯主が女性（≒母親）の世帯に限定すれば、35〜44 歳の非求職無業者が属する世帯の世帯全体の年収は 200 万円未満が半数を超える。世帯全体を視野に入れた対策を検討する必要がある。

【引用文献】

労働政策研究・研修機構（2005）『若者就業支援の現状と課題―イギリスにおける支援の展開と日本の若者の実態分析から―』労働政策研究報告書№35

労働政策研究・研修機構（2009）『若年者の就業状況・キャリア・職業能力開発の現状―平成 19 年版「就業構造基本調査」特別集計より―』資料シリーズ№61.

労働政策研究・研修機構（2014）『若年者の就業状況・キャリア・職業能力開発の現状②―平成 24 年版「就業構造基本調査」特別集計より―』資料シリーズ№144.

第4章　過去1年間の職業能力開発経験

4.0　はじめに

　本章では、「平成29年版就業構造基本調査」（総務省統計局）の個票を用いて、若年期の職業能力開発の実態について検討する。同調査の平成19年版から、新たに職業能力開発の実施状況についての調査項目が加えられた。この就業に関わる大規模な世帯調査に能力開発に関する設問が入ったことは大変大きな意義がある。特に若年期の職業能力開発はそれ以降の職業キャリアに与える効果が大きいと推測されるので、その実態や就業状況に係る他の設問との関係を検討することの意味は大きい。なお、これまでの各章と同様、ここでも最近の「就職氷河期世代」への政策的関心に応えるために、35歳以上についても、一部の分析の対象とする。

　以下では、どのような属性の人、あるいは、どのような働き方をしている人がどの程度職業能力開発をしているのか、どのような方法で職業能力開発をしているのか明らかにし、またそれが非正規雇用から正社員への移動を含む職業キャリアにどう関わっているのかを検討する。

　なお、同調査における設問は「この1年間に仕事に役立てるための訓練や自己啓発をしましたか」というもので、「した」場合には、「訓練や自己啓発の種類」についての9つの選択肢（勤め先での研修、大学・大学院での講座の受講、専修学校・各種学校での講座の受講、公共職業能力開発施設の講座の受講、講習会・セミナーの傍聴、勉強会・研修会への参加、通信教育の受講、自学・自習、その他）から「勤務先が実施したもの」「自発的に行ったもの」「うち公的助成があったもの」それぞれについてすべて選ぶ形式になっている[1]。すなわち、この設問がとらえているのは、いわゆるOFF-JTでの学びであり、OJTは対象となっていない。職業能力開発といっても限定的なものではある。

4.1　諸属性、就業状況、就業先と職業能力開発

　まず、全体的な能力開発状況とその最近の変化を確認し、次いで、個人の諸属性によってそれがどう異なるかをみる。

　図表4-1に示す通り、在学中の者を除く15～34歳全体（在学中を除く有業者及び無業者）において、この1年間に34.3%が勤務先による訓練を受け、27.2%が自己啓発を実施していた。公的助成のある自己啓発を経験した者は、全体の3.1%である。また、勤務先による訓練も自己啓発もいずれも行わなかった者は、57.4%であった。2007年、2012年の両時点と比べると、能力開発をした者の割合は着実に増加を続けている。（2012年の受講者比率は、勤

---

[1] 「勤め先が実施したもの」については「自学・自習」の選択肢はなく、「自発的に行ったもの」については「勤め先での研修」の選択肢はなく、「うち公的助成のあったもの」については「勤め先での研修」及び「自学・自習」の選択肢はない。

務先による訓練 30.2％、自己啓発 24.7％、公的助成付自己啓発 2.3％、2007 年においては、同 29.3％、21.6％、1.9％）。

性別の違いを見ると、男性の方が勤務先による訓練も自己啓発も行った者が多い。年齢別には、男性は 20 歳代後半、女性は 20 歳代前半で勤務先訓練も自己啓発も行った者が多く、それより上の年代層では低下する。これらの傾向は 2012 年と変わらない。

35～44 歳層は全般に若年層（15～34 歳）より能力開発を実施した割合が低く、勤務先訓練について 10％近く、自己啓発については５％程度、男女とも低くなっている。40 歳代後半層になると、いずれもさらに低くなっている。年齢の上昇とともに、能力開発を実施する者は減少するといえる。

図表４－１　性・年齢階層別能力開発実施状況（MA、15～34 歳、在学中を除く）

単位：％、太字は実数（千人）

		合計 (N,千人)	勤務先が実施した訓練	自己啓発	公的助成付き自己啓発	いずれも実施しなかった
男女計	15-34歳計	17,451.9	**34.3**	27.2	3.1	57.4
	15-19歳	534.9	27.1	16.2	2.0	64.5
	20-24歳	3,789.6	38.8	27.6	3.2	52.6
	25-29歳	6,092.7	36.1	29.1	3.4	55.7
	30-34歳	7,034.6	**30.8**	26.1	2.9	60.9
	35-44歳計	17,253.3	25.8	22.0	2.0	65.7
	（35-39歳）	7,842.8	26.7	23.3	2.2	64.7
	（40-44歳）	9,410.5	25.1	21.0	1.9	66.5
	（45-49歳）	9,434.9	24.8	20.0	1.8	67.0
男性	15-34歳計	8,842.2	**38.2**	29.4	3.1	52.9
	15-19歳	321.4	27.7	17.0	2.3	62.8
	20-24歳	1,858.0	**38.6**	26.0	3.0	52.5
	25-29歳	3,098.5	40.0	31.2	3.3	51.4
	30-34歳	3,564.2	**37.3**	**30.7**	3.1	53.6
	35-44歳計	8,735.4	31.3	24.7	2.0	59.8
	（35-39歳）	3,969.1	32.5	26.7	2.2	58.3
	（40-44歳）	4,766.3	30.4	23.2	1.9	60.9
	（45-49歳）	4,763.2	29.1	21.6	1.7	62.3
女性	15-34歳計	8,609.7	30.3	24.9	3.1	62.0
	15-19歳	213.5	**26.1**	15.0	1.4	67.0
	20-24歳	1,931.6	38.9	29.1	3.5	52.6
	25-29歳	2,994.2	32.2	27.0	3.4	60.1
	30-34歳	3,470.4	**24.1**	21.5	2.7	68.5
	35-44歳計	8,517.9	20.2	19.2	2.1	71.8
	（35-39歳）	3,873.7	20.7	19.9	2.2	71.3
	（40-44歳）	4,644.1	19.8	18.7	2.0	72.2
	（45-49歳）	4,671.8	20.4	18.3	2.0	71.7

注：太字下線は 2012 年調査に比べて４％ポイント以上の増加を示す。ただし、45－49 歳については 2012 年は集計していないので比較できない。

図表4－2　性・学歴別能力開発実施状況（MA、在学中を除く）

①15～34歳　　　　　　　　　　　　　　　　　　　　単位：％、太字は実数（千人）

	合計 （N,千人）	勤務先が実 施した訓練	自己啓発	公的助成付 き自己啓発	いずれも実 施しなかった
男女計	17,451.9	34.3	27.2	3.1	57.4
中学卒	883.8	12.5	11.0	1.3	80.9
高校卒	5,528.4	24.0	15.5	2.0	69.2
専門学校（1～2年未満）卒	912.3	29.7	22.0	2.7	62.0
専門学校（2～4年未満）卒	1,877.9	37.1	31.1	4.4	53.6
短大・高専卒	1,263.6	<u>34.2</u>	23.3	3.3	59.1
大学卒	6,125.6	<u>44.6</u>	37.7	4.0	45.9
大学院卒	677.9	56.7	<u>56.5</u>	3.9	30.4
男性計	8,842.2	38.2	29.4	3.1	52.9
中学卒	490.1	15.2	11.9	1.6	78.1
高校卒	3,075.0	29.2	17.2	2.2	63.6
専門学校（1～2年未満）卒	414.9	<u>34.1</u>	24.9	3.1	57.4
専門学校（2～4年未満）卒	773.8	<u>40.6</u>	33.1	4.4	48.8
短大・高専卒	248.1	<u>41.4</u>	<u>30.4</u>	2.7	49.8
大学卒	3,242.4	<u>47.4</u>	39.5	4.0	42.7
大学院卒	499.3	<u>58.1</u>	<u>57.4</u>	3.7	28.5
女性計	8,609.7	30.3	24.9	3.1	62.0
中学卒	393.7	9.2	9.9	1.0	84.5
高校卒	2,453.4	17.5	13.4	1.8	76.2
専門学校（1～2年未満）卒	497.4	25.9	19.7	2.3	65.9
専門学校（2～4年未満）卒	1,104.1	34.7	29.7	4.3	56.9
短大・高専卒	1,015.5	32.5	21.6	3.4	61.3
大学卒	2,883.2	41.4	35.6	4.0	49.5
大学院卒	178.5	52.7	54.2	4.4	<u>**35.6**</u>

②35～44歳　　　　　　　　　　　　　　　　　　　　単位：％、太字は実数（千人）

	合計 （N,千人）	勤務先が実 施した訓練	自己啓発	公的助成付 き自己啓発	いずれも実 施しなかった
男女計	17,253.3	25.8	22.0	2.0	65.7
中学卒	840.4	13.6	9.9	1.3	81.3
高校卒	5,628.0	19.9	13.4	1.5	74.2
専門学校（1～2年未満）卒	1,064.8	22.5	18.0	2.3	69.0
専門学校（2～4年未満）卒	1,888.4	30.2	26.1	2.7	60.8
短大・高専卒	2,097.5	22.1	19.2	1.9	69.9
大学卒	4,838.4	33.2	31.2	2.3	55.7
大学院卒	686.7	46.2	49.9	3.3	37.9
男性計	8,735.4	31.3	24.7	2.0	59.8
中学卒	528.2	15.8	10.9	1.4	78.7
高校卒	3,053.6	25.7	15.9	1.6	68.0
専門学校（1～2年未満）卒	500.1	26.5	19.2	2.5	64.7
専門学校（2～4年未満）卒	823.0	33.0	26.7	1.8	56.8
短大・高専卒	310.4	33.2	26.7	2.0	56.4
大学卒	2,902.7	38.0	33.2	2.2	51.0
大学院卒	506.1	48.3	48.6	3.5	37.9
女性計	8,517.9	20.2	19.2	2.1	71.8
中学卒	312.2	9.9	8.2	1.2	85.7
高校卒	2,574.4	13.1	10.4	1.4	81.6
専門学校（1～2年未満）卒	564.7	19.0	17.0	2.2	72.9
専門学校（2～4年未満）卒	1,065.4	28.1	25.6	3.4	63.8
短大・高専卒	1,787.1	20.2	17.9	1.9	72.2
大学卒	1,935.7	26.0	28.4	2.4	62.6
大学院卒	180.6	40.1	53.7	2.8	38.0

注：専門学校については、修業年限「1年以上2年未満」「2年以上4年未満」「4年以上」の3つにカテゴリーに分けて調査されたが、集計に当たっては「4年以上」は大卒のカテゴリーに統合した。学歴の扱いは以降全て同じ。
　・太字下線は2012年調査に比べて4％ポイント以上の増加を示す。35－44歳については2012年は集計していないので比較できない。

図表4－2は学歴別である。2012 年調査については、15～34 歳のみの集計であったが、今回は35～44 歳層についても学歴別の集計結果を示す。（したがって、15～34 歳層のみ5 年前との比較が可能である。）いずれの年齢層においても、高学歴層ほど勤務先訓練も自己啓発も行っている傾向がある。学歴による差は大きく、大卒者の勤務先の訓練の受講者割合は 15～34 歳層では高卒者の1.9 倍、同自己啓発の実施率は2.4 倍（35～44 歳では、それぞれ1.7 倍、2.3 倍）となっている。また、15～34 歳について 2012 年調査と比較すると、男性の高等教育卒業者で勤務先の訓練の受講率が高まっている。

　図表4－3は、就業状況による違いである。これも①15～34 歳層と②35～44 歳層に分けて示している。

　15～34 歳層で、まず有業者についてみる。正社員とそれ以外の雇用形態では、勤務先による訓練の受講状況が明らかに異なる。最も受講率が高いのは正社員（46.6%）で、次いで契約社員・嘱託（32.3%）となっており、パート・アルバイト（16.2%）が最も低く、正社員の3 分の1 程度しか訓練を受けていない。自己啓発についてもやはりこの三者については同じ順で、パート・アルバイトは正社員の半数程度しか実施していない。なお、自己啓発については、会社などの役員と自営業主が特に高い。

　有業者全体では男性の方が勤務先訓練受講率も自己啓発実施率も高いが、雇用形態別にみると男女の差はあまりない。無業者においても全体としては男性の方が自己啓発実施率[2]は高いが、無業者の中で最も自己啓発に取り組んでいる求職者は男性に多く、一方女性の専業主婦は最も実施率が低い。すなわち、性差の背景に就業状況や雇用形態の違いがあって、性差より就業状況・雇用形態の方が能力開発の実施の有無を左右していると思われる。

　35～44 歳層についてみると、全体に若年（15～34 歳）層より能力開発実施率は低いが、勤務先訓練の受講率も自己啓発の実施率も正社員がそれ以外の雇用者よりも高いこと、自己啓発については、会社などの役員と自営業主が特に高いこと、など若年層と同様の傾向が認められる。無業者についても求職者において自己啓発実施率が高いことなど同様の傾向がみられる。こうした就業状況・雇用形態による特徴は、年齢階層によってはあまり違わないといえる。

　15～34 歳層について、2012 年調査と比較すると、全般に能力開発受講率は高まっているが、特に男性の正社員および自営業主、女性の会社などの役員で、勤務先訓練の受講率も自己啓発実施率も高まっている。すなわち、これまでも能力開発を実施している者が多かった就業形態で、より高まった。一方無業者では、非求職無業者において、能力開発を実施しなかった者の割合が高まっている。能力開発をする者としない者の差が拡大したといっていいだろう。

---

2 無業者の中にも勤務先による訓練を受けた者がいるが、調査時点に「ふだん仕事をしていない」状態であっても、訓練については過去1 年間の経験を問うているので、勤務先による訓練を受講した経験のある人が一定数いることは当然である。ただしここでは注目しない。

図表4－3　性別・就業状況別能力開発実施状況（MA、在学中を除く）

①15～34歳

単位:%、太字は実数(千人)

	合計(千人)	勤務先が実施した訓練	自己啓発	公的助成付き自己啓発	いずれも実施しなかった
男女計	17,451.9	<u>34.3</u>	27.2	3.1	57.4
有業者計	14,923.1	<u>39.2</u>	28.9	3.2	53.4
正規の職員・従業員	10,679.9	46.6	31.8	3.4	47.2
パート・アルバイト	2,201.2	16.2	16.5	2.2	75.4
契約社員・嘱託	838.8	32.3	27.3	3.8	58.5
派遣社員、その他雇用	580.5	<u>23.7</u>	23.0	4.1	66.2
会社などの役員	127.9	<u>27.0</u>	<u>33.7</u>	1.4	55.8
自営業主	348.3	16.7	<u>36.3</u>	1.9	57.7
自営手伝い、内職、他	146.6	10.6	15.9	1.6	78.4
無業者計	2,528.8	5.4	17.0	2.4	81.0
求職者	780.1	11.2	32.5	5.1	63.7
非求職無業者	535.3	2.0	14.0	2.3	<u>84.9</u>
独身・家事	169.1	4.1	13.0	0.7	<u>85.8</u>
専業主婦(夫)	918.8	3.1	6.1	0.5	92.9
その他無業	125.3	3.2	19.1	2.5	79.6
男性計	8,842.2	<u>38.2</u>	<u>29.4</u>	3.1	52.9
有業者計	8,070.1	<u>41.3</u>	<u>29.8</u>	3.1	51.0
正規の職員・従業員	6,441.1	<u>46.6</u>	<u>31.4</u>	3.1	47.0
パート・アルバイト	617.8	14.8	18.5	2.6	73.8
契約社員・嘱託	369.0	28.7	25.0	3.5	61.9
派遣社員、その他雇用	241.1	<u>24.3</u>	23.6	4.0	64.9
会社などの役員	94.0	27.5	33.4	1.3	53.6
自営業主	227.2	<u>15.9</u>	<u>34.8</u>	1.8	59.4
自営手伝い、内職、他	79.8	<u>12.7</u>	15.9	1.3	75.7
無業者計	772.1	5.7	24.7	3.7	73.0
求職者	320.3	10.6	<u>37.8</u>	6.0	58.1
非求職無業者	333.1	1.6	14.1	2.2	<u>85.0</u>
独身・家事	46.3	4.7	16.4	0.3	<u>82.9</u>
専業主婦(夫)	4.5	<u>7.6</u>	<u>14.9</u>	0.0	85.1
その他無業	68.0	2.9	21.9	2.7	77.1
女性計	8,609.7	<u>30.3</u>	24.9	3.1	62.0
有業者計	6,853.0	36.7	27.8	3.4	56.2
正規の職員・従業員	4,238.8	46.5	32.5	3.9	<u>47.5</u>
パート・アルバイト	1,583.4	16.7	15.6	2.0	76.0
契約社員・嘱託	469.8	<u>35.2</u>	29.2	4.1	55.7
派遣社員、その他雇用	339.3	<u>23.3</u>	22.6	4.2	<u>67.1</u>
会社などの役員	33.9	<u>25.5</u>	<u>34.4</u>	1.7	61.9
自営業主	121.1	18.1	39.2	2.1	54.6
自営手伝い、内職、他	66.8	8.2	15.8	1.9	81.6
無業者計	1,756.6	5.3	13.6	1.8	84.6
求職者	459.9	11.6	28.8	4.4	67.5
非求職無業者	202.2	2.6	13.8	2.4	<u>84.7</u>
独身・家事	122.9	3.9	11.8	0.8	86.9
専業主婦(夫)	914.3	3.1	6.0	0.5	92.9
その他無業	57.4	3.6	15.8	2.2	<u>82.6</u>

②35～44歳　　　　　　　　　　　　　　　　　　　　　単位：％、太字は実数(千人)

	合計(千人)	勤務先が実施した訓練	自己啓発	公的助成付き自己啓発	いずれも実施しなかった
男女計	17,253.3	25.8	22.0	2.0	65.7
有業者計	14,587.5	30.0	24.0	2.1	61.6
正規の職員・従業員	9,222.0	37.6	26.5	2.4	55.4
パート・アルバイト	2,720.3	14.4	13.4	1.5	79.1
契約社員・嘱託	673.4	26.2	21.8	2.9	65.7
派遣社員、その他雇用	529.3	15.4	19.4	2.0	73.6
会社などの役員	472.7	26.4	33.6	1.9	56.2
自営業主	757.8	15.4	33.3	1.5	61.2
自営手伝い、内職、他	212.2	9.2	15.5	0.7	80.3
無業者計	2,665.7	3.0	11.0	1.5	87.9
求職者	636.2	6.6	23.7	3.8	74.1
非求職無業者	388.7	1.6	8.7	2.0	90.7
独身・家事	149.0	2.2	8.9	0.7	89.3
専業主婦(夫)	1,406.5	1.8	6.2	0.3	93.2
その他無業	85.3	2.1	10.1	1.8	89.3
男性計	8,735.4	31.3	24.7	2.0	59.8
有業者計	8,188.3	33.2	25.4	2.0	58.2
正規の職員・従業員	6,477.1	37.2	25.4	2.0	55.9
パート・アルバイト	273.3	13.0	14.1	2.0	78.7
契約社員・嘱託	262.6	22.0	20.0	2.6	69.4
派遣社員、その他雇用	183.1	13.0	18.4	1.5	75.5
会社などの役員	371.4	29.2	35.7	2.2	53.1
自営業主	548.5	14.4	30.6	1.5	64.0
自営手伝い、内職、他	72.3	11.0	14.9	1.2	79.6
無業者計	547.1	3.5	15.2	2.8	83.1
求職者	185.3	6.8	27.1	4.6	69.3
非求職無業者	258.7	1.6	8.2	2.0	91.3
独身・家事	40.3	1.0	10.3	1.8	87.7
専業主婦(夫)	12.1	5.6	11.9	0.8	87.5
その他無業	50.7	2.7	12.2	2.1	87.2
女性計	8,517.9	20.2	19.2	2.1	71.8
有業者計	6,399.2	25.9	22.3	2.4	66.0
正規の職員・従業員	2,744.9	38.7	29.3	3.3	54.0
パート・アルバイト	2,446.9	14.5	13.3	1.4	79.1
契約社員・嘱託	410.8	28.8	22.9	3.1	63.3
派遣社員、その他雇用	346.2	16.7	19.9	2.3	72.5
会社などの役員	101.3	16.0	25.8	0.6	67.5
自営業主	209.3	18.2	40.5	1.4	54.0
自営手伝い、内職、他	139.9	8.2	15.9	0.4	80.7
無業者計	2,118.6	2.8	9.9	1.1	89.2
求職者	450.9	6.5	22.3	3.4	76.0
非求職無業者	130.0	1.6	9.9	2.0	89.5
独身・家事	108.6	2.7	8.3	0.2	89.8
専業主婦(夫)	1,394.4	1.8	6.1	0.3	93.3
その他無業	34.6	1.2	7.0	1.3	92.4

注：背景がグレーの数値は、2012年調査に比べて3％ポイント以上の減少、太字下線は3％ポイント以上の増加を示す。35～44歳については、2012年は集計をおこなっていないので比較できない。
・「求職者」は、ふだん無業で就業を希望し実際に求職活動や開業の準備をしている者、在学中の者を除く。
・「非求職無業者」は、無業者のうち求職活動をしていない者で、卒業者かつ通学していず、配偶者なしで家事をおこなっていない者。
・「独身家事従事者」は、無業者のうち求職活動をしていない者で、卒業者かつ通学していず、配偶者なしで家事をおこなっている者。
・「専業主婦（夫）」は、無業者のうち求職活動をしていない者で、在学も通学もしていず、配偶者ありで家事をおこなっている者。

次に、この就業状況による能力開発実施状況の違いに、学歴による影響がどの程度あるかを検討する。図表４－４には、学歴ごとに就業状況・性別の勤務先訓練受講率および自己啓発実施率を、①15〜34歳層、②35〜44歳層に分けて掲載した。

　①15〜34歳層についてみると、有業者の勤務先訓練実施率は、男女・学歴を問わずほとんどの場合、正社員で高く次いで契約社員、パート・アルバイトの順となっている。しかし、その水準は学歴によってかなり違い、たとえば正社員の男性について高卒ならばその実施率は38.1％だが大卒では53.0％となっている。短大・高専卒がほぼ同じ就学期間である専門学校（２〜４年未満）卒よりやや低いものの、学歴が高い（就学期間が長い）ほど、勤務先訓練を受講している者が多い。自己啓発については、学歴をそろえれば就業状況による差異は小さくなり、学歴の影響が大きいことが推測される。

　②35〜44歳についても同様に見ていくと、全体に水準は少し低いが、15〜34歳層でみた雇用形態間の差や学歴間の差は、ほぼ同じ傾向がみられる。この２つの年齢階層のあいだでは、能力開発を実施している者の特徴はほぼ変わらないといえる。

　なお、巻末の付表４－１にはこれに年齢階層を加えたクロス表を掲載している。ここから、性別と年齢階層によって能力開発の実施状況に差はあるものの、これらの要因より、就業状況・雇用形態による差異および学歴による差異の方が大きく、学歴と就業状況・雇用形態が性別や年齢より大きな影響力を持つといえる。そこで、以下の分析では、就業状況・雇用形態を主な分析の軸とし、自己啓発については学歴による差にも注目してみていく。

図表4－4　学歴・就業状況別能力開発実施状況（MA、在学中を除く）

①15～34歳

単位:%、太字は実数(千人)

学歴	就業状況	男女計 合計(千人)	男女計 勤務先が実施した訓練	男女計 自己啓発	男性 合計(千人)	男性 勤務先が実施した訓練	男性 自己啓発	女性 合計(千人)	女性 勤務先が実施した訓練	女性 自己啓発
中学卒	正規の職員・従業員	258.8	23.9	12.1	214.9	23.4	11.3	44.0	26.5	15.8
	パート・アルバイト	205.0	9.9	9.6	63.4	11.6	9.7	141.6	9.1	9.5
	契約社員・嘱託	28.2	23.5	10.4	18.3	17.4	7.6	9.9	34.7	15.6
	その有業	112.8	15.0	16.1	79.3	14.6	16.7	33.5	15.9	14.7
	求職者	76.6	3.5	11.5	36.2	4.7	13.4	40.4	2.5	9.9
	非求職無業者	97.0	0.6	10.3	62.5	0.6	10.9	34.5	0.6	9.0
	その他無業	105.4	1.7	5.9	15.5	1.2	8.1	89.8	1.7	5.6
	中学卒計	883.8	12.5	11.0	490.1	15.2	11.9	393.7	9.2	9.9
高校卒	正規の職員・従業員	2,862.1	35.8	16.8	2,024.7	38.1	17.3	837.4	30.3	15.7
	パート・アルバイト	973.2	14.2	12.6	301.4	13.9	14.6	671.7	14.3	11.7
	契約社員・嘱託	249.2	24.2	14.5	131.4	21.9	11.0	117.8	26.9	18.3
	その有業	427.2	15.6	18.1	237.3	16.8	19.4	189.9	14.1	16.4
	求職者	274.8	8.4	26.1	122.2	8.7	32.2	152.6	8.1	21.1
	非求職無業者	306.3	1.1	12.6	193.0	1.1	12.1	113.3	1.1	13.3
	その他無業	435.7	2.4	6.8	65.0	2.8	16.8	370.7	2.4	5.0
	高校卒計	5,528.4	24.0	15.5	3,075.0	29.2	17.2	2,453.4	17.5	13.4
専門学校(1～2年未満)卒	正規の職員・従業員	496.6	40.5	25.0	290.7	41.0	25.8	205.9	39.9	23.8
	パート・アルバイト	155.5	18.0	15.6	37.0	16.8	16.2	118.5	18.3	15.4
	契約社員・嘱託	52.5	28.5	23.0	24.5	23.1	18.6	28.0	33.1	26.9
	その有業	73.8	23.7	31.0	34.7	24.1	32.8	39.1	23.3	29.3
	求職者	44.1	13.3	24.6	16.1	13.5	30.6	28.0	13.1	21.1
	非求職無業者	20.0	2.9	5.7	9.0	0.5	10.4	11.0	4.8	2.0
	その他無業	69.8	3.9	8.6	2.9	0.0	19.1	66.9	4.0	8.1
	専門(1～2年)卒計	912.3	29.7	22.0	414.9	34.1	24.9	497.4	25.9	19.7
専門学校(2～4年未満)卒	正規の職員・従業員	1,148.4	49.2	35.9	567.1	47.6	34.2	581.3	50.7	37.6
	パート・アルバイト	257.4	20.0	22.3	57.9	18.5	22.8	199.5	20.4	22.1
	契約社員・嘱託	100.5	31.7	25.5	43.2	30.0	24.2	57.4	32.9	26.5
	その有業	131.0	23.9	35.3	60.5	27.3	39.1	70.5	21.0	32.0
	求職者	83.1	14.2	35.4	25.4	13.3	47.6	57.7	14.6	30.1
	非求職無業者	24.9	4.2	14.5	14.5	0.9	9.7	10.3	8.9	21.3
	その他無業	132.6	3.9	6.6	5.1	12.4	23.0	127.5	3.6	5.9
	専門(2～4年)卒計	1,877.9	37.1	31.1	773.8	40.6	33.1	1,104.1	34.7	29.7
短大・高専卒	正規の職員・従業員	708.0	48.0	27.9	194.4	47.0	31.5	513.7	48.3	26.5
	パート・アルバイト	186.8	18.9	14.0	10.5	12.4	17.1	176.2	19.3	13.8
	契約社員・嘱託	77.7	36.6	24.1	9.0	39.5	28.7	68.7	36.2	23.5
	その有業	73.5	22.2	26.8	19.6	23.0	25.7	53.9	21.9	27.1
	求職者	65.4	14.7	33.1	10.8	13.8	33.0	54.6	14.9	33.1
	非求職無業者	13.2	2.5	18.0	2.6	2.8	18.0	10.6	2.5	17.9
	その他無業	138.8	2.1	6.2	1.1	46.9	57.4	137.7	1.8	5.7
	短大・高専卒計	1,263.6	34.2	23.3	248.1	41.4	30.4	1,015.5	32.5	21.6
大学卒	正規の職員・従業員	4,563.2	52.6	39.7	2,660.8	53.0	39.7	1,902.4	52.2	39.7
	パート・アルバイト	381.6	20.0	26.8	133.9	16.5	28.6	247.6	21.9	25.9
	契約社員・嘱託	294.1	39.0	39.2	125.3	36.8	39.6	168.8	40.6	38.8
	その有業	317.8	26.6	37.6	163.7	25.9	39.4	154.1	27.3	35.6
	求職者	216.3	14.8	47.1	99.4	12.6	50.5	116.9	16.7	44.2
	非求職無業者	63.6	6.9	27.7	42.9	6.0	30.3	20.7	8.9	22.2
	その他無業	289.0	5.4	13.5	16.4	5.6	48.7	272.6	5.4	11.4
	大学卒計	6,125.6	44.6	37.7	3,242.4	47.4	39.5	2,883.2	41.4	35.6
大学院卒	正規の職員・従業員	571.6	62.7	57.2	440.1	63.0	57.5	131.5	61.8	56.3
	パート・アルバイト	14.0	29.4	51.4	6.0	24.1	60.3	8.0	33.3	44.8
	契約社員・嘱託	26.8	41.9	62.4	14.0	34.2	65.0	12.8	50.2	59.5
	その有業	35.4	22.7	56.8	23.9	20.3	57.1	11.5	27.7	56.2
	求職者	13.2	15.2	61.8	8.4	22.6	71.0	4.8	2.5	46.1
	非求職無業者	7.2	1.6	20.8	6.0	0.0	12.8	1.2	9.6	61.9
	その他無業	9.7	5.3	26.3	1.0	23.7	37.8	8.7	3.1	24.9
	大学院卒計	677.9	56.7	56.5	499.3	58.1	57.4	178.5	52.7	54.2
合計	正規の職員・従業員	10,679.9	46.6	31.8	6,441.1	46.6	31.4	4,238.8	46.5	32.5
	パート・アルバイト	2,201.2	16.2	16.5	617.8	14.8	18.5	1,583.4	16.7	15.6
	契約社員・嘱託	838.9	32.3	27.3	369.0	28.7	25.0	469.8	35.2	29.2
	その有業	1,203.2	20.4	27.1	642.2	20.4	28.1	561.0	20.5	26.1
	求職者	780.1	11.2	32.5	320.3	10.6	37.8	459.9	11.6	28.8
	非求職無業者	535.3	2.0	14.0	333.1	1.6	14.1	202.2	2.6	13.8
	その他無業	1,213.3	3.2	8.4	118.7	3.8	19.5	1,094.6	3.2	7.2
	学歴計	17,451.9	34.3	27.2	8,842.2	38.2	29.4	8,609.7	30.3	24.9

②35～44歳

単位:%、太字は実数(千人)

		男女計			男性			女性		
		合計(千人)	勤務先が実施した訓練	自己啓発	合計(千人)	勤務先が実施した訓練	自己啓発	合計(千人)	勤務先が実施した訓練	自己啓発
中学卒	正規の職員・従業員	292.5	22.4	10.1	252.6	21.7	9.4	39.9	26.2	14.8
	パート・アルバイト	145.1	11.9	8.2	37.7	10.9	11.3	107.5	12.2	7.1
	契約社員・嘱託	29.7	21.1	8.8	19.8	17.0	3.1	9.9	29.2	20.2
	その有業	159.5	13.8	18.6	123.8	15.1	19.2	35.7	9.5	16.7
	求職者	41.2	4.0	10.0	23.3	2.9	10.4	17.9	5.4	9.6
	非求職無業者	87.9	1.4	3.9	55.5	2.1	3.8	32.4	0.1	4.0
	その他無業	84.4	0.7	2.1	15.4	2.5	4.6	68.9	0.2	1.5
	中学卒計	840.4	13.6	9.9	528.2	15.8	10.9	312.2	9.9	8.2
高校卒	正規の職員・従業員	2,806.6	30.0	15.4	2,158.9	31.3	15.7	647.7	25.6	14.6
	パート・アルバイト	1,040.0	10.8	8.0	121.2	10.7	8.4	918.8	10.8	7.9
	契約社員・嘱託	220.7	21.4	14.1	103.1	19.4	14.9	117.7	23.1	13.5
	その有業	669.9	14.5	19.6	439.1	15.6	21.7	230.8	12.3	15.5
	求職者	227.6	6.1	18.4	78.0	5.7	18.2	149.6	6.2	18.5
	非求職無業者	182.6	1.6	7.4	121.4	1.5	6.5	61.1	1.7	9.1
	その他無業	480.6	1.2	4.1	31.9	2.7	10.4	448.7	1.1	3.7
	高校卒計	5,628.0	19.9	13.4	3,053.6	25.7	15.9	2,574.4	13.1	10.4
専門学校(1～2年未満)卒	正規の職員・従業員	504.4	33.1	20.0	349.2	31.6	18.2	155.2	36.4	24.1
	パート・アルバイト	213.6	14.9	12.3	18.7	11.8	7.2	195.0	15.2	12.8
	契約社員・嘱託	45.9	25.0	17.6	19.0	27.7	19.7	26.9	23.2	16.0
	その有業	154.4	15.6	25.2	88.7	14.8	24.9	65.7	16.5	25.6
	求職者	40.3	6.6	25.8	10.4	9.4	34.6	29.9	5.6	22.8
	非求職無業者	13.7	2.8	11.0	9.8	3.3	14.0	3.9	1.5	3.6
	その他無業	92.4	2.2	6.6	4.3	0.0	6.2	88.2	2.3	6.6
	専門(1～2年)卒計	1,064.8	22.5	18.0	500.1	26.5	19.2	564.7	19.0	17.0
専門学校(2～4年未満)卒	正規の職員・従業員	1,017.8	42.6	31.0	602.5	39.0	26.7	415.3	47.8	37.3
	パート・アルバイト	322.8	20.4	19.7	26.9	17.5	22.8	295.9	20.7	19.5
	契約社員・嘱託	72.0	26.1	23.9	29.8	15.6	18.0	42.2	33.4	28.0
	その有業	221.7	19.0	31.1	123.6	20.2	31.7	98.1	17.5	30.4
	求職者	66.7	8.5	21.9	17.6	10.2	31.8	49.1	7.9	18.4
	非求職無業者	23.8	3.2	10.9	15.5	2.1	8.9	8.3	5.1	14.7
	その他無業	163.6	2.6	6.1	7.1	3.8	18.0	156.5	2.6	5.5
	専門(2～4年)卒計	1,888.4	30.2	26.1	823.0	33.0	26.7	1,065.4	28.1	25.6
短大・高専卒	正規の職員・従業員	779.8	38.6	25.8	234.1	37.8	24.6	545.7	39.0	26.3
	パート・アルバイト	535.0	15.2	14.0	8.8	14.4	27.5	526.2	15.2	13.8
	契約社員・嘱託	109.6	29.7	21.9	10.7	22.4	17.1	98.9	30.5	22.4
	その有業	194.5	18.7	28.7	42.6	24.7	39.3	151.9	17.0	25.8
	求職者	109.7	6.3	23.9	7.2	7.8	54.4	102.5	6.2	21.8
	非求職無業者	14.8	2.2	14.2	4.2	0.0	8.8	10.6	3.1	16.3
	その他無業	354.1	1.5	5.3	2.8	0.0	2.0	351.4	1.5	5.3
	短大・高専卒計	2,097.5	22.1	19.2	310.4	33.2	26.7	1,787.1	20.2	17.9
大学卒	正規の職員・従業員	3,190.3	42.5	33.7	2,376.9	42.1	32.7	813.4	43.7	36.8
	パート・アルバイト	407.9	18.3	23.4	51.1	17.6	23.3	356.8	18.4	23.4
	契約社員・嘱託	162.6	30.7	30.4	65.5	26.3	30.2	97.2	33.7	30.6
	その有業	487.6	21.2	38.9	302.4	23.5	41.5	185.2	17.6	34.6
	求職者	131.1	7.4	34.7	41.3	8.7	41.9	89.8	6.8	31.4
	非求職無業者	56.7	1.0	17.2	45.7	0.8	15.8	11.0	1.9	23.2
	その他無業	402.2	2.8	11.5	19.8	2.8	23.1	382.4	2.8	10.9
	大学卒計	4,838.4	33.2	31.2	2,902.7	38.0	33.2	1,935.7	26.0	28.4
大学院卒	正規の職員・従業員	552.8	51.8	50.9	445.9	51.3	48.2	106.8	54.1	61.8
	パート・アルバイト	19.5	20.6	34.1	4.7	11.1	34.8	14.8	23.6	33.9
	契約社員・嘱託	25.2	35.3	51.1	12.3	32.9	44.0	12.9	37.5	57.9
	その有業	48.1	31.4	60.4	32.5	33.4	61.2	15.5	27.4	58.7
	求職者	13.0	10.0	57.8	4.8	7.8	56.5	8.2	11.3	58.6
	非求職無業者	5.6	0.0	20.5	4.7	0.0	17.0	0.9	0.0	38.3
	その他無業	22.5	5.0	19.1	1.2	5.4	10.4	21.3	5.0	19.6
	大学院卒計	686.7	46.2	49.9	506.1	48.3	48.6	180.6	40.1	53.7
合計	正規の職員・従業員	9,222.0	37.6	26.5	6,477.1	37.2	25.4	2,744.9	38.7	29.3
	パート・アルバイト	2,720.3	14.4	13.4	273.3	13.0	14.1	2,446.9	14.5	13.3
	契約社員・嘱託	673.4	26.2	21.8	262.6	22.0	20.0	410.8	28.8	22.9
	その有業	1,971.9	17.4	27.7	1,175.2	18.6	29.3	796.7	15.5	25.3
	求職者	636.2	6.6	23.7	185.3	6.8	27.1	450.9	6.5	22.3
	非求職無業者	388.7	1.6	8.7	258.6	1.6	8.2	130.0	1.6	9.9
	その他無業	1,640.8	1.9	6.6	103.1	2.4	11.4	1,537.7	1.9	6.3
	学歴計	17,253.3	25.8	22.0	8,735.4	31.3	24.7	8,517.9	20.2	19.2

さて、勤務先による訓練の実施状況は、その勤務先の諸属性によって異なるだろう。図表４－５では、有業者について、勤務先の産業や規模、就いている職種、加えて、勤務先企業特性に影響すると思われる地域別に、訓練の実施状況に差があるかをみた。なお、有業者のうち、正社員とパート・アルバイトのみを別掲し、雇用形態による差についても併せて検討する。

図表４－５　現職の業種・規模・職種・地域別能力開発実施状況と就業形態（MA、在学中を除く、有業者）

①15～34歳

単位：％、太字は実数（千人）

		有業者計			正社員			パート・アルバイト		
		合計（千人）	勤務先が実施した訓練	自己啓発	合計（千人）	勤務先が実施した訓練	自己啓発	合計（千人）	勤務先が実施した訓練	自己啓発
合計		14,923.1	39.2	28.9	10,679.9	46.6	31.8	2,201.2	16.2	16.5
現職産業	農林漁業・鉱業	191.3	21.1	21.4	90.9	31.0	22.5	27.6	10.9	15.4
	建設業	881.4	35.0	23.6	694.6	40.0	24.3	52.4	10.7	10.2
	製造業	2,585.3	35.0	19.4	2,062.7	39.8	21.4	174.9	7.6	7.4
	情報通信	759.4	39.7	41.5	615.9	45.1	43.7	31.9	14.3	29.9
	運輸・郵便業	641.2	33.7	20.1	461.8	41.1	21.8	80.1	7.2	11.5
	卸売・小売業	2,218.9	31.0	21.2	1,363.0	39.6	24.0	645.8	14.4	14.2
	金融・保険・不動産業	681.7	53.5	39.5	589.7	58.7	41.9	42.3	12.7	17.9
	学術研究・専門サービス業	551.8	40.8	45.6	408.8	47.4	46.0	42.6	21.4	29.0
	宿泊・飲食サービス業	692.8	21.2	18.8	275.1	31.0	23.1	346.1	13.9	14.5
	生活サービス・娯楽業	584.0	36.0	30.8	304.4	43.1	32.3	177.4	25.0	21.3
	教育、学習支援業	733.1	58.8	47.1	506.2	65.6	47.3	58.6	29.8	33.7
	医療、福祉	2,203.0	52.6	39.2	1,754.8	57.4	41.8	277.0	26.3	24.3
	複合サービス業・サービス業（その他）	923.6	34.6	23.2	573.0	44.0	26.3	129.8	16.0	16.1
	公務、公益業	777.0	54.9	41.1	723.7	57.4	41.7	13.7	14.4	22.1
	分類不能の産業	498.7	21.4	15.3	255.3	30.2	18.3	101.1	11.0	10.6
現職規模	1～4人	894.9	19.0	29.0	290.5	25.9	26.6	114.9	16.4	18.7
	5～9人	839.6	23.0	21.5	527.5	26.7	24.0	217.5	12.3	14.4
	10～29人	1,691.3	28.7	22.2	1,118.2	34.8	24.7	403.4	13.8	15.0
	30～99人	2,091.6	34.0	24.4	1,541.9	38.5	25.7	333.0	17.5	18.5
	100～299	2,036.2	38.3	26.0	1,567.4	43.2	27.6	243.7	16.0	15.8
	300～999人	2,086.9	44.1	30.1	1,629.9	49.8	32.7	241.8	17.8	16.2
	1000人以上	3,656.3	47.6	32.5	2,744.1	55.9	36.8	517.8	18.5	17.3
	官公庁など	1,316.7	59.7	45.6	1,124.3	63.0	46.4	42.2	25.3	24.7
	不詳	309.7	19.0	14.0	136.2	31.9	17.7	87.0	8.7	11.3
現職職業	専門的・技術的職業従事者	3,250.5	56.4	47.9	2,679.3	60.6	49.0	174.2	29.4	30.1
	事務従事者	3,132.5	37.7	29.8	2,384.1	43.3	31.6	301.6	13.5	18.7
	販売従事者	1,961.4	36.6	24.7	1,308.2	45.5	28.8	498.4	15.3	13.6
	サービス職業従事者	1,759.9	33.1	24.7	962.3	42.8	27.2	610.2	19.1	18.7
	保安職業従事者	315.2	60.9	42.9	298.0	63.0	44.4	11.5	22.3	19.8
	農林漁業従事者	181.8	21.0	22.4	88.5	30.2	23.9	22.8	10.1	15.9
	生産工程従事者	2,264.3	33.1	16.8	1,707.0	38.2	17.8	199.0	11.7	10.4
	運輸・機械運転従事者	300.2	35.5	19.7	261.9	38.8	20.6	11.5	14.2	13.5
	建設・採掘・運搬・清掃	1,285.1	26.5	16.4	750.6	35.8	18.0	275.2	11.0	11.8
	管理的職業・分類不能の職業	472.2	22.1	17.0	240.0	31.1	19.0	96.7	11.6	11.3
地域ブロック	北海道・東北	1,522.8	36.5	24.2	1,069.6	43.4	27.0	229.6	16.8	12.9
	関東	5,550.9	40.9	33.4	4,018.0	48.4	36.5	783.2	17.0	19.5
	北陸・東海	2,737.0	38.6	25.1	2,009.5	45.5	27.4	379.5	14.6	14.0
	近畿	2,317.5	38.9	29.1	1,623.0	46.9	32.7	372.5	16.4	15.9
	中国・四国	1,197.0	39.6	26.5	865.8	46.7	28.7	179.6	16.7	15.8
	九州・沖縄	1,598.0	36.7	26.0	1,094.0	44.4	28.4	256.8	14.7	15.2

注：背景がグレーの数値は、2012年調査時に比べて５％ポイント以上の減少、太字下線５％ポイント以上の増加を示す。

②35～44 歳

単位:%、太字は実数（千人）

		有業者計			正社員			パート・アルバイト		
		合計 (千人)	勤務先が 実施した訓 練	自己啓 発	合計 (千人)	勤務先が 実施した訓 練	自己啓 発	合計 (千人)	勤務先が 実施した訓 練	自己啓 発
	合計	14,587.6	30.0	24.0	9,222.0	37.6	26.5	2,720.3	14.4	13.4
現職産業	農林漁業・鉱業	231.9	14.7	18.9	79.6	23.1	17.5	36.7	6.1	8.4
	建設業	1,152.7	26.8	20.6	727.2	32.6	21.0	68.5	5.2	8.2
	製造業	2,555.5	27.4	17.2	1,934.6	32.7	19.1	281.6	5.2	4.5
	情報通信業	652.0	33.1	39.9	496.7	38.5	42.9	23.8	9.0	16.3
	運輸・郵便業	781.7	21.9	12.1	567.9	26.2	12.3	104.5	7.4	10.4
	卸売・小売業	2,181.9	24.1	17.6	1,188.3	32.2	20.2	688.6	12.5	10.5
	金融・保険・不動産業	582.0	40.2	33.0	419.3	47.9	37.1	70.7	16.2	17.6
	学術研究・専門サービス業	599.4	29.5	36.9	368.6	38.7	37.1	55.3	12.7	20.9
	宿泊・飲食サービス業	683.2	15.7	14.9	219.6	24.5	16.9	339.2	9.8	9.3
	生活サービス・娯楽業	448.5	24.8	25.7	184.5	33.8	24.8	129.9	16.1	16.3
	教育、学習支援業	637.9	48.0	44.8	391.2	59.6	46.8	99.1	25.8	29.8
	医療、福祉	1,920.3	43.8	35.2	1,208.7	52.1	40.2	523.6	27.6	23.2
	複合サービス業・サービス業(その他)	997.8	28.7	20.2	596.1	36.5	22.6	161.1	12.2	10.1
	公務、公益業	687.1	41.2	28.4	611.8	43.5	29.2	34.7	16.5	14.2
	分類不能の産業	475.6	16.0	11.7	228.0	23.0	13.7	102.9	6.5	6.6
現職規模	1～4人	1,593.5	14.0	26.0	361.8	16.0	20.4	164.1	9.7	14.1
	5～9人	1,009.1	18.4	18.7	528.1	20.3	17.3	274.7	11.0	12.7
	10～29人	1,757.0	21.2	19.1	1,046.3	23.9	19.4	488.1	12.6	13.6
	30～99人	2,001.5	26.3	19.7	1,353.3	31.1	21.0	432.0	14.2	13.9
	100～299人	1,837.2	31.6	22.3	1,316.8	37.2	24.9	331.2	16.2	13.3
	300～999人	1,783.7	37.0	25.1	1,297.7	44.0	28.5	299.8	15.9	13.1
	1000人以上	3,132.7	38.9	27.4	2,232.2	46.8	32.1	542.5	16.6	12.7
	官公庁など	1,183.4	48.4	35.6	966.7	52.1	37.4	102.7	23.9	20.5
	不詳	289.4	13.8	12.9	119.2	21.4	17.0	85.2	7.5	7.6
現職職業	専門的・技術的職業従事者	2,796.3	46.4	44.3	2,019.1	52.8	45.3	314.9	32.3	31.6
	事務従事者	3,428.7	29.0	23.6	2,323.9	35.6	26.3	571.1	11.7	14.0
	販売従事者	1,761.1	29.5	21.2	1,103.9	36.8	24.7	438.1	14.5	10.8
	サービス職業従事者	1,522.5	26.5	21.1	627.1	37.9	24.7	633.0	16.9	14.2
	保安職業従事者	254.9	42.7	28.9	234.6	43.8	30.4	11.5	27.6	8.1
	農林漁業従事者	211.8	13.5	20.5	72.7	20.5	20.4	29.8	6.1	9.1
	生産工程従事者	2,119.6	24.3	13.6	1,456.2	30.3	14.5	297.0	7.3	5.4
	運輸・機械運転従事者	442.7	22.4	10.9	388.5	24.0	10.0	12.8	3.3	20.9
	建設・採掘・運搬・清掃	1,469.6	20.1	13.6	750.6	28.3	15.8	315.2	6.1	6.4
	管理的職業・分類不能の職業	580.3	20.6	18.8	245.3	27.8	16.3	96.9	6.6	5.9
地域ブロック	北海道・東北	1,520.8	30.3	21.4	974.9	37.4	23.8	273.6	14.0	11.5
	関東	5,298.9	30.2	27.2	3,387.8	38.1	30.5	930.3	13.2	13.4
	北陸・東海	2,689.1	29.3	20.9	1,712.9	36.8	22.9	533.4	14.3	12.9
	近畿	2,278.2	30.1	24.6	1,384.8	37.5	26.3	458.7	16.3	16.1
	中国・四国	1,229.1	31.6	22.2	794.3	38.5	23.9	227.6	16.3	13.8
	九州・沖縄	1,571.4	29.2	22.0	967.2	36.9	24.4	296.8	14.3	11.7

　まず、15～34歳層について、勤務先訓練の受講率を有業者計でみると、産業別には、教育・学習支援、公務・公益、金融・保険・不動産、医療・福祉で高い。企業規模については、官公庁や大規模企業で勤務先訓練の実施率が高く、職業では保安職と専門的・技術的職業とで高い[3]。こうした勤務先の属性による違いは正社員で大きい。パート・アルバイトでは実施率そのものが10～20数％と低く、勤務先属性による違いも小さい。勤務先の諸属性より雇用形

---

[3]　より具体的にイメージするために、巻末の付表4－3～4－5には就業形態別に、15～44歳を対象に、職業小分類レベルで、勤務先訓練を受けた者が多い職業、自己啓発実施者の多い職業、公費助成付きの自己啓発が多い職業、職業訓練・自己啓発のいずれの実施も少ない職業について、上位25程度の職種名を示した。また、付表4－6は産業についても同様に小分類レベルで、上位25程度の産業名を示した。

態の影響の方が大きいと思われる。これらの傾向は 2007 年、2012 年にもみられたもので、変わっていない。

　自己啓発の実施率が高い産業は教育、学習支援業や学術研究・専門サービス業であり、規模別では、官公庁、大企業勤務者で高いが 4 人以下規模でも高い。職業では専門的・技術的職業と保安職で高い。勤務先訓練受講率が高いほど自己啓発実施率も高い傾向がある。ただし、その属性間の差異の幅は勤務先訓練より小さい。パート・アルバイトについては、やはり実施率そのものが正社員より低い。正社員は 2012 年より自己啓発実施率が全般的に高まっているのだが、逆にパート・アルバイトは実施率が下がる傾向にあって、差が広がっている。自己啓発についても勤務先の諸属性より雇用形態の方が影響が大きい。

　次に 35〜44 歳層についてみる。勤務先訓練の受講率は産業別には、教育・学習支援、医療・福祉、公務・公益、金融・保険・不動産で高い。企業規模は、官公庁や大規模企業での実施率が高く、職業では専門的・技術的職業と保安職とで高い。これらの特徴は 34 歳までと変わらない。ただ、全体に水準がやや低い。正社員とパート・アルバイトについても、いずれも受講の水準は34歳までより低いが、両者の間の差異は34歳までとほぼ同じようにある。

　自己啓発についてはどうか。自己啓発の実施率が高い産業はやはり教育・学習支援業や情報通信業、学術研究・専門サービス業であり、また官公庁、大企業勤務者で高いが 4 人以下企業でも高い。職業では専門的・技術的職業と保安職で高い。勤務先訓練受講率が高いほど自己啓発実施率も高い傾向があって、34 歳以下での勤務先の特徴とほぼ同じである。勤務先の属性と能力開発行動との関係の特徴は、44 歳以下なら、年齢によってはほとんど変わらない。違いは、全体に水準が低いことである。したがって、35〜44 歳層のパート・アルバイトはどのような産業、規模、職業に就いていたとしても、能力開発行動を最もしていない層ということになる。

　なお、地域ブロック別については、いずれの年齢層でも、また勤務先による訓練も自己啓発も、雇用形態に関わらず、ほとんど差はない。

　次に、この勤務先の特徴と能力開発の関係について、学歴別の違いについてもみておく。ただし年齢差はほとんどないので、ここでは 15〜34 歳層の図表のみを掲載する（図表 4 − 6）。産業別、規模別、職業別、地域ブロック別のどの項目をとっても、学歴水準が高くなるほど勤務先訓練・自己啓発とも実施率が高い傾向がみられる。これは、どの程度長期に（あるいは高度の）教育を受けたかが、就業後の勤務先訓練の受講にも、また自己啓発の実施にも影響していることを示唆する。自己啓発については、基本的には個人の主体的な行動であり、これに長期の教育を受けたことが影響を与えることは十分考えられるところである。勤務先の訓練受講については、同じ産業、同じ職業であっても、実際の配属は学歴によって異なるところがあり、そのため企業が主導で行う訓練の受講機会が異なっていると考えられる。

図表4-6　現職の業種・規模・職種別能力開発実施状況と学歴（MA、15～34歳、在学中を除く、有業者）

単位：%、太字は実数（千人）

	中学卒 合計(千人)	中学卒 勤務先が実施した訓練	中学卒 自己啓発	高校卒 合計(千人)	高校卒 勤務先が実施した訓練	高校卒 自己啓発	専門学校(1～2年未満)卒 合計(千人)	専門学校(1～2年未満)卒 勤務先が実施した訓練	専門学校(1～2年未満)卒 自己啓発	専門学校(2～4年未満)卒 合計(千人)	専門学校(2～4年未満)卒 勤務先が実施した訓練	専門学校(2～4年未満)卒 自己啓発	短大・高専卒 合計(千人)	短大・高専卒 勤務先が実施した訓練	短大・高専卒 自己啓発	大学卒 合計(千人)	大学卒 勤務先が実施した訓練	大学卒 自己啓発	大学院卒 合計(千人)	大学院卒 勤務先が実施した訓練	大学院卒 自己啓発
	604.8	17.5	11.9	4511.6	28.6	15.9	778.4	33.6	23.5	1637.3	41.5	33.1	1046.1	40.1	25.0	5556.6	48.2	38.7	647.8	58.9	57.3
現職産業 農林漁業・鉱業	23.5	18.2	17.0	91.5	16.8	14.5	11.9	18.7	21.8	15.5	25.8	25.2	14.3	22.0	25.7	29.5	31.3	37.6	3.0	65.2	73.8
建設業	135.4	20.8	15.5	366.7	32.6	17.8	38.3	30.1	17.7	55.0	32.3	23.2	32.5	25.7	23.5	216.1	48.8	35.9	25.0	65.3	58.3
製造業	99.3	20.3	8.2	1263.4	30.4	11.1	89.7	25.0	13.3	154.1	28.4	17.0	134.5	34.1	20.7	631.9	41.3	29.6	189.6	64.7	52.5
情報通信業	4.2	21.7	24.5	73.2	24.8	30.1	21.8	36.5	40.2	96.7	28.1	35.8	31.2	26.3	27.7	442.4	43.2	42.0	86.5	54.7	61.8
運輸・郵便業	41.0	16.4	8.3	278.9	27.3	12.0	30.8	34.4	19.2	58.1	32.8	22.9	31.0	34.4	22.3	182.1	45.8	32.4	11.4	59.7	49.1
卸売・小売業	89.1	12.7	10.5	740.5	22.0	12.8	147.4	29.4	18.1	219.2	34.1	24.0	145.3	29.6	20.4	823.2	40.6	29.0	33.2	40.3	41.7
金融・保険・不動産業	10.5	18.3	9.7	100.1	37.4	25.3	19.0	38.5	21.6	21.3	38.9	32.0	35.1	43.0	24.7	477.1	59.2	44.8	14.2	67.3	60.9
学術研究・専門サービス業	6.5	11.1	23.0	84.2	34.4	33.4	25.6	34.3	32.1	56.3	37.0	42.0	23.7	30.8	40.6	263.8	42.1	48.0	88.8	54.6	58.0
宿泊・飲食サービス業	57.1	7.8	9.8	299.9	16.8	13.9	61.7	23.5	20.6	77.7	25.9	27.3	59.3	30.2	19.8	127.9	29.3	28.1	1.1	9.7	55.6
生活サービス・娯楽業	32.5	16.5	11.7	173.9	25.4	17.8	87.9	37.6	36.7	124.7	48.2	42.7	24.9	40.4	22.9	129.5	41.5	38.4	4.3	52.4	77.7
教育、学習支援業	2.6	23.7	35.2	40.8	41.0	36.6	9.9	48.8	51.3	25.5	48.6	34.6	81.4	58.9	34.3	497.6	62.1	49.2	74.1	52.3	57.1
医療、福祉	27.9	31.9	21.0	339.6	36.7	23.5	125.6	44.8	25.0	550.0	55.4	43.0	326.2	51.3	28.5	792.4	59.3	49.6	30.2	68.7	72.7
複合サービス業・サービス業(その他)	42.9	21.7	11.2	314.5	29.5	15.1	48.7	32.1	22.6	82.6	31.4	25.2	54.7	34.8	19.7	356.0	41.3	30.5	17.0	54.0	62.5
公務、公益業	0.9	-	-	179.4	52.0	37.4	32.3	57.3	36.4	52.2	60.0	34.5	21.4	47.1	29.5	434.2	53.8	41.1	55.6	69.9	67.0
分類不能の産業	31.5	7.5	4.7	164.8	15.8	7.5	27.9	16.9	13.7	48.3	22.9	19.0	30.7	19.0	11.6	152.7	31.6	25.9	13.8	38.9	39.9
現職規模 1～4人	111.1	14.0	17.3	340.0	15.1	19.7	69.4	24.6	36.9	110.8	29.1	43.8	45.9	14.0	21.6	185.9	22.1	40.7	17.3	24.3	61.0
5～9人	84.0	16.7	11.8	304.4	18.0	13.6	71.6	24.5	20.0	120.5	27.7	27.8	57.9	24.1	12.1	175.5	30.0	33.1	13.9	39.0	56.9
10～29人	120.7	15.1	9.2	625.7	21.3	13.8	122.7	31.8	21.4	215.2	33.0	27.9	168.6	41.1	24.0	399.3	35.6	34.3	22.7	45.4	55.5
30～99人	90.9	18.5	9.9	713.2	25.4	14.6	129.0	33.1	21.4	240.3	37.2	28.7	201.0	44.0	23.1	644.1	40.7	34.7	50.6	46.6	56.1
100～299	51.9	21.2	10.8	654.3	30.2	14.0	97.8	33.5	20.4	256.7	44.8	31.9	140.9	38.2	23.5	754.5	44.2	34.6	64.9	51.1	54.6
300～999人	42.6	20.9	11.7	565.2	33.6	14.9	102.7	39.4	23.3	274.5	49.6	39.8	136.3	38.0	23.6	863.4	50.5	38.1	90.3	59.4	48.8
1000人以上	80.3	22.6	14.1	1018.0	37.1	16.7	127.3	36.8	22.3	293.3	45.0	31.5	210.8	44.6	28.6	1611.8	54.2	40.1	294.7	65.0	59.4
官公庁など	1.2	38.0	16.5	177.1	50.5	35.9	38.9	56.2	37.2	100.9	61.9	41.5	68.1	55.8	36.6	840.4	61.1	47.4	88.0	66.5	63.4
不詳	22.3	11.1	7.5	113.8	13.8	8.4	19.1	18.4	14.1	25.1	31.8	20.6	16.6	22.7	10.4	81.7	28.1	26.5	5.5	25.6	22.3
現職職業 専門的・技術的職業	11.6	20.1	32.5	180.6	42.4	38.1	85.5	49.8	37.7	542.5	53.8	47.3	365.3	56.0	33.3	1671.7	58.4	50.3	379.5	61.4	60.1
事務従事者	36.9	16.6	13.7	670.8	26.4	18.1	128.2	29.6	19.4	238.1	29.5	24.8	236.3	26.4	17.9	1674.4	44.9	36.0	135.1	54.7	54.6
販売従事者	68.3	14.8	11.8	565.2	23.9	14.4	99.6	32.9	20.2	149.1	32.2	22.9	99.6	31.8	19.8	937.3	47.5	32.7	28.5	42.1	41.4
サービス職業従事者	102.5	15.3	12.2	651.5	26.5	17.5	206.7	34.7	27.4	300.8	42.7	33.2	137.5	37.5	23.1	340.6	39.9	33.9	3.9	56.0	73.5
保安職業従事者	3.3	31.3	3.8	120.1	56.9	40.1	18.2	57.7	40.3	30.0	76.4	38.9	4.1	64.8	34.7	136.1	62.7	48.1	2.6	36.9	38.5
農林漁業従事者	21.6	17.8	16.8	85.9	18.0	15.9	12.2	18.4	26.3	17.2	28.0	26.2	12.1	22.6	29.4	28.2	28.6	38.7	2.4	38.4	46.9
生産工程従事者	126.4	21.5	11.8	1258.5	31.3	11.3	123.1	31.2	17.8	203.0	35.6	21.4	107.4	39.6	25.0	354.6	37.0	26.7	62.5	62.6	56.8
運輸・機械運転従事	27.8	18.5	8.7	166.0	30.6	15.7	10.2	36.9	15.5	20.9	38.4	24.9	12.4	49.0	14.9	50.6	47.3	30.8	8.0	92.9	69.8
建設・採掘・運搬・清	174.2	17.8	11.2	659.6	26.6	13.5	68.7	24.1	16.1	87.8	23.3	18.4	44.1	22.3	21.4	219.7	34.9	26.3	13.9	56.2	41.9
管理的職業・分類不能の職業	32.2	10.3	6.2	153.4	16.9	8.8	25.9	19.7	16.2	47.9	25.3	22.4	27.2	21.2	12.1	143.4	30.5	27.3	11.4	39.2	48.6
地域ブロック 北海道・東北	63.1	16.6	9.1	628.5	29.6	15.1	100.6	31.0	17.9	202.1	40.9	31.9	104.7	44.7	26.6	390.7	47.1	36.7	23.4	52.6	51.4
関東	175.4	17.5	11.0	1282.9	27.7	18.3	274.6	35.6	27.1	604.8	41.5	34.3	313.7	39.4	26.1	2495.3	48.2	41.3	340.2	57.3	57.6
北陸・東海	119.7	17.8	12.7	956.5	29.5	13.3	127.9	31.6	19.5	279.7	40.9	29.0	221.4	40.9	25.6	904.3	48.4	35.2	108.3	59.1	55.9
近畿	91.6	17.3	12.4	632.3	27.4	15.3	107.3	33.4	29.9	237.4	42.3	37.5	182.7	37.3	21.9	938.6	47.1	36.2	102.9	62.1	60.4
中国・四国	60.4	17.0	12.2	425.5	30.2	16.2	65.7	33.1	17.5	126.3	45.0	31.3	95.1	41.0	23.7	379.2	51.1	38.6	34.1	61.5	56.0
九州・沖縄	94.6	18.1	14.0	585.9	28.1	16.2	102.4	34.0	21.5	187.0	39.8	32.1	128.4	40.1	25.4	448.5	48.2	38.0	38.9	65.7	54.4

4.2　労働時間、収入、勤続期間と職業能力開発

　この項では、有業者について、就業時間や収入といった労働条件、また、現職従業期間に応じて能力開発の実施状況に違いがあるかを検討する。雇用形態によってその影響が異なることが考えられるので、雇用形態別にも検討する（図表4-7）。

　まず、①15～34歳をみる。勤務先訓練の受講率であるが、週間就業時間[4]が34時間以下では低く、49時間以上では高い。また、個人収入については年間400万円台以上では受講率はほぼ50%を超え、1,000万円以上では（対象数は少ないが）特に高い。

---

[4]　週間就業時間は、年間200日以上就業しているか、または、「だいたい規則的」な就業をしている場合のみに問われる質問であるため、不規則な短期の就業者は含まれない。また、ふだん残業をしている場合は残業時間を含んでいる。

図表4－7　現職の労働時間、収入、従業期間別能力開発実施状況と就業形態（MA、在学中を除く、有業者）

①15～34歳

単位：％、太字は実数（千人）

		有業者計			正社員			パート・アルバイト		
		合計（千人）	勤務先が実施した訓練	自己啓発	合計（千人）	勤務先が実施した訓練	自己啓発	合計（千人）	勤務先が実施した訓練	自己啓発
合計		14,923.1	39.2	28.9	10,679.9	46.6	31.8	2,201.2	16.2	16.5
週間就業時間	15時間未満	678.9	35.8	32.5	417.6	45.7	38.7	166.5	16.0	16.8
	15～19時間	275.9	24.7	23.7	72.7	48.5	38.5	173.0	15.9	16.2
	20～21時間	240.3	16.1	16.2	37.3	31.1	28.5	171.1	13.3	13.5
	22～29時間	501.3	21.0	21.6	77.6	41.6	32.1	332.3	15.3	16.9
	30～34時間	551.3	25.2	21.1	188.9	35.9	24.0	242.9	17.6	16.9
	35～42時間	4,239.7	39.3	27.7	3,062.7	45.5	30.3	495.3	17.7	16.6
	43～45時間	2,159.5	44.1	30.5	1,831.4	47.5	31.4	104.4	17.6	21.2
	46～48時間	1,615.0	43.6	29.8	1,386.2	46.9	30.8	67.7	20.0	13.6
	49～59時間	2,363.8	46.1	32.9	2,069.5	48.9	34.1	66.5	19.5	13.9
	60～64時間	752.6	45.3	34.6	664.4	48.1	34.7	14.5	15.7	8.2
	65～74時間	395.2	46.0	32.8	343.7	48.7	32.5	11.1	16.6	18.7
	75時間以上	269.5	47.8	39.1	218.3	51.9	38.2	7.4	16.0	17.4
	不詳	72.6	32.4	18.0	49.8	39.2	20.8	11.9	20.4	11.9
合計		14,923.1	39.2	28.9	10,679.9	46.6	31.8	2,201.2	16.2	16.5
個人年収	収入なし, 50万円未満	482.5	13.9	20.7	42.6	18.3	21.4	190.3	12.1	17.3
	50～99万円	784.1	14.6	16.9	51.7	23.8	22.6	623.4	13.9	14.4
	100～149万円	1,204.9	20.1	18.3	254.7	30.4	20.1	708.6	16.5	16.5
	150～199万円	1,426.5	29.5	21.9	718.5	36.6	22.0	367.3	19.3	18.9
	200～249万円	2,492.9	36.3	24.3	1,875.7	39.4	24.7	191.2	20.2	16.8
	250～299万円	2,011.1	42.0	28.4	1,734.6	43.9	28.5	55.2	23.5	20.0
	300～399万円	3,132.0	46.9	32.3	2,890.2	48.3	32.3	23.1	15.7	23.8
	400～499万円	1,769.3	53.4	38.6	1,684.4	54.4	38.7	3.3	38.0	38.0
	500～599万円	805.8	56.5	42.0	768.1	57.7	42.2	0.7	－	－
	600～699万円	330.3	55.4	48.0	308.0	57.4	47.3	0.9	－	－
	700～799万円	139.9	61.6	55.6	122.8	64.8	56.1	0.1	－	－
	800～899万円	50.9	54.2	45.7	47.8	55.9	46.8	0.0	－	－
	900～999万円	34.5	49.5	57.9	28.8	55.2	61.5	0.4	－	－
	1000～1249万円	43.6	60.9	62.7	34.2	66.7	64.8	0.5	－	－
	1250～1499万円	12.0	70.5	75.6	11.3	71.8	75.3	0.0	－	－
	1500万円以上	9.8	56.7	59.7	6.6	71.3	66.2	0.0	－	－
	不詳	193.2	15.0	7.8	99.8	22.2	9.9	36.2	5.5	5.5
現職従業期間	1年未満	2,851.5	35.5	31.0	1,650.6	46.0	35.3	652.1	16.6	20.2
	1年	2,075.3	41.3	29.9	1,349.8	51.1	34.0	393.0	17.6	18.1
	2年	1,762.6	39.3	28.3	1,226.0	47.0	32.0	290.0	16.8	13.8
	3-4年	2,574.4	40.2	29.5	1,869.6	47.8	33.2	365.4	14.7	13.5
	5-6年	1,731.6	40.5	28.1	1,372.9	46.0	30.6	178.6	16.5	13.5
	7-9年	1,922.3	42.6	30.4	1,628.3	46.6	32.3	132.5	16.1	13.7
	10-14年	1,536.0	40.1	25.8	1,309.1	43.7	26.4	95.0	15.1	13.2
	15-19年	145.5	34.3	21.1	115.3	40.3	21.4	9.8	11.4	5.9
	20-29年	0.1	－	－	0.0	－	－	0.0	－	－
	無回答	289.9	19.9	13.6	157.1	29.2	15.5	55.3	9.4	8.7

注：週労働時間は年間200日以上、または規則的就業者のみの設問である。

②35〜44歳　　　　　　　　　　　　　　　　　　　　　　　　　　　　　　　単位:%、太字は実数(千人)

		有業者計			正社員			パート・アルバイト		
		合計(千人)	勤務先が実施した訓練	自己啓発	合計(千人)	勤務先が実施した訓練	自己啓発	合計(千人)	勤務先が実施した訓練	自己啓発
合計		14,587.6	30.0	24.0	9,222.0	37.6	26.5	2,720.3	14.4	13.4
週間就業時間	15時間未満	709.2	22.7	23.3	268.8	36.4	29.6	304.7	12.1	15.4
	15〜19時間	478.8	15.8	17.5	55.3	30.6	30.2	367.8	13.2	14.4
	20〜21時間	368.7	15.4	13.5	27.9	23.5	18.4	285.5	13.1	10.8
	22〜29時間	696.2	16.5	15.5	69.7	28.5	23.2	517.8	14.9	12.6
	30〜34時間	620.4	23.2	21.4	198.2	32.0	23.3	267.7	17.3	15.4
	35〜42時間	3,847.8	31.5	24.0	2,673.7	36.8	25.6	443.4	17.2	13.9
	43〜45時間	1,773.2	36.4	27.8	1,467.5	39.7	28.7	66.0	15.3	12.2
	46〜48時間	1,495.9	34.4	25.4	1,200.4	38.0	25.5	43.6	17.7	12.2
	49〜59時間	2,232.8	36.5	27.4	1,862.1	39.7	27.7	50.5	15.4	13.1
	60〜64時間	778.6	35.7	27.7	612.2	39.6	27.1	17.0	9.2	10.7
	65〜74時間	410.8	33.0	27.1	329.7	36.4	25.3	5.3	30.3	26.6
	75時間以上	295.2	32.2	31.9	218.4	37.5	31.5	5.9	8.9	14.0
	不詳	63.3	23.0	14.3	33.6	27.3	13.5	13.9	20.5	14.3
個人年収	収入なし,50万円未満	651.1	11.4	20.0	29.7	17.0	21.3	259.7	9.1	12.6
	50〜99万円	1,298.1	12.5	14.8	54.5	17.2	20.6	1,061.0	12.0	11.9
	100〜149万円	1,212.2	16.2	14.7	137.0	18.8	14.9	804.9	15.1	12.3
	150〜199万円	817.0	18.9	16.3	263.1	19.7	13.5	279.5	17.7	14.5
	200〜249万円	1,291.8	22.7	18.0	720.9	24.5	16.0	183.5	23.0	18.7
	250〜299万円	1,040.8	26.9	20.6	757.8	28.5	18.9	55.6	24.1	29.4
	300〜399万円	2,180.2	30.0	22.1	1,807.4	31.9	21.4	38.2	20.0	23.7
	400〜499万円	1,972.8	37.3	26.6	1,794.4	38.7	25.8	4.8	37.8	38.9
	500〜599万円	1,518.5	43.1	31.0	1,417.1	44.3	30.9	1.1	−	−
	600〜699万円	969.4	46.3	33.5	897.0	47.9	33.7	1.7	−	−
	700〜799万円	588.9	48.4	38.3	537.4	50.3	38.2	0.5	−	−
	800〜899万円	321.0	49.2	40.3	286.3	52.0	40.5	0.6	−	−
	900〜999万円	183.3	49.9	44.8	156.0	53.7	46.0	0.2	−	−
	1000〜1249万円	219.5	50.4	46.9	176.1	54.5	47.0	1.2	−	−
	1250〜1499万円	58.5	42.2	51.4	39.8	48.9	53.3	0.0	−	−
	1500万円以上	74.7	44.0	54.7	41.2	50.4	55.8	0.0	−	−
	不詳	189.6	11.2	6.8	106.3	15.0	5.8	27.9	5.1	6.8
現職従業期間	1年未満	1,269.8	19.1	23.1	424.6	27.3	28.0	514.5	12.2	16.0
	1年	956.8	23.2	23.1	358.7	35.2	30.2	367.5	13.1	12.9
	2年	886.5	24.1	22.6	346.7	35.7	28.4	321.1	14.9	14.2
	3-4年	1,383.2	23.9	21.7	619.3	33.6	26.7	462.0	14.8	13.4
	5-6年	1,131.4	24.8	23.8	593.1	31.9	27.7	296.4	15.4	11.9
	7-9年	1,395.2	29.5	24.1	880.7	35.8	26.9	249.3	17.5	12.7
	10-14年	2,798.5	34.2	27.1	2,120.1	39.4	29.0	260.4	14.5	11.3
	15-19年	2,545.3	38.3	27.5	2,109.4	41.7	28.0	130.1	16.2	14.9
	20-29年	1,857.8	36.9	21.0	1,575.3	40.0	21.1	54.0	20.0	12.0
	30年以上	1.5	−	−	0.1	−	−	0.0	−	−
	無回答	357.6	17.2	9.6	193.0	23.4	9.2	63.2	7.7	6.0

　自己啓発と週間就業時間との関係は就業時間が週15時間未満では高いが、これを除くと34時間以下の者では低い。また、75時間以上も高い。自己啓発と収入との関係はほぼ勤務先訓練と同様で、年収が高い人のほうが自己啓発を実施している傾向がある。

　現職従業期間については、勤務先による訓練受講率は1年から14年まであまり変わらない。自己啓発は10年以上では低下しているようにみえるが、若年層なので勤続の長い者は少なく、確かな傾向とは言えない。

これを雇用形態別に見る。まず、正社員では週就業時間が 20〜34 時間で勤務先の訓練受講も自己啓発も少ないが、そもそもこれに該当するケースは少なく、何らかの事情で短時間勤務となっている人たちであるので、ここでは 35 時間以上に注目する。35 時間以上では、75 時間以上を除けば、45.5%から 48.9%の間におさまっており、長時間労働者で訓練受講者がやや多い傾向は見えるが、その差はわずかである。自己啓発も同様である。現職従業期間については、大きな差ではないが、入職 1 年から 1 年未満がやや自己啓発実施者が多い。

　パート・アルバイトの場合は、週 45 時間以下が大半で、その範囲では勤務先訓練受講者も自己啓発実施者の割合も差は小さい。正社員並みの労働時間である 43〜45 時間の者で自己啓発実施者がやや多い。現職従業期間は 1 年から 1 年未満で自己啓発者がやや多い所は、正社員と同じで、入社後の早い時期は新たな仕事のための訓練や自己啓発が活発になるのだと思われる。

　②35〜44 歳をみる。勤務先訓練の受講率は、週間就業時間 が 34 時間以下では低いところは 34 歳以下と同様だが、43 時間以上はほぼ変わらず、65 時間以上になると下がっている。個人収入についてはやはり年間 400 万円台以上で高い傾向があるが、1,000 万円以上が特に高いわけではない。自己啓発と就業時間との関係は 15 時間未満が高い点は 34 歳以下と同様で、これを除くと 34 時間以下の者が低く、75 時間以上が高いところも変わらない。収入との関係については、ほぼ年収が高いほど自己啓発実施者が多いといえる。全体として 34 歳以下と変わらないのが、週労働時間 34 時間以下での能力開発行動が低調な点と、年収が高い人ほど自己啓発をする人が多い点であり、異なるのは高年収、長時間労働の人が、34 歳以下のように勤務先による訓練を受講することが多いとは言えない点である。

　雇用形態別に見ると、正社員においては、週間就業時間が 34 時間以下を除けば勤務先訓練受講率はほとんど変わらない。長時間労働者に訓練受講者がやや多い傾向は見えるが、その差はわずかである。自己啓発も同様である。全体状況と同様に週間就業時間が短い場合に能力開発を実施していない傾向がみられる。

　パート・アルバイトにおいては、週 30 時間以上の者でやや勤務先訓練の受講率が高いが、自己啓発では 15 時間未満と 49〜59 時間でやや高いなど、全体にはっきりした傾向があるとはいえない。

　年収について高年収の者ほど能力開発を実施した者が多いという関係は、正社員の年収1,000 万円台まではほぼ確認できる。パート・アルバイトでは年収 300 万円台以上で高い傾向があるが、数が少ないことから全体としての傾向とはいえない。

　現職従業期間との関係では、全体に見られた傾向は正社員にはそのままあてはまる。パート・アルバイトでは、勤務先訓練の受講はあまり従業期間と関わりなく、自己啓発については「1 年未満」でやや多いがこの差もわずかである。

　こうしてみると、パート・アルバイトの能力開発の実施には、週間就業時間や年収、従業期間はあまり関係がない。正社員では、特に年収の高い者を除けば、年収が高い人が勤務先

訓練の受講も自己啓発もしていることが多い。週間就業時間は34時間以下という特に短時間の場合は勤務先訓練も自己啓発も実施率が低いが、それ以上の時間であれば70時間台まであまり差はない。また、勤続期間による差も大きくない。

4.3　就業継続・転職希望と職業能力開発

　次に、有業者の就業継続・転職の希望、あるいは無業者の就業希望によって、能力開発の実施状況にどの程度の差があるかを検討する。

　まず図表4－8の①15～34歳層についてみる。有業者計をみると、就業継続希望者（「この仕事を続けたい」者）には勤務先訓練の受講者が多く、追加就業希望者（「この仕事のほかに別の仕事もしたい」者）では自己啓発を実施した者が多く、就業休止希望者（「仕事をすっかりやめてしまいたい」者）でいずれも実施しなかった者が多い。転職希望者（「ほかの仕事に変わりたい」者）はいずれについても中間的な実施率である。

　就業休止希望者以外には就業時間の増減についての希望を聞いているが、就業時間を「減らしたい」とする者が、勤務先による訓練も自己啓発も実施率が高い。これは2012年調査でも同じ傾向があった。

図表4－8　有業者の職業意識別能力開発実施状況と就業形態（MA、在学中を除く、有業者）
①15～34歳

単位:%、太字は実数(千人)

		有業者計			正社員			パート・アルバイト		
		合計(千人)	勤務先が実施した訓練	自己啓発	合計(千人)	勤務先が実施した訓練	自己啓発	合計(千人)	勤務先が実施した訓練	自己啓発
合計		14,923.1	39.2	28.9	10,679.9	46.6	31.8	2,201.2	16.2	16.5
就業意識希望	継続就業希望者	10,698.4	42.2	29.2	8,092.3	48.8	32.0	1,272.9	17.0	13.9
	追加就業希望者	1,376.1	34.0	32.0	819.5	42.3	35.5	313.3	18.1	21.9
	転職希望者	2,336.3	32.4	28.5	1,450.9	40.8	31.5	522.2	14.0	20.3
	就業休止希望者	367.1	25.4	20.7	247.2	30.9	22.8	68.9	14.0	14.8
計(就業休止希望以外)		14,410.9	39.8	29.4	10,362.6	47.2	31.2	2,108.3	16.4	16.7
就業時間希望	今のままでよい	9,490.1	39.4	27.5	6,838.7	46.7	30.6	1,334.5	16.1	14.6
	増やしたい	1,380.6	29.1	29.9	449.4	47.7	39.1	618.6	16.7	20.8
	減らしたい	3,476.1	45.5	34.5	3,038.5	48.2	35.0	138.2	18.7	17.9
転職希望者計		2,336.3	32.4	28.5	1,450.9	40.8	31.5	522.2	14.0	20.3
転職希望理由	一時的についた仕事だから	279.4	18.3	26.5	42.5	30.1	32.2	166.8	11.4	23.6
	収入が少ない	692.3	28.7	25.1	413.2	36.5	27.9	158.2	15.0	17.2
	事業不振や先行き不安	184.7	33.6	29.4	139.7	37.8	31.3	23.1	9.9	16.2
	定年又は雇用契約の満了に備えて	21.2	21.4	30.6	0.9	53.8	10.3	2.6	9.1	17.9
	時間的・肉体的に負担が大きい	535.5	38.8	27.7	436.0	42.8	29.9	53.6	15.5	14.5
	知識や技能を生かしたい	170.5	46.3	51.5	108.7	56.0	54.2	35.4	23.6	47.0
	余暇を増やしたい	84.3	37.7	24.9	70.5	43.6	27.8	7.5	2.7	8.1
	家事の都合	52.4	28.2	23.2	35.4	37.1	28.6	9.9	8.3	13.8
	その他	305.6	34.2	27.4	198.6	41.4	32.7	63.1	15.5	14.1

②35～44歳　　　　　　　　　　　　　　　　　　　　　　　　　　単位:%、太字は実数(千人)

		有業者計			正社員			パート・アルバイト		
		合計 (千人)	勤務先が実施した訓練	自己啓発	合計 (千人)	勤務先が実施した訓練	自己啓発	合計 (千人)	勤務先が実施した訓練	自己啓発
合計		14,587.6	30.0	24.0	9,222.0	37.6	26.5	2,720.3	14.4	13.4
就業希望意識	継続就業希望者	11,333.6	32.2	24.1	7,467.4	39.5	26.5	1,953.0	15.5	12.7
	追加就業希望者	1,096.6	26.3	30.3	543.5	35.4	35.1	266.7	13.3	17.3
	転職希望者	1,711.7	21.9	22.1	960.0	28.2	24.7	418.6	10.9	14.7
	就業休止希望者	306.3	20.1	18.0	177.6	26.4	20.8	64.4	10.1	10.6
計(就業休止希望以外)		14,141.9	30.5	24.4	8,970.9	38.1	26.1	2,638.2	14.6	13.5
就業時間希望	今のままでよい	9,309.0	29.9	22.8	5,877.0	37.7	25.6	1,735.6	13.9	11.7
	増やしたい	1,495.3	21.9	23.9	384.5	35.0	29.7	741.7	15.8	17.6
	減らしたい	3,272.4	36.0	29.1	2,675.5	39.4	29.2	147.1	16.9	14.7
転職希望者計		1,711.7	21.9	22.1	960.0	28.2	24.7	418.6	10.9	14.7
転職希望理由	一時的についた仕事だから	116.1	12.2	18.6	15.3	24.6	26.7	59.6	9.2	15.5
	収入が少ない	527.8	19.3	20.2	263.0	25.5	23.4	152.2	8.7	13.0
	事業不振や先行き不安	176.2	21.7	22.5	126.0	24.4	23.1	18.6	12.8	15.4
	定年又は雇用契約の満了に備えて	31.1	26.4	30.5	5.7	33.1	44.9	5.5	25.8	24.0
	時間的・肉体的に負担が大きい	431.6	25.1	19.2	292.7	30.4	21.5	82.6	12.8	12.5
	知識や技能を生かしたい	100.6	32.4	44.0	62.5	42.5	48.8	20.5	14.0	29.9
	余暇を増やしたい	54.1	23.0	20.8	41.8	27.2	22.0	5.1	7.5	1.4
	家事の都合	39.9	19.4	22.2	21.3	25.5	26.8	11.6	10.4	7.2
	その他	227.8	21.7	22.8	128.0	26.7	24.2	61.3	12.8	17.8

注：15～34歳において、背景がグレーの数値は、2012年調査に比べて5％ポイント以上の減少、太字下線は5％
　　ポイント以上の増加を示す。
・不詳は掲載を省いた。

　また、転職希望者にはその理由を問うており、「知識や技能を活かしたい」から転職したい
とする者で勤務先訓練の受講率も自己啓発の実施率も高くなっている。

　これを就業形態別にみると、正社員の場合は、継続希望者で勤務先訓練受講率が高く、追
加就業希望者で自己啓発実施率が高い点は全体と同じだが、就業時間についての希望によっ
ては勤務先訓練受講率はあまり違わない。先に見た就業時間を「減らしたい」者で勤務先に
よる訓練受講が多かったのは、「減らしたい」者に特に正社員が多いことが影響した結果であ
り、雇用形態をそろえて比較すれば、就業時間の希望と勤務先訓練の受講との関係はみられな
い。

　パート・アルバイトにおいては、勤務先訓練の実施率は低く、就業継続希望や就業時間の
希望による差は小さい。自己啓発については追加就業や転職を希望する者で、また就業時間を
増やしたい者で多く実施している。また、転職希望者においては「知識や技能を活かしたい」
を理由とする者で、正社員もふくめて、自己啓発の実施率は高い。キャリア転換を望む人が自
己啓発に取り組む傾向があることが示唆される。

　②35～44歳層を見ると、就業継続希望者には勤務先訓練の受講者が多く、追加就業希望者
では自己啓発を実施した者が多く、就業休止希望者でいずれも実施しなかった者が多い。転
職希望者で、「知識や技能を活かしたい」を理由とする者の場合、正社員では勤務先訓練受講
者も自己啓発実施者も多く、パート・アルバイトでは自己啓発実施者が多い。これらの傾向は

若年層と変わらない。

　継続就業希望者が勤務先訓練を受けていることが多いという関係は、企業側が長期勤続を期待できる層に選択的に訓練を行っていることを示唆し、合理的な企業行動といえるが、一方で、逆の因果（訓練機会が多いことが就業継続希望を強化する）も考えられる。追加就業希望者で自己啓発実施率が高い、あるいは、転職希望者のうち知識や技能を生かしたいという理由をあげる者で自己啓発実施率が高いというのも、個人としては合理的な行動である。

　無業者についても、就業希望と能力開発との関係を検討しておく。図表4－9には、無業の場合の自己啓発の実施率について、無業者全体、無業状況別、学歴別を併せて掲載した[5]。

図表4－9　無業者の職業意識別自己啓発実施率（MA、在学中を除く）

①15～34歳　　　　　　　　　　　　　　　　　　　　　　単位：%、太字は実数（千人）

		無業者全体		求職者		非求職無業者		中学卒		高校卒		専門・短大・高専卒		大学・大学院卒	
		合計（千人）	実施率	合計（千人）	実施率	合計（千人）	実施率	合計（千人）	実施率	合計（千人）	実施率	合計（千人）	実施率	合計（千人）	実施率
合計		2,528.8	17.0	780.1	32.5	535.3	14.0	279.0	9.0	1,016.8	13.7	592.0	15.6	599.0	28.5
就業希望	就業希望者	1,632.7	22.1	780.1	32.5	226.7	19.3	175.0	11.4	593.4	18.4	418.6	19.6	430.1	34.5
	非就業希望者	879.2	7.7	–		301.1	10.1	101.9	4.6	419.1	7.2	172.1	5.8	167.9	13.4
就業希望者計		1,632.7	22.1	780.2	32.5	226.7	19.3	175.0	11.4	593.4	18.4	418.6	19.6	430.1	34.5
就業希望理由	失業している	299.8	25.8	241.8	29.2	36.6	12.2	27.1	5.4	112.7	19.0	71.9	28.2	85.4	40.2
	学校を卒業した	55.6	42.6	38.8	48.6	12.3	26.7	3.2	6.4	15.6	45.5	5.1	18.9	31.7	48.8
	収入を得る必要が生じた	547.7	14.6	217.9	24.2	40.6	17.9	56.2	11.6	204.9	10.8	161.2	15.2	121.9	21.7
	知識や技能を生かしたい	134.4	45.1	71.0	60.7	16.7	41.2	7.6	31.5	28.9	45.6	45.0	38.4	51.2	53.8
	社会に出たい	254.0	23.4	93.4	33.7	52.0	22.5	34.1	18.2	97.0	25.4	52.7	17.7	67.1	28.7
	時間に余裕ができた	73.4	8.9	31.6	11.8	2.9	4.6	5.3	1.3	24.9	7.5	26.5	7.4	15.6	15.2
	健康を維持したい	22.4	19.2	6.9	36.0	4.9	30.6	2.7	16.7	9.5	21.0	5.8	22.7	3.3	16.3
	その他	238.9	19.9	75.6	39.6	59.3	14.0	37.7	7.2	96.1	16.1	49.8	13.0	53.0	42.3
就業希望職種	製造・生産工程職	91.4	17.3	55.0	25.8	9.8	9.0	13.2	8.4	47.3	16.5	17.8	14.9	11.8	36.4
	建設・採掘職	15.3	19.1	11.7	18.1	1.7	18.1	8.0	1.8	4.3	36.9	1.4	18.8	1.2	62.2
	輸送・機械運転職	11.9	19.3	9.5	21.2	1.1	5.4	3.4	9.2	4.4	32.0	2.5	5.9	1.6	26.4
	営業・販売職	76.3	21.6	39.3	25.9	4.3	29.2	6.5	7.9	31.5	19.9	17.5	21.3	20.2	29.2
	サービス職業	254.7	14.8	118.3	22.2	21.5	10.4	29.2	8.7	109.0	13.2	73.9	17.3	39.5	20.0
	専門的・技術的職業	269.2	36.6	134.1	50.5	36.4	35.0	13.0	23.7	53.1	44.6	97.1	27.1	104.9	43.3
	管理的職業	5.6	39.4	2.5	40.9	1.5	65.0	9.0		1.3	33.9	1.5	17.4	2.8	53.9
	事務職	267.4	27.2	136.8	39.9	19.1	25.1	1.2	31.2	73.6	21.5	70.0	22.5	113.0	34.3
	農林漁業職	9.4	39.7	4.5	51.5	2.9	37.5	5.1	21.7	5.7	29.6	1.1	38.2	1.4	90.1
	その他（保安職など）	57.8	44.6	35.6	61.1	11.6	19.7	84.7	10.1	18.8	27.9	10.3	37.9	22.8	67.9
	仕事の種類にこだわっていない	562.6	14.4	230.5	22.1	112.4	14.8	1.7	17.0	239.7	12.6	123.4	12.5	109.2	24.2
希望する仕事の形態	正規の職員・従業員	673.7	32.1	444.1	37.7	107.5	22.4	54.5	11.6	235.2	24.7	139.7	30.8	238.1	45.7
	パート・アルバイト	704.5	9.8	232.7	16.7	50.0	11.2	82.7	7.4	263.4	9.0	221.6	10.1	130.5	12.0
	労働者派遣事業所の派遣社員	18.9	19.1	10.0	23.9	0.8	14.9	1.9	1.2	5.6	14.8	3.9	29.5	6.7	23.8
	契約社員	17.5	21.2	9.5	25.5	1.9	30.5	1.8	18.9	4.9	19.5	5.5	18.0	5.0	24.5
	自分で事業を起こしたい	63.5	48.1	36.5	58.7	8.8	38.1	9.6	34.6	21.2	43.8	15.0	47.4	17.5	61.7
	家業を継ぎたい	6.8	47.9	2.5	47.4	1.4	28.4	0.1		2.9	47.6	1.3	29.5	2.4	62.0
	内職	24.1	13.5	7.1	16.6	4.7	19.4	3.6	16.3	8.9	15.8	6.9	8.3	4.5	15.0
	その他	106.0	26.4	33.7	50.7	44.7	17.7	18.2	15.4	45.7	26.8	20.9	29.4	20.7	32.6
求職活動	探している	736.7	30.9	736.7	30.9	–		72.8	9.8	262.0	24.8	181.0	30.4	214.3	46.6
	開業の準備をしている	43.5	58.8	43.5	58.8	–		3.8	43.4	12.8	52.5	11.7	59.9	15.2	67.1
	何もしていない	848.9	12.6	–		224.7	19.4	97.8	11.5	316.8	11.6	225.5	8.9	200.3	19.1

---

[5] 無業の場合でも、過去1年間に勤務先による訓練を受けた経験がある者がいるが、ここではこれは省く。

	無業者全体		求職者		非求職無業者		中学卒		高校卒		専門・短大・高専卒		大学・大学院卒	
	合計(千人)	実施率	合計(千人)	実施率	合計(千人)	実施率	合計(千人)	実施率	合計(千人)	実施率	合計(千人)	実施率	合計(千人)	実施率
合計	2,665.7	11.0	636.2	23.7	388.7	8.7	213.5	4.4	890.7	8.4	879.0	10.5	631.2	18.1
就業希望 就業希望者	1,594.1	15.8	636.2	23.7	164.0	16.6	106.6	6.6	529.6	12.7	552.6	14.6	388.5	24.4
非就業希望者	1,056.3	4.0	-		221.0	3.0	105.2	2.1	358.3	2.2	325.9	3.5	241.8	8.1
就業希望者計	1,594.1	15.8	636.2	23.7	164.0	16.6	106.6	6.6	529.6	12.7	552.6	14.6	388.5	24.4
就業希望理由 失業している	243.8	21.3	175.3	24.7	37.3	13.8	25.5	4.8	102.3	15.2	64.2	29.6	48.4	32.1
学校を卒業した	1.0	15.7	0.6	15.3	0.0	0.0	0.3	0.0	0.0		0.4	0.0	0.2	66.4
収入を得る必要が生じた	553.3	12.5	208.6	20.2	25.2	9.2	28.7	5.2	185.2	9.9	209.5	11.7	124.5	19.3
知識や技能を生かしたい	129.7	37.5	54.6	49.6	9.2	59.5	1.8	9.1	25.1	37.6	53.0	27.6	49.6	49.1
社会に出たい	218.4	15.5	55.4	27.4	33.2	18.0	16.1	12.9	61.7	14.7	66.2	12.5	71.2	20.3
時間に余裕ができた	182.4	8.2	76.0	11.9	0.8	6.7	3.4	3.5	50.7	5.8	80.0	7.0	47.4	13.3
健康を維持したい	33.8	18.5	9.4	26.0	9.3	24.6	4.1	16.4	16.1	21.6	11.0	12.1	2.2	30.8
その他	221.6	11.9	54.0	21.7	47.1	12.8	25.0	5.3	85.4	9.6	65.0	11.0	43.1	21.7
就業希望職種 製造・生産工程職	93.2	10.2	48.0	12.3	12.8	14.5	9.4	2.9	46.9	10.8	26.1	10.4	9.3	13.4
建設・採掘職	9.5	12.6	5.7	14.7	2.3	10.6	3.0	0.0	3.7	22.2	1.6	19.7	1.1	4.7
輸送・機械運転職	14.5	19.9	10.1	26.4	2.9	7.0	4.0	2.0	7.3	25.0	1.6	5.6	1.2	40.0
営業・販売職	58.3	13.9	27.9	17.9	4.6	12.4	3.1	13.6	25.3	13.0	19.7	9.2	9.7	20.9
サービス職業	260.4	13.1	102.3	20.9	17.0	15.0	17.5	3.5	98.4	9.0	89.2	11.9	52.0	25.9
専門的・技術的職業	244.4	32.4	101.8	43.0	23.0	39.5	4.0	17.8	35.4	33.2	117.2	24.7	87.5	43.0
管理的職業	7.8	43.8	3.6	64.4	2.7	30.2	0.9	-	1.8	83.8	1.5	26.2	3.5	20.8
事務職	303.4	16.8	127.7	27.3	13.7	11.1	5.9	9.8	80.7	17.4	112.3	14.6	103.5	19.2
農林漁業職	7.9	29.5	3.1	51.5	1.6	4.7	0.9	5.4	3.0	12.7	2.0	44.6	1.9	51.1
その他(保安職など)	30.7	16.1	10.6	22.2	7.4	6.2	4.0	9.5	10.4	5.8	5.8	15.0	9.6	32.0
仕事の種類にこだわっていない	553.5	9.9	193.3	15.7	72.2	12.7	51.7	6.2	212.8	8.6	172.8	10.2	108.3	14.1
希望する仕事の形態 正規の職員・従業員	393.4	24.3	224.2	30.2	66.9	16.2	32.4	11.6	141.9	18.3	107.4	25.9	109.1	34.4
パート・アルバイト	925.7	9.4	308.0	14.1	36.1	7.8	45.8	2.7	293.3	7.5	370.8	8.9	206.7	14.6
労働者派遣事業所の派遣社員	29.4	14.3	14.4	17.1	3.3	31.4	1.1	0.0	11.1	11.9	8.9	12.9	7.6	22.6
契約社員	18.4	17.6	6.4	36.8	1.9	3.2	1.8	0.0	4.1	14.8	4.9	21.3	7.4	19.1
自分で事業を起こしたい	79.7	40.5	41.0	47.0	12.0	49.7	4.1	10.5	22.6	34.7	22.7	38.0	30.0	50.8
家業を継ぎたい	4.5	43.4	1.9	59.2	0.7	44.7	0.1	-	2.3	53.3	1.3	37.8	0.9	31.1
内職	28.9	9.9	8.1	14.0	3.0	11.9	3.4	8.1	11.6	4.8	9.0	16.0	4.4	13.3
その他	99.1	21.7	29.2	41.4	36.0	15.4	16.5	7.7	37.5	20.3	22.6	23.6	19.8	35.8
求職活動 探している	589.1	21.2	589.1	21.2	-		40.3	9.6	216.7	16.9	200.0	21.0	125.5	33.2
開業の準備をしている	47.1	55.1	47.1	55.1	-		0.9	28.9	10.8	47.2	16.6	55.4	18.6	61.2
何もしていない	954.2	10.5	-		162.6	16.8	64.4	4.6	301.5	8.4	335.0	8.8	244.4	17.1

　　まず15～34歳についてみると、就業希望がある場合の自己啓発実施率は22.1%である。そのうち求職者では32.5%で、有業者（28.9%）より自己啓発をした者が多い。非求職無業者でも就業希望者があれば19.5%が自己啓発を実施していた。

　　就業希望のある者のうち、就業希望理由が「知識や技能を生かしたい」である場合には特に自己啓発実施率が高く、求職者では6割、非求職無業者でも4割を超える。「学校を卒業した」という場合も自己啓発率は高く、学卒時に就職に失敗した場合に自己啓発に取り組むことが多いことがうかがわれる。希望職種が「専門的・技術的職業」や「管理職」である場合、あるいは、希望する仕事の形態が「自分で事業を起こしたい」「家業を継ぎたい」である場合も自己啓発実施率は高い。

　　右側の学歴別を見ると、どの学歴でも就業希望がある場合のほうが自己啓発実施率は高いが、やはり学歴が高いほど自己啓発をしている傾向がある。就業希望理由が「知識や技能を

生かしたい」からという場合は、高卒者でも高等教育卒業者と変わらない水準で自己啓発を実施している。

②35～44歳層についてみると、就業希望がある場合の自己啓発実施率は15.8%であり、うち求職者では23.7%と相対的には高い。就業希望理由が「知識や技能を生かしたい」である場合には、自己啓発実施率は37.5%でやはり高い。希望職種が「専門的・技術的職業」や「管理職」である場合、あるいは、「自分で事業を起こしたい」「家業を継ぎたい」とする場合も自己啓発実施率は高い。これらの特徴は15～34歳と変わらない。

4.4　実施した能力開発の形態

能力開発を実施した者について、それをどのような形態で実施したのか、就業形態や学歴によって、あるいは勤務先属性によってどう異なるのかを検討する。

本章の冒頭に述べたとおり、設問は、「勤務先が実施したもの」「自発的に行ったもの」「うち公的助成があったもの」について、その形態(種類)を、9つの選択肢(勤め先での研修、大学・大学院での講座の受講、専修学校・各種学校での講座の受講、公共職業能力開発施設の講座の受講、講習会・セミナーの傍聴、勉強会・研修会への参加、通信教育の受講、自学・自習、その他)からいくつでも選ぶ形である。

図表4－10①～③は、それぞれの設問への回答を就業状況別に示している。①勤務先が実施した能力開発について受講者全体の欄をみると、「勤め先での研修」が最も多く79.2%を占める。次いで、「勉強会・研修会への参加」(31.1%)「講習会・セミナーの傍聴」(23.0%)が多い。就業状況別に見たときもこの順位は変わらず、パート・アルバイトの場合もこの順であるが(そもそも受講者割合が正社員の3分の1程度と少ないなかで)その水準は低い。

図表4－10　就業状況別過去1年間に行った能力開発の形態（MA, 15～34歳、在学中を除く）

①勤務先が実施した能力開発

単位:%、太字は実数(千人)

	受講者計*	正規の職員・従業員	パート・アルバイト	契約社員・嘱託	その他の有業者
勤め先での研修	79.2	81.8	70.6	76.2	59.2
大学・大学院の講座の受講	2.5	2.5	1.2	2.8	3.0
専修学校・各種学校の講座の受講	2.0	1.7	3.3	2.9	2.4
公共職業能力開発施設の講座を受講	2.3	2.2	2.3	1.3	2.4
講習会・セミナーの傍聴	23.0	23.8	17.4	19.6	22.8
勉強会・研修会への参加	31.1	32.0	25.3	31.8	27.2
通信教育の受講	6.8	7.2	3.3	4.3	5.3
その他	6.8	5.5	10.7	10.3	16.1
勤務先訓練受講者計	100.0	100.0	100.0	100.0	100.0
(千人)	5,984.0	4,973.7	356.1	271.1	245.9

注：*計には現在無業の者を含む。

②自己啓発

単位：％、太字は実数（千人）

	実施者計	正規の職員・従業員	パート・アルバイト	契約社員・嘱託	その他の有業者	求職者	非求職無業者	その他の無業者
大学・大学院の講座の受講	4.8	5.1	2.6	7.1	2.5	5.5	1.6	5.5
専修学校・各種学校の講座の受講	5.0	4.3	7.8	4.7	4.6	8.1	7.2	12.0
公共職業能力開発施設の講座を受講	3.4	2.3	5.6	3.4	4.3	11.5	6.3	6.6
講習会・セミナーの傍聴	21.7	23.0	14.8	21.0	27.3	15.6	5.0	12.2
勉強会・研修会への参加	26.6	29.3	17.3	28.8	30.5	9.6	4.4	11.8
通信教育の受講	9.2	9.1	10.5	8.1	7.5	8.4	9.4	15.7
自学・自習	65.3	66.8	63.0	65.8	66.1	53.5	49.5	59.4
その他	9.7	7.4	12.6	10.6	11.8	24.3	37.4	12.8
自己啓発実施者計	100.0	100.0	100.0	100.0	100.0	100.0	100.0	100.0
（千人）	4,745.0	3,396.9	362.3	229.4	326.6	253.5	74.7	101.7

③公的助成付き自己啓発

単位：％、太字は実数（千人）

	実施者計	正規の職員・従業員	パート・アルバイト	契約社員・嘱託	その他の有業者	求職者	非求職無業者	その他の無業者
大学・大学院の講座の受講	5.1	5.9	1.5	6.4	6.4	1.4	0.0	2.5
専修学校・各種学校の講座の受講	5.2	4.5	10.0	5.1	4.9	7.2	0.6	5.2
公共職業能力開発施設の講座を受講	12.8	8.9	19.0	9.0	17.6	34.4	12.1	37.1
講習会・セミナーの傍聴	29.7	33.9	20.3	19.2	29.3	20.7	3.9	23.0
勉強会・研修会への参加	40.0	48.7	23.7	43.2	26.7	6.6	1.2	11.3
通信教育の受講	11.8	13.8	9.8	9.5	8.4	1.5	8.5	9.9
その他	15.3	8.5	25.6	25.4	22.3	33.6	74.7	15.6
公助自己啓発実施者計	100.0	100.0	100.0	100.0	100.0	100.0	100.0	100.0
（千人）	542.5	367.8	47.9	32.0	34.4	39.6	12.2	8.6
自己啓発に公的助成があった割合	11.4	10.8	13.2	13.9	10.5	15.6	16.3	8.5

　②自己啓発は「自学・自習」（65.3％）が多く、次いで「勉強会・研修会への参加」（26.6％）、「講習会・セミナーの傍聴」（21.7％）の順に多い。パート・アルバイトでは（自己啓発の実施率は正社員の半分程度であり、自己啓発を実施した人の中では）、「自学・自習」の割合は正社員とほぼ同程度の水準で、「通信教育」や「専修学校・各種学校の講座」の受講割合はやや高い。また、求職者や非求職無業者では「自学・自習」に次いで「その他」が多い。「公共職業能力開発施設の講座」や「専修学校・各種学校の講座」の受講率もやや高いが、いずれも 2012 年より低下している。2012 年との比較では、有業者は全般に「勉強会・研修会への参加」が多くなっている。

　③公的助成付の自己啓発については、まず、最下段の自己啓発に公的助成のあった割合をみると、全体で 11.4％となっている。2012 年にはこれは 9.5％であったので、公的助成がより活用されるようになったと思われる。公的助成のある自己啓発を行った割合が高いのは、非求職無業者と求職者で、求職者については「公共職業能力開発施設の講座」について公的助成があったとする者が多く、非求職無業者では「その他」で多い。公的助成のある「その他」には、地域若者サポートステーションや地方自治体が行う就業支援事業などが考えられる。全体としては、「勉強会・研修会への参加」（40.0％）「講習会・セミナーの傍聴」（29.7％）が多く挙げられた。これらは有業者が多く挙げ、また 2012 年に比べて増加している項目でも

ある。一方、2012年に比べて低下しているのは「公共職業能力開発施設の講座」の受講である。

　図表4－11は、35～44歳について、同様に見たものである。①勤務先が実施した能力開発は、「勤め先での研修」「勉強会・研修会への参加」「講習会・セミナーの傍聴」の順で受講者が多く、また、就業状況別にはパート・アルバイトで受講率が低い点など、15～34歳と変わらない。②自己啓発は「自学・自習」「勉強会・研修会への参加」「講習会・セミナーの傍聴」の順に多い点は15～34歳と同じだが、勉強会や講習会を利用する割合はより高く、大学や専修学校などの利用はより少ない。15～34歳層より短時間・短期間のものが活用されていると思われる。

図表4－11　就業状況別過去1年間に行った能力開発の形態（MA, 35～44歳、在学中を除く）

①勤務先が実施した能力開発

単位：%、太字は実数（千人）

	受講者計*	正規の職員・従業員	パート・アルバイト	契約社員・嘱託	その他の有業者
勤め先での研修	74.1	78.2	69.8	72.9	46.2
大学・大学院の講座の受講	1.6	1.5	1.2	2.1	2.5
専修学校・各種学校の講座の受講	1.1	0.9	1.5	0.7	1.7
公共職業能力開発施設の講座を受講	2.5	2.5	1.7	1.9	3.3
講習会・セミナーの傍聴	25.4	25.6	16.9	19.7	37.8
勉強会・研修会への参加	31.5	31.5	27.9	27.6	40.4
通信教育の受講	6.6	7.0	5.2	4.7	4.4
その他	6.7	5.5	6.5	8.0	13.2
勤務先訓練受講者計	100.0	100.0	100.0	100.0	100.0
（千人、N）	4,458.0	3,468.8	391.4	176.2	342.6

　注：*計には現在無業の者を含む。

②自己啓発

単位：%、太字は実数（千人）

	受講者計*	正規の職員・従業員	パート・アルバイト	契約社員・嘱託	その他の有業者	求職者	非求職無業者	その他の無業者
大学・大学院の講座の受講	2.9	3.1	2.6	3.9	2.4	1.5	0.4	2.3
専修学校・各種学校の講座の受講	3.0	2.7	4.2	3.6	2.6	4.9	0.8	4.9
公共職業能力開発施設の講座を受講	3.6	2.5	4.8	5.6	3.9	14.7	4.9	4.2
講習会・セミナーの傍聴	28.1	28.7	20.7	22.8	36.6	21.0	9.7	19.8
勉強会・研修会への参加	30.3	32.3	22.8	25.3	36.8	13.5	6.8	15.1
通信教育の受講	10.7	10.8	13.6	10.0	7.0	10.8	11.7	17.0
自学・自習	60.6	61.7	59.5	62.2	59.4	53.0	47.8	55.2
その他	8.6	7.4	7.7	9.8	9.3	16.3	38.4	13.7
自己啓発実施者計	100.0	100.0	100.0	100.0	100.0	100.0	100.0	100.0
（千人、N）	3,799.4	2,447.7	364.4	146.7	546.8	151.0	34.0	108.9

③公的助成付き自己啓発

単位:%、太字は実数(千人)

	受講者計*	正規の職員・従業員	パート・アルバイト	契約社員・嘱託	その他の有業者	求職者	非求職無業者	その他の無業者
大学・大学院の講座の受講	2.8	3.2	1.8	3.8	4.1	0.0	0.0	0.0
専修学校・各種学校の講座の受講	4.5	5.2	5.6	2.9	2.9	2.7	0.0	3.3
公共職業能力開発施設の講座を受講	16.1	10.3	22.9	21.4	15.8	55.8	9.8	17.0
講習会・セミナーの傍聴	32.0	37.9	22.3	21.2	31.1	15.5	3.5	24.6
勉強会・研修会への参加	34.9	41.4	29.0	32.4	34.8	4.0	3.3	12.6
通信教育の受講	12.9	15.5	13.5	12.6	8.1	0.7	0.0	6.4
その他	13.5	7.7	15.4	16.4	17.2	25.6	83.3	41.2
公助自己啓発実施者計	100.0	100.0	100.0	100.0	100.0	100.0	100.0	100.0
(千人、N)	**350.3**	**219.2**	**40.2**	**19.5**	**32.5**	**24.0**	**7.6**	**7.3**
自己啓発に公的助成があった割合	9.2	9.0	11.0	13.3	5.9	15.9	22.5	6.7

　③公的助成付の自己啓発について、最下段の自己啓発に公的助成のあった割合に注目すると、全体では9.2%だが、非求職無業者では22.5%、求職者では15.9%と、無業者で多く活用されている。求職者では「公共職業能力開発施設の講座」、非求職無業者では「その他」で多い。

　図表4－12は、勤務先による訓練と自己啓発について、2つの年齢階層に分けて、学歴別にみたものである。①勤務先による訓練を「勤め先での研修」という形で受けている割合は高学歴者のほうが大きい。専門学校卒や短大・高専卒では「勉強会・研修会」が多い。②自己啓発については、活用する学校・施設に学歴別の特徴があり、中学卒、高校卒では公共職業能力開発施設、専門学校卒では専修学校・各種学校、大卒や大学院卒では大学・大学院を活用する比率が相対的には高くなっている。これらは2012年から変わらない特徴である。③、④の35～44歳層についても、①、②の15～34歳層でみた特徴がそのまま指摘できる。

図表4－12　学歴別過去1年間に行った能力開発の種類 (MA、15～34歳、在学中を除く)
①15～34歳・勤務先が実施した能力開発

単位:%、太字は実数(千人)

	受講者計*	中学卒	高校卒	専門学校(1～2年未満)卒	専門学校(2～4年未満)卒	短大・高専卒	大学卒	大学院卒
勤め先での研修	79.2	65.0	75.3	73.2	77.3	79.6	81.9	83.7
大学・大学院の講座の受講	2.5	0.8	0.4	0.7	0.6	1.7	4.0	5.2
専修学校・各種学校の講座の受講	2.0	2.9	1.4	5.1	4.0	2.2	1.5	0.8
公共職業能力開発施設の講座を受講	2.3	5.8	4.5	1.4	1.8	2.0	1.5	1.1
講習会・セミナーの傍聴	23.0	20.6	18.6	23.5	24.9	22.5	24.0	<u>30.1</u>
勉強会・研修会への参加	31.1	22.6	24.9	32.5	35.8	35.6	32.3	<u>32.4</u>
通信教育の受講	6.8	3.1	4.6	2.8	3.2	5.3	9.3	9.5
その他	6.8	12.4	9.0	6.3	6.1	4.2	6.2	<u>7.2</u>
勤務先訓練受講者計	100.0	100.0	100.0	100.0	100.0	100.0	100.0	100.0
(千人、N)	**5,984.0**	**110.7**	**1,327.7**	**270.7**	**697.4**	**432.6**	**2,729.2**	**384.4**

注：＊計には学歴不明の者を含む。

②15〜34歳・自己啓発

単位:%、太字は実数(千人)

	実施者計*	中学卒	高校卒	専門学校(1〜2年未満)卒	専門学校(2〜4年未満)卒	短大・高専卒	大学卒	大学院卒
大学・大学院の講座の受講	4.8	0.3	1.1	0.8	1.1	3.7	7.4	7.1
専修学校・各種学校の講座の受講	5.0	5.3	4.8	13.5	8.9	5.4	3.8	2.0
公共職業能力開発施設の講座を受講	3.4	7.3	6.5	5.0	2.6	4.3	2.4	1.2
講習会・セミナーの傍聴	21.7	10.5	14.5	23.6	28.8	22.3	22.5	22.7
勉強会・研修会への参加	26.6	10.0	16.9	26.3	34.9	29.4	28.3	27.6
通信教育の受講	9.2	6.0	9.5	6.7	5.6	8.2	10.6	8.2
自学・自習	65.3	57.7	60.2	55.6	59.6	58.5	68.4	80.3
その他	9.7	21.0	16.0	9.3	9.3	7.2	7.8	7.1
自己啓発実施者計	100.0	100.0	100.0	100.0	100.0	100.0	100.0	100.0
(千人、N)	4,745.0	97.1	856.9	201.1	583.5	294.3	2,308.2	383.3

注：＊計には学歴不明の者を含む。

③35〜44歳・勤務先が実施した能力開発

単位:%、太字は実数(千人)

	受講者計*	中学卒	高校卒	専門学校(1〜2年未満)卒	専門学校(2〜4年未満)卒	短大・高専卒	大学卒	大学院卒
勤め先での研修	74.1	63.5	72.1	69.9	73.9	73.8	76.5	78.0
大学・大学院の講座の受講	1.6	0.2	0.5	0.3	0.8	1.7	2.1	5.2
専修学校・各種学校の講座の受講	1.1	0.7	0.8	1.4	0.9	1.2	1.3	1.0
公共職業能力開発施設の講座を受講	2.5	7.3	4.4	2.6	2.1	1.6	1.4	1.3
講習会・セミナーの傍聴	25.4	22.6	22.0	25.0	27.2	24.2	26.5	32.3
勉強会・研修会への参加	31.5	21.7	26.0	33.0	40.7	32.6	32.2	32.2
通信教育の受講	6.6	3.1	5.5	2.9	4.0	6.2	8.8	8.0
その他	6.7	13.3	7.6	7.0	4.6	6.5	6.6	5.8
勤務先訓練受講者計	100.0	100.0	100.0	100.0	100.0	100.0	100.0	100.0
(千人、N)	4,458.0	114.4	1,119.9	239.4	571.1	464.3	1,605.6	316.9

注：＊計には学歴不明の者を含む。

④35〜44歳・自己啓発

単位:%、太字は実数(千人)

	受講者計*	中学卒	高校卒	専門学校(1〜2年未満)卒	専門学校(2〜4年未満)卒	短大・高専卒	大学卒	大学院卒
大学・大学院の講座の受講	2.9	0.1	1.0	0.8	1.6	2.6	3.5	8.5
専修学校・各種学校の講座の受講	3.0	3.1	2.4	5.1	2.9	3.4	2.9	3.1
公共職業能力開発施設の講座を受講	3.6	10.2	6.8	5.7	2.9	3.8	2.1	0.8
講習会・セミナーの傍聴	28.1	22.4	22.6	29.2	34.7	26.0	28.2	33.8
勉強会・研修会への参加	30.3	18.5	22.9	31.9	40.3	29.4	30.6	34.4
通信教育の受講	10.7	9.2	10.7	8.6	8.2	11.4	11.9	9.5
自学・自習	60.6	49.4	54.6	49.9	57.0	54.1	65.8	72.9
その他	8.6	18.2	12.2	10.1	6.7	9.1	6.6	7.6
自己啓発実施者計	100.0	100.0	100.0	100.0	100.0	100.0	100.0	100.0
(千人、N)	3,799.4	83.1	753.7	192.1	493.0	403.2	1,511.9	342.8

注：＊計には学歴不明の者を含む。

勤務先の産業別には（図表４－１３）、15～34歳、35～44歳のいずれにおいても、どの産業でも「勤め先での研修」が最も多いが、これを除くと特徴があり、金融・保険・不動産で「通信教育の受講」、医療・福祉や教育、学習支援、生活サービス・娯楽業で、「勉強会・研修会への参加」が多い。自己啓発も「自学・自習」を除くと、この産業別の特徴がそのまま表れている面があり、勤務先訓練の在り方が自己啓発に影響していると推測される。これらの特徴も2007年、2012年と変わらない特徴である。

図表４－１３　勤務先産業別過去１年間に行った能力開発の種類（MA、在学中を除く有業者）

①15～34歳・勤務先が実施した能力開発

単位：％、太字は実数（千人）

	受講者計	農林漁業・鉱業	建設業	製造業	情報通信業	運輸・郵便業	卸売・小売業	金融・保険・不動産業	学術研究・専門サービス業	宿泊・飲食サービス業	生活サービス・娯楽業	教育、学習支援	医療、福祉	複合・その他サービス業	公務、公益業
勤め先での研修	79.9	60.4	70.1	78.2	79.1	82.8	78.8	85.2	73.9	72.7	75.5	85.7	81.2	78.2	88.3
大学・大学院の講座の受講	2.5	2.3	1.2	1.5	2.3	1.3	1.7	2.9	2.8	1.1	1.2	7.3	3.2	1.1	2.5
専修学校・各種学校の講座の受講	1.9	2.2	2.8	1.3	1.9	1.7	1.6	0.9	2.8	2.0	4.0	1.1	2.6	1.8	1.6
公共職業能力開発施設の講座受講	2.2	3.2	6.9	4.7	1.2	3.3	1.8	0.9	1.4	1.5	0.8	1.4	1.0	2.4	1.2
講習会・セミナーの傍聴	23.2	27.6	25.8	24.8	23.2	16.9	17.9	20.7	31.1	18.6	28.8	23.0	27.8	20.2	18.0
勉強会・研修会への参加	31.4	32.1	26.3	22.2	24.5	22.0	27.0	32.7	31.0	19.4	31.1	44.2	48.0	26.7	22.1
通信教育の受講	6.8	6.0	3.2	8.7	7.3	12.5	7.0	26.7	8.0	3.5	3.9	1.5	2.5	7.0	3.0
その他	6.5	6.8	7.6	6.5	9.4	7.5	6.3	6.5	9.5	11.9	7.9	5.6	3.4	9.1	5.9
勤務先訓練受講者計	100.0	100.0	100.0	100.0	100.0	100.0	100.0	100.0	100.0	100.0	100.0	100.0	100.0	100.0	100.0
（千人）	5,846.8	40.4	308.8	903.9	301.6	216.2	687.3	364.9	225.0	146.7	210.1	431.0	1,157.9	319.6	426.7

注：＊計には産業不明を含む。

②15～34歳・自己啓発

単位：％、太字は実数（千人）

	実施者計＊	農林漁業・鉱業	建設業	製造業	情報通信業	運輸・郵便業	卸売・小売業	金融・保険・不動産業	学術研究・専門サービス業	宿泊・飲食サービス業	生活サービス・娯楽業	教育、学習支援	医療、福祉	複合・その他サービス業	公務、公益業
大学・大学院の講座の受講	4.8	5.0	2.2	3.6	4.4	4.0	4.2	3.4	3.5	2.4	2.3	10.7	5.9	3.8	5.3
専修学校・各種学校の講座の受講	4.6	5.9	6.2	3.1	2.2	4.4	4.5	2.1	7.5	7.8	7.9	2.9	5.6	4.6	3.5
公共職業能力開発施設の講座受講	2.8	3.6	6.8	4.0	1.2	4.2	3.4	1.6	2.4	3.7	1.8	1.4	2.2	3.2	1.5
講習会・セミナーの傍聴	22.5	26.2	17.5	16.5	17.1	13.3	17.5	15.3	21.8	18.3	31.3	25.1	36.4	21.8	15.3
勉強会・研修会への参加	28.3	36.8	16.9	14.5	17.9	15.1	19.3	19.2	21.5	15.6	28.2	45.0	55.1	22.5	19.4
通信教育の受講	9.1	6.6	7.4	10.3	4.7	16.6	12.0	21.4	10.4	7.8	6.8	5.3	7.5	8.0	4.6
自学・自習	66.4	59.3	62.5	68.0	85.1	60.4	64.3	72.6	70.9	65.4	62.1	66.9	56.2	68.8	74.9
その他	8.3	7.5	12.0	9.6	6.0	13.2	10.5	5.9	7.6	10.7	9.7	6.8	5.9	10.0	7.8
自己啓発実施者計	100.0	100.0	100.0	100.0	100.0	100.0	100.0	100.0	100.0	100.0	100.0	100.0	100.0	100.0	100.0
（千人）	4,315.1	40.9	207.7	502.4	315.1	129.2	469.6	269.4	251.4	130.1	179.7	345.2	864.3	214.7	319.1

注：＊計には産業不明を含む。

③35～44歳・勤務先が実施した能力開発

単位：％、太字は実数（千人）

	受講者計	農林漁業・鉱業	建設業	製造業	情報通信業	運輸・郵便業	卸売・小売業	金融・保険・不動産業	学術研究・専門サービス業	宿泊・飲食サービス業	生活サービス・娯楽業	教育、学習支援	医療、福祉	複合・その他サービス業	公務、公益業
勤め先での研修	74.8	48.6	59.5	72.9	74.3	77.2	72.4	76.7	69.9	67.8	63.0	82.2	79.6	76.1	88.2
大学・大学院の講座の受講	1.6	0.8	0.3	0.7	1.7	0.8	0.5	0.4	1.2	0.6	0.2	9.3	1.9	0.7	1.1
専修学校・各種学校の講座の受講	1.0	0.3	1.5	0.5	0.2	0.5	0.9	1.3	1.2	1.1	2.4	1.4	1.4	1.0	0.7
公共職業能力開発施設の講座受講	2.4	4.5	8.2	5.2	0.6	3.0	1.3	1.6	1.5	1.0	0.6	1.1	0.9	2.4	0.9
講習会・セミナーの傍聴	25.5	26.2	32.3	27.3	26.5	19.1	22.5	23.1	34.1	27.9	34.9	23.4	26.6	22.0	17.8
勉強会・研修会への参加	31.7	41.6	28.7	25.1	25.5	21.3	28.0	29.8	30.0	22.6	34.2	40.1	47.4	28.7	23.1
通信教育の受講	6.6	1.7	3.5	10.1	7.2	6.4	8.8	19.4	5.3	3.1	2.8	2.6	3.4	6.8	3.1
その他	6.3	10.3	10.2	6.1	9.5	6.4	5.9	7.5	8.7	11.4	8.5	4.2	2.9	7.3	5.2
勤務先訓練受講者計	100.0	100.0	100.0	100.0	100.0	100.0	100.0	100.0	100.0	100.0	100.0	100.0	100.0	100.0	100.0
（千人）	4,379.0	34.0	308.9	700.5	215.9	171.0	526.8	233.8	176.8	107.3	111.3	306.2	841.1	285.9	283.3

注：＊計には産業不明を含む。

④35～44歳・自己啓発
単位:%、太字は実数（千人）

	実施者計*	農林漁業・鉱業	建設業	製造業	情報通信業	運輸・郵便業	卸売・小売業	金融・保険・不動産業	学術研究・専門サービス業	宿泊・飲食サービス業	生活サービス・娯楽業	教育学習支援業	医療、福祉	複合・その他サービス業	公務、公益業
大学・大学院の講座の受講	3.0	1.5	0.7	1.1	1.6	1.7	1.4	0.4	2.8	1.1	0.7	12.0	4.5	1.5	4.6
専修学校・各種学校の講座の受講	2.9	1.6	3.0	2.1	1.1	2.5	2.2	4.1	4.6	2.2	6.5	2.5	3.6	2.5	1.3
公共職業能力開発施設の講座受講	3.1	6.4	8.1	5.3	0.5	3.7	2.6	1.7	1.5	3.4	1.5	1.5	2.8	3.6	1.3
講習会・セミナーの傍聴	28.9	32.0	24.6	22.3	24.0	23.3	25.9	26.0	33.9	24.6	38.0	30.5	39.8	23.0	23.0
勉強会・研修会への参加	31.7	37.8	21.1	17.7	22.1	20.1	24.0	22.5	32.8	23.0	34.8	45.8	55.2	25.2	25.9
通信教育の受講	10.5	2.4	6.4	12.3	8.5	16.0	11.5	20.7	10.2	9.3	6.3	8.3	10.7	11.1	6.2
自学・自習	61.2	49.6	55.7	62.3	81.6	52.4	60.2	63.2	69.5	63.2	56.3	63.8	48.7	64.6	71.9
その他	7.8	11.4	11.9	9.3	5.4	9.1	8.8	7.3	7.0	9.7	9.7	6.9	4.8	8.3	8.7
自己啓発実施者計	100.0	100.0	100.0	100.0	100.0	100.0	100.0	100.0	100.0	100.0	100.0	100.0	100.0	100.0	100.0
（千人）	3,505.5	43.8	237.6	439.5	260.4	94.4	384.2	191.9	221.1	102.0	115.1	285.8	676.9	202.0	195.2

注：＊計には産業不明を含む。

　規模別には（図表４－１４）、15～34歳、35～44歳のいずれにおいても、大企業や官公庁では「勤務先での研修」を受けた者が８～９割と多い。企業規模が小さくなるほどこの割合は下がり、「講習・セミナーの傍聴」が多くなる。「勉強会・研修会への参加」はほぼすべての規模で３割前後となっている。また、「公共職業訓練施設の講座」や「専修学校・各種学校の講座」は受講者の割合は小さいが、小規模企業ほど多く活用している。小規模企業では職場での研修を企業単独で行なうことが難しいため、こうした外部の機会を利用していることがうかがわれる。自己啓発については、「自学・自習」を除けば、ほとんど勤務先による訓練受講の特徴と同じ傾向があることが見て取れる。勤務先主導で行われる訓練のあり方が、個人の自己啓発のあり方に影響していると思われる。

図表４－１４　勤務先規模別過去１年間に行った能力開発の種類（MA、在学中を除く有業者）
①15～34歳・勤務先が実施した能力開発
単位:%、太字は実数（千人）

	受講者計*	1～4人	5～9人	10～29人	30～99人	100～299	300～999人	1000人以上	官公庁など
勤め先での研修	79.9	49.8	58.7	66.8	71.8	80.1	83.2	86.3	89.2
大学・大学院の講座の受講	2.5	1.7	0.9	2.0	2.1	1.8	2.6	2.2	4.8
専修学校・各種学校の講座の受講	1.9	3.0	4.0	2.9	2.2	1.7	1.5	1.7	1.3
公共職業能力開発施設の講座受講	2.2	3.4	4.3	3.7	2.9	2.7	1.8	1.7	1.1
講習会・セミナーの傍聴	23.2	31.9	31.8	26.6	26.3	23.2	22.6	20.4	21.4
勉強会・研修会への参加	31.4	30.4	31.4	34.1	34.4	31.8	31.5	27.2	35.6
通信教育の受講	6.8	3.2	2.7	3.3	3.6	4.8	9.8	11.4	2.1
その他	6.5	18.0	12.0	7.9	7.0	5.0	5.4	5.9	5.1
勤務先訓練受講者計	100.0	100.0	100.0	100.0	100.0	100.0	100.0	100.0	100.0
（千人）	5,846.8	170.1	193.0	486.2	711.4	779.1	920.9	1,741.4	785.8

注：＊計には規模不明を含む。

②15～34歳・自己啓発

	受講者計*	1～4人	5～9人	10～29人	30～99人	100～299	300～999人	1000人以上	官公庁など
大学・大学院の講座の受講	4.8	1.7	2.8	3.3	4.6	4.6	5.3	4.6	8.0
専修学校・各種学校の講座の受講	4.6	5.1	8.1	5.5	5.9	5.2	4.8	3.6	3.1
公共職業能力開発施設の講座受講	2.8	3.6	4.4	4.9	4.3	3.3	1.7	2.0	1.4
講習会・セミナーの傍聴	22.5	30.1	22.2	22.7	20.7	23.1	25.5	18.5	24.8
勉強会・研修会への参加	28.3	31.8	26.2	25.5	24.9	30.1	32.2	22.5	38.1
通信教育の受講	9.1	4.8	7.8	9.3	8.1	7.8	10.7	12.6	4.7
自学・自習	66.4	65.6	59.5	60.7	61.8	63.6	66.0	72.4	68.4
その他	8.3	11.8	9.9	8.8	10.1	8.4	6.4	8.1	6.3
自己啓発実施者計	100.0	100.0	100.0	100.0	100.0	100.0	100.0	100.0	100.0
（千人）	4,315.1	259.1	180.2	375.8	510.7	530.0	628.6	1,186.6	600.6

注：＊計には規模不明を含む。

③35～44歳・勤務先が実施した能力開発

	受講者計*	1～4人	5～9人	10～29人	30～99人	100～299	300～999人	1000人以上	官公庁など
勤め先での研修	74.8	39.7	49.1	62.5	70.0	73.8	79.5	82.6	88.7
大学・大学院の講座の受講	1.6	1.4	1.0	1.4	0.8	0.8	0.8	1.4	4.7
専修学校・各種学校の講座の受講	1.0	1.6	2.4	1.5	1.7	0.7	0.6	0.8	0.7
公共職業能力開発施設の講座受講	2.4	3.9	5.7	3.9	3.6	2.5	2.2	1.6	0.9
講習会・セミナーの傍聴	25.5	36.8	35.5	30.7	27.1	25.9	25.6	22.1	20.2
勉強会・研修会への参加	31.7	38.9	37.2	35.2	33.1	33.8	30.5	26.4	34.5
通信教育の受講	6.6	2.8	2.8	3.2	3.9	6.7	9.2	10.6	2.2
その他	6.3	15.4	9.2	7.5	5.9	5.8	5.4	5.8	3.7
勤務先訓練受講者計	100.0	100.0	100.0	100.0	100.0	100.0	100.0	100.0	100.0
（千人、N）	4,379.0	222.3	186.0	373.0	526.5	581.5	660.3	1,217.2	572.3

注：＊計には規模不明を含む。

④35～44歳・自己啓発

	受講者計*	1～4人	5～9人	10～29人	30～99人	100～299	300～999人	1000人以上	官公庁など
大学・大学院の講座の受講	3.0	1.4	2.3	2.6	2.5	2.3	2.6	2.4	8.3
専修学校・各種学校の講座の受講	2.9	3.2	4.1	3.3	3.6	2.7	2.5	2.8	1.3
公共職業能力開発施設の講座受講	3.1	3.7	5.5	3.7	4.9	2.6	3.3	2.3	1.1
講習会・セミナーの傍聴	28.9	36.1	34.2	27.7	28.4	27.6	30.2	24.4	30.0
勉強会・研修会への参加	31.7	36.8	33.0	29.0	29.4	32.3	34.8	23.4	43.3
通信教育の受講	10.5	6.0	10.0	8.0	10.0	11.4	11.4	14.8	6.8
自学・自習	61.2	59.0	54.6	57.2	57.1	59.9	62.2	66.3	63.7
その他	7.8	9.7	8.6	9.7	7.8	8.3	7.4	6.5	6.6
自己啓発実施者計	100.0	100.0	100.0	100.0	100.0	100.0	100.0	100.0	100.0
（千人、N）	3,505.5	413.9	188.6	335.7	394.7	409.9	447.3	856.8	421.2

注：＊計には規模不明を含む。

　職業別（図表４－１５）については、15～34歳、35～44歳のいずれにおいても、勤務先による能力開発は、専門的・技術的職業では「勉強会・研修会への参加」が、事務職では「通信教育の受講」が、保安職業では「勤務先での研修」が他と比べて多い。職種による能力開

発の形態の違いはかなりある。自己啓発についても、「自学・自習」を除けば、ほぼ同じことがいえる。

図表4－15　就業職種別過去1年間に行った能力開発の種類（MA、在学中を除く有業者）

①15～34歳・勤務先が実施した能力開発　　　　　　　　　　　　単位：％、太字は実数（千人）

	受講者計*	専門的・技術的職業	事務	販売	サービス職業	保安職業	農林漁業	生産工程	運輸・機械運転	建設・採掘・運搬・清掃	管理的職業・分類不能の職業
勤め先での研修	79.9	81.9	80.4	82.5	77.0	89.9	59.7	76.6	81.6	70.5	78.6
大学・大学院の講座の受講	2.5	4.6	2.2	1.9	1.2	1.6	1.8	0.7	0.5	1.0	2.5
専修学校・各種学校の講座の受講	1.9	2.0	2.3	1.2	3.2	1.0	2.4	1.2	1.3	1.8	1.6
公共職業能力開発施設の講座受講	2.2	1.2	1.5	1.7	1.1	1.6	3.4	5.3	3.5	6.4	1.7
講習会・セミナーの傍聴	23.2	28.2	23.3	18.9	22.1	14.8	29.3	20.6	17.4	20.7	14.9
勉強会・研修会への参加	31.4	42.4	27.5	28.7	32.1	16.5	31.6	21.9	25.8	23.1	22.6
通信教育の受講	6.8	4.2	12.7	10.1	3.1	0.9	6.1	5.8	13.6	2.8	7.1
その他	6.5	5.3	6.6	5.6	7.1	7.8	6.4	6.9	8.0	10.2	8.3
勤務先訓練受講者計	100.0	100.0	100.0	100.0	100.0	100.0	100.0	100.0	100.0	100.0	100.0
（千人、N）	5,846.8	1,832.0	1,181.1	718.7	583.0	192.1	38.3	750.6	106.5	340.2	104.3

注：＊計には職種不明を含む。

②15～34歳・自己啓発　　　　　　　　　　　　　　　　　単位：％、太字は実数（千人）

	受講者計*	専門的・技術的職業	事務	販売	サービス職業	保安職業	農林漁業	生産工程	運輸・機械運転	建設・採掘・運搬・清掃	管理的職業・分類不能の職業
大学・大学院の講座の受講	4.8	6.4	4.9	4.7	2.8	4.6	2.6	2.1	1.2	2.4	6.9
専修学校・各種学校の講座の受講	4.6	4.0	4.8	2.7	8.2	4.1	6.3	4.1	2.8	5.8	7.7
公共職業能力開発施設の講座受講	2.8	1.3	3.0	2.7	3.3	1.2	4.0	5.4	6.8	6.4	4.2
講習会・セミナーの傍聴	22.5	30.1	17.4	18.4	24.1	13.3	26.9	15.4	11.4	15.8	25.8
勉強会・研修会への参加	28.3	43.8	17.2	20.5	29.3	16.4	37.1	14.8	11.0	15.4	28.1
通信教育の受講	9.1	5.8	13.6	14.2	8.9	1.7	4.4	8.4	16.3	6.4	9.1
自学・自習	66.4	68.7	69.8	65.2	57.0	77.2	57.4	64.6	53.1	59.0	65.0
その他	8.3	6.3	6.6	9.3	8.5	13.0	8.2	11.4	18.5	15.9	12.5
自己啓発実施者計	100.0	100.0	100.0	100.0	100.0	100.0	100.0	100.0	100.0	100.0	100.0
（千人、N）	4,315.1	1,556.0	931.9	484.9	435.5	135.2	40.7	381.0	59.0	210.9	80.1

注：＊計には職種不明を含む。

③35～44歳・勤務先が実施した能力開発　　　　　　　　　　単位：％、太字は実数（千人）

	受講者計*	専門的・技術的職業	事務	販売	サービス職業	保安職業	農林漁業	生産工程	運輸・機械運転	建設・採掘・運搬・清掃	管理的職業・分類不能の職業
勤め先での研修	74.8	78.1	75.9	76.5	73.2	90.5	43.0	71.3	72.4	61.8	68.7
大学・大学院の講座の受講	1.6	3.4	1.4	0.4	0.6	0.4	1.0	0.3	0.0	0.6	0.8
専修学校・各種学校の講座の受講	1.0	1.1	1.2	0.7	2.2	0.4	0.4	0.2	0.2	1.4	1.1
公共職業能力開発施設の講座受講	2.4	1.0	1.8	1.0	1.2	0.8	5.7	6.7	3.5	7.4	3.4
講習会・セミナーの傍聴	25.5	27.7	25.7	24.9	24.7	12.3	29.0	23.6	14.6	26.6	31.4
勉強会・研修会への参加	31.7	41.6	27.3	30.7	34.1	17.1	41.5	24.9	17.4	22.9	32.4
通信教育の受講	6.6	4.6	10.7	9.6	3.4	0.3	3.3	6.4	4.7	3.3	6.4
その他	6.3	5.1	7.0	5.0	5.1	7.2	10.5	6.3	9.4	11.3	5.5
勤務先訓練受講者計	100.0	100.0	100.0	100.0	100.0	100.0	100.0	100.0	100.0	100.0	100.0
（千人、N）	4,379.0	1,296.4	993.8	518.8	403.3	108.9	28.7	514.3	99.0	296.1	119.7

注：＊計には職種不明を含む。

	受講者計*	専門的・技術的職業	事務	販売	サービス職業	保安職業	農林漁業	生産工程	運輸・機械運転	建設・採掘・運搬・清掃	管理的職業・分類不能の職業
大学・大学院の講座の受講	3.0	5.2	2.8	1.1	1.4	1.6	1.4	0.9	1.1	0.6	2.3
専修学校・各種学校の講座の受講	2.9	2.2	4.0	2.3	5.2	1.0	1.7	1.7	1.0	3.3	1.9
公共職業能力開発施設の講座受講	3.1	1.1	3.0	1.7	4.0	2.5	6.5	7.8	6.1	8.1	4.0
講習会・セミナーの傍聴	28.9	34.6	24.6	26.4	29.9	18.4	31.7	21.9	15.0	23.4	40.7
勉強会・研修会への参加	31.7	45.1	21.9	24.3	34.3	22.2	38.2	18.8	14.2	20.3	37.1
通信教育の受講	10.5	8.0	15.1	12.4	14.0	2.4	2.4	9.1	10.4	6.0	7.5
自学・自習	61.2	63.7	63.6	64.1	50.6	74.7	49.1	55.6	56.7	53.6	61.4
その他	7.8	6.2	6.4	7.3	7.8	12.9	10.4	12.0	19.9	12.8	8.6
自己啓発実施者計	100.0	100.0	100.0	100.0	100.0	100.0	100.0	100.0	100.0	100.0	100.0
（千人、N）	3,505.5	1,239.6	809.5	372.5	321.3	73.6	43.4	288.9	48.1	199.6	109.0

注：＊計には職種不明を含む。

4.5 キャリア類型と職業能力開発：正社員へ移行するキャリアに注目して

　次にキャリア類型によって能力開発の実施状況に差があるのかを見る。2012 年の集計が 15 〜34 歳と 15〜44 歳の２つを示すかたちであったが、今回はここまでの集計と同様、15〜34 歳と 35〜44 歳の２つとした。

　図表４－１６がその結果である。15〜34 歳、35〜44 歳のいずれにおいても、勤務先訓練受講率についても自己啓発実施率も、現在は同じ正社員であっても、初職から一貫して同一企業に勤めてきた「正社員定着」が最も実施率が高く、正社員間での転職経験がある「正社員転職」と非典型雇用等から正社員になった「他形態から正社員」がほぼ同程度、初職も現職も正社員だが途中に非典型雇用などを経験している「正社員一時他形態」が最も低いという順である。また、現在非典型雇用である「非典型中心」と「正社員から非典型」はいずれも実施率は低く、両者の差はあまりない。

図表４－１６ キャリア類型別能力開発実施状況（MA、在学中を除く）
①15〜34 歳
単位：％、太字は実数（千人）

		合計（千人）	勤務先が実施した訓練	自己啓発	公的助成付き自己啓発	いずれも実施しなかった
合計		17,451.9	34.3	27.2	3.1	57.4
キャリア類型	正社員定着	7,356.6	<u>51.1</u>	33.8	3.7	43.3
	正社員転職	1,996.3	37.8	29.0	2.8	54.0
	正社員一時非典型	329.6	<u>33.7</u>	<u>25.6</u>	3.5	58.7
	他形態から正社員	924.5	<u>36.7</u>	28.5	3.1	55.1
	非典型中心	2,358.1	21.2	19.8	2.8	70.1
	正社員から非典型	1,118.5	<u>21.8</u>	21.6	3.3	68.5
	自営・手伝い	454.9	<u>15.5</u>	<u>32.5</u>	1.9	61.6
	無業	2,528.8	5.4	17.0	2.4	81.0
	無回答・経歴不詳	384.5	17.2	12.0	1.3	78.0

②35〜44 歳 単位:%、太字は実数(千人)

		合計(千人)	勤務先が実施した訓練	自己啓発	公的助成付き自己啓発	いずれも実施しなかった
合計		17,253.3	25.8	22.0	2.0	65.7
キャリア類型	正社員定着	4,853.4	42.0	28.7	2.7	51.3
	正社員転職	2,963.2	33.7	26.0	1.9	57.8
	正社員一時非典型	657.0	30.1	24.4	1.8	61.0
	他形態から正社員	956.6	32.4	26.9	2.5	58.9
	非典型中心	1,780.7	16.4	16.1	1.6	75.8
	正社員から非典型	1,983.7	17.3	15.8	1.9	75.4
	自営・手伝い	942.4	14.2	30.2	1.4	64.7
	無業	2,665.7	3.0	11.0	1.5	87.9
	無回答・経歴不詳	450.6	14.4	9.6	1.5	81.3

注：背景がグレーの数値は、2012 年調査時に比べて 3 ％ポイント以上の減少、太字下線は 3 ％ポイント以上の増加を示す。35〜44 歳は 2012 年の数値なし。

なお、①15〜34 歳については、2012 年との比較を表中に示しているが、有業の場合は、どのキャリアでも全般に勤務先による訓練の受講率が高まっている。

次に、「他形態から正社員」型と「非典型中心」型に注目し、非典型雇用者が能力開発をすることによって正社員への移行がより円滑に行われるのではないかという仮説を検討する[6]。ただし、本調査の設問は過去 1 年間に能力開発を行ったかどうかであって、その能力開発が正社員に移行する前のものとは限らない。したがって厳密にはこうした分析に使える質問ではないが、移行を比較的最近、すなわち最近 3 ヵ月間に限ることによって、能力開発経験より移行のほうが後になる確率を高めて、この範囲で能力開発の実施と正社員への移行の関係を試行的に検討したい。それでももちろん対象者の回答が移行後の能力開発である可能性はあるが、検討には値するだろう。

図表 4 − 17 は、最近 3 か月の間に非典型雇用を離職して正社員に移行した者と一貫して非正社員である者に分けて、過去 1 年の能力開発の実施状況を見たものである。正社員移行者のほうが勤務先による訓練を実施した者も自己啓発を行った者も、またそれが公的助成付きであった比率も高い。より能力開発をした者が正社員に移行しているという関係を示唆するものである。

同じ検討を 2007 年、2012 年にも行ったが、同じ結果が得られている。

---

[6] すでに第 2 章でおこなった非典型雇用から正社員への移行の規定要因分析において、「過去 1 年間の自己啓発の有無」を説明変数に入れた分析をし、プラスの効果が確認されている。ただし、その際は、「自己啓発の有無」を個人の行動特性として考え、実施時期について問題としなかったので、ここで改めて時期を加味した分析を行なう。

図表4－17　最近3カ月の「非典型雇用から正社員への移行」と過去1年間の能力開発実施状況（15～44歳、在学中を除く）

	合計(人)	勤務先が実施した訓練*	自己啓発*	公的助成付き自己啓発*	いずれも実施しなかった
3か月以内に非典型から正社員	324	33.6	25.6	4.0	59.0
非典型中心	28,909	19.4	16.5	2.2	73.3

注：*P<0.01 で有意
　　ウエイトバック前の実測値による。

　次の図表4－18では、自己啓発の形態について、最近3ヶ月以内に正社員に移行した者と一貫して非正規である者とを比較してみた。2012年には正社員に移行した者で19.8％が公共職業能力開発施設の講座を受講しており、公共職業訓練の正社員移行促進の効果が推測されたが、今回はその受講者が大幅に減った。好況を背景に、公共職業訓練を受講することなく正社員に就ける者が増えて受講者が全体として減っており、そのことが影響していると思われる。

図表4－18　最近3カ月の「非典型雇用から正社員への移行」と自己啓発状況
（15～44歳、在学中を除く）　　　　　　　　　　　　　　　　　　単位：%、太字は実数

	3か月以内に非典型から正社員	非典型中心
大学・大学院の講座の受講	0.0	5.0
専修学校・各種学校の講座の受講	3.6	5.1
公共職業能力開発施設の講座受講	6.0	5.4
講習会・セミナーの傍聴	15.7	19.2
勉強会・研修会への参加	18.1	24.4
通信教育の受講	4.8	10.3
自学・自習	68.7	59.1
その他	10.8	10.4
自己啓発実施者計	100.0	100.0
（人）	83	4,756

注：背景がグレーの数値は、2012年調査時に比べて5%ポイント以上の減少、太字下線は5%ポイント以上の増加を示す。
　・ウエイトバック前の実測値による。

4.6　まとめ

　本章では、若年者の職業能力について、だれがどのような形で行っているのか、またその職業キャリアとの関係について、「平成29年版就業構造基本調査」の個票を基に検討した。

　15～34歳層（在学中を除く）においては、34.3％が勤務先による訓練を受け、27.2％が自己啓発を実施していた。公的助成のある自己啓発を経験した者は、全体の 3.1％である。これらの割合を、2007年、2012年と比べると、着実に増加を続けている。35～44歳層は全般

に若年層より能力開発を実施した割合が低い。

　性別には、男性の方が勤務先による訓練も自己啓発も行った者が多い。年齢別には、男性は20歳代後半、女性は20歳代前半で勤務先訓練も自己啓発も行った者が多く、その後は低下しており、40歳代では能力開発実施者は少ない。

　就業形態による差異は大きい。15～34歳層でみると、正社員は半数近くが勤務先による訓練を受けていたが、パート・アルバイトは正社員の3分の1程度しか受けていない。自己啓発もパート・アルバイトの場合は正社員の半数程度しか実施していない。他方、無業者のうちでは、求職者の自己啓発実施率が高い。これらの傾向は35～44歳層でも変わらない。15～34歳層について、2012年時と比べると非求職無業者で能力開発を行わなかった者が増えている。

　学歴別には学歴水準が高くなるほど勤務先訓練の受講率も自己啓発実施率も高い傾向がみられた。特に自己啓発は、学歴の影響が大きい。これは就業形態、産業、規模、職業を統制してもみられる差異で、教育水準が自己啓発の実施、職場での訓練機会の獲得に一定の影響力を持つことが推測される。

　一方、就業形態ごとに就業先の諸属性によって能力開発実施状況に差があるかをみると、勤務先による訓練については、正社員の場合は、官公庁や大規模企業、あるいは専門的・技術的職業で受講率が高いなどの差は顕著であったが、パート・アルバイトの場合は、これらの影響が少なく、おおむね実施率は低い水準であった。雇用形態による能力開発実施状況の差は、2012年より広がっていた。

　労働条件に関しては、年収による差異が明らかで、正社員の場合、年収が高い人が勤務先訓練についても自己啓発についても実施率が高い傾向があった。

　就業継続に関わる意識との関係では、継続就業希望者で勤務先訓練の受講率が高かった。企業側が長期勤続が期待できる層に選択的に訓練を行っていることも考えられる。また、追加就業希望者では自己啓発実施率が高く、転職希望者のうち「知識や技能を生かしたい」という理由で転職を希望する者で自己啓発実施率が高い傾向があった。キャリア展開を見据えた能力開発行動がとられていると理解できる。

　就業希望がある無業者の2割以上が自己啓発を行っていた。特に「知識や技能を生かしたい」という理由の場合に自己啓発実施率が高い。希望職種が「専門的・技術的職業」や「管理職」である場合、あるいは、希望する仕事の形態が「自分で事業を起こしたい」「家業を継ぎたい」である場合も自己啓発実施率は高い。

　行った能力開発の形態は、自己啓発については自学自習が最も多いが、特徴的な点をとらえると、パート・アルバイトの場合では「通信教育」や「専修学校・各種学校の講座」の受講が、求職者や非求職無業者では「その他」が多い。この「その他」は公的助成があった割合が高く、地域若者サポートステーションや地方自治体の行う就業支援事業などが含まれていると考えられる。

学歴別にも特徴があり、中学卒、高校卒では「公共職業能力開発施設の講座」、専門学校卒では「専修学校・各種学校の講座」、大卒や大学院卒では「大学・大学院の講座」の受講が他の学歴者より多い。

勤務先の規模による特徴は、大企業や官公庁では「勤務先での研修」が多いが、規模が小さくなるとこれは少なくなり、「講習・セミナーの傍聴」が多くなる。「公共職業訓練施設の講座」「専修学校・各種学校の講座」は受講者の割合は小さいが小規模企業ほど多く活用している。研修を企業単独で行なうことが難しい小規模企業はこうした外部の機会を利用していることがうかがわれる。

キャリア類型別の職業能力開発の実施状況は、勤務先訓練受講率も自己啓発実施率も、「正社員定着」が最も実施率が高く、「正社員転職」「他形態から正社員」がほぼ同程度、「正社員一時他形態」が最も低いという順であった。また、現在非典型雇用である「非典型中心」と「正社員から非典型」はいずれも実施率は低く、両者の差はあまりない。

「他形態から正社員」への移行に対する能力開発の影響を検討した。調査設計上、正社員への移行の前に行った能力開発を特定することができないため、正社員への移行時期を最近3ヵ月間にしぼることで能力開発との前後関係を制限して、非典型雇用から正社員に移行した者と非典型雇用のままの者について、過去1年の能力開発実施状況の違いについて検討した。結果は正社員に移行した者のほうが勤務先による訓練も自己啓発も実施率が高かった。2012年においては、正社員移行者に公共職業能力開発施設を活用した者が多い傾向がみられたが、今回はなくなった。好況を背景に公共職業訓練の受講者が減っており、そのことが影響していると思われる。

【引用文献】
労働政策研究・研修機構（2009）『若年者の就業状況・キャリア・職業能力開発の現状―平成19年版「就業構造基本調査」特別集計より―』資料シリーズNo.61.
労働政策研究・研修機構（2014）『若年者の就業状況・キャリア・職業能力開発の現状②―平成24年版「就業構造基本調査」特別集計より―』資料シリーズNo.144.

付属集計表

付表

付表１－１　30～34歳男性の就業状況・年収別有配偶率の変化（ウエイトバック値）

単位：%

	2002年	2007年	2012年	2017年
正社員（役員含む）	59.6	57.1	57.8	57.2
非典型雇用	30.2	24.9	23.3	19.4
うちパート・アルバイト	-	17.1	13.6	12.0
無業・求職者	20.8	17.7	13.4	9.4
50万円未満・なし	26.5	27.4	23.4	32.0
50-99万円	27.1	23.9	24.5	19.9
100-149万円	29.6	27.4	22.7	19.8
150-199万円	34.0	25.6	26.9	19.5
200-249万円	40.8	35.7	36.9	32.5
250-299万円	42.3	40.3	42.7	38.0
300-399万円	52.9	53.0	54.6	50.2
400-499万円	62.5	61.6	63.8	61.0
500-599万円	71.0	69.7	72.1	70.5
600-699万円	78.9	71.6	68.9	74.8
700-799万円	76.6	72.3	74.5	71.4
800-899万円	74.3	77.4	87.4	84.7
900万円以上	-	-	78.4	81.7

第2章

付表2－1　初職正社員比率の変化（性・学歴別、ウエイトバック値）

①男性　　　　　　　　　　　　　　　　　　　　　　　　　　　　　　　　　　　　　　　単位：千人

| 学歴 | 卒業年 | 卒業年が入職より以前である者 | | | | | | ②／①(%) | 入職年が卒業年より早い者 | 時期不明 | その他・不明 | 合計 |
		②卒業年6月までに正社員就職	3年以内正社員入職	3年以降正社員入職	初職正社員以外	未就業	①小計(N)					
高校(高等専修学校を含む)卒	1988	131.7	36.0	26.4	23.1	3.7	221.0	59.6	16.1	0.0	19.3	256.4
	1989	165.6	46.1	36.2	40.5	4.0	292.4	56.6	27.6	0.0	31.8	351.8
	1990	165.2	44.5	35.1	32.5	4.5	281.8	58.6	33.0	0.0	27.5	342.3
	1991	168.1	38.7	41.8	34.5	4.3	287.4	58.5	36.4	0.0	29.4	353.2
	1992	176.0	35.8	40.5	42.2	5.0	299.4	58.8	35.3	0.0	30.9	365.7
	1993	146.2	39.1	40.5	38.7	6.9	271.3	53.9	38.5	0.0	23.7	333.5
	1994	124.2	35.7	32.0	31.7	6.2	230.0	54.0	41.0	0.0	24.7	295.8
	1995	110.8	33.7	30.4	42.7	5.9	223.5	49.6	33.2	0.0	26.5	283.2
	1996	103.5	34.3	40.4	41.8	5.2	225.2	46.0	34.8	0.0	29.2	289.2
	1997	109.5	32.1	36.4	40.6	3.9	222.4	49.2	29.3	0.0	22.2	273.8
	1998	99.6	25.1	30.1	42.7	4.6	202.1	49.3	35.4	0.0	22.8	260.4
	1999	85.4	31.3	30.8	42.7	6.1	196.3	43.5	26.1	0.0	26.7	249.2
	2000	81.0	19.6	28.2	36.8	7.4	173.0	46.8	23.9	0.0	20.1	217.0
	2001	71.2	26.6	27.9	36.0	7.0	168.7	42.2	24.7	0.0	20.2	213.6
	2002	72.7	24.1	29.2	48.0	7.7	181.6	40.0	24.7	0.0	17.8	224.1
	2003	70.0	26.2	25.0	46.9	6.3	174.4	40.1	23.9	0.0	21.7	220.1
	2004	63.9	25.0	18.0	38.2	5.8	150.8	42.4	25.5	0.0	12.7	189.0
	2005	64.4	20.8	15.7	33.3	7.1	141.3	45.6	19.4	0.0	13.2	173.9
	2006	77.7	20.2	19.0	38.5	11.3	166.7	46.6	22.0	0.0	13.9	202.6
	2007	82.8	17.3	15.2	38.8	5.9	159.9	51.7	27.1	0.0	14.5	201.6
	2008	69.6	21.5	11.4	30.3	9.2	142.1	49.0	25.7	0.0	13.2	181.0
	2009	69.4	14.6	13.7	33.2	10.6	141.5	49.0	20.4	0.0	10.9	172.8
	2010	66.3	15.1	11.0	33.3	12.4	138.0	48.0	19.9	0.0	11.9	169.8
	2011	68.8	20.9	6.5	36.2	9.1	141.5	48.6	19.2	0.0	12.0	172.7
	2012	74.9	16.5	7.3	35.7	9.2	143.6	52.2	17.4	0.0	10.0	171.0
	2013	66.4	18.3	2.2	32.8	10.2	129.8	51.1	14.4	0.0	12.2	156.5
	2014	82.8	18.8	0.0	34.2	11.3	147.1	56.3	13.9	0.0	11.4	172.3
	2015	86.0	15.2	0.0	29.0	14.0	144.2	59.6	12.6	0.0	8.6	165.4
	2016	98.7	7.8	0.0	21.0	18.2	145.7	67.7	11.0	0.0	6.6	163.3
	2017	94.5	1.0	0.0	23.6	55.2	174.2	54.2	8.8	0.0	6.9	190.0
	卒業年不明	0.0	0.0	0.0	0.0	14.6	14.6	0.0	0.0	311.5	118.1	444.2
	合計	2,946.9	761.7	650.6	1,079.6	293.0	5,731.8	51.4	741.4	311.5	670.6	7,455.3
専門学校(2年～4年未満)卒	1988	14.2	2.3	1.8	2.2	0.0	20.5	69.2	4.8	0.0	2.0	27.3
	1989	27.9	4.6	5.0	5.2	0.0	42.8	65.3	8.0	0.0	4.5	55.2
	1990	28.7	7.6	4.8	5.0	0.2	46.4	62.0	9.3	0.0	4.3	60.0
	1991	33.4	7.5	4.3	4.5	0.0	49.6	67.2	8.9	0.0	4.8	63.3
	1992	43.4	7.9	7.5	5.8	0.4	64.9	66.9	8.5	0.0	5.9	79.3
	1993	36.3	8.8	6.2	8.1	0.4	59.7	60.8	12.2	0.0	5.1	77.0
	1994	42.7	12.3	9.8	7.4	0.3	72.5	59.0	12.0	0.0	7.4	91.9
	1995	30.4	11.2	9.8	6.7	0.1	58.3	52.2	10.6	0.0	4.1	72.9
	1996	32.4	9.7	6.7	6.5	0.3	55.6	58.4	12.0	0.0	5.9	73.5
	1997	32.0	9.9	7.2	7.3	0.0	56.4	56.7	9.9	0.0	6.3	72.7
	1998	31.2	8.8	9.1	6.0	0.4	55.4	56.3	13.0	0.0	3.8	72.2
	1999	29.5	9.8	9.2	6.8	0.5	55.9	52.8	11.9	0.0	4.4	72.2
	2000	22.5	10.8	9.5	9.5	1.5	53.8	41.8	13.1	0.0	7.6	74.5
	2001	28.5	8.3	7.2	9.3	0.5	53.8	53.0	11.3	0.0	5.5	70.7
	2002	26.2	9.9	7.4	12.6	0.1	56.1	46.6	12.0	0.0	6.7	74.8
	2003	32.1	10.1	8.4	12.8	1.4	64.9	49.5	12.3	0.0	4.6	81.8
	2004	25.6	9.3	4.4	13.5	0.3	53.1	48.2	12.0	0.0	4.1	69.1
	2005	28.3	9.9	3.8	8.2	0.4	50.7	55.8	11.7	0.0	4.1	66.5
	2006	29.9	7.6	4.9	11.4	0.5	54.3	55.1	13.9	0.0	4.0	72.2
	2007	26.0	7.2	3.3	7.9	1.3	45.6	56.9	13.3	0.0	5.3	64.2
	2008	25.1	6.2	7.3	9.9	0.9	49.5	50.8	11.1	0.0	3.6	64.2
	2009	28.2	7.1	4.9	10.0	0.6	50.8	55.5	10.3	0.0	2.5	63.6
	2010	20.6	9.3	1.8	6.7	1.6	40.0	51.5	13.8	0.0	4.3	58.1
	2011	18.2	5.6	1.1	6.1	1.2	32.3	56.5	8.8	0.0	3.2	44.3
	2012	26.2	6.7	1.2	6.4	0.2	40.8	64.1	6.6	0.0	3.0	50.4
	2013	20.1	6.6	0.6	5.5	1.0	33.7	59.7	9.6	0.0	1.8	45.0
	2014	24.8	7.4	0.0	9.2	0.8	42.2	58.9	13.2	0.0	1.6	57.0
	2015	25.4	5.9	0.0	9.9	1.4	42.6	59.6	10.2	0.0	1.3	54.2
	2016	19.8	3.7	0.0	6.7	0.5	30.7	64.5	5.9	0.0	3.7	40.3
	2017	36.5	0.0	0.0	7.5	1.5	45.6	80.0	6.7	0.0	0.9	53.2
	卒業年不明	0.0	0.0	0.0	0.0	2.2	2.2	0.0	0.0	81.8	21.7	105.7
	合計	846.4	232.0	147.2	234.6	20.5	1,480.8	57.2	317.1	81.8	147.8	2,027.4

学歴	卒業年	②卒業年6月までに正社員就職	3年以内正社員入職	3年以降正社員入職	初職正社員以外	未就業	①小計(N)	②/①(%)	入職年が卒業年より早い者	時期不明	その他・不明	合計
大学(4年以上の専門学校含む)卒	1988	141.8	19.4	12.4	9.1	0.3	183.0	77.5	10.9	0.0	7.2	201.1
	1989	172.5	19.3	15.4	11.5	0.9	219.6	78.6	14.0	0.0	15.4	249.0
	1990	178.2	23.6	16.6	10.1	0.0	228.4	78.0	18.4	0.0	10.1	256.9
	1991	183.2	22.3	18.4	12.7	0.3	237.0	77.3	15.8	0.0	11.0	263.8
	1992	204.2	24.9	20.6	14.6	0.4	264.7	77.1	18.7	0.0	11.4	294.7
	1993	188.7	28.0	18.6	14.5	0.4	250.2	75.4	22.9	0.0	12.6	285.8
	1994	159.8	29.5	18.3	15.2	1.3	224.1	71.3	26.1	0.0	16.2	266.5
	1995	175.2	43.2	24.9	18.3	1.1	262.7	66.7	27.3	0.0	13.6	303.6
	1996	179.6	35.8	19.0	20.0	2.4	256.9	69.9	26.0	0.0	16.9	299.7
	1997	168.6	37.0	29.4	19.8	3.5	258.3	65.2	26.2	0.0	15.2	299.7
	1998	170.9	39.1	24.4	22.4	2.4	259.2	65.9	20.6	0.0	16.0	295.8
	1999	159.0	44.1	21.3	24.4	1.0	249.9	63.6	19.4	0.0	13.4	282.7
	2000	145.0	44.2	28.1	28.8	1.8	247.9	58.5	22.8	0.0	16.2	286.9
	2001	146.3	53.4	29.1	26.8	1.2	256.8	57.0	22.6	0.0	15.4	294.8
	2002	137.3	42.2	23.9	30.3	3.2	236.8	58.0	22.9	0.0	15.9	275.6
	2003	128.5	46.1	14.0	32.4	2.0	222.9	57.7	27.9	0.0	15.4	266.2
	2004	118.2	48.6	17.7	32.9	2.4	219.7	53.8	24.7	0.0	13.5	257.9
	2005	133.9	39.5	15.0	25.0	1.7	215.1	62.3	25.4	0.0	12.8	253.3
	2006	156.2	41.4	19.7	26.1	1.5	245.0	63.8	28.6	0.0	12.8	286.4
	2007	159.5	33.4	17.7	22.8	1.8	235.2	67.8	20.7	0.0	12.5	268.4
	2008	166.1	36.1	14.2	20.4	2.5	239.3	69.4	26.4	0.0	10.1	275.9
	2009	159.9	30.0	11.1	22.7	2.5	226.2	70.7	20.8	0.0	11.7	258.7
	2010	157.3	37.6	14.1	32.9	4.0	245.8	64.0	27.4	0.0	14.2	287.5
	2011	136.5	45.2	6.5	30.5	0.8	219.5	62.2	27.8	0.0	15.6	262.9
	2012	140.2	41.8	3.5	30.1	4.3	219.9	63.8	27.0	0.0	14.5	261.4
	2013	165.6	45.7	4.9	24.3	5.2	245.7	67.4	23.6	0.0	13.4	282.7
	2014	153.3	30.9	0.0	27.3	3.0	214.5	71.5	23.5	0.0	14.3	252.3
	2015	171.1	37.4	0.0	26.5	6.0	241.0	71.0	21.0	0.0	11.9	273.8
	2016	163.7	37.5	0.0	27.3	12.2	240.6	68.0	16.4	0.0	8.4	265.4
	2017	187.4	3.4	0.0	23.8	17.1	231.7	80.9	18.4	0.0	9.6	259.7
	卒業年不明	0.0	0.0	0.0	0.0	3.8	3.8	0.0	0.0	236.6	69.9	310.4
	合計	4,807.8	1,060.5	458.7	683.4	91.2	7,101.7	67.7	674.2	236.6	466.9	8,479.3

②女性

単位：千人

学歴	卒業年	卒業年が入職より以前である者						②/①(%)	入職年が卒業年より早い者	時期不明	その他・不明	合計
		②卒業年6月までに正社員就職	3年以内正社員入職	3年以降正社員入職	初職正社員以外	未就業	①小計(N)					
高校(高等専修学校を含む)卒	1988	135.8	22.2	10.9	43.1	3.6	215.6	63.0	10.1	0.0	16.5	242.2
	1989	178.8	26.7	15.5	54.5	6.7	282.1	63.4	28.9	0.0	28.9	340.0
	1990	160.7	21.2	13.7	56.9	6.5	259.0	62.0	41.4	0.0	21.4	321.8
	1991	167.5	26.4	18.0	60.3	8.7	280.8	59.6	40.7	0.0	24.8	346.3
	1992	145.8	18.9	12.4	57.9	9.3	244.3	59.7	43.8	0.0	22.9	310.9
	1993	122.2	18.8	12.6	57.8	7.3	218.7	55.9	38.5	0.0	21.1	278.3
	1994	102.6	20.8	11.1	55.1	6.2	195.8	52.4	34.4	0.0	23.4	253.6
	1995	84.7	20.4	11.8	70.0	6.8	193.7	43.7	29.9	0.0	22.5	246.1
	1996	75.5	21.7	12.2	58.1	4.5	171.9	43.9	28.7	0.0	18.6	219.2
	1997	81.4	19.9	11.2	63.6	8.7	184.7	44.0	28.0	0.0	18.7	231.4
	1998	69.2	14.1	12.4	60.7	7.9	164.3	42.1	30.1	0.0	18.0	212.4
	1999	54.0	17.3	15.0	65.3	7.2	158.8	34.0	30.9	0.0	17.6	207.3
	2000	58.3	12.5	9.9	61.7	4.3	146.7	39.7	24.0	0.0	20.4	191.1
	2001	52.7	15.0	11.4	58.2	8.3	145.6	36.2	25.1	0.0	14.4	185.0
	2002	54.7	15.6	7.5	64.5	7.3	149.6	36.5	27.7	0.0	18.4	195.7
	2003	50.4	13.1	9.1	67.8	9.4	149.7	33.6	31.1	0.0	16.6	197.4
	2004	41.3	10.7	8.7	56.9	8.8	126.4	32.7	27.1	0.0	14.6	168.1
	2005	42.5	12.3	4.8	50.5	9.7	119.8	35.5	22.5	0.0	13.5	155.8
	2006	53.1	14.0	7.5	47.1	8.3	130.0	40.8	20.9	0.0	15.3	166.1
	2007	48.3	8.2	4.4	53.0	9.0	123.0	39.3	23.7	0.0	16.0	162.7
	2008	44.8	9.2	5.0	41.2	8.3	108.6	41.3	24.4	0.0	10.7	143.8
	2009	38.8	6.8	4.8	40.7	6.5	97.4	39.8	18.1	0.0	13.5	129.0
	2010	40.9	10.7	4.0	44.9	8.6	109.1	37.5	20.8	0.0	13.4	143.3
	2011	42.2	10.1	2.4	45.4	4.7	104.8	40.3	17.2	0.0	9.0	131.0
	2012	43.0	12.7	2.2	36.3	7.2	101.5	42.4	16.7	0.0	8.7	126.9
	2013	40.3	9.2	1.5	38.3	8.4	97.6	41.3	18.7	0.0	8.9	125.2
	2014	44.1	12.2	0.0	32.6	9.3	98.3	44.9	14.4	0.0	6.5	119.1
	2015	53.1	7.7	0.0	34.6	12.7	108.1	49.1	15.3	0.0	10.1	133.4
	2016	48.5	4.7	0.0	24.6	11.3	89.1	54.4	8.7	0.0	6.5	104.3
	2017	59.6	0.6	0.0	22.4	28.9	111.6	53.4	8.4	0.0	9.3	129.3
	卒業年不明	0.0	0.0	0.0	0.0	25.3	25.3	0.0	0.0	258.9	109.7	393.9
	合計	2,234.9	433.3	239.8	1,523.8	279.9	4,711.7	47.4	750.3	258.9	589.9	6,310.8

	年											
専門学校(2年～4年未満)卒	1988	26.5	4.6	4.1	6.3	0.2	41.7	63.5	5.6	0	1.7	49.1
	1989	32.7	5.0	6.3	12.5	0.9	57.5	57.0	10.0	0	5.8	73.3
	1990	34.7	7.3	8.6	9.2	0.8	60.6	57.2	13.1	0	5.2	78.9
	1991	37.3	5.8	6.0	13.4	1.2	63.8	58.5	17.1	0	4.6	85.5
	1992	42.8	6.5	6.8	15.3	1.2	72.6	59.0	16.0	0	6.0	94.6
	1993	42.5	8.7	5.1	12.2	0.5	68.9	61.7	18.2	0	4.3	91.5
	1994	44.0	7.7	7.5	18.9	0.3	78.4	56.1	14.9	0	8.1	101.4
	1995	38.9	8.9	8.1	20.8	1.2	77.7	50.0	15.3	0	7.6	100.7
	1996	34.7	7.9	9.1	17.7	1.0	70.4	49.3	18.5	0	7.1	96.0
	1997	33.5	8.4	11.9	18.8	1.2	73.8	45.4	17.1	0	8.3	99.2
	1998	32.8	7.7	9.2	22.1	0.6	72.5	45.3	16.9	0	6.7	96.0
	1999	30.9	6.7	6.8	20.6	0.8	65.9	46.9	15.7	0	7.0	88.6
	2000	33.5	10.0	9.4	22.4	1.1	76.4	43.8	17.5	0	8.0	101.9
	2001	34.3	9.4	7.3	24.1	0.7	75.8	45.2	15.8	0	6.9	98.4
	2002	33.8	7.9	7.9	20.0	0.0	69.6	48.5	21.8	0	4.5	95.8
	2003	32.5	8.8	6.4	21.9	0.8	70.3	46.2	18.2	0	7.1	95.7
	2004	35.7	9.2	4.5	19.2	0.6	69.2	51.6	22.2	0	6.8	98.3
	2005	39.3	11.5	3.7	21.4	1.7	77.5	50.6	18.2	0	4.9	100.5
	2006	44.2	8.4	5.2	19.0	0.7	77.5	57.0	20.4	0	4.8	102.7
	2007	41.7	12.0	4.5	16.9	0.7	75.8	55.0	16.8	0	8.5	101.1
	2008	34.1	7.8	3.9	15.2	1.1	62.0	54.9	17.5	0	7.9	87.4
	2009	32.2	4.7	4.8	14.1	0.8	56.7	56.9	11.1	0	5.9	73.6
	2010	28.9	7.4	3.6	12.2	0.2	52.3	55.2	18.5	0	4.9	75.7
	2011	29.7	10.2	2.6	15.8	0.3	58.7	50.7	16.1	0	5.5	80.3
	2012	29.2	8.1	1.2	12.5	0.7	51.6	56.5	18.4	0	4.4	74.4
	2013	28.0	7.9	0.8	9.7	1.0	47.4	59.1	14.6	0	6.9	68.9
	2014	32.7	5.8	0.0	12.7	0.5	51.7	63.2	16.1	0	7.3	75.1
	2015	38.4	9.4	0.0	8.0	1.9	57.7	66.5	15.4	0	4.1	77.2
	2016	40.4	4.6	0.0	8.2	1.9	55.1	73.3	12.5	0	4.8	72.4
	2017	44.1	1.6	0.0	8.5	3.1	57.3	77.0	10.5	0	3.4	71.3
	卒業年不明	0.0	0.0	0.0	0.0	4.4	4.4		0.0	98,697	39.5	142.6
	合計	1,063.9	230.0	155.3	469.4	32.2	1,950.8	54.5	480.0	98,697	218.5	2,748.1
短大	1988	73.7	12.2	5.3	17.7	1.0	109.8	67.1	7.4	0	8.1	125.3
	1989	109.8	10.5	5.4	29.3	2.0	157.0	69.9	14.5	0	13.8	185.4
	1990	95.7	11.4	5.7	23.0	2.7	138.5	69.1	20.4	0	11.1	170.0
	1991	104.6	9.8	6.6	26.4	1.0	148.5	70.5	26.2	0	10.8	185.5
	1992	109.7	12.1	6.8	24.3	2.6	155.5	70.6	26.5	0	15.6	197.5
	1993	111.7	16.4	7.5	30.8	2.7	169.0	66.1	30.6	0	13.7	213.3
	1994	94.8	17.6	9.9	41.5	1.9	165.7	57.2	30.3	0	14.6	210.6
	1995	93.5	18.1	8.1	45.3	1.8	166.7	56.1	24.3	0	12.6	203.6
	1996	83.7	15.3	8.6	36.6	2.2	146.4	57.2	27.1	0	10.9	184.4
	1997	79.3	19.1	9.0	38.4	1.7	147.5	53.8	21.4	0	14.1	182.9
	1998	74.3	16.5	4.7	34.4	2.4	132.3	56.2	26.1	0	9.3	167.8
	1999	62.1	15.3	8.0	32.6	1.3	119.3	52.1	27.1	0	10.8	157.1
	2000	60.9	15.4	7.5	39.6	1.6	125.0	48.7	18.3	0	9.8	153.2
	2001	54.5	9.7	7.1	28.2	1.5	101.0	54.0	19.4	0	9.2	129.7
	2002	42.5	7.9	3.7	27.6	2.0	83.7	50.7	17.2	0	6.5	107.4
	2003	34.5	6.6	4.3	24.1	1.1	70.7	48.8	13.4	0	6.1	90.2
	2004	34.4	10.5	4.2	24.7	0.3	74.1	46.4	12.8	0	8.1	95.0
	2005	33.0	8.4	3.6	24.2	1.9	71.2	46.4	15.6	0	5.0	91.8
	2006	32.2	8.5	2.6	18.9	1.7	63.8	50.5	11.9	0	6.5	82.3
	2007	33.9	5.0	4.1	14.8	0.2	58.1	58.4	13.0	0	5.9	77.0
	2008	34.3	4.8	1.8	14.8	0.3	56.0	61.3	10.6	0	4.0	70.6
	2009	29.2	8.8	3.5	13.4	0.9	55.7	52.3	11.6	0	3.7	71.0
	2010	27.5	7.0	2.2	10.1	0.3	47.1	58.4	13.6	0	1.9	62.7
	2011	28.4	4.4	1.0	12.9	0.3	46.9	60.5	10.4	0	3.2	60.6
	2012	28.8	4.5	0.8	10.5	0.4	45.0	64.0	6.8	0	3.4	55.2
	2013	27.5	4.1	0.2	8.4	1.0	41.2	66.7	9.6	0	2.8	53.7
	2014	26.9	4.7	0.0	6.4	1.9	40.0	67.4	7.7	0	1.9	49.6
	2015	29.2	6.5	0.0	6.6	0.4	42.7	68.4	5.6	0	2.0	50.3
	2016	32.9	3.5	0.0	6.3	0.4	43.1	76.3	4.5	0	2.1	49.6
	2017	42.4	1.2	0.0	5.8	1.4	50.7	83.5	3.4	0	0.6	54.7
	卒業年不明	0.0	0.0	0.0	0.0	5.9	5.9		0.0	133,373	43.3	182.6
	合計	1,726.0	295.8	132.4	677.4	46.6	2,878.2	60.0	487.4	133,373	271.5	3,770.5

大学(4年以上の専門学校含む)卒	1988	39.5	8.5	3.2	11.4	1.4	64.0	61.8	5.2	0.0	4.9	74.1
	1989	52.8	7.2	4.0	15.7	1.6	81.2	65.0	7.7	0.0	2.7	91.7
	1990	61.9	8.8	6.0	12.7	1.6	91.0	68.0	11.3	0.0	5.2	107.5
	1991	73.8	5.9	4.1	13.8	3.0	100.7	73.3	13.5	0.0	6.9	121.0
	1992	82.7	9.6	3.4	17.4	0.8	114.0	72.6	12.1	0.0	10.0	136.0
	1993	74.8	10.8	5.9	20.5	2.4	114.4	65.4	15.1	0.0	8.1	137.6
	1994	66.8	13.4	6.1	23.9	1.8	112.0	59.6	14.8	0.0	8.7	135.5
	1995	69.9	14.5	7.6	27.6	2.4	122.0	57.2	15.1	0.0	10.2	147.3
	1996	76.7	18.9	6.3	29.6	1.8	133.2	57.6	15.3	0.0	11.5	159.9
	1997	90.1	18.3	10.2	36.1	2.1	156.8	57.5	19.7	0.0	7.8	184.3
	1998	80.8	18.9	6.9	34.4	2.1	143.1	56.5	16.8	0.0	7.3	167.2
	1999	83.9	21.3	6.5	33.5	3.9	149.2	56.2	19.4	0.0	9.0	177.6
	2000	91.9	22.5	8.0	42.4	0.9	165.7	55.5	16.9	0.0	10.2	192.8
	2001	88.5	20.8	8.9	43.0	2.0	163.2	54.2	18.4	0.0	11.0	192.6
	2002	86.3	20.3	8.7	43.7	2.3	161.2	53.5	21.3	0.0	9.5	192.0
	2003	93.9	24.2	10.8	40.6	2.3	171.7	54.7	21.5	0.0	9.8	203.0
	2004	94.9	21.0	6.4	47.7	3.0	173.0	54.8	21.7	0.0	12.2	206.9
	2005	107.1	22.5	5.5	42.7	3.1	180.9	59.2	24.8	0.0	10.3	216.0
	2006	112.9	18.5	10.7	33.9	2.9	178.9	63.1	28.0	0.0	12.4	219.3
	2007	119.5	20.8	8.1	31.4	2.9	182.7	65.4	26.5	0.0	9.6	218.8
	2008	130.6	22.8	5.1	24.8	1.4	184.8	70.7	20.5	0.0	13.4	218.7
	2009	126.5	21.7	9.3	26.7	3.5	187.7	67.4	23.0	0.0	9.8	220.4
	2010	128.6	25.8	5.5	40.1	2.1	202.1	63.6	19.2	0.0	9.0	230.3
	2011	122.8	26.2	4.4	41.8	2.5	197.7	62.1	24.7	0.0	12.3	234.8
	2012	131.3	22.6	3.9	37.8	3.3	198.8	66.0	24.3	0.0	10.7	233.8
	2013	162.0	26.8	3.6	30.7	2.3	225.3	71.9	22.7	0.0	14.5	262.5
	2014	161.1	18.7	0.0	21.6	2.7	204.0	78.9	18.2	0.0	7.4	229.6
	2015	172.0	19.4	0.0	29.2	6.4	227.0	75.8	21.8	0.0	11.5	260.3
	2016	183.2	11.7	0.0	21.9	6.6	223.5	82.0	15.9	0.0	11.5	250.9
	2017	201.7	3.2	0.0	24.0	11.2	240.1	84.0	23.6	0.0	7.8	271.5
	卒業年不明	0.0	0.0	0.0	0.0	5.6	5.6	0.0	0.0	115.3	36.8	157.7
	合計	3,168.3	525.8	169.0	900.7	91.9	4,855.6	65.3	558.9	115.3	321.9	5,851.7

注：正社員には役員を含む。

付表2－2　現職従業先規模別キャリア類型（在学中・および専業主婦（夫）を除く、性・年齢階層別、ウエイトバック値）

①男性　　　　　　　　　　　　　　　　　　　　　　　　　　　　　　単位：％、太字は実数（千人）

		15－34歳合計	15-19歳	20-24歳	25-29歳	30-34歳	35-39歳	40-44歳	45-49歳
1～4人	正社員定着	18.9	18.0	25.3	20.1	16.3	18.4	17.2	14.6
	正社員転職	14.3	7.5	14.1	16.2	13.5	13.5	14.3	16.0
	正社員一時非典型	1.4	0.0	0.2	1.7	1.7	1.4	2.1	1.6
	他形態から正社員	6.2	3.2	2.8	6.8	6.8	4.9	3.3	2.8
	非典型中心	9.1	27.6	17.4	9.7	5.5	2.9	2.8	2.0
	正社員から非典型	2.1	3.0	1.8	2.5	1.9	1.7	1.7	1.4
	自営・手伝い	45.8	36.7	36.5	40.9	51.9	55.0	57.1	59.5
	無回答・経歴不詳	2.2	4.0	1.7	1.9	2.4	2.3	1.4	2.1
	合計(N,千人)	547.4	12.3	81.1	172.0	282.0	418.6	550.8	608.7
5～9人	正社員定着	34.8	44.4	40.3	35.1	31.3	33.5	32.5	31.6
	正社員転職	26.5	8.8	14.9	26.4	33.4	31.4	36.0	37.4
	正社員一時非典型	2.9	1.4	1.5	2.3	4.2	4.9	4.8	6.4
	他形態から正社員	11.4	2.9	9.5	11.2	13.1	12.0	7.8	6.1
	非典型中心	13.2	34.6	23.3	12.2	7.6	5.8	4.2	3.8
	正社員から非典型	3.2	4.1	3.0	4.0	2.7	3.0	2.9	2.0
	自営・手伝い	4.1	1.9	2.7	4.3	4.8	5.9	7.4	9.6
	無回答・経歴不詳	3.8	1.9	4.9	4.5	2.9	3.6	4.4	3.1
	合計(N,千人)	433.3	15.6	88.6	136.3	192.8	226.4	292.8	278.1
10～29人	正社員定着	37.6	47.1	46.6	37.5	32.4	32.0	31.3	30.1
	正社員転職	24.3	3.8	12.8	24.0	31.7	33.1	40.0	40.4
	正社員一時非典型	3.6	0.4	1.7	2.8	5.5	6.0	5.7	6.1
	他形態から正社員	10.7	4.2	7.0	10.1	13.4	13.4	8.6	7.3
	非典型中心	14.7	37.1	21.7	15.8	8.6	6.7	4.3	4.4
	正社員から非典型	4.7	2.5	5.6	5.4	3.7	3.3	4.0	4.7
	自営・手伝い	1.0	2.9	1.1	0.9	0.9	2.0	2.1	2.0
	無回答・経歴不詳	3.5	1.9	3.5	3.4	3.7	3.5	4.0	5.0
	合計(N,千人)	847.5	22.5	177.1	304.5	343.3	406.3	506.4	480.6
30～99人	正社員定着	45.1	69.8	58.8	43.7	37.7	36.2	34.8	32.0
	正社員転職	22.7	1.5	11.1	23.3	29.6	35.4	39.9	41.4
	正社員一時非典型	3.8	0.0	1.0	3.6	5.7	5.7	5.1	6.6
	他形態から正社員	9.9	2.3	5.7	10.5	12.2	11.8	7.6	6.3
	非典型中心	11.8	22.5	18.5	11.7	7.9	5.4	4.6	3.4
	正社員から非典型	3.7	2.8	3.0	4.0	3.9	3.1	4.2	5.4
	自営・手伝い	0.0	0.0	0.0	0.1	0.0	0.1	0.1	0.4
	無回答・経歴不詳	2.9	1.0	1.9	3.2	3.1	2.4	3.6	4.5
	合計(N,千人)	1,085.0	29.9	228.6	375.8	450.7	501.7	586.9	551.4
100～299人	正社員定着	57.2	75.2	69.8	57.8	48.3	42.4	41.3	40.8
	正社員転職	17.5	1.5	7.6	17.3	24.4	31.9	35.2	38.2
	正社員一時非典型	2.8	0.2	1.0	2.4	4.5	3.9	4.9	4.5
	他形態から正社員	7.3	3.2	3.5	6.2	10.7	10.3	6.8	4.6
	非典型中心	9.8	15.6	12.7	10.7	6.8	5.5	3.8	3.6
	正社員から非典型	3.9	2.6	4.0	4.2	3.7	3.2	5.2	5.2
	自営・手伝い	0.0	0.0	0.0	0.0	0.0	0.0	0.1	0.0
	無回答・経歴不詳	1.5	1.6	1.5	1.4	1.6	2.8	2.7	3.2
	合計(N,千人)	1,079.8	33.9	231.8	389.8	424.3	469.1	542.8	522.5
300～999人	正社員定着	63.9	74.4	75.1	66.5	54.3	49.3	49.4	55.7
	正社員転職	14.4	0.0	4.0	13.1	22.4	26.0	31.0	27.3
	正社員一時非典型	1.7	0.3	0.6	1.5	2.7	3.3	4.0	3.6
	他形態から正社員	5.5	2.1	2.4	5.3	7.7	9.3	5.0	3.7
	非典型中心	8.9	20.2	12.3	8.1	7.0	6.1	3.2	2.8
	正社員から非典型	3.9	1.0	3.5	4.2	4.0	3.3	4.3	4.9
	自営・手伝い	0.0	0.0	0.0	0.0	0.0	0.0	0.0	0.0
	無回答・経歴不詳	1.7	2.0	2.0	1.2	2.0	2.6	3.0	2.0
	合計(N,千人)	1,089.6	31.3	238.0	394.1	426.2	472.9	540.6	529.8

	15－34歳合計	15-19歳	20-24歳	25-29歳	30-34歳	35-39歳	40-44歳	45-49歳
1000人以上 正社員定着	67.9	75.6	70.8	71.7	62.6	56.1	61.0	66.7
正社員転職	10.4	0.9	3.6	8.9	15.8	22.3	21.7	20.0
正社員一時非典型	1.2	0.3	0.5	1.0	1.7	2.7	2.7	2.2
他形態から正社員	3.6	1.4	2.3	2.2	5.7	5.9	3.8	2.7
非典型中心	10.9	19.6	15.8	10.6	8.2	6.3	4.2	2.5
正社員から非典型	4.6	1.4	5.2	4.3	4.7	4.9	4.7	4.4
無回答・経歴不詳	1.4	0.9	1.7	1.3	1.3	1.9	2.0	1.4
合計(N,千人)	2,098.6	60.2	430.7	743.3	864.4	866.1	1,037.6	1,048.9
官公庁など 正社員定着	72.3	92.8	84.7	72.5	65.1	66.9	73.1	73.5
正社員転職	12.9	0.0	2.6	11.6	19.9	19.9	17.2	17.7
正社員一時非典型	0.8	0.0	0.1	0.6	1.4	1.3	1.7	1.1
他形態から正社員	5.3	5.1	1.4	5.5	7.2	7.5	4.6	4.0
非典型中心	6.5	2.2	9.6	7.2	4.4	2.4	1.4	1.3
正社員から非典型	1.2	0.0	0.3	1.8	1.1	1.3	1.4	1.3
無回答・経歴不詳	1.0	0.0	1.4	0.8	0.9	0.7	0.7	1.1
合計(N,千人)	734.0	11.7	148.6	282.1	291.6	291.0	340.5	353.8

②女性

単位：％、太字は実数（千人）

	15－34歳合計	15-19歳	20-24歳	25-29歳	30-34歳	35-39歳	40-44歳	45-49歳
1～4人 正社員定着	13.4	5.7	27.5	15.3	8.3	8.6	7.9	7.9
正社員転職	9.3	4.0	8.0	12.1	8.2	8.2	9.9	11.7
正社員一時非典型	2.2	0.0	0.1	2.0	3.1	3.5	4.5	5.7
他形態から正社員	5.0	6.3	2.1	5.5	5.5	4.5	4.0	2.6
非典型中心	16.0	38.8	18.3	13.8	15.9	14.8	9.8	8.8
正社員から非典型	8.7	0.0	5.4	8.1	10.3	11.1	14.4	16.1
自営・手伝い	44.3	41.2	36.4	43.0	47.5	48.0	47.9	45.4
無回答・経歴不詳	1.0	4.0	2.1	0.2	1.1	1.3	1.6	1.9
合計(N,千人)	347.4	4.9	54.4	106.7	181.5	260.1	364.0	397.2
5～9人 正社員定着	26.1	32.0	41.4	28.1	16.1	11.3	11.4	12.7
正社員転職	15.1	0.7	11.4	16.4	16.7	13.6	14.2	15.2
正社員一時非典型	3.4	0.5	1.3	3.2	4.8	5.3	7.9	8.9
他形態から正社員	7.6	5.7	5.8	9.0	7.7	9.0	5.5	3.8
非典型中心	27.2	50.8	28.8	24.0	27.6	25.5	22.2	20.0
正社員から非典型	14.1	7.1	6.6	12.5	19.6	26.3	31.5	31.4
自営・手伝い	3.4	1.0	1.2	2.8	5.1	5.6	4.2	4.7
無回答・経歴不詳	3.2	2.2	3.4	4.0	2.5	3.6	3.1	3.3
合計(N,千人)	406.3	9.2	90.1	135.3	171.8	211.0	278.9	294.4
10～29人 正社員定着	32.5	34.8	51.0	30.1	22.1	14.3	11.8	11.2
正社員転職	12.6	2.0	7.3	16.5	13.6	13.0	13.5	14.2
正社員一時非典型	3.3	0.0	1.1	4.5	4.1	6.1	8.4	8.9
他形態から正社員	7.0	0.6	5.6	7.4	8.0	9.1	4.3	3.6
非典型中心	27.2	46.7	26.9	24.7	28.3	27.3	26.6	19.7
正社員から非典型	13.1	3.4	5.2	13.2	18.9	25.8	30.7	37.4
自営・手伝い	0.9	6.1	0.4	0.9	0.9	1.6	1.6	1.2
無回答・経歴不詳	3.4	6.4	2.5	2.8	4.2	2.8	3.2	3.7
合計(N,千人)	843.8	22.2	217.1	276.2	328.3	366.7	477.6	463.3
30～99人 正社員定着	40.2	67.3	59.3	39.2	25.9	18.9	14.0	12.2
正社員転職	12.6	2.5	6.0	15.1	15.5	13.6	13.9	13.8
正社員一時非典型	3.0	0.4	0.6	3.8	4.1	6.7	8.1	10.1
他形態から正社員	7.2	2.4	2.9	8.2	9.5	8.8	5.5	3.7
非典型中心	22.6	19.4	22.1	20.2	25.6	25.1	23.9	19.2
正社員から非典型	12.0	5.0	6.6	11.3	17.0	23.4	31.6	37.3
自営・手伝い	0.1	0.0	0.0	0.0	0.1	0.1	0.1	0.0
無回答・経歴不詳	2.4	3.1	2.6	2.2	2.3	3.5	3.0	3.6
合計(N,千人)	1,006.6	20.7	260.6	361.8	363.5	390.4	522.5	490.4

100〜299人	正社員定着	45.6	66.0	62.3	45.0	32.1	24.0	20.3	15.7
	正社員転職	12.0	0.6	5.9	14.2	15.0	12.8	14.8	13.3
	正社員一時非典型	2.4	0.0	0.4	2.3	4.2	4.9	6.8	9.6
	他形態から正社員	6.6	2.8	3.5	7.0	8.7	8.7	6.6	3.6
	非典型中心	20.4	24.9	20.3	18.0	22.7	24.4	18.4	18.8
	正社員から非典型	11.0	0.5	6.0	11.4	15.1	22.8	30.6	35.1
	自営・手伝い	0.0	0.0	0.0	0.0	0.0	0.0	0.0	0.1
	無回答・経歴不詳	2.1	5.2	1.6	2.1	2.1	2.4	2.5	3.8
	合計(N,千人)	956.4	27.4	242.3	357.7	329.0	371.7	453.6	434.0
300〜999人	正社員定着	51.8	63.6	68.5	53.9	37.1	30.0	23.2	19.4
	正社員転職	9.1	0.7	3.8	9.1	13.4	10.9	12.1	9.9
	正社員一時非典型	2.3	0.0	0.6	2.0	3.9	3.8	6.6	7.4
	他形態から正社員	4.7	6.5	2.5	4.6	6.3	6.7	3.8	2.3
	非典型中心	19.0	25.6	16.9	17.7	21.4	23.8	21.9	19.6
	正社員から非典型	10.9	2.6	6.3	10.3	15.3	22.5	29.2	38.7
	無回答・経歴不詳	2.2	1.0	1.4	2.4	2.6	2.2	3.2	2.8
	合計(N,千人)	997.3	21.4	259.5	352.2	364.3	357.4	412.9	423.5
1000人以上	正社員定着	51.5	66.5	62.9	53.3	40.9	27.9	21.9	20.6
	正社員転職	6.2	0.4	2.2	7.2	8.4	10.0	7.4	7.2
	正社員一時非典型	1.2	0.0	0.1	0.9	2.2	4.6	4.7	4.6
	他形態から正社員	3.9	1.1	3.4	4.1	4.2	5.6	3.5	2.0
	非典型中心	22.0	26.0	21.0	21.0	23.4	24.4	22.9	18.7
	正社員から非典型	13.9	3.2	8.6	12.4	19.6	25.0	37.3	44.4
	無回答・経歴不詳	1.4	2.9	1.9	1.0	1.4	2.5	2.3	2.5
	合計(N,千人)	1,557.7	32.4	382.8	583.2	559.3	562.3	666.8	732.8
官公庁など	正社員定着	63.1	93.2	75.7	65.0	53.2	48.3	43.8	41.5
	正社員転職	7.5	0.0	1.1	7.4	11.4	9.0	7.5	8.0
	正社員一時非典型	1.6	0.0	0.2	1.1	2.9	3.3	3.0	2.9
	他形態から正社員	4.5	0.0	1.7	4.7	6.1	7.7	5.7	3.0
	非典型中心	15.2	6.8	17.1	14.6	14.8	14.6	14.3	11.3
	正社員から非典型	7.8	0.0	3.6	7.0	11.1	15.6	23.9	31.8
	無回答・経歴不詳	0.4	0.0	0.6	0.1	0.5	1.4	1.8	1.6
	合計(N,千人)	582.7	4.4	124.4	236.5	217.3	237.3	314.6	314.0

付表2−3　現職従業先産業別キャリア類型（性・年齢階層別、ウエイトバック値）

①男性

単位：%、太字は実数（千人）

		15−34歳合計	15-19歳	20-24歳	25-29歳	30-34歳	35-39歳	40-44歳	45-49歳
農林漁業・鉱業	正社員定着	30.1	46.8	40.6	31.9	22.6	19.9	18.1	12.6
	正社員転職	15.0	4.4	10.1	14.0	18.8	15.6	18.3	15.7
	正社員一時非典型	1.4	0.0	0.4	1.1	2.1	2.7	1.9	1.9
	他形態から正社員	6.3	2.4	5.6	7.6	5.9	7.2	4.5	3.3
	非典型中心	12.3	20.6	16.7	13.0	9.1	7.8	4.6	3.4
	正社員から非典型	4.8	1.5	3.6	6.0	4.8	4.4	4.6	4.8
	自営・手伝い	28.5	24.2	22.1	25.0	34.5	39.7	46.5	56.4
	無回答・経歴不詳	1.6	0.0	0.9	1.3	2.2	2.6	1.5	1.8
	合計(N,千人)	**138.8**	**4.8**	**27.3**	**46.2**	**60.5**	**74.0**	**77.8**	**75.5**
建設業	正社員定着	50.5	59.5	63.5	50.7	41.4	39.4	39.8	38.1
	正社員転職	19.3	8.1	13.2	21.8	22.2	25.0	24.5	25.5
	正社員一時非典型	2.7	1.1	1.4	2.2	4.2	3.3	3.7	3.5
	他形態から正社員	8.8	5.5	7.1	8.2	10.7	7.6	4.6	5.3
	非典型中心	5.8	20.2	6.4	5.7	3.8	2.9	2.7	2.8
	正社員から非典型	1.3	1.5	1.3	1.6	1.1	1.1	1.9	1.9
	自営・手伝い	8.6	1.5	4.1	7.2	13.4	18.1	20.1	20.0
	無回答・経歴不詳	3.0	2.7	3.0	2.7	3.4	2.4	2.7	3.0
	合計(N,千人)	**729.4**	**35.3**	**169.8**	**241.4**	**282.9**	**402.3**	**535.9**	**534.7**
製造業	正社員定着	61.4	83.1	71.6	62.1	52.5	47.6	48.6	53.2
	正社員転職	16.8	0.7	8.2	16.2	23.9	28.3	31.2	29.7
	正社員一時非典型	2.4	0.2	0.9	2.1	3.7	4.3	4.1	3.2
	他形態から正社員	5.6	1.3	2.7	5.3	7.9	8.5	4.7	3.1
	非典型中心	7.4	11.4	9.2	7.9	5.6	4.2	3.3	2.2
	正社員から非典型	3.7	1.1	4.7	3.7	3.5	3.4	3.7	4.0
	自営・手伝い	1.1	1.1	1.3	1.1	1.0	1.4	2.0	2.5
	無回答・経歴不詳	1.7	1.0	1.5	1.7	1.9	2.5	2.4	2.1
	合計(N,千人)	**1848.4**	**87.2**	**404.0**	**624.4**	**732.9**	**797.1**	**991.0**	**1012.5**
情報通信業	正社員定着	65.6	60.4	79.2	68.8	58.2	52.0	51.8	54.7
	正社員転職	15.2	0.0	4.9	11.8	21.7	23.3	26.6	23.7
	正社員一時非典型	1.6	0.0	0.7	1.7	1.8	2.3	2.8	3.0
	他形態から正社員	5.0	0.0	2.9	5.3	5.4	7.3	5.5	3.9
	非典型中心	6.5	39.6	9.9	6.7	5.0	3.5	3.6	2.2
	正社員から非典型	1.8	0.0	0.4	1.8	2.3	2.9	2.8	4.3
	自営・手伝い	3.4	0.0	1.0	2.6	4.8	7.4	5.6	7.0
	無回答・経歴不詳	1.0	0.0	0.9	1.3	0.7	1.2	1.4	1.2
	合計(N,千人)	**503.8**	**1.2**	**74.2**	**203.0**	**225.5**	**245.0**	**242.1**	**214.3**
運輸・郵便業	正社員定着	44.5	66.2	55.8	45.8	36.5	32.4	31.1	29.8
	正社員転職	18.6	0.0	11.2	15.2	26.1	30.7	36.5	39.6
	正社員一時非典型	2.8	0.0	1.5	3.2	3.4	5.3	6.0	6.5
	他形態から正社員	9.8	5.6	6.0	8.7	12.9	11.9	9.4	7.7
	非典型中心	13.5	20.8	17.5	15.1	9.9	8.9	5.0	3.8
	正社員から非典型	6.6	2.1	4.9	8.1	6.5	5.6	5.5	5.4
	自営・手伝い	0.8	0.0	0.1	0.8	1.1	1.2	2.1	2.1
	無回答・経歴不詳	3.3	5.3	3.0	3.1	3.6	4.0	4.4	5.0
	合計(N,千人)	**481.5**	**11.6**	**100.1**	**167.1**	**202.6**	**258.8**	**350.8**	**384.6**
卸売・小売業	正社員定着	47.2	36.6	51.3	49.7	43.6	40.0	43.0	44.1
	正社員転職	17.1	0.9	6.9	16.0	24.3	29.3	32.4	32.9
	正社員一時非典型	2.2	0.0	1.0	2.5	2.7	3.4	3.6	3.8
	他形態から正社員	6.5	1.6	3.3	5.6	9.2	9.3	4.9	3.5
	非典型中心	17.9	56.0	28.8	16.8	11.2	6.8	4.1	3.3
	正社員から非典型	5.2	4.8	6.1	5.6	4.4	4.5	4.0	3.7
	自営・手伝い	1.9	0.0	0.5	1.4	3.1	4.5	5.0	6.3
	無回答・経歴不詳	2.0	0.0	2.2	2.4	1.6	2.2	3.0	2.4
	合計(N,千人)	**1046.9**	**22.8**	**223.0**	**368.8**	**432.3**	**486.4**	**591.0**	**578.3**

金融・保険・不動産業	正社員定着	69.6	49.1	85.0	69.6	63.1	45.4	51.4	55.3
	正社員転職	16.4	0.0	3.1	17.7	21.4	35.0	32.9	28.9
	正社員一時非典型	1.3	0.0	0.1	1.3	2.0	2.0	2.1	2.4
	他形態から正社員	5.0	9.2	1.9	4.5	6.7	8.7	5.5	3.1
	非典型中心	3.3	28.1	6.5	2.4	2.2	2.6	1.5	1.7
	正社員から非典型	1.6	7.1	1.9	1.6	1.4	3.1	3.2	2.8
	自営・手伝い	0.9	0.0	0.4	0.8	1.2	1.7	1.9	4.5
	無回答・経歴不詳	1.9	6.5	1.1	2.1	2.0	1.5	1.4	1.4
	合計(N,千人)	295.7	2.1	59.1	99.7	134.9	128.8	157.4	196.4
学術研究・専門サービス業	正社員定着	53.4	70.4	64.6	58.5	45.5	39.4	41.2	42.4
	正社員転職	19.2	0.0	5.7	20.2	22.8	26.7	29.0	28.9
	正社員一時非典型	2.5	2.1	0.2	1.4	4.2	2.9	1.9	3.0
	他形態から正社員	7.4	0.0	10.8	5.8	8.0	8.9	5.2	2.1
	非典型中心	6.2	21.5	10.9	5.1	5.3	3.0	2.0	1.7
	正社員から非典型	1.8	6.1	3.1	1.8	1.4	1.0	2.2	2.4
	自営・手伝い	8.4	0.0	3.8	6.6	11.6	16.6	17.3	18.5
	無回答・経歴不詳	1.0	0.0	1.0	0.6	1.3	1.5	1.3	1.0
	合計(N,千人)	317.2	4.2	41.8	123.4	147.8	180.7	192.2	187.2
宿泊・飲食サービス業	正社員定着	30.9	29.5	39.3	28.4	26.6	29.5	30.8	25.7
	正社員転職	14.2	0.4	5.5	18.0	19.7	23.0	24.6	24.4
	正社員一時非典型	2.3	0.0	0.5	1.9	4.6	4.3	4.2	4.5
	他形態から正社員	6.8	0.5	3.4	8.2	9.2	11.1	5.0	3.1
	非典型中心	28.9	62.8	42.0	27.3	14.3	9.5	6.3	6.1
	正社員から非典型	7.3	4.6	5.3	7.5	9.1	5.5	5.7	8.6
	自営・手伝い	6.9	0.0	0.8	6.7	13.4	13.2	19.4	22.4
	無回答・経歴不詳	2.7	2.2	3.2	1.9	3.1	3.9	3.9	5.1
	合計(N,千人)	279.7	13.4	78.5	96.2	91.6	114.6	145.4	126.6
生活サービス・娯楽業	正社員定着	36.3	22.7	44.4	35.3	32.9	35.0	27.6	22.1
	正社員転職	14.9	4.5	4.5	17.1	19.5	22.6	22.4	25.3
	正社員一時非典型	2.2	0.0	1.0	2.0	3.0	4.9	4.4	4.7
	他形態から正社員	7.3	0.0	1.9	6.6	11.2	7.3	6.5	5.4
	非典型中心	21.0	57.6	31.7	22.1	12.4	7.1	9.0	4.0
	正社員から非典型	6.7	6.9	8.7	7.0	5.2	4.8	6.2	6.2
	自営・手伝い	8.8	7.1	4.2	5.8	13.9	13.9	20.7	30.3
	無回答・経歴不詳	3.0	1.2	3.5	4.1	1.9	4.3	3.2	2.1
	合計(N,千人)	222.0	3.9	53.4	72.0	92.8	95.6	87.4	93.2
教育、学習支援業	正社員定着	52.4	82.4	54.6	56.1	47.9	45.4	50.5	53.1
	正社員転職	9.9	0.0	2.3	8.6	13.9	20.3	19.9	22.3
	正社員一時非典型	1.7	0.0	0.0	0.7	3.3	2.5	2.4	2.1
	他形態から正社員	7.6	0.0	2.3	6.2	10.9	12.7	12.1	8.4
	非典型中心	20.6	17.6	34.7	21.8	14.5	10.6	6.5	3.1
	正社員から非典型	4.6	0.0	3.9	4.3	5.3	3.1	2.9	3.2
	自営・手伝い	1.6	0.0	0.4	0.7	2.9	4.6	4.3	6.1
	無回答・経歴不詳	1.6	0.0	1.9	1.6	1.4	0.8	1.5	1.7
	合計(N,千人)	292.0	0.8	45.4	119.0	126.8	115.2	119.8	135.1
医療、福祉	正社員定着	59.5	67.5	74.7	64.3	49.1	43.7	38.9	32.8
	正社員転職	17.4	1.5	5.8	14.1	25.2	28.4	32.5	31.1
	正社員一時非典型	2.4	0.0	0.6	1.8	3.8	3.6	5.4	5.8
	他形態から正社員	8.0	7.3	3.3	7.7	10.3	10.5	7.3	5.1
	非典型中心	7.6	23.6	12.1	7.3	5.7	4.7	2.9	4.0
	正社員から非典型	2.1	0.0	0.7	2.7	2.1	2.2	4.1	4.5
	自営・手伝い	1.5	0.0	0.3	1.1	2.5	4.5	6.9	14.2
	無回答・経歴不詳	1.5	0.0	2.5	1.1	1.3	2.4	2.0	2.4
	合計(N,千人)	578.8	5.4	105.6	209.9	257.9	225.9	239.8	199.3
複合サービス業・サービス業(その他)	正社員定着	41.8	62.2	50.0	43.4	35.7	35.9	35.2	37.3
	正社員転職	17.5	3.0	7.6	18.3	22.0	25.6	30.2	29.8
	正社員一時非典型	2.4	0.0	0.8	1.4	4.0	5.2	5.1	5.5
	他形態から正社員	9.4	0.0	6.1	7.4	12.9	10.5	7.2	5.7
	非典型中心	14.6	13.2	19.7	14.9	12.2	10.1	6.2	4.1
	正社員から非典型	7.2	0.4	6.3	8.3	7.2	5.2	6.6	7.5
	自営・手伝い	5.0	21.2	7.5	4.0	4.0	5.6	6.6	6.9
	無回答・経歴不詳	2.1	0.0	1.8	2.3	2.0	1.8	2.9	3.4
	合計(N,千人)	527.7	12.2	100.3	183.5	231.7	259.0	338.4	301.6

		15-34歳合計	15-19歳	20-24歳	25-29歳	30-34歳	35-39歳	40-44歳	45-49歳
公務、公益業	正社員定着	78.3	93.1	91.8	79.6	68.2	71.2	75.9	77.0
	正社員転職	13.8	0.0	2.9	12.9	21.8	18.7	16.8	16.6
	正社員一時非典型	0.7	0.0	0.1	0.6	1.1	1.3	1.6	1.4
	他形態から正社員	4.3	6.2	1.0	4.5	5.9	6.7	3.4	3.3
	非典型中心	1.4	0.6	2.8	0.8	1.2	0.8	0.9	0.4
	正社員から非典型	0.6	0.0	0.1	0.9	0.7	0.5	1.0	0.5
	自営・手伝い	0.0	0.0	0.0	0.0	0.1	0.0	0.0	0.1
	無回答・経歴不詳	0.9	0.0	1.3	0.7	0.9	0.9	0.5	0.8
	合計(N,]千人)	557.4	12.4	125.5	207.5	212.1	218.6	271.7	270.8
分類不能の産業	正社員定着	147.0	84.8	141.8	164.0	142.5	115.6	103.7	143.7
	正社員転職	30.4	2.9	18.2	27.7	42.0	57.2	49.0	48.6
	正社員一時非典型	6.3	0.0	0.0	6.4	10.0	6.9	5.7	10.9
	他形態から正社員	15.2	0.0	13.7	12.0	20.4	13.8	13.1	11.4
	非典型中心	72.4	52.4	103.8	91.3	43.1	38.8	31.0	34.1
	正社員から非典型	20.5	8.7	25.7	19.1	20.5	13.2	28.8	22.9
	自営・手伝い	10.9	0.0	9.3	9.1	14.6	21.0	25.3	30.7
	無回答・経歴不詳	62.3	3.0	12.3	21.7	25.2	30.9	37.1	33.5
	合計(N,千人)	250.7	7.6	50.8	93.3	99.0	113.2	132.4	135.0

②女性

単位：％、太字は実数（千人）

		15-34歳合計	15-19歳	20-24歳	25-29歳	30-34歳	35-39歳	40-44歳	45-49歳
農林漁業・鉱業	正社員定着	23.5	62.6	47.4	21.0	10.0	6.1	5.4	6.0
	正社員転職	6.3	0.0	3.4	10.3	5.4	11.9	8.6	9.6
	正社員一時非典型	1.8	0.0	0.0	2.0	2.6	3.9	4.9	5.8
	他形態から正社員	3.8	0.0	3.5	5.2	3.2	4.4	3.2	1.6
	非典型中心	24.0	20.6	22.6	24.2	24.7	19.4	15.1	9.5
	正社員から非典型	15.5	0.0	6.5	17.9	19.5	23.5	29.4	28.2
	自営・手伝い	23.4	16.8	14.5	19.1	31.4	30.1	33.2	37.9
	無回答・経歴不詳	1.9	0.0	1.9	0.2	3.3	0.6	0.1	1.5
	合計(千人)	52.5	1.5	12.1	15.9	22.9	34.4	45.7	46.2
建設業	正社員定着	38.7	80.7	61.8	44.0	24.0	17.1	17.0	21.7
	正社員転職	15.7	2.0	11.4	17.1	16.8	14.6	24.7	21.4
	正社員一時非典型	3.9	0.0	0.6	3.7	5.5	8.1	10.4	13.7
	他形態から正社員	11.3	4.3	1.5	14.1	13.3	15.1	6.2	5.0
	非典型中心	14.3	5.8	14.1	10.4	17.7	13.4	10.0	7.1
	正社員から非典型	9.1	0.0	6.9	5.3	13.3	18.4	22.0	20.0
	自営・手伝い	4.5	0.0	1.6	2.5	7.3	11.3	7.7	9.2
	無回答・経歴不詳	2.4	7.2	2.1	2.9	2.1	2.0	2.1	2.1
	合計(千人)	152.0	2.2	27.5	53.5	68.7	91.1	123.4	109.2
製造業	正社員定着	43.7	72.9	58.6	45.9	29.3	25.9	21.2	20.9
	正社員転職	9.8	0.7	6.7	10.2	12.6	12.1	11.8	12.0
	正社員一時非典型	2.6	0.0	0.5	2.5	4.3	6.0	7.4	8.0
	他形態から正社員	5.5	0.4	3.0	5.2	7.8	6.4	5.1	2.1
	非典型中心	21.1	19.0	18.1	19.7	24.4	20.4	20.3	16.7
	正社員から非典型	12.7	1.6	8.3	12.6	16.6	22.8	27.8	34.5
	自営・手伝い	2.6	2.6	2.5	2.6	2.5	4.0	4.0	3.4
	無回答・経歴不詳	2.1	2.7	2.3	1.3	2.5	2.4	2.4	2.5
	合計(千人)	736.9	33.9	171.3	247.1	284.6	325.4	442.0	442.4
情報通信業	正社員定着	48.8	77.2	67.3	44.6	40.7	31.1	23.1	26.1
	正社員転職	13.7	0.0	4.9	16.2	17.0	15.1	13.1	13.9
	正社員一時非典型	3.4	0.0	0.1	3.7	5.2	6.3	9.9	8.1
	他形態から正社員	6.0	10.4	3.6	9.6	3.8	8.9	9.7	5.0
	非典型中心	15.9	12.4	18.0	15.6	14.8	18.1	14.0	13.5
	正社員から非典型	7.9	0.0	3.6	8.0	10.6	16.2	22.5	27.1
	自営・手伝い	3.9	0.0	1.7	2.1	7.3	2.7	5.7	5.0
	無回答・経歴不詳	0.4	0.0	0.9	0.2	0.5	1.5	2.1	1.3
	合計(千人)	255.6	0.7	61.6	101.1	92.2	77.5	87.4	68.9

運輸・郵便業	正社員定着	37.8	68.1	42.5	42.8	27.9	16.8	11.7	10.3
	正社員転職	8.1	3.2	3.2	11.6	8.3	7.2	12.0	9.5
	正社員一時非典型	2.9	0.0	0.7	2.2	5.1	4.1	7.4	9.0
	他形態から正社員	6.1	2.4	5.4	7.6	5.3	7.1	4.9	3.7
	非典型中心	25.7	22.7	30.0	19.1	29.4	34.1	24.8	19.9
	正社員から非典型	17.7	3.0	16.9	14.5	22.3	28.0	34.8	42.0
	自営・手伝い	0.4	0.0	0.0	0.4	0.7	0.5	0.4	1.6
	無回答・経歴不詳	1.4	0.5	1.5	1.7	1.0	2.2	3.9	4.0
	合計(千人)	159.7	3.6	39.0	57.7	59.3	69.7	102.5	113.3
卸売・小売業	正社員定着	34.0	43.1	47.1	34.3	24.2	14.2	11.3	9.8
	正社員転職	9.0	1.9	5.1	10.2	10.9	9.8	9.2	9.1
	正社員一時非典型	2.1	0.3	0.5	2.0	3.4	3.3	5.1	5.2
	他形態から正社員	6.1	3.7	3.2	7.2	7.3	6.8	3.1	2.2
	非典型中心	30.1	44.1	32.7	28.1	29.1	30.7	25.0	20.7
	正社員から非典型	14.5	4.1	8.8	13.4	20.2	27.4	39.3	46.0
	自営・手伝い	1.9	0.0	0.7	2.0	2.8	4.8	4.1	3.9
	無回答・経歴不詳	2.3	2.9	1.9	2.7	2.1	3.0	2.9	3.1
	合計(千人)	1172.0	31.2	292.5	415.4	432.9	485.0	619.5	666.3
金融・保険・不動産業	正社員定着	64.6	80.9	82.0	65.5	50.8	33.2	23.4	22.6
	正社員転職	9.5	1.0	2.8	11.9	12.3	15.8	13.7	15.6
	正社員一時非典型	2.1	0.0	0.5	2.2	3.2	9.3	12.9	10.3
	他形態から正社員	6.4	6.1	5.6	6.3	7.1	9.8	5.4	2.6
	非典型中心	8.1	12.0	6.5	6.2	11.0	11.8	12.2	11.7
	正社員から非典型	7.7	0.0	1.8	7.2	12.7	16.1	28.3	33.0
	自営・手伝い	0.2	0.0	0.0	0.2	0.4	1.5	1.4	2.6
	無回答・経歴不詳	1.3	0.0	0.8	0.5	2.4	2.6	2.8	1.6
	合計(千人)	385.9	5.7	98.5	140.1	141.6	130.8	165.0	187.8
学術研究・専門サービス業	正社員定着	38.6	65.3	59.7	41.9	25.3	15.9	17.9	14.8
	正社員転職	15.1	2.3	10.8	12.6	19.7	17.4	16.3	15.7
	正社員一時非典型	2.6	0.0	1.3	1.9	3.8	4.1	7.0	7.6
	他形態から正社員	6.8	0.0	2.8	7.5	8.1	9.8	6.5	2.6
	非典型中心	11.8	1.9	12.4	10.7	12.7	16.5	12.4	10.6
	正社員から非典型	12.3	28.1	6.4	13.8	13.0	21.0	22.8	26.6
	自営・手伝い	11.3	0.0	4.0	9.9	16.2	13.6	15.7	20.2
	無回答・経歴不詳	1.7	2.5	2.7	1.6	1.2	1.7	1.4	1.9
	合計(千人)	234.6	2.8	43.6	91.1	97.1	108.2	118.3	122.3
宿泊・飲食サービス業	正社員定着	20.8	34.3	32.5	20.2	9.5	7.5	3.9	4.4
	正社員転職	4.6	0.5	2.9	6.1	5.5	5.3	5.4	4.8
	正社員一時非典型	0.9	0.0	0.3	1.0	1.4	1.8	2.2	2.5
	他形態から正社員	3.0	1.0	1.3	4.4	3.6	2.2	2.0	1.8
	非典型中心	44.9	57.4	45.5	42.6	44.5	37.4	33.0	27.6
	正社員から非典型	19.6	3.1	12.8	20.7	26.8	37.1	43.8	47.2
	自営・手伝い	2.7	1.0	1.6	2.4	4.0	6.0	6.9	7.7
	無回答・経歴不詳	3.5	2.6	3.3	2.5	4.6	2.6	2.8	4.0
	合計(千人)	413.1	21.4	123.5	121.9	146.3	176.4	246.8	242.0
生活サービス・娯楽業	正社員定着	31.6	43.6	49.0	28.0	20.6	15.5	10.8	8.4
	正社員転職	7.9	1.6	5.4	12.9	5.6	7.3	7.4	7.7
	正社員一時非典型	2.1	0.0	1.3	2.0	2.9	2.7	3.9	5.4
	他形態から正社員	5.3	2.4	4.8	5.9	5.3	4.8	3.1	3.3
	非典型中心	28.9	29.0	27.9	28.7	30.0	31.0	26.9	20.3
	正社員から非典型	14.1	2.7	7.6	15.1	19.1	19.7	24.8	33.5
	自営・手伝い	7.3	1.8	2.3	4.6	14.2	16.8	21.1	17.9
	無回答・経歴不詳	2.7	19.0	1.9	2.6	2.4	2.3	2.0	3.4
	合計(千人)	362.0	9.1	102.1	120.9	129.9	130.4	135.1	137.8
教育、学習支援業	正社員定着	53.8	74.8	67.6	55.0	43.0	34.4	27.2	29.0
	正社員転職	6.1	0.0	1.1	8.5	6.7	9.0	7.6	6.2
	正社員一時非典型	1.2	0.0	0.1	1.3	1.8	2.1	1.8	3.3
	他形態から正社員	6.0	0.0	1.8	5.4	9.4	8.3	8.2	4.2
	非典型中心	20.6	25.2	24.4	19.7	19.1	21.0	18.9	14.8
	正社員から非典型	8.7	0.0	3.4	7.7	13.4	16.2	24.1	30.8
	自営・手伝い	2.5	0.0	0.4	1.6	5.0	7.5	11.1	10.1
	無回答・経歴不詳	1.1	0.0	1.2	0.7	1.5	1.5	1.1	1.5
	合計(千人)	441.1	0.6	105.0	179.3	156.2	172.9	230.0	236.1

医療、福祉	正社員定着	55.3	74.1	77.2	57.2	38.9	31.5	25.3	21.3
	正社員転職	12.5	1.7	5.4	13.8	15.9	13.6	14.9	14.6
	正社員一時非典型	2.7	0.3	0.4	3.1	3.8	6.2	7.8	10.6
	他形態から正社員	5.6	3.2	3.7	4.9	7.5	7.9	4.8	4.2
	非典型中心	13.6	20.3	9.6	11.8	17.7	19.2	18.8	16.8
	正社員から非典型	8.4	0.0	2.2	7.1	13.7	18.2	24.9	27.8
	自営・手伝い	0.4	0.0	0.0	0.3	0.7	1.2	1.2	1.5
	無回答・経歴不詳	1.6	0.4	1.5	1.7	1.7	2.3	2.4	3.1
	合計(千人)	1,624.2	14.8	394.1	602.2	613.1	669.7	785.0	776.3
複合サービス業・サービス業(その他)	正社員定着	31.2	48.8	45.5	29.8	22.7	15.7	15.3	9.6
	正社員転職	11.4	0.3	6.6	12.3	14.1	11.2	9.9	11.2
	正社員一時非典型	2.5	0.0	0.8	2.4	3.7	6.1	5.3	5.7
	他形態から正社員	5.0	4.2	4.4	6.2	4.4	7.0	5.9	3.4
	非典型中心	25.8	16.6	23.2	27.5	26.3	25.6	20.9	20.1
	正社員から非典型	16.2	5.3	9.7	15.9	21.1	24.8	32.8	41.6
	自営・手伝い	5.3	16.5	6.4	4.2	4.8	6.7	7.0	6.0
	無回答・経歴不詳	2.7	8.2	3.4	1.6	2.9	2.9	3.0	2.5
	合計(千人)	396.0	11.7	87.2	146.4	150.6	162.8	237.6	254.1
公務、公益業	正社員定着	64.4	95.7	79.9	65.4	52.9	45.5	45.3	42.4
	正社員転職	9.8	0.0	1.7	9.7	15.0	10.7	8.1	9.4
	正社員一時非典型	2.3	0.0	0.3	1.4	4.4	4.3	4.3	2.2
	他形態から正社員	4.4	0.0	3.9	4.3	5.0	9.2	4.3	1.4
	非典型中心	10.2	4.3	9.2	10.0	11.4	10.8	11.6	8.4
	正社員から非典型	8.6	0.0	4.4	9.2	11.0	18.8	24.1	34.8
	自営・手伝い	0.0	0.0	0.0	0.0	0.1	0.0	0.0	0.3
	無回答・経歴不詳	0.2	0.0	0.6	0.0	0.3	0.7	2.3	1.1
	合計(千人)	219.5	4.5	46.4	86.9	81.8	82.6	114.1	120.9
分類不能の産業	正社員定着	27.7	23.4	40.1	25.7	21.7	13.0	15.3	11.2
	正社員転職	4.4	2.3	1.3	4.1	6.9	4.6	5.0	5.1
	正社員一時非典型	1.6	0.0	1.1	1.6	2.1	1.6	2.4	4.1
	他形態から正社員	3.1	10.1	2.0	2.9	3.4	5.6	2.8	0.8
	非典型中心	30.7	46.6	29.4	26.9	33.7	32.2	26.1	23.5
	正社員から非典型	12.6	0.0	8.7	16.1	12.9	21.0	23.1	27.8
	自営・手伝い	0.9	0.0	0.0	2.0	0.4	3.0	3.2	2.7
	無回答・経歴不詳	19.1	17.6	17.4	20.7	18.8	19.0	22.0	24.9
	合計(千人)	248.0	7.7	60.7	86.7	92.9	109.4	120.6	116.2

付表2－4　現職職業別キャリア類型（在学中、および専業主婦（夫）を除く、性・年齢
階層別、ウエイトバック値）

①男性　　　　　　　　　　　　　　　　　　　　　　　　　　　　単位：%、太字は実数（千人）

		15－34歳合計	15-19歳	20-24歳	25-29歳	30-34歳	35-39歳	40-44歳	45-49歳
管理的職業従事者	正社員定着	36.1	－	60.3	38.7	34.4	43.3	43.8	42.6
	正社員転職	36.3	－	39.7	32.4	38.1	35.1	39.1	41.1
	正社員一時非典型	4.7	－	0.0	0.6	6.8	1.8	2.9	3.2
	他形態から正社員	9.9	－	0.0	13.0	8.5	5.7	7.8	6.6
	非典型中心	0.0	－	0.0	0.0	0.0	0.5	0.2	0.0
	正社員から非典型	0.2	－	0.0	0.0	0.3	0.1	0.0	0.0
	自営・手伝い	9.5	－	0.0	10.8	9.0	9.0	3.9	2.7
	無回答・経歴不詳	3.4	－	0.0	4.5	2.9	4.5	2.3	3.8
	合計(N,千人)	**29.5**	**0.0**	**0.3**	**9.6**	**19.6**	**45.9**	**93.6**	**138.3**
専門的・技術的職業従事者	正社員定着	66.2	83.0	77.8	70.6	58.5	51.9	51.4	53.0
	正社員転職	13.6	0.0	3.3	11.4	19.0	22.9	25.0	22.6
	正社員一時非典型	1.6	0.0	0.3	1.0	2.5	2.2	2.2	2.4
	他形態から正社員	5.0	2.7	3.5	4.1	6.2	7.2	5.8	4.0
	非典型中心	7.2	9.0	10.9	8.1	5.2	3.7	3.3	2.2
	正社員から非典型	1.7	0.0	1.8	1.3	2.1	1.6	1.9	2.4
	自営・手伝い	3.8	5.4	1.7	2.5	5.6	9.1	9.1	12.4
	無回答・経歴不詳	0.9	0.0	0.8	1.0	0.9	1.3	1.2	0.9
	合計(N,千人)	**1,551.5**	**4.2**	**233.4**	**617.3**	**696.7**	**724.4**	**738.8**	**724.9**
事務従事者	正社員定着	63.1	79.2	76.7	64.8	56.1	51.5	57.0	64.3
	正社員転職	17.0	1.0	4.6	15.9	23.0	27.8	27.8	24.8
	正社員一時非典型	1.2	0.0	0.4	0.9	1.8	3.4	2.9	2.8
	他形態から正社員	6.1	1.9	2.0	5.6	8.2	9.2	4.7	3.1
	非典型中心	7.4	17.1	11.8	7.0	5.7	3.8	2.8	1.0
	正社員から非典型	3.5	0.7	3.0	4.0	3.3	2.8	2.7	2.2
	自営・手伝い	0.3	0.0	0.0	0.5	0.3	0.4	0.5	0.4
	無回答・経歴不詳	1.4	0.0	1.6	1.2	1.6	1.1	1.5	1.5
	合計(N,千人)	**1,137.7**	**11.6**	**192.5**	**432.9**	**500.6**	**569.4**	**752.8**	**821.1**
販売従事者	正社員定着	50.2	28.0	55.7	53.1	46.3	42.3	44.4	48.5
	正社員転職	20.1	2.2	5.9	18.7	28.1	31.5	34.9	34.3
	正社員一時非典型	2.4	0.5	0.9	1.9	3.4	3.1	3.2	2.8
	他形態から正社員	6.7	3.8	4.1	6.0	8.6	9.5	5.0	3.3
	非典型中心	13.0	59.2	24.8	11.3	7.3	5.3	2.8	1.5
	正社員から非典型	4.1	6.2	5.6	4.7	2.8	2.9	2.9	2.2
	自営・手伝い	1.3	0.0	0.1	1.4	1.8	3.0	3.5	5.2
	無回答・経歴不詳	2.3	0.0	2.8	2.9	1.7	2.4	3.3	2.1
	合計(N,千人)	**1,027.6**	**16.6**	**197.8**	**365.9**	**447.3**	**472.5**	**598.3**	**565.8**
サービス職業従事者	正社員定着	39.5	41.0	46.5	40.3	34.1	31.6	28.2	20.9
	正社員転職	14.4	0.7	5.9	15.7	20.1	25.5	27.2	27.6
	正社員一時非典型	2.7	0.0	0.9	2.1	4.5	4.4	4.8	5.3
	他形態から正社員	8.8	2.3	3.2	8.6	13.2	10.8	6.3	3.8
	非典型中心	20.5	51.6	32.7	20.2	10.2	8.1	6.1	6.2
	正社員から非典型	6.4	4.0	6.0	7.4	6.1	5.3	7.3	8.0
	自営・手伝い	5.2	0.3	1.5	4.1	9.0	10.1	16.8	24.0
	無回答・経歴不詳	2.4	0.2	3.3	1.6	2.7	4.2	3.4	4.2
	合計(N,千人)	**631.7**	**20.6**	**157.5**	**213.0**	**240.6**	**238.1**	**250.7**	**212.6**
保安職業従事者	正社員定着	76.8	91.8	88.7	78.4	67.2	65.4	67.4	67.5
	正社員転職	10.1	0.0	3.4	7.9	16.8	16.8	14.3	16.3
	正社員一時非典型	1.0	0.0	0.6	0.9	1.4	1.8	5.0	3.6
	他形態から正社員	5.7	6.1	1.6	5.1	8.6	9.3	4.4	2.5
	非典型中心	3.3	2.1	3.3	4.4	2.5	4.0	3.5	2.4
	正社員から非典型	1.7	0.0	0.9	2.3	1.8	1.0	3.6	5.3
	自営・手伝い	0.0	0.0	0.0	0.0	0.0	0.0	0.0	0.0
	無回答・経歴不詳	1.4	0.0	1.6	1.0	1.6	1.7	1.8	2.3
	合計(N,千人)	**288.2**	**9.8**	**69.9**	**92.0**	**116.5**	**111.9**	**122.6**	**94.7**

農林漁業従事者	正社員定着	29.3	49.3	43.1	30.6	20.4	21.3	17.0	10.5
	正社員転職	15.7	5.0	9.9	15.9	19.0	16.1	16.5	15.8
	正社員一時非典型	2.2	0.0	0.4	1.5	3.6	2.7	2.9	2.0
	他形態から正社員	6.1	2.5	4.0	7.6	6.1	5.9	3.7	3.4
	非典型中心	12.0	22.4	15.3	12.1	9.6	6.7	5.2	3.6
	正社員から非典型	4.8	1.6	4.3	5.9	4.3	4.9	4.5	5.7
	自営・手伝い	28.3	19.2	21.6	25.2	34.4	39.6	48.8	57.8
	無回答・経歴不詳	1.7	0.0	1.2	1.1	2.4	2.7	1.4	1.2
	合計(N,千人)	138.9	4.7	27.8	46.2	60.2	73.2	74.4	72.8
生産工程従事者	正社員定着	57.0	82.5	68.0	55.5	47.4	42.5	43.6	43.2
	正社員転職	16.9	1.2	9.8	17.5	23.4	27.6	29.6	30.5
	正社員一時非典型	2.6	0.2	0.9	2.8	4.0	4.8	4.6	4.0
	他形態から正社員	6.7	0.9	3.6	6.7	9.5	9.0	5.4	3.6
	非典型中心	8.5	11.1	10.4	9.1	6.5	4.8	3.7	3.4
	正社員から非典型	4.0	1.0	4.1	4.4	4.1	3.7	4.4	5.0
	自営・手伝い	2.4	2.2	1.9	2.1	3.1	5.0	6.3	7.5
	無回答・経歴不詳	1.8	1.0	1.4	1.9	2.1	2.5	2.5	2.8
	合計(N,]千人)	1,718.8	91.2	426.2	560.4	641.0	703.5	850.4	771.9
輸送・機械運転従事者	正社員定着	44.1	81.7	63.6	45.9	32.7	29.9	26.5	25.2
	正社員転職	26.0	0.0	12.3	24.3	34.4	38.2	41.8	43.0
	正社員一時非典型	3.3	1.5	1.4	3.3	4.2	6.1	7.3	7.5
	他形態から正社員	11.3	7.5	6.4	11.1	13.8	13.7	9.7	9.1
	非典型中心	5.8	4.4	6.8	6.2	5.2	3.8	3.0	2.9
	正社員から非典型	4.2	3.4	4.6	3.9	4.3	3.0	3.5	4.5
	自営・手伝い	1.5	0.0	0.1	1.6	2.0	1.9	2.7	2.6
	無回答・経歴不詳	3.7	1.5	4.6	3.8	3.4	3.4	5.6	5.2
	合計(N,千人)	284.9	5.7	55.1	96.1	127.9	169.3	256.7	316.2
建設・採掘従事者	正社員定着	48.7	61.2	63.7	48.0	37.4	38.5	35.8	33.6
	正社員転職	19.0	7.1	13.1	21.8	22.4	22.9	24.1	23.5
	正社員一時非典型	2.7	0.9	1.5	2.6	4.0	3.2	3.7	3.7
	他形態から正社員	8.9	5.8	7.2	8.3	11.2	8.4	4.5	5.6
	非典型中心	6.2	18.5	5.0	7.1	4.4	3.1	2.9	3.2
	正社員から非典型	1.4	1.5	1.2	1.6	1.3	1.1	1.5	2.2
	自営・手伝い	10.0	1.6	5.0	8.0	16.4	20.1	24.6	25.3
	無回答・経歴不詳	3.0	3.3	3.3	2.8	3.1	2.6	2.9	3.0
	合計(N,千人)	538.5	32.4	130.7	177.0	198.4	289.1	377.9	368.4
運搬・清掃・包装等従事者	正社員定着	27.3	40.4	36.7	26.4	20.6	21.2	22.5	19.3
	正社員転職	14.0	1.5	7.9	13.7	19.6	22.7	27.8	31.3
	正社員一時非典型	2.7	0.0	1.0	3.2	3.8	5.2	5.3	6.6
	他形態から正社員	7.8	2.0	4.5	6.6	11.6	10.0	8.7	6.5
	非典型中心	31.1	40.8	36.0	31.5	26.5	19.9	12.3	10.9
	正社員から非典型	9.8	3.1	7.2	11.8	10.5	12.3	14.5	15.6
	自営・手伝い	4.4	8.3	4.7	3.5	4.6	5.1	5.5	5.2
	無回答・経歴不詳	2.8	3.9	1.9	3.3	2.8	3.6	3.5	4.5
	合計(N,千人)	493.5	21.2	122.1	160.8	189.5	209.4	231.8	235.6
分類不能の職業	正社員定着	36.5	29.3	34.8	38.2	36.4	29.9	29.1	34.3
	正社員転職	7.7	1.2	4.8	6.7	10.6	15.8	13.4	12.1
	正社員一時非典型	1.7	0.0	0.0	1.7	2.7	2.2	2.2	3.0
	他形態から正社員	3.7	0.0	3.3	3.1	4.8	3.9	3.8	3.1
	非典型中心	16.4	22.3	24.0	19.3	9.7	10.5	7.7	7.9
	正社員から非典型	3.6	3.8	3.7	2.9	4.2	3.1	7.3	3.9
	自営・手伝い	3.0	0.0	2.5	2.3	4.1	6.1	7.5	9.0
	無回答・経歴不詳	27.3	43.4	26.9	25.8	27.5	28.5	29.0	26.7
	合計(N,千人)	229.3	7.0	45.5	84.0	92.8	108.6	125.2	122.9

②女性

		15－34歳合計	15-19歳	20-24歳	25-29歳	30-34歳	35-39歳	40-44歳	45-49歳
管理的職業従事者	正社員定着	26.8	－	100.0	16.1	27.9	32.4	20.0	24.7
	正社員転職	34.8	－	0.0	32.9	35.9	37.5	44.8	35.8
	正社員一時非典型	12.5	－	0.0	0.0	15.7	5.0	11.5	13.2
	他形態から正社員	5.5	－	0.0	11.9	4.0	9.3	14.7	11.8
	正社員から非典型	0.0	－	0.0	0.0	0.0	0.0	0.6	0.0
	自営・手伝い	20.5	－	0.0	39.1	16.4	13.3	7.1	9.4
	無回答・経歴不詳	0.0	－	0.0	0.0	0.0	2.5	1.3	5.2
	合計(N,千人)	**9.0**	**0.0**	**0.1**	**1.7**	**7.2**	**8.5**	**12.2**	**19.2**
専門的・技術的職業従事者	正社員定着	61.9	43.4	79.6	64.2	48.0	39.2	32.8	32.5
	正社員転職	10.4	0.0	3.1	11.3	14.2	14.2	14.3	13.6
	正社員一時非典型	1.7	0.0	0.1	1.7	2.7	3.9	5.7	6.6
	他形態から正社員	4.7	0.0	2.2	4.7	6.2	7.0	5.8	4.1
	非典型中心	11.7	24.5	10.3	10.3	14.0	16.3	15.1	14.0
	正社員から非典型	5.7	5.0	2.2	4.9	8.8	12.5	17.2	18.9
	自営・手伝い	2.7	0.0	1.0	1.6	4.9	5.2	7.5	8.5
	無回答・経歴不詳	1.3	27.1	1.3	1.3	1.1	1.8	1.6	1.8
	合計(N,千人)	**1699.0**	**2.8**	**405.7**	**668.0**	**622.6**	**627.0**	**706.2**	**646.8**
事務従事者	正社員定着	45.8	84.1	66.1	45.7	33.5	24.7	22.7	21.8
	正社員転職	13.2	2.7	7.0	14.3	16.0	15.4	15.6	15.0
	正社員一時非典型	3.4	0.0	0.4	3.2	5.1	6.9	8.2	9.2
	他形態から正社員	6.9	4.0	4.6	6.9	8.3	9.3	6.1	3.0
	非典型中心	15.0	5.9	13.6	14.8	16.4	17.0	15.1	11.6
	正社員から非典型	13.0	2.0	6.0	12.8	17.4	22.6	28.2	34.7
	自営・手伝い	0.8	0.0	0.2	0.8	1.2	2.0	2.0	2.2
	無回答・経歴不詳	1.8	1.3	2.0	1.6	1.9	2.1	2.1	2.4
	合計(N,千人)	**1994.8**	**30.8**	**428.5**	**733.0**	**802.5**	**907.7**	**1198.8**	**1218.2**
販売従事者	正社員定着	36.4	37.3	48.3	37.0	26.2	14.7	11.5	8.4
	正社員転職	8.0	0.9	3.7	8.3	11.6	7.7	7.1	8.3
	正社員一時非典型	1.9	0.3	0.5	1.6	3.3	4.3	5.6	5.7
	他形態から正社員	6.2	4.1	3.2	8.4	6.4	7.1	3.3	2.4
	非典型中心	30.8	49.4	32.7	28.0	30.6	32.2	27.0	21.3
	正社員から非典型	13.7	5.3	9.2	13.3	18.5	27.2	37.9	47.1
	自営・手伝い	0.9	0.0	0.2	1.0	1.4	4.0	3.8	3.9
	無回答・経歴不詳	2.2	2.7	2.1	2.3	2.1	2.8	3.8	2.9
	合計(N,千人)	**933.8**	**27.2**	**256.2**	**329.9**	**320.5**	**317.7**	**372.5**	**405.5**
サービス職業従事者	正社員定着	20.9	680.1	37.0	17.0	11.5	10.2	7.3	7.0
	正社員転職	5.9	8.6	4.2	7.2	5.7	5.4	6.1	8.0
	正社員一時非典型	1.2	1.8	0.6	1.4	1.5	3.0	4.3	6.7
	他形態から正社員	3.5	26.3	2.8	3.0	4.4	4.7	2.8	3.2
	非典型中心	21.3	551.2	23.1	16.9	22.5	22.8	21.9	21.3
	正社員から非典型	10.1	42.6	6.0	8.6	14.2	20.5	30.0	35.7
	自営・手伝い	1.9	8.6	0.7	1.1	3.4	4.9	6.2	6.4
	無回答・経歴不詳	1.6	68.2	1.5	1.1	1.9	2.0	2.5	3.6
	合計(N,千人)	**1128.2**	**38.2**	**308.6**	**376.8**	**404.6**	**460.9**	**572.8**	**594.0**
保安職業従事者	正社員定着	71.6	83.4	73.4	68.7	70.1	51.3	47.7	50.4
	正社員転職	10.1	0.0	4.3	17.6	8.0	8.1	15.2	12.6
	正社員一時非典型	2.5	0.0	0.7	1.5	7.2	0.5	7.5	2.3
	他形態から正社員	7.5	12.3	2.6	8.8	9.4	16.2	4.7	8.2
	非典型中心	4.0	4.3	11.1	1.1	0.5	9.8	8.1	1.3
	正社員から非典型	2.3	0.0	0.7	2.3	4.8	14.1	12.7	23.4
	無回答・経歴不詳	2.0	0.0	7.1	0.0	0.0	0.0	4.0	1.7
	合計(N,千人)	**27.0**	**2.2**	**7.6**	**10.6**	**6.6**	**12.0**	**8.5**	**6.4**

農林漁業従事者	正社員定着	22.0	69.9	41.6	20.0	10.4	7.9	4.0	4.7
	正社員転職	6.3	0.0	2.3	12.8	3.6	8.9	8.5	7.9
	正社員一時非典型	1.2	0.0	0.0	1.3	1.9	3.5	3.5	4.2
	他形態から正社員	4.7	0.0	4.5	7.6	2.7	4.4	1.8	1.1
	非典型中心	23.6	30.1	28.9	20.6	22.9	19.8	15.6	9.2
	正社員から非典型	13.3	0.0	5.2	15.3	16.8	21.0	30.1	26.2
	自営・手伝い	26.1	0.0	15.0	19.8	38.4	34.2	36.4	45.3
	無回答・経歴不詳	2.8	0.0	2.5	2.6	3.3	0.2	0.1	1.4
	合計(N,千人)	42.9	1.0	9.5	14.3	18.1	28.2	36.1	36.3
生産工程従事者	正社員定着	34.5	69.3	47.4	33.9	21.0	15.6	11.7	10.7
	正社員転職	6.3	0.8	5.0	7.6	6.9	6.8	7.5	7.3
	正社員一時非典型	2.3	0.0	0.9	3.0	3.1	4.0	5.0	6.2
	他形態から正社員	5.4	0.8	3.8	6.5	6.3	6.5	3.8	1.7
	非典型中心	28.8	22.0	27.3	28.1	31.4	28.5	26.6	22.8
	正社員から非典型	14.0	1.3	9.1	12.4	20.7	27.4	35.0	42.4
	自営・手伝い	6.0	3.6	4.0	6.6	7.2	8.0	7.6	5.9
	無回答・経歴不詳	2.6	2.3	2.7	1.8	3.3	3.1	2.7	3.1
	合計(N,千人)	545.5	29.1	139.8	175.5	201.1	236.4	329.4	343.0
輸送・機械運転従事者	正社員定着	47.9	100.0	50.7	45.2	43.3	13.6	11.1	5.4
	正社員転職	14.9	0.0	5.2	28.4	3.3	18.4	12.7	20.6
	正社員一時非典型	0.7	0.0	3.6	0.0	0.0	5.4	17.8	13.4
	他形態から正社員	13.4	0.0	25.9	5.9	18.2	6.7	6.8	10.8
	非典型中心	10.9	0.0	0.0	14.5	13.7	29.9	27.7	19.7
	正社員から非典型	5.5	0.0	0.0	4.1	11.6	19.7	13.7	16.4
	自営・手伝い	0.4	0.0	0.0	0.0	1.3	3.8	1.3	9.5
	無回答・経歴不詳	6.4	0.0	14.6	1.8	8.6	2.5	9.0	4.2
	合計(N,千人)	15.3	0.6	3.0	6.9	4.8	5.3	11.5	14.3
建設・採掘従事者	正社員定着	58.8	89.3	77.0	63.7	33.2	18.8	12.6	15.2
	正社員転職	8.4	0.0	14.1	3.6	11.1	8.8	14.4	15.9
	正社員一時非典型	2.7	0.0	0.0	6.2	1.5	4.8	18.2	9.5
	他形態から正社員	13.0	0.0	0.0	13.1	25.8	9.5	3.0	4.6
	非典型中心	7.3	10.7	3.3	3.2	14.1	15.1	13.1	10.7
	正社員から非典型	4.5	0.0	4.3	8.0	1.7	23.0	8.2	5.9
	自営・手伝い	4.8	0.0	1.3	0.9	12.6	16.1	24.9	32.4
	無回答・経歴不詳	0.5	0.0	0.0	1.3	0.0	3.8	5.6	5.8
	合計(N,千人)	16.9	1.2	4.2	6.0	5.5	6.8	7.4	7.8
運搬・清掃・包装等従事者	正社員定着	13.4	26.1	18.5	16.5	7.2	3.7	3.3	2.5
	正社員転職	2.7	0.8	4.2	1.9	2.6	2.1	2.8	2.8
	正社員一時非典型	1.3	0.0	0.4	0.6	2.4	2.7	2.6	2.3
	他形態から正社員	2.1	0.9	1.4	2.1	2.6	2.2	1.6	1.1
	非典型中心	44.9	43.7	46.4	42.8	45.8	42.7	33.2	29.5
	正社員から非典型	22.3	5.2	15.3	22.9	27.4	31.8	46.0	52.8
	自営・手伝い	11.0	21.5	12.1	10.8	9.4	11.5	7.3	6.1
	無回答・経歴不詳	2.3	1.8	1.7	2.3	2.7	3.3	3.3	3.0
	合計(N,千人)	236.2	10.1	52.2	73.8	100.2	127.7	219.5	253.8
分類不能の職業	正社員定着	28.3	22.0	43.7	26.0	21.1	14.5	15.7	10.2
	正社員転職	5.1	2.2	1.4	5.6	7.4	4.9	4.7	5.1
	正社員一時非典型	1.8	0.0	1.1	1.8	2.5	1.9	2.2	3.5
	他形態から正社員	2.7	4.9	1.3	2.7	3.3	3.6	3.0	0.9
	非典型中心	29.6	44.7	28.6	26.4	31.6	33.5	26.0	23.6
	正社員から非典型	9.6	0.0	6.0	11.1	11.6	15.1	20.1	24.2
	自営・手伝い	1.0	0.0	0.0	2.5	0.4	3.8	3.8	3.4
	無回答・経歴不詳	21.9	26.2	18.0	24.1	22.1	22.8	24.4	29.1
	合計(N,千人)	204.4	8.0	49.7	69.8	76.9	88.1	98.2	94.4

付表2-5　性・学歴・年齢階層別労働時間、収入（15-49歳、在学中を除く、実測値）

		男性 週労働時間(時間)	男性 年収(万円)	男性 時間当たり収入(円)	男性 N	女性 週労働時間(時間)	女性 年収(万円)	女性 時間当たり収入(円)	女性 N
中学卒	正社員 15-19歳	47.7	206.9	926	94	—	—	—	15
	20-24歳	48.2	247.0	1,166	302	39.0	183.3	1,139	64
	25-29歳	48.7	301.8	1,536	443	41.9	208.3	1,257	81
	30-34歳	48.8	341.5	1,604	785	40.5	222.7	1,270	160
	35-39歳	48.4	363.6	1,716	995	40.9	226.7	1,368	150
	40-44歳	49.1	382.4	1,750	1,203	42.5	246.1	1,290	199
	45-49歳	48.6	404.4	1,915	1,257	42.8	242.2	1,261	246
	合計	48.7	359.5	1,693	5,079	41.6	229.0	1,277	915
	パート・アルバイト 15-19歳	34.4	107.0	801	83	26.7	87.1	823	66
	20-24歳	38.4	131.4	794	83	30.6	112.0	969	132
	25-29歳	37.1	144.7	959	78	28.4	108.6	857	241
	30-34歳	37.9	152.2	907	79	27.1	101.6	917	364
	35-39歳	33.4	136.2	969	99	29.2	106.3	859	306
	40-44歳	36.7	139.6	962	101	28.3	110.4	924	391
	45-49歳	36.7	137.0	895	95	29.1	110.4	895	386
	合計	36.3	135.0	901	618	28.5	107.0	897	1,886
	その他非典型雇用 15-19歳	—	—	—	28	—	—	—	11
	20-24歳	46.6	193.4	889	54	37.5	154.3	862	41
	25-29歳	46.0	220.8	1,092	89	40.6	168.2	857	63
	30-34歳	44.2	228.8	1,257	91	35.1	151.0	1,045	91
	35-39歳	42.1	205.0	1,124	97	39.1	155.4	881	75
	40-44歳	42.6	235.9	1,385	123	37.8	157.5	903	86
	45-49歳	43.9	250.2	1,352	113	38.8	169.2	907	91
	合計	43.8	223.1	1,206	595	38.1	159.7	918	458
	その他就業 15-19歳	—	—	—	5	—	—	—	4
	20-24歳	44.4	105.4	466	41	—	—	—	12
	25-29歳	46.6	241.8	1,157	71	—	—	—	29
	30-34歳	44.4	227.3	1,666	160	31.3	73.3	624	33
	35-39歳	47.0	246.2	1,201	231	38.0	91.0	575	39
	40-44歳	46.2	285.4	1,445	293	32.9	103.7	899	62
	45-49歳	47.2	275.1	1,386	312	36.4	108.1	1,099	63
	合計	46.3	256.0	1,350	1,113	33.1	91.8	802	242
	合計 15-19歳	41.0	150.4	859	210	30.1	106.5	896	96
	20-24歳	46.0	205.2	1,011	480	33.6	132.9	974	249
	25-29歳	46.8	264.2	1,372	681	32.9	132.0	914	414
	30-34歳	47.0	297.8	1,535	1,115	31.8	133.5	1,007	648
	35-39歳	46.7	312.1	1,540	1,422	34.2	141.0	976	570
	40-44歳	47.4	336.4	1,626	1,720	33.6	149.2	1,018	738
	45-49歳	47.4	351.1	1,732	1,777	35.1	154.5	1,027	786
	合計	46.9	308.6	1,536	7,405	33.5	141.7	993	3,501
高校卒	正社員 15-19歳	44.7	217.6	1,075	1,224	42.7	191.5	985	736
	20-24歳	46.7	272.1	1,318	4,059	43.0	218.9	1,132	2,196
	25-29歳	47.0	324.6	1,603	4,557	41.8	239.1	1,326	1,964
	30-34歳	47.5	362.7	1,775	6,002	41.3	241.4	1,366	2,080
	35-39歳	47.6	406.5	1,981	8,000	41.1	260.4	1,446	2,608
	40-44歳	47.2	454.6	2,213	10,821	41.1	285.9	1,595	3,623
	45-49歳	47.1	491.1	2,357	11,862	41.6	299.8	1,618	4,527
	合計	47.2	408.6	1,986	46,525	41.6	263.1	1,440	17,734
	パート・アルバイト 15-19歳	31.0	100.4	787	154	29.7	97.8	799	161
	20-24歳	35.3	131.0	868	584	32.3	123.6	886	910
	25-29歳	35.6	140.3	884	484	30.1	113.3	879	1,266
	30-34歳	36.3	150.5	962	414	28.8	110.2	876	2,064
	35-39歳	36.6	154.5	967	363	28.0	107.4	873	2,869
	40-44歳	36.5	150.5	1,002	388	27.8	109.2	900	4,211
	45-49歳	37.3	161.9	1,056	330	28.1	112.7	899	5,350
	合計	35.9	143.5	936	2,717	28.5	111.1	889	16,831
	その他非典型雇用 15-19歳	40.7	162.7	848	59	38.4	137.1	826	58
	20-24歳	41.5	197.1	1,086	476	39.5	168.5	924	432
	25-29歳	42.7	214.5	1,148	486	38.7	174.0	1,015	504
	30-34歳	42.3	225.8	1,165	511	37.5	174.1	1,054	630
	35-39歳	43.6	245.9	1,256	554	37.7	171.2	1,047	784
	40-44歳	42.6	251.3	1,346	668	37.1	173.2	1,036	1,037
	45-49歳	43.0	253.1	1,355	688	37.6	175.9	1,020	1,269
	合計	42.6	233.0	1,234	3,442	37.8	172.9	1,021	4,714

高校卒	その他就業	15-19歳	30.2	48.9	693	40	—	—	—	18
		20-24歳	34.5	66.3	424	158	29.8	53.1	393	90
		25-29歳	41.8	145.4	821	232	31.3	56.3	499	122
		30-34歳	47.1	196.6	998	439	35.8	81.0	569	224
		35-39歳	47.8	281.5	1,393	757	32.0	68.5	594	250
		40-44歳	49.0	295.5	1,455	1,115	35.8	83.8	701	401
		45-49歳	48.5	290.5	1,483	1,283	37.6	80.1	617	507
		合計	47.3	260.8	1,318	4,024	35.0	75.9	602	1,612
	合計	15-19歳	42.8	196.4	1,026	1,477	40.0	166.3	931	973
		20-24歳	44.6	240.6	1,220	5,277	39.6	182.0	1,027	3,628
		25-29歳	45.5	289.9	1,473	5,759	37.2	180.8	1,112	3,856
		30-34歳	46.5	328.8	1,641	7,366	35.4	168.5	1,089	4,998
		35-39歳	47.0	375.7	1,856	9,674	34.6	171.3	1,112	6,511
		40-44歳	46.8	417.9	2,067	12,992	34.4	180.6	1,178	9,272
		45-49歳	46.8	449.7	2,199	14,163	34.8	187.2	1,180	11,653
		合計	46.3	371.4	1,842	56,708	35.5	179.3	1,132	40,891
専門学校（1～2年未満）卒	正社員	15-19歳	—	—	—	12	—	—	—	8
		20-24歳	47.4	248.1	1,216	480	43.9	210.6	1,096	509
		25-29歳	47.7	299.4	1,467	581	43.7	240.6	1,295	448
		30-34歳	47.5	343.4	1,694	1,045	42.3	255.5	1,390	555
		35-39歳	47.8	384.4	1,869	1,234	41.5	281.1	1,496	604
		40-44歳	47.4	429.8	2,092	1,680	41.5	287.3	1,488	758
		45-49歳	48.0	459.0	2,165	1,400	42.4	315.7	1,656	741
		合計	47.6	387.4	1,877	6,432	42.4	270.4	1,428	3,623
	パート・アルバイト	15-19歳	—	—	—	2	—	—	—	1
		20-24歳	35.9	126.9	759	67	33.4	119.0	809	121
		25-29歳	34.5	139.3	840	65	31.2	122.7	940	227
		30-34歳	36.6	142.6	904	51	28.6	111.0	913	382
		35-39歳	35.4	144.9	911	65	27.6	109.6	905	545
		40-44歳	36.3	159.6	979	63	26.8	109.3	940	804
		45-49歳	41.1	172.9	919	42	27.5	110.2	931	668
		合計	36.4	145.6	879	355	28.0	111.3	921	2,748
	その他非典型雇用	15-19歳	—	—	—	6	—	—	—	0
		20-24歳	42.8	186.5	921	69	40.1	184.2	1,023	95
		25-29歳	41.8	210.8	1,104	80	40.8	194.7	1,010	119
		30-34歳	43.0	234.3	1,348	88	36.7	173.0	1,048	104
		35-39歳	42.3	233.7	1,409	84	36.7	180.7	1,106	150
		40-44歳	45.1	256.3	1,309	90	35.7	174.1	1,131	198
		45-49歳	41.9	256.1	1,307	85	36.8	185.0	1,153	203
		合計	42.9	230.2	1,237	502	37.4	181.5	1,094	869
	その他就業	20-24歳	—	—	—	6	—	—	—	8
		25-29歳	51.2	146.6	657	37	—	—	—	22
		30-34歳	53.2	203.4	699	62	39.2	105.4	601	64
		35-39歳	52.9	297.1	1,392	152	38.1	101.0	682	94
		40-44歳	51.5	285.2	1,414	252	36.4	102.8	704	136
		45-49歳	51.8	306.0	1,394	278	38.3	104.9	790	153
		合計	51.9	279.2	1,302	787	37.6	101.9	734	477
	合計	15-19歳	—	—	—	20	—	—	—	9
		20-24歳	45.7	225.2	1,126	622	41.7	188.7	1,034	733
		25-29歳	46.1	266.5	1,336	763	39.5	193.3	1,152	816
		30-34歳	47.0	318.3	1,588	1,246	36.9	186.2	1,147	1,105
		35-39歳	47.5	355.4	1,756	1,535	35.3	186.6	1,168	1,393
		40-44歳	47.4	394.9	1,942	2,085	34.3	182.9	1,162	1,896
		45-49歳	48.1	417.3	1,977	1,805	35.8	200.7	1,249	1,765
		合計	47.3	354.4	1,737	8,076	36.4	189.7	1,167	7,717
専門学校（2～4年未満）卒	正社員	20-24歳	46.0	256.0	1,256	725	44.1	246.6	1,291	1,160
		25-29歳	46.7	307.9	1,566	1,109	42.9	282.7	1,523	1,226
		30-34歳	47.1	365.2	1,800	1,797	42.2	310.2	1,648	1,495
		35-39歳	47.1	421.5	2,065	2,074	41.5	335.6	1,864	1,561
		40-44歳	47.1	467.3	2,250	2,425	41.7	372.9	2,000	1,801
		45-49歳	46.7	529.4	2,604	1,980	42.4	397.7	2,043	1,562
		合計	46.9	418.8	2,055	10,110	42.4	330.7	1,764	8,805
	パート・アルバイト	20-24歳	34.2	129.1	945	90	33.4	123.6	864	197
		25-29歳	33.9	141.5	928	104	30.4	124.6	939	320
		30-34歳	35.1	157.0	1,087	103	27.9	120.0	999	649
		35-39歳	34.3	154.8	992	78	26.5	119.7	1,045	851
		40-44歳	36.0	154.9	932	71	25.9	120.2	1,075	1,036
		45-49歳	36.8	162.9	945	55	26.1	124.5	1,098	956
		合計	34.9	148.2	976	501	27.1	121.6	1,041	4,009

学歴	雇用形態	年齢								
専門学校（2〜4年未満）卒	その他非典型雇用	20-24歳	41.3	199.8	1,113	100	41.4	185.2	939	146
		25-29歳	43.4	222.2	1,199	112	39.3	185.6	1,023	193
		30-34歳	43.0	231.3	1,160	129	37.8	199.9	1,245	219
		35-39歳	43.7	254.7	1,236	135	36.8	191.7	1,190	235
		40-44歳	44.4	248.9	1,214	158	37.1	195.8	1,188	257
		45-49歳	41.5	279.1	1,733	113	35.3	203.5	1,260	242
		合計	43.0	241.0	1,271	747	37.6	194.6	1,159	1,292
	その他就業	20-24歳	—	—	—	18	—	—	—	9
		25-29歳	51.6	186.9	749	54	40.7	97.6	703	42
		30-34歳	48.7	228.5	1,174	128	38.9	104.8	978	70
		35-39歳	49.0	264.2	1,198	195	38.3	102.4	679	138
		40-44歳	50.6	281.8	1,357	253	35.3	112.4	972	147
		45-49歳	51.2	302.4	1,360	264	38.1	108.3	634	125
		合計	50.1	266.3	1,241	912	37.7	106.6	788	531
	合計	20-24歳	44.4	231.9	1,192	933	42.4	222.2	1,197	1,512
		25-29歳	45.6	281.5	1,456	1,379	40.2	236.2	1,345	1,781
		30-34歳	46.4	338.2	1,691	2,157	37.9	239.2	1,419	2,433
		35-39歳	46.6	389.8	1,918	2,482	36.4	240.7	1,498	2,785
		40-44歳	47.0	430.4	2,083	2,907	36.0	261.1	1,593	3,241
		45-49歳	46.8	482.4	2,389	2,412	36.2	272.2	1,603	2,885
		合計	46.4	383.8	1,903	12,270	37.6	248.8	1,477	14,637
短大・高専卒	正社員	20-24歳	46.2	274.7	1,308	356	43.9	229.8	1,224	1,196
		25-29歳	46.8	338.8	1,782	439	41.9	265.0	1,494	1,232
		30-34歳	47.8	389.9	1,866	642	41.4	283.4	1,612	1,297
		35-39歳	47.1	433.5	2,112	845	41.1	305.8	1,699	1,869
		40-44歳	47.8	490.4	2,357	1,135	41.0	344.1	1,903	2,645
		45-49歳	46.4	580.8	2,778	1,081	41.9	374.5	2,007	2,532
		合計	47.1	455.0	2,203	4,498	41.7	315.5	1,735	10,771
	パート・アルバイト	20-24歳	—	—	—	21	33.8	123.8	820	136
		25-29歳	—	—	—	24	30.6	121.4	910	310
		30-34歳	—	—	—	29	28.2	114.0	913	683
		35-39歳	—	—	—	26	26.1	107.1	929	1,343
		40-44歳	—	—	—	26	25.2	104.5	928	2,275
		45-49歳	—	—	—	16	25.5	106.1	936	2,325
		合計	36.0	153.1	989	142	26.2	107.6	927	7,072
	その他非典型雇用	20-24歳	—	—	—	28	41.1	179.1	972	202
		25-29歳	41.2	240.1	1,516	37	38.5	184.7	1,067	243
		30-34歳	43.9	230.5	1,263	52	39.5	196.0	1,063	333
		35-39歳	41.3	240.2	1,567	52	37.2	191.8	1,198	477
		40-44歳	42.9	299.5	1,538	53	35.9	189.0	1,187	717
		45-49歳	41.9	249.5	1,389	46	36.5	198.9	1,174	754
		合計	42.6	245.0	1,392	268	37.3	192.0	1,144	2,726
	その他就業	20-24歳	—	—	—	8	—	—	—	4
		25-29歳	—	—	—	15	—	—	—	19
		30-34歳	50.5	204.5	842	32	32.7	111.2	786	40
		35-39歳	53.4	273.0	1,110	57	35.1	76.2	557	102
		40-44歳	50.7	334.0	1,462	95	33.4	86.2	745	244
		45-49歳	51.9	367.0	1,528	107	32.9	93.7	741	257
		合計	51.5	305.9	1,284	314	33.7	88.8	709	666
	合計	20-24歳	45.3	257.1	1,247	413	42.6	212.0	1,154	1,538
		25-29歳	46.0	314.9	1,688	515	39.5	224.3	1,326	1,804
		30-34歳	47.3	359.6	1,740	755	37.1	215.6	1,317	2,353
		35-39歳	46.9	404.2	1,997	980	35.1	210.5	1,332	3,791
		40-44歳	47.6	463.8	2,235	1,309	34.0	216.2	1,391	5,881
		45-49歳	46.6	542.3	2,596	1,250	34.3	227.9	1,420	5,868
		合計	46.9	425.0	2,073	5,222	35.7	218.8	1,358	21,235
大学卒	正社員	20-24歳	45.6	288.0	1,491	2,172	43.8	265.1	1,427	2,306
		25-29歳	46.8	355.7	1,783	5,277	43.8	316.9	1,707	4,102
		30-34歳	47.3	447.8	2,226	6,272	42.6	354.6	1,933	3,291
		35-39歳	47.7	514.9	2,519	7,229	41.9	386.6	2,087	2,795
		40-44歳	47.9	586.9	2,768	8,641	43.0	432.0	2,278	2,486
		45-49歳	47.4	675.2	3,225	8,501	44.6	508.8	2,505	1,957
		合計	47.3	520.6	2,524	38,092	43.3	367.8	1,951	16,937

			週労働時間	時間当たり収入		N	週労働時間	時間当たり収入		N
大学卒	パート・アルバイト	20-24歳	30.1	114.1	881	121	30.5	123.9	998	150
		25-29歳	33.1	139.9	1,016	303	30.4	128.6	973	444
		30-34歳	34.7	159.9	1,029	188	27.3	121.9	1,070	702
		35-39歳	33.7	169.2	1,120	170	23.9	112.6	1,096	954
		40-44歳	33.6	156.8	1,211	101	24.2	114.3	1,071	1,215
		45-49歳	35.4	172.8	1,064	112	23.0	113.7	1,185	947
		合計	33.5	150.2	1,045	995	25.2	116.8	1,089	4,412
	その他非典型雇用	20-24歳	42.6	228.0	1,278	195	40.8	204.6	1,219	242
		25-29歳	43.8	249.1	1,339	461	39.8	213.1	1,210	663
		30-34歳	43.4	272.6	1,436	355	37.3	222.5	1,444	527
		35-39歳	43.6	291.1	1,520	285	35.6	204.0	1,280	504
		40-44歳	42.2	290.9	1,508	301	34.5	204.4	1,384	561
		45-49歳	42.3	312.3	1,582	266	33.8	203.7	1,385	456
		合計	43.1	273.6	1,441	1,863	36.8	209.4	1,324	2,953
	その他就業	20-24歳	—	—	—	16	—	—	—	4
		25-29歳	44.1	178.2	901	74	36.4	104.4	683	45
		30-34歳	46.4	247.0	1,287	190	34.8	103.3	809	105
		35-39歳	49.6	315.2	1,648	319	33.4	98.7	764	185
		40-44歳	48.9	391.6	1,999	450	31.3	112.6	998	231
		45-49歳	49.8	415.7	1,917	475	31.7	175.3	1,432	192
		合計	48.7	352.0	1,747	1,524	32.7	122.7	1,005	762
	合計	20-24歳	44.6	272.1	1,441	2,504	42.8	249.9	1,384	2,702
		25-29歳	45.9	333.3	1,701	6,115	42.1	284.2	1,574	5,254
		30-34歳	46.7	424.3	2,128	7,005	39.5	293.7	1,721	4,625
		35-39歳	47.3	490.1	2,419	8,003	37.0	288.7	1,727	4,438
		40-44歳	47.6	562.3	2,675	9,493	36.3	293.5	1,774	4,493
		45-49歳	47.2	643.6	3,086	9,354	36.7	338.2	1,951	3,552
		合計	46.9	493.2	2,414	42,474	39.0	292.6	1,697	25,064
大学院卒	正社員	20-24歳	39.2	316.1	2,091	61	—	—	—	12
		25-29歳	46.2	403.8	2,065	709	45.2	352.2	1,852	223
		30-34歳	48.5	546.9	2,571	974	44.0	428.3	2,180	260
		35-39歳	48.1	666.2	3,184	1,212	42.7	491.3	2,714	273
		40-44歳	49.0	764.7	3,549	1,200	44.1	573.5	2,928	242
		45-49歳	48.4	838.7	4,077	1,022	45.9	643.7	3,228	156
		合計	48.1	660.3	3,164	5,178	44.2	486.0	2,536	1,166
	パート・アルバイト	20-24歳	—	—	—	2	—	—	—	2
		25-29歳	—	—	—	10	—	—	—	15
		30-34歳	—	—	—	20	—	—	—	23
		35-39歳	—	—	—	12	—	—	—	36
		40-44歳	—	—	—	8	19.5	119.0	1,409	53
		45-49歳	—	—	—	8	—	—	—	29
		合計	29.5	185.4	1,569	60	21.5	115.4	1,265	158
	その他非典型雇用	20-24歳	—	—	—	1	—	—	—	1
		25-29歳	44.5	270.8	1,404	41	37.6	233.8	1,497	39
		30-34歳	41.3	303.9	1,631	52	31.2	234.8	2,225	41
		35-39歳	41.4	350.0	2,083	31	36.2	245.7	1,849	39
		40-44歳	39.7	392.0	2,167	44	28.2	262.3	2,064	55
		45-49歳	40.7	385.6	2,032	45	32.0	280.1	1,759	32
		合計	41.5	337.2	1,845	214	32.5	250.0	1,901	207
	その他就業	20-24歳	—	—	—	0	—	—	—	0
		25-29歳	—	—	—	5	—	—	—	5
		30-34歳	—	—	—	22	—	—	—	14
		35-39歳	51.5	488.6	3,151	31	—	—	—	13
		40-44歳	45.3	655.1	3,676	39	—	—	—	19
		45-49歳	47.9	483.7	2,432	41	—	—	—	13
		合計	48.0	503.5	2,786	138	32.5	193.4	1,348	64
	合計	20-24歳	39.1	304.9	2,052	64	—	—	—	15
		25-29歳	45.9	390.6	2,009	765	42.6	316.6	1,748	282
		30-34歳	47.8	523.6	2,485	1,068	40.7	367.5	2,084	338
		35-39歳	47.9	647.8	3,139	1,286	40.0	411.1	2,402	361
		40-44歳	48.5	743.6	3,494	1,291	37.5	431.1	2,490	369
		45-49歳	48.0	800.1	3,929	1,116	39.9	492.2	2,716	230
		合計	47.7	637.2	3,087	5,590	40.0	400.3	2,280	1,595

注：ウエイトバック前の実測値による。

　週労働時間は、「だいたい規則的に」または「年間200日以上」働いている場合のみ。

　時間当たり収入は年収／（週労働時間×50週）で、年収、週労働時間のいずれにも有効な回答があったケースのみを対象にしている。なお、表中のNは、時間当たり収入に対応するものである。

付表２－６　性・世帯主との続柄、年齢階層別収入（15－49歳、在学中を除く、ウエイトバック値）

①男性　　単位：千人

続き柄	雇用形態	年齢階級	収入なし、50万円未満	50～99万円	100～149万円	150～199万円	200～249万円	250～299万円	300～399万円	400～499万円	500～599万円	600～699万円	700～799万円	800～899万円	900～999万円	1000～1249万円	1250～1499万円	1500万円以上	合計	年収200万円未満(%)
世帯主	正社員	15-19歳	0.0	0.4	3.9	7.5	10.2	7.6	5.5	0.3	0.0	0.0	0.0	0.0	0.0	0.0	0.0	0.0	35.3	33.4
		20-24歳	2.1	1.5	11.5	26.0	105.0	119.4	168.7	62.8	4.9	3.7	0.9	0.0	0.8	0.0	0.0	0.4	509.4	8.1
		25-29歳	6.2	0.8	8.4	22.6	109.2	159.7	443.4	367.8	158.2	43.2	16.8	5.9	5.7	3.5	2.8	2.2	1,363.6	2.8
		30-34歳	5.8	3.2	5.9	20.8	96.6	134.1	476.2	507.4	392.2	215.4	87.6	32.2	18.9	24.2	7.3	4.2	2,042.7	1.7
		35-39歳	6.5	5.8	8.2	18.0	75.5	122.9	423.7	558.5	481.5	311.4	206.3	90.9	49.9	52.2	14.9	18.1	2,464.5	1.6
		40-44歳	9.9	7.8	13.2	23.4	91.2	129.8	447.9	581.8	561.5	414.6	294.5	182.6	100.5	130.9	30.2	36.0	3,086.8	1.8
		45-49歳	9.6	8.3	13.9	27.0	83.0	114.3	386.5	468.5	507.9	442.8	348.5	237.6	166.5	216.6	43.4	64.0	3,164.3	1.9
		合計	40.0	27.7	65.0	145.2	570.7	787.8	2351.8	2547.2	2106.1	1431.1	954.6	549.2	342.4	427.3	98.7	124.9	12,666.6	2.2
	パート・アルバイト	15-19歳	0.4	0.2	3.8	0.3	0.0	0.2	0.2	0.0	0.0	0.0	0.0		0.0			0.0	4.9	95.6
		20-24歳	2.4	6.1	10.3	11.9	4.3	3.4	0.4	0.0	0.0	0.0	0.0		0.0			0.0	39.8	76.8
		25-29歳	2.9	5.6	15.0	14.2	8.8	3.4	1.7	0.2	0.0	0.0	0.0		0.0			0.0	52.2	72.3
		30-34歳	3.3	5.1	14.3	10.6	11.1	5.2	2.6	0.2	0.3	0.1	0.0		0.4			0.0	53.6	61.9
		35-39歳	3.4	8.1	10.3	7.5	11.6	6.5	5.5	0.5	0.3	0.2	0.0		1.2			0.0	55.8	52.6
		40-44歳	3.1	8.5	11.4	9.6	13.4	6.3	6.4	0.6	0.0	0.4	0.2		0.0			0.0	61.4	53.2
		45-49歳	2.5	9.5	14.5	11.9	13.1	5.3	6.3	0.4	0.2	0.2	0.0		0.1			0.2	65.9	58.4
		合計	17.9	43.2	79.5	66.0	62.2	30.0	23.1	1.9	0.8	1.0	0.2		1.7			0.2	333.6	62.0
	その他非典型雇用	15-19歳	0.1	0.1	0.2	0.3	1.6	0.1	0.8	0.0	0.0	0.0	0.0	0.0	0.0	0.0	0.0	0.0	3.2	20.7
		20-24歳	0.6	0.7	6.3	9.2	14.0	7.8	9.1	4.5	0.1	0.0	0.0	0.0	0.0	0.0	0.0	0.0	52.4	32.0
		25-29歳	2.1	2.9	5.7	10.6	23.8	17.9	21.9	9.5	3.2	1.2	0.2	0.0	0.1	0.0	0.0	0.0	99.6	21.4
		30-34歳	1.7	4.2	5.3	10.0	21.8	15.2	28.3	13.5	6.4	0.7	4.0	0.3	0.1	0.0	0.0	0.6	114.3	18.5
		35-39歳	1.5	3.7	4.3	9.7	24.3	20.0	32.2	13.6	5.3	0.5	1.5	0.0	0.2	0.6	0.1	1.6	120.0	16.0
		40-44歳	2.9	3.2	8.7	13.2	28.3	21.9	38.8	16.6	3.8	3.6	2.0	0.6	0.3	0.5	0.3	1.0	148.0	19.0
		45-49歳	3.7	4.9	6.7	12.1	28.8	26.8	30.6	17.2	6.1	3.5	3.1	0.6	0.3	1.1	0.7	0.1	148.1	18.5
		合計	12.7	19.6	37.2	65.1	142.6	109.8	161.5	74.9	24.9	9.5	10.8	1.5	1.0	2.2	1.0	3.3	685.7	19.6
	その他就業	15-19歳	0.1	0.0	0.0	0.0	0.0	0.0	0.0	0.0	0.0	0.0	0.0	0.0	0.0	0.0	0.0	0.0	0.1	100.0
		20-24歳	1.9	0.0	2.4	0.9	0.6	0.1	0.4	0.0	0.0	0.0	0.0	0.0	0.0	0.0	0.0	0.0	7.2	68.9
		25-29歳	6.0	1.2	3.2	4.0	3.0	4.3	3.2	3.2	0.8	1.3	0.9	0.2	1.3	0.1	0.0	0.1	38.6	37.3
		30-34歳	15.2	5.1	7.0	7.1	11.6	6.8	16.1	9.1	8.1	5.4	2.0	1.0	0.3	3.7	0.0	0.8	106.8	32.2
		35-39歳	25.9	11.9	10.5	14.2	17.8	14.9	30.3	20.3	10.7	6.6	4.9	4.9	2.7	5.3	1.4	1.8	189.5	33.0
		40-44歳	27.9	13.6	20.7	19.5	31.3	24.7	39.9	30.8	17.8	9.8	10.4	3.6	3.5	2.2		6.6	273.4	29.8
		45-49歳	32.1	19.8	22.9	24.6	31.0	31.5	52.5	31.3	21.9	11.1	7.7	6.1	3.4	5.5	3.9	7.3	325.6	30.5
		合計	109.0	51.6	66.7	69.9	94.8	82.2	142.4	94.7	59.4	34.3	25.9	15.8	11.4	18.0	7.6	16.6	941.2	31.6
世帯主の配偶者	正社員	20-24歳	0.0	0.0	0.1	0.2	0.2	0.4	0.6	0.0	0.0	0.0	0.0	0.0	0.0	0.0	0.0	0.0	1.6	20.5
		25-29歳	0.0	0.0	0.0	0.2	1.3	0.6	4.0	3.8	0.3	0.5	0.0	0.0	0.7	0.0	0.0	0.0	11.4	2.4
		30-34歳	0.1	0.0	0.1	0.8	1.7	2.6	6.7	3.8	3.3	1.7	1.4	0.7	0.2	1.0	0.0	0.0	24.2	4.3
		35-39歳	0.1	0.1	0.0	1.1	0.7	3.3	5.4	6.5	3.8	2.4	1.4	0.1	1.5	0.4	0.0	0.6	27.4	4.9
		40-44歳	0.0	0.7	0.2	0.6	1.3	1.9	5.4	4.0	2.6	2.9	0.6	0.4	0.7	0.3	0.7	0.4	22.9	6.3
		45-49歳	0.2	0.0	0.4	0.8	0.5	1.1	3.7	2.5	1.9	1.6	2.1	1.3	0.3	1.2	0.5	0.3	19.1	7.3
		合計	0.4	0.8	0.9	3.7	6.0	9.9	25.7	20.6	12.0	9.1	5.5	2.5	3.4	2.9	1.2	1.2	106.8	5.4
	パート・アルバイト	20-24歳	0.0	0.0	0.1	0.0	0.1	0.0	0.0	0.0									0.1	42.6
		25-29歳	0.0	0.1	0.5	0.0	0.2	0.0	0.0	0.0									0.7	73.1
		30-34歳	0.0	0.1	0.9	0.1	0.6	0.0	0.0	0.1									1.7	63.9
		35-39歳	0.2	0.5	0.7	0.6	0.0	0.0	0.5	0.0									2.5	81.2
		40-44歳	0.6	0.3	0.4	0.3	0.3	0.3	0.1	0.0									2.4	67.2
		45-49歳	0.6	0.4	0.5	0.3	0.0	0.0	0.0	0.0									2.2	83.9
		合計	1.5	1.3	3.0	1.3	1.2	0.3	0.5	0.1									9.6	74.2
	その他非典型雇用	25-29歳	0.0	0.0	0.0	0.1	0.4	0.3	2.6	0.7	0.0	0.0	0.0	0.0					4.0	2.1
		30-34歳	0.0	0.1	0.0	0.0	1.1	0.0	0.4	0.1	0.0	0.0	0.0	0.0					1.7	5.1
		35-39歳	0.1	0.0	0.0	0.5	0.7	0.4	0.6	0.3	0.3	0.3	0.0	0.0					3.3	18.4
		40-44歳	0.0	0.0	0.1	0.4	0.0	0.4	0.3	0.0	0.0	0.0	0.3	0.0					1.6	28.0
		45-49歳	0.0	0.3	0.0	0.1	0.4	0.4	0.1	0.3	0.0	0.1	0.0	0.4					2.0	19.7
		合計	0.1	0.4	0.1	1.1	2.7	1.5	4.0	1.4	0.3	0.4	0.3	0.4					12.8	13.3
	その他就業	25-29歳	0.1	0.0	0.1	0.0	0.0	0.0	0.0	0.0	0.0	0.0	0.2	0.0					0.4	45.5
		30-34歳	0.6	0.8	0.8	0.1	0.2	0.1	0.0	0.0	0.1	0.0	0.0	0.0					2.6	85.3
		35-39歳	0.6	0.2	0.3	0.1	0.7	0.4	0.1	0.2	0.0	0.1	0.1	0.0					2.5	43.2
		40-44歳	0.5	0.4	0.4	0.0	0.9	0.6	0.7	0.3	0.1	0.0	0.0	0.1					3.9	33.9
		45-49歳	0.8	0.3	0.2	0.2	0.4	0.5	0.3	0.4	0.3	0.0	0.0	0.0					3.6	41.7
		合計	2.5	1.7	1.7	0.4	2.2	1.6	1.1	0.9	0.5	0.1	0.1	0.2	0.1				13.0	48.5

②女性 単位：千人

(続き・男性 子)

続き柄	雇用形態	年齢階層	収入なし,50万円未満	50～99万円	100～149万円	150～199万円	200～249万円	250～299万円	300～399万円	400～499万円	500～599万円	600～699万円	700～799万円	800～899万円	900～999万円	1000～1499万円	1500万円以上	不詳	合計	年収200万未満(%)
子	正社員	15-19歳	0.8	2.4	7.5	30.1	37.4	16.3	8.5	0.8	0.2	0.0	0.0	0.1	0.0	0.0	0.0	0.0	106.3	38.3
		20-24歳	2.7	3.9	20.4	65.9	187.4	165.5	175.4	32.1	2.5	0.8	0.1	0.1	0.0	0.0	0.0	0.0	665.7	14.0
		25-29歳	4.4	4.5	14.1	49.6	154.7	178.7	289.3	114.4	24.1	3.1	1.2	0.0	0.0	0.1	0.0	0.1	854.5	8.5
		30-34歳	1.9	3.4	13.5	31.3	101.1	112.0	206.0	113.4	35.9	8.2	4.4	1.6	0.9	0.8	0.0	0.6	642.9	7.8
		35-39歳	3.3	3.7	10.1	24.9	77.9	77.6	169.9	102.8	44.6	19.6	5.8	1.9	2.3	1.5	0.7	0.2	561.8	7.5
		40-44歳	1.7	4.6	12.9	22.6	68.5	70.3	148.4	118.0	66.5	30.4	11.5	5.9	2.7	3.5	0.4	0.6	582.8	7.2
		45-49歳	2.8	3.1	7.7	16.8	44.0	51.5	109.8	88.6	62.3	34.6	20.2	8.5	3.4	3.5	0.4	1.6	470.1	6.5
		合計	17.7	25.6	86.3	241.1	671.1	672.0	1107.4	570.0	236.1	96.7	43.1	18.0	9.4	9.4	1.5	3.1	3,884.1	9.5
	パート・アルバイト	15-19歳	7.0	11.9	9.0	3.2	1.9	0.2	0.0	0.0	0.0		0.0		0.0				33.9	91.9
		20-24歳	12.4	34.4	52.2	26.7	12.5	3.8	1.7	0.4	0.0		0.0		0.3				147.9	85.0
		25-29歳	8.2	29.0	46.8	31.8	17.1	4.8	2.9	0.0	0.0		0.1		0.0				143.6	80.6
		30-34歳	4.0	15.0	31.1	23.6	16.5	5.0	2.8	0.2	0.0				0.0				100.5	73.3
		35-39歳	4.9	12.3	24.0	17.5	13.6	2.9	2.0	0.0	0.0				0.0				78.7	74.4
		40-44歳	6.7	10.8	17.9	13.2	10.3	3.4	1.4	0.3	0.0				0.0				66.3	73.1
		45-49歳	3.2	6.9	11.4	9.8	8.0	2.0	0.9	0.2	0.3				0.0				43.9	71.2
		合計	46.4	120.3	192.2	125.7	79.9	22.2	11.7	1.1	0.3		0.1		0.3				614.8	78.8
	その他非典型雇用	15-19歳	1.2	0.8	2.7	1.7	1.5	0.4	0.1	0.0	0.0	0.0	0.0		0.0				9.4	68.4
		20-24歳	3.8	4.3	16.1	17.3	20.4	10.9	6.7	0.8	0.0	0.0	0.0		0.0				81.2	51.2
		25-29歳	3.6	5.7	14.3	24.4	32.3	18.6	13.1	1.9	0.1	0.0	0.0		0.0				116.3	41.3
		30-34歳	3.1	5.6	12.0	19.2	27.2	13.9	11.5	1.9	0.1	0.1	0.0		0.0				96.0	41.5
		35-39歳	2.4	2.9	9.7	15.9	22.3	9.7	13.1	2.0	0.7	0.0	0.0		0.0				79.7	38.6
		40-44歳	1.8	1.9	10.8	14.8	21.5	12.3	13.0	2.4	0.2	0.1	0.2		0.0				81.6	36.0
		45-49歳	2.8	2.9	6.4	9.4	18.7	9.4	8.3	1.6	1.1	0.3	0.1					0.1	63.3	33.8
		合計	18.7	24.0	72.0	102.7	143.8	75.3	65.7	10.6	2.1	0.5	0.2		0.1				527.5	41.2
	その他就業	15-19歳	4.2	0.1	0.1	0.2	0.0	0.0	0.0	0.0	0.0	0.2	0.0	0.0	0.0	0.0	0.0		5.4	84.0
		20-24歳	17.5	1.6	1.5	0.9	1.1	0.5	1.1	0.1	0.3	0.0	0.0	0.0	0.1	0.0	0.0		27.7	77.9
		25-29歳	21.7	3.0	2.9	3.2	2.7	1.5	4.3	1.0	1.0	0.2	0.0	0.2	0.0	0.0	0.0	0.3	45.4	67.7
		30-34歳	26.5	2.8	2.8	3.9	2.8	3.4	4.0	1.2	0.3	0.3	0.3	0.1	0.1	0.0	0.0	0.0	55.2	67.8
		35-39歳	26.8	4.9	5.1	3.4	4.2	2.9	6.6	2.5	1.8	1.2	0.7	0.5	0.1	0.4	0.1	0.1	64.7	62.1
		40-44歳	28.7	2.7	5.2	5.8	5.5	4.2	8.6	3.0	1.5	1.7	1.0	0.9	0.5	0.3	0.2	0.7	74.5	56.9
		45-49歳	24.6	4.7	5.4	4.4	7.1	7.0	8.1	4.1	3.0	1.3	0.5	0.7	0.8	0.5	1.1	0.2	77.0	50.8
		合計	150.0	20.2	23.9	21.9	23.4	19.5	32.5	12.0	7.9	5.0	2.4	2.3	1.5	1.3	1.4	1.3	350.0	61.7

②女性

単位：千人

続き柄	雇用形態	年齢階層	収入なし,50万円未満	50～99万円	100～149万円	150～199万円	200～249万円	250～299万円	300～399万円	400～499万円	500～599万円	600～699万円	700～799万円	800～899万円	900～999万円	1000～1499万円	1500万円以上	不詳	合計	年収200万未満(%)
世帯主	正社員	15-19歳	0.1	0.0	2.1	8.0	4.6	0.7	0.3	0.0	0.0	0.0	0.0	0.0	0.0	0.0	0.0	0.0	15.7	64.1
		20-24歳	0.4	3.9	11.1	36.5	97.1	75.4	68.2	14.0	1.5	0.0	0.0	0.0	0.0	0.3	0.0	0.0	308.9	16.8
		25-29歳	2.7	1.3	8.1	24.9	84.8	81.9	151.1	93.3	29.7	6.5	1.6	0.0	0.1	0.9	0.7	0.0	489.4	7.5
		30-34歳	1.5	3.1	9.5	19.9	54.6	50.0	111.8	71.7	39.4	12.8	6.2	3.1	2.8	4.4	0.0	0.0	393.4	8.6
		35-39歳	1.2	2.6	9.0	16.6	40.2	42.2	82.8	69.8	45.4	25.4	5.3	5.9	7.4	3.1	1.0	0.3	360.4	8.1
		40-44歳	1.6	1.5	11.0	20.2	53.7	45.2	82.0	74.0	49.5	33.7	11.7	6.1	2.8	4.5	2.3	2.5	404.6	8.5
		45-49歳	0.9	1.6	9.2	20.2	54.4	50.7	86.1	60.4	38.2	36.7	22.7	13.2	2.3	9.7	2.2	1.4	412.7	7.8
		合計	8.4	13.9	60.0	146.2	389.4	346.1	582.3	383.3	203.7	115.2	47.5	28.3	15.4	22.9	6.2	4.1	2,385.2	9.6
	パート・アルバイト	15-19歳	1.3	1.2	3.2	0.7	0.1	0.0	0.0	0.0	0.0								6.7	96.1
		20-24歳	2.7	9.6	19.9	8.7	11.1	1.3	0.4	0.1	0.0	0.3			0.1				54.9	74.4
		25-29歳	6.0	16.3	17.8	16.1	8.3	2.1	1.2	0.0	0.0	0.0			0.0				71.6	78.7
		30-34歳	7.4	25.1	31.9	19.8	11.9	4.2	0.2	0.8	0.0	0.0			0.0				102.8	81.8
		35-39歳	8.6	23.1	40.3	21.5	11.9	4.4	2.2	0.1	0.1	0.0		0.1	0.0				112.7	83.0
		40-44歳	14.9	41.9	51.3	30.8	18.9	5.4	5.3	0.5	0.2	0.3			0.1				171.8	80.9
		45-49歳	13.5	60.4	69.8	34.6	24.7	6.7	3.0	0.1	0.2	0.4			0.1				215.6	82.7
		合計	54.4	177.5	234.3	132.1	86.8	24.2	12.3	1.5	0.5	0.6		0.1	0.1	0.2			736.0	81.3
	その他非典型雇用	15-19歳	0.0	0.0	0.4	0.4	1.3	0.2	0.0	0.0	0.0	0.0		0.0	0.0			0.0	2.3	35.0
		20-24歳	1.2	0.3	6.9	16.0	13.2	6.0	4.5	0.2	0.0	0.0			0.2			0.0	48.7	50.0
		25-29歳	1.1	3.6	6.4	15.1	22.8	10.2	9.8	2.7	0.6	0.0			0.0			0.0	72.8	36.0
		30-34歳	2.8	1.5	8.2	12.8	23.1	12.7	12.1	1.4	1.3	1.4		0.0	0.1			0.0	78.2	32.4
		35-39歳	2.7	3.3	10.8	14.3	23.8	11.9	11.2	2.1	1.0	0.3		0.0	0.1			0.0	81.8	38.0
		40-44歳	2.5	2.7	14.3	19.1	27.0	13.3	15.0	4.7	1.9	0.3		0.1	0.0			0.0	101.7	38.0
		45-49歳	2.5	4.3	13.4	23.8	31.5	14.9	17.1	3.6	0.3	0.5		0.4	0.0			0.4	116.1	37.9
		合計	12.8	15.8	60.3	101.6	142.8	69.3	69.8	14.7	5.1	2.2		0.6	0.1	0.5		0.4	501.7	38.0
	その他就業	15-19歳	0.4	0.4	0.0	0.0	0.0	0.0	0.0	0.0	0.0	0.0	0.0	0.0	0.0	0.0	0.0		0.8	93.2
		20-24歳	1.2	0.0	0.7	0.0	0.9	0.0	0.0	0.8	0.0	0.0	0.0	0.0	0.0			0.0	3.7	54.1
		25-29歳	2.4	1.0	0.8	1.3	0.7	3.3	1.7	0.0	0.0	0.0	0.0	0.0	0.0	0.0		0.0	11.6	47.9
		30-34歳	6.0	1.8	4.0	1.4	0.6	0.2	0.6	1.2	0.8	1.0	0.0	0.0	0.0	0.0		0.1	17.8	73.8
		35-39歳	10.2	1.5	2.7	2.4	2.4	1.1	2.2	0.3	0.1	0.1	1.2	0.3	0.0	0.3	0.0	0.7	25.8	65.1
		40-44歳	9.3	3.0	5.3	2.1	1.8	1.1	1.6	3.0	0.3	0.1	0.2	0.0	0.1	0.3	0.3	0.0	31.2	63.0
		45-49歳	11.6	6.4	4.9	4.9	3.6	2.5	2.1	1.5	1.3	0.8	0.0	0.1	0.0	0.4	0.4	0.5	42.7	64.8
		合計	41.1	14.1	18.4	12.0	10.1	8.3	8.3	6.8	2.5	2.0	1.4	0.4	0.1	0.9	0.7	1.3	133.6	64.1

続柄	就業形態	年齢	1	2	3	4	5	6	7	8	9	10	11	12	13	14	15	16	合計	(%)
世帯主の配偶者	正社員	15-19歳	0.0	0.0	0.0	0.0	0.0	0.0	0.0	0.0	0.0	0.0	0.0	0.0	0.0	0.0	0.0	0.0	0.0	0.0
		20-24歳	0.2	0.1	2.4	4.2	6.8	6.9	5.7	1.6	0.1	0.0	0.0	0.0	0.0	0.0	0.0	0.0	28.0	24.5
		25-29歳	3.4	3.5	11.1	17.7	50.8	53.4	88.4	49.1	9.6	1.9	3.4	1.0	0.0	0.0	0.0	0.0	295.1	12.1
		30-34歳	9.1	10.3	20.5	36.9	77.6	78.1	152.1	103.2	34.4	9.6	6.3	2.8	0.8	2.0	0.1	0.0	545.8	14.1
		35-39歳	8.9	16.2	26.1	37.7	81.1	71.6	148.6	107.0	64.4	24.6	5.0	3.4	2.1	3.7	1.5	1.4	609.7	14.6
		40-44歳	8.5	23.9	30.9	43.4	95.0	72.2	144.3	115.3	88.1	48.9	14.8	8.5	3.7	3.8	0.6	1.1	709.4	15.0
		45-49歳	9.0	27.8	31.1	48.7	92.8	69.2	134.6	91.8	80.2	55.2	30.9	11.0	4.0	7.5	0.9	2.5	705.9	16.5
		合計	39.2	81.8	122.0	188.6	404.1	351.5	673.8	468.0	276.9	140.3	60.4	26.6	10.5	16.9	3.0	5.0	2,894.0	14.9
	パート・アルバイト	15-19歳	0.1	0.8	0.1	0.1	0.0	0.0	0.0	0.0	0.0	0.0	0.0	0.0	0.0	0.0			1.0	100.0
		20-24歳	5.0	16.0	8.4	1.5	1.3	0.1	0.4	0.0	0.0	0.0	0.0	0.0	0.0	0.0			32.7	94.5
		25-29歳	21.3	72.8	53.1	11.7	4.9	0.9	0.7	0.0	0.0	0.0	0.0	0.0	0.1	0.0			167.2	95.0
		30-34歳	46.7	197.5	123.8	32.0	15.2	5.1	2.9	0.8	0.4	0.4	0.1	0.0	0.0	0.0			427.5	93.6
		35-39歳	84.3	334.2	191.4	46.6	27.1	9.1	5.1	0.4	0.1	0.2	0.3	0.0	0.0	0.0			703.5	93.3
		40-44歳	108.0	515.9	316.8	68.8	37.3	11.4	7.0	1.6	0.1	0.3	0.1	0.2	0.1	0.0			1,075.7	93.8
		45-49歳	96.3	529.7	384.5	78.8	44.1	11.6	8.5	1.8	0.2	0.0	0.0	0.0	0.0	0.2			1,163.8	93.6
		合計	361.8	1666.9	1078.0	239.4	129.8	38.2	24.7	4.6	0.9	0.9	0.5	0.2	0.1	0.2			3,571.4	93.7
	その他非典型雇用	20-24歳	0.0	0.5	1.4	1.4	1.1	0.4	0.0	0.0	0.0	0.0	0.1	0.0	0.0	0.0	0.0		4.8	68.4
		25-29歳	0.8	4.4	9.1	12.7	8.6	5.7	2.5	1.0	0.4	0.0	0.1	0.0	0.0	0.0	0.0		45.5	59.4
		30-34歳	3.0	8.1	19.5	17.4	21.2	9.9	7.6	2.9	1.4	0.0	0.0	0.0	0.1	0.0	0.0		91.3	52.5
		35-39歳	4.7	18.3	27.7	23.5	30.2	13.6	13.6	3.0	1.1	0.1	0.0	0.0	0.2	0.0	0.0		136.6	54.3
		40-44歳	14.3	34.7	41.1	34.6	37.6	15.6	17.2	3.8	1.6	0.3	0.1	0.2	0.0	0.1	0.0		202.1	61.7
		45-49歳	15.6	36.7	38.9	46.1	51.9	19.9	16.1	6.0	1.5	0.9	0.4	0.1	0.0	0.0	1.0		235.0	58.4
		合計	38.4	102.6	137.6	135.7	150.7	65.1	57.0	16.6	5.9	1.3	0.6	0.3	0.1	0.1	1.0		715.3	57.9
	その他就業	20-24歳	1.4	0.2	0.8	0.0	0.0	0.0	0.0	0.0	0.0	0.0	0.0	0.0	0.0	0.0	0.0	0.0	2.7	89.0
		25-29歳	9.5	3.2	2.6	0.5	0.3	0.4	0.0	0.0	0.1	0.0	0.0	0.0	0.0	0.0	0.0	0.0	16.8	94.0
		30-34歳	30.2	6.9	6.6	2.3	1.8	0.6	1.6	1.2	0.1	0.0	0.1	0.0	0.3	0.0	0.0	0.0	52.5	87.6
		35-39歳	55.8	10.5	8.7	3.1	2.5	2.4	2.0	0.9	0.3	0.7	0.0	0.7	0.0	0.1	0.1	0.1	90.2	86.7
		40-44歳	76.9	17.7	12.0	3.7	3.7	2.1	3.6	0.9	1.0	0.6	0.6	0.8	0.1	0.1	0.1	0.0	125.8	87.8
		45-49歳	79.0	15.4	9.3	5.1	5.7	1.2	2.2	1.9	1.2	0.3	0.9	0.5	0.1	0.9	0.0	0.9	126.0	86.4
		合計	252.9	54.1	40.1	14.7	14.0	6.6	9.4	5.0	2.6	1.6	1.6	2.0	0.4	1.0	0.3	1.1	414.0	87.4
子	正社員	15-19歳	0.6	1.5	9.8	25.3	18.6	6.0	1.3	0.1	0.0	0.0	0.0	0.0	0.0	0.0	0.1	0.0	64.8	57.2
		20-24歳	2.2	5.1	39.3	120.3	273.8	154.2	112.4	11.2	1.5	0.6	0.0	0.2	0.0	0.0	0.0	0.0	733.4	22.7
		25-29歳	1.2	3.2	20.9	72.4	183.0	159.1	213.0	60.0	17.1	2.3	0.5	0.0	0.1	0.0	0.1	0.3	741.6	13.2
		30-34歳	2.3	2.6	13.5	36.5	88.7	78.7	105.1	47.9	15.8	3.9	1.0	1.3	0.0	1.5	0.4	0.0	404.3	13.6
		35-39歳	0.6	3.3	14.0	28.9	60.5	49.8	79.0	33.2	17.1	6.7	2.1	0.3	0.4	1.1	0.4	0.1	313.2	15.0
		40-44歳	1.7	3.1	11.6	22.4	55.5	49.8	78.1	45.4	24.3	10.3	3.2	1.1	0.5	0.7	0.5	0.4	315.4	12.3
		45-49歳	1.5	2.3	7.7	15.9	34.4	33.1	48.8	37.6	23.3	10.9	7.0	1.8	1.4	0.8	0.0	0.2	232.1	11.9
		合計	10.2	21.1	116.9	321.7	723.5	531.6	637.7	235.5	99.1	34.6	13.8	4.8	2.4	4.0	1.1	1.1	2,804.9	16.7
	パート・アルバイト	15-19歳	5.3	13.9	8.0	2.1	0.6	1.0	0.2	0.0	0.0	0.0		0.0					31.5	93.0
		20-24歳	20.4	47.0	60.6	39.3	15.2	1.1	1.2	0.0	0.0	0.1		0.0					188.5	88.7
		25-29歳	12.2	39.9	81.0	47.9	19.1	7.8	0.8	0.3	0.0	0.0		0.0					212.9	85.1
		30-34歳	8.0	34.1	58.8	38.9	17.7	3.4	1.0	0.0	0.0	0.0		0.0					165.0	84.7
		35-39歳	6.9	27.0	45.9	26.0	16.6	1.8	1.5	0.0	0.0	0.0		0.2					128.1	82.6
		40-44歳	8.4	24.7	49.5	23.9	13.0	2.7	0.3	0.4	0.2	0.3		0.1					126.6	84.1
		45-49歳	5.5	22.1	35.5	21.7	11.5	2.3	0.4	0.1	0.0	0.0		0.0					101.7	83.4
		合計	66.8	208.6	339.2	199.8	93.7	20.1	5.4	0.8	0.2	0.3		0.2					954.2	85.4
	その他非典型雇用	15-19歳	0.8	1.3	1.9	1.5	0.9	0.1	0.0	0.0	0.0	0.0	0.0						6.9	81.0
		20-24歳	5.7	4.4	16.9	35.5	33.4	9.8	3.1	0.0	0.0	0.0	0.0						110.6	56.5
		25-29歳	6.2	4.7	24.6	47.1	53.4	21.4	10.2	1.2	0.0	0.0	0.0						170.9	48.3
		30-34歳	3.1	3.7	18.6	31.3	39.9	16.0	9.2	2.5	0.7	0.0	0.0						126.7	44.8
		35-39歳	2.6	4.2	14.9	22.3	32.5	12.1	3.6	1.7	0.5	0.2	0.0						97.6	45.1
		40-44歳	2.4	3.4	17.1	19.1	26.3	14.1	8.3	1.0	0.3	0.0	0.0						93.1	45.1
		45-49歳	2.5	3.7	9.5	15.8	22.0	9.8	9.2	1.4	0.4	0.3	0.2						77.0	40.8
		合計	23.3	25.4	103.5	172.6	208.4	83.4	43.6	7.8	1.9	0.5	0.2						682.7	47.6
	その他就業	15-19歳	2.1	0.0	0.0	0.0	0.0	0.0	0.0	0.0	0.0	0.0	0.0		0.0	0.0		0.0	2.5	85.3
		20-24歳	10.4	1.4	0.8	0.5	0.6	0.6	0.0	0.0	0.0	0.0	0.0		0.0	0.0		0.0	15.3	86.7
		25-29歳	12.6	2.5	1.5	1.9	1.3	0.3	0.8	0.0	0.0	0.0	0.0		0.0	0.0		0.0	22.3	82.7
		30-34歳	9.9	3.8	1.5	2.2	0.6	2.6	1.2	0.0	0.2	0.3	0.2		0.1	0.0		0.0	24.4	71.4
		35-39歳	10.2	2.1	2.8	1.2	0.9	0.7	1.9	0.2	0.0	0.0	0.3		0.0	0.0		0.0	21.2	77.4
		40-44歳	12.5	2.9	2.7	3.2	2.2	1.5	1.8	0.1	0.1	0.0	0.3		0.0	0.1		0.1	30.7	69.4
		45-49歳	12.6	2.7	1.1	2.1	2.0	0.8	0.6	0.7	0.1	0.1	0.1		0.0	0.0		0.1	24.3	76.2
		合計	70.3	15.3	10.5	11.1	7.7	6.4	6.3	1.1	0.4	0.4	0.6		0.1	0.1		0.1	140.5	76.3

注：ウエイトバック値。有効な回答があったケースのみを対象に推計した。
　　年収不詳は掲載を省いた。

③母子・父子世帯（世帯主）

単位：千人

世帯類型	雇用形態	年齢階級	収入なし、50万円未満	50～99万円	100～149万円	150～199万円	200～249万円	250～299万円	300～399万円	400～499万円	500～599万円	600～699万円	700～799万円	800～899万円	900～999万円	1000～1249万円	1250～1499万円	1500万円以上	合計	年収200万円未満(%)
											有業者・個人年収									
父子世帯	正社員(役員含む)	15-19歳	0.0	0.0	0.0	0.2	0.0	0.0	0.0	0.0	0.0	0.0	0.0	0.0	0.0	0.0		0.0	0.2	100.0
		20-24歳	0.0	0.0	0.0	0.0	0.3	0.0	0.0	0.0	0.0	0.0	0.0	0.0	0.0	0.0		0.0	0.3	0.0
		25-29歳	0.0	0.0	0.0	0.2	0.2	0.4	0.4	1.2	0.5	0.1	0.0	0.0	0.0	0.0		0.0	2.9	5.5
		30-34歳	0.0	0.0	0.1	0.2	0.4	0.2	1.6	0.1	1.0	0.1	0.7	0.0	0.0	0.0		0.0	4.4	5.6
		35-39歳	0.0	0.6	0.1	0.2	1.3	1.3	2.8	1.3	1.2	0.6	0.1	0.0	0.0	0.1		0.0	9.6	9.4
		40-44歳	0.0	0.1	0.0	0.4	0.8	1.3	2.7	2.4	1.6	2.4	0.8	1.3	0.8	0.6		0.0	15.2	3.3
		45-49歳	0.1	0.0	0.0	0.0	0.3	0.4	1.7	2.1	1.2	2.3	1.1	0.4	0.4	0.6		0.3	10.9	0.8
		合計	0.1	0.6	0.1	1.3	3.3	3.6	9.2	7.1	5.5	5.4	2.7	1.7	1.3	1.3		0.3	43.5	4.8
	パート・アルバイト	20-24歳	0.0	0.0	0.0	0.1	0.0												0.1	100.0
		25-29歳	0.0	0.0	0.0	0.1	0.0												0.1	100.0
		30-34歳	0.0	0.0	0.0	0.2	0.0												0.2	100.0
		35-39歳	0.0	0.0	0.1	0.0	0.1												0.1	58.3
		40-44歳	0.0	0.1	0.2	0.1	0.0												0.3	100.0
		45-49歳	0.2	0.0	0.0	0.1	0.0												0.4	100.0
		合計	0.2	0.1	0.3	0.5	0.1												1.1	95.4
	その他非典型	15-19歳	0.1	0.0	0.0	0.0	0.0	0.0	0.0	0.0	0.0								0.1	100.0
		25-29歳	0.0	0.0	0.0	0.0	0.0	0.1	0.0	0.0	0.0								0.1	0.0
		30-34歳	0.0	0.0	0.0	0.1	0.0	0.0	0.3	0.0	0.0								0.4	27.2
		35-39歳	0.0	0.0	0.1	0.0	0.0	0.2	0.0	0.0	0.0								0.2	26.3
		40-44歳	0.0	0.0	0.0	0.1	0.0	0.0	0.0	0.3	0.2								0.7	6.2
		45-49歳	0.0	0.0	0.0	0.1	0.1	0.1	0.0	0.0	0.3								0.5	9.6
		合計	0.1	0.0	0.1	0.2	0.1	0.4	0.4	0.3	0.5								2.1	17.1
	その他就業	25-29歳	0.0	0.0	0.0	0.0	0.3	0.0	0.0	0.0	0.0	0.0	0.0	0.0	0.0				0.3	0.0
		30-34歳	0.0	0.1	0.0	0.0	0.0	0.0	0.3	0.0	0.0	0.0	0.0	0.0	0.0				0.3	25.6
		35-39歳	0.0	0.0	0.0	0.0	0.2	0.1	0.1	0.2	0.0	0.0	0.0	0.0	0.1				0.8	0.0
		40-44歳	0.1	0.1	0.2	0.2	0.4	0.1	0.4	0.1	0.0	0.0	0.1	0.0	0.0				1.7	33.9
		45-49歳	0.3	0.0	0.0	0.1	0.1	0.1	0.0	0.0	0.0	0.0	0.0	0.0	0.0				0.8	33.8
		合計	0.4	0.1	0.2	0.2	0.9	0.4	0.8	0.3	0.3	0.0	0.1	0.0	0.1				3.9	24.1
	合計	15-19歳	0.1	0.0	0.0	0.2	0.0	0.0	0.0	0.0	0.0	0.0	0.0	0.0	0.0	0.0		0.0	0.3	100.0
		20-24歳	0.0	0.0	0.0	0.1	0.3	0.0	0.0	0.0	0.0	0.0	0.0	0.0	0.0	0.0		0.0	0.4	13.1
		25-29歳	0.0	0.0	0.0	0.2	0.4	0.5	0.4	1.2	0.5	0.1	0.0	0.0	0.0	0.0		0.0	3.3	6.7
		30-34歳	0.0	0.1	0.1	0.5	0.4	0.2	2.2	0.1	1.0	0.1	0.7	0.0	0.0	0.0		0.0	5.3	11.7
		35-39歳	0.0	0.6	0.2	0.2	1.4	1.6	2.9	1.3	1.4	0.6	0.1	0.0	0.1	0.1		0.0	10.7	9.6
		40-44歳	0.1	0.2	0.4	0.7	1.2	1.4	3.1	2.8	1.8	2.4	0.9	1.3	0.8	0.6		0.0	17.9	8.0
		45-49歳	0.6	0.0	0.0	0.2	0.5	0.6	1.8	2.2	1.5	2.3	1.1	0.4	0.4	0.6		0.3	12.6	6.1
		合計	0.7	0.9	0.7	2.1	4.3	4.3	10.4	7.7	6.3	5.4	2.8	1.7	1.4	1.3		0.3	50.6	8.8
母子世帯	正社員(役員含む)	20-24歳	0.0	0.0	0.4	0.3	0.3	0.2	0.0	0.1	0.0					0.0	0.0	0.0	1.3	59.2
		25-29歳	0.0	0.1	1.1	1.9	1.6	0.6	2.7	0.5	0.3	0.0	0.0	0.0	0.0	0.0	0.0		9.1	33.6
		30-34歳	0.2	0.5	2.4	5.2	9.4	5.1	7.1	3.0	2.3	0.0	0.0	0.0	0.0	0.0	0.0		35.1	23.6
		35-39歳	0.4	0.5	4.3	5.4	11.4	11.5	13.0	3.1	1.3	0.3	0.2	0.0		0.1	0.6		57.1	18.5
		40-44歳	0.2	0.5	4.6	6.6	15.5	11.3	14.8	9.1	5.8	2.6	0.6	0.0	0.1	0.1		0.8	73.2	16.3
		45-49歳	0.0	0.6	1.0	3.4	7.2	7.5	7.6	4.2	3.7	2.5	1.4	1.0		0.1	0.1	0.7	41.5	12.2
		合計	0.7	2.4	13.8	22.8	45.4	36.5	45.2	22.1	14.6	6.4	2.4	1.1	0.1	0.3	0.7	1.6	217.3	18.2
	パート・アルバイト	20-24歳	0.7	0.9	1.6	0.6	0.4	0.0	0.0	0.0	0.0					0.0	0.0		4.2	90.6
		25-29歳	2.0	5.4	6.0	1.8	1.6	0.2	0.0	0.0	0.0					0.0	0.0		17.4	87.3
		30-34歳	4.2	10.8	15.7	6.9	2.9	0.7	0.1	0.0	0.0					0.0	0.0		41.6	90.5
		35-39歳	3.0	8.9	20.0	10.0	3.3	2.3	0.1	0.0	0.1					0.1	0.0		47.9	87.5
		40-44歳	3.6	11.2	18.4	9.7	4.4	1.5	1.6	0.3	0.2					0.0	0.1		51.5	83.2
		45-49歳	2.3	5.8	11.6	5.7	3.5	0.4	1.4	0.0	0.0					0.0	0.0		31.4	80.8
		合計	15.8	43.1	73.3	34.6	16.2	5.1	3.1	0.3	0.3					0.1	0.1		194.1	86.0
	その他非典型	20-24歳	0.0	0.0	0.2	0.6	0.3	0.0	0.0	0.0	0.0					0.0			1.0	75.9
		25-29歳	0.5	1.5	1.1	1.3	0.6	0.0	0.2	0.0	0.0					0.0			5.3	83.8
		30-34歳	0.0	1.1	3.1	2.3	2.6	1.4	1.1	0.1	0.0					0.0			11.7	55.2
		35-39歳	0.2	0.2	4.6	4.6	5.2	1.1	1.1	0.0	0.0					0.1			16.9	56.0
		40-44歳	0.2	1.1	4.5	6.0	6.9	1.0	1.8	0.1	0.3					0.0			22.1	53.4
		45-49歳	0.0	0.7	2.9	3.7	4.2	2.0	0.2	0.1	0.0					0.0			13.9	52.3
		合計	0.9	4.5	16.3	18.5	19.8	5.4	4.5	0.3	0.3					0.1			71.0	56.7
	その他就業	20-24歳	0.1	0.0	0.0	0.0	0.0	0.0	0.0	0.0	0.0				0.0			0.0	0.1	100.0
		25-29歳	0.4	0.6	0.1	0.3	0.0	0.0	0.0	0.0	0.0				0.0			0.0	1.7	87.2
		30-34歳	1.5	0.3	0.6	0.1	0.4	0.0	0.0	0.0	0.0				0.0			0.0	2.8	87.4
		35-39歳	1.8	0.5	1.1	0.6	0.5	0.0	0.4	0.2	0.0				0.0			0.0	5.0	78.3
		40-44歳	2.0	1.0	1.8	0.3	0.6	0.3	0.8	0.2	0.0				0.0			0.0	7.0	72.6
		45-49歳	1.3	1.6	1.0	0.1	0.1	0.5	0.3	0.0	0.1				0.1			0.1	5.3	75.4
		合計	7.1	4.0	4.5	1.5	1.5	0.8	1.5	0.4	0.1				0.1			0.1	21.9	77.7
	合計	20-24歳	0.8	1.0	2.3	1.5	0.9	0.4	0.0	0.1	0.0	0.0	0.0	0.0	0.0	0.0	0.0	0.0	6.7	82.3
		25-29歳	3.0	7.6	8.4	5.3	3.8	0.8	2.9	0.5	0.3	0.0	0.0	0.0	0.0	0.0	0.0	0.0	33.5	72.1
		30-34歳	5.8	12.7	21.7	14.5	15.3	7.1	8.3	3.1	2.3	0.0	0.0	0.0	0.0	0.0	0.0	0.0	91.2	60.1
		35-39歳	5.3	10.1	29.9	20.6	20.4	15.2	14.5	5.4	2.5	1.3	0.3	0.3	0.0	0.1	0.6	0.0	126.9	51.9
		40-44歳	5.9	13.9	29.2	22.6	27.4	14.1	19.0	9.7	6.4	2.6	0.6	0.0	0.1	0.1	0.1	0.8	153.8	46.6
		45-49歳	3.6	8.8	16.4	12.9	15.1	10.4	9.6	4.3	3.8	2.5	1.4	1.0	0.1	0.1	0.1	0.7	92.2	45.3
		合計	24.5	54.0	107.9	77.4	82.9	47.9	54.3	23.1	15.3	6.4	2.4	1.3	0.2	0.4	0.7	1.7	504.3	52.3

注：ウエイトバック値。有効な回答があったケースのみを対象に推計した。
　　年収不詳は掲載を省いた。

④単身世帯（世帯主）

世帯類型	雇用形態	年齢階級	収入なし、50万円未満	50～99万円	100～149万円	150～199万円	200～249万円	250～299万円	300～399万円	400～499万円	500～599万円	600～699万円	700～799万円	800～899万円	900～999万円	1000～1249万円	1250～1499万円	1500万円以上	合計	年収200万円未満(%)
男性・単身世帯	正社員(役員含む)	15-19歳	0.0	0.4	3.9	7.2	9.5	7.3	5.4	0.0	0.0	0.0	0.0	0.0	0.0	0.0	0.0	0.0	33.6	33.9
		20-24歳	1.8	1.1	9.9	22.4	87.4	100.6	134.7	50.7	3.2	3.5	0.9	0.0	0.4	0.0	0.0	0.4	418.5	8.4
		25-29歳	5.3	0.4	6.5	14.1	67.5	89.2	249.9	196.4	81.5	15.8	6.3	4.7	2.7	1.1	0.2	2.2	747.6	3.5
		30-34歳	1.8	1.1	2.7	8.5	34.0	43.4	151.2	143.8	98.8	51.4	18.7	6.0	6.4	4.0	2.7	0.8	577.1	2.5
		35-39歳	2.2	2.0	4.3	7.8	22.5	28.6	92.4	114.3	83.6	53.0	28.7	18.6	5.3	4.7	0.1	1.0	473.1	3.4
		40-44歳	5.1	1.6	3.6	8.4	31.0	32.3	95.1	111.6	102.4	54.2	37.9	24.7	11.3	15.3	1.2	2.7	545.7	3.4
		45-49歳	3.0	1.6	2.3	11.6	29.1	34.4	85.1	83.3	90.2	69.1	51.3	29.9	31.7	25.6	3.7	6.5	561.6	3.3
		合計	19.2	8.2	33.2	79.9	281.0	335.9	813.8	700.0	459.7	247.0	143.9	83.9	57.8	50.8	7.8	13.5	3357.1	4.2
	パート・アルバイト	15-19歳	0.4	0.2	3.8	0.2	0.0	0.0	0.2	0.0						0.0			4.7	95.4
		20-24歳	2.1	5.3	9.5	9.5	3.7	3.0	0.1	0.0						0.0			33.8	77.1
		25-29歳	1.6	3.8	12.0	11.2	6.5	1.7	1.3	0.0						0.0			38.4	74.4
		30-34歳	2.2	4.0	10.5	8.0	7.1	2.7	1.5	0.0						0.4			36.7	67.2
		35-39歳	2.2	3.4	7.6	4.4	7.5	4.8	2.4	0.1						0.0			32.7	54.0
		40-44歳	2.6	4.7	6.3	5.0	7.6	4.0	3.6	0.6						0.0			35.4	52.7
		45-49歳	1.3	5.7	8.7	6.7	7.4	2.6	2.3	0.0						0.0			36.0	62.2
		合計	12.4	27.1	58.0	45.0	39.8	18.8	11.4	0.7						0.4			217.7	65.5
	その他非典型	15-19歳	0.0	0.1	0.2	0.3	1.3	0.1	0.8	0.0	0.1	0.0	0.0			0.0	0.0	0.0	2.8	20.8
		20-24歳	0.6	0.7	6.3	7.7	12.0	7.3	8.2	4.2	0.1	0.0	0.0			0.1	0.0	0.0	47.3	32.4
		25-29歳	1.8	2.6	4.0	7.8	18.2	11.0	16.1	6.8	3.1	0.5	0.0				0.0	0.0	71.9	22.5
		30-34歳	1.5	3.0	2.7	6.7	12.3	9.3	14.8	8.5	2.7	0.0	3.3			0.0	0.0	0.0	65.6	21.1
		35-39歳	0.4	3.0	2.8	6.1	12.8	10.9	16.6	8.3	2.6	0.0	0.0			0.0	0.0	0.0	63.9	19.4
		40-44歳	2.0	2.2	5.8	6.4	14.9	11.4	21.0	7.7	0.3	1.0	0.0			0.0	0.0	0.6	75.3	23.3
		45-49歳	1.8	1.2	3.4	5.0	14.2	12.1	14.7	6.8	2.0	0.6	1.2			0.0	0.6	0.0	64.2	17.7
		合計	8.2	12.7	25.2	41.2	85.8	62.3	92.1	42.3	10.8	2.0	4.6			0.1	0.6	0.6	390.9	22.3
	その他就業	15-19歳	0.1	0.0	0.0	0.0	0.0	0.0	0.0	0.0	0.0	0.0	0.0	0.0	0.0	0.0	0.0	0.0	0.1	100.0
		20-24歳	1.3	0.0	2.1	0.1	0.1	0.0	0.0	0.0	0.0	0.0	0.0	0.0	0.0	0.0	0.0	0.0	5.4	65.6
		25-29歳	2.2	0.2	1.3	2.1	1.4	2.9	0.9	0.7	0.2	0.9	0.0	0.0	1.0	0.0	0.0	0.0	18.2	32.0
		30-34歳	5.6	1.3	1.6	3.1	3.0	1.6	3.9	2.0	2.4	2.5	0.9	0.0	0.0	2.1	0.0	0.0	33.7	34.4
		35-39歳	10.1	4.3	2.4	4.1	3.4	2.8	5.7	3.8	1.9	1.1	0.4	1.6	1.4	0.4	0.1	0.0	44.3	47.3
		40-44歳	11.5	2.7	2.8	4.4	4.5	5.6	7.3	4.8	2.6	0.1	4.1	0.8	0.4	0.1	0.0	0.4	52.9	40.5
		45-49歳	11.2	5.6	7.0	5.1	4.3	5.7	9.4	6.1	3.9	1.3	0.6	1.6	0.8	1.3	1.6	0.3	69.0	41.9
		合計	42.1	14.2	17.2	18.9	16.7	18.6	27.1	17.4	11.1	5.9	6.0	4.0	3.5	4.0	1.7	0.7	223.6	41.3
	合計	15-19歳	0.4	0.7	7.8	7.7	10.8	7.4	6.4	0.0	0.0	0.0	0.0	0.0	0.0	0.0	0.0	0.0	41.2	40.2
		20-24歳	5.9	7.0	27.5	39.7	103.1	111.0	142.9	54.9	3.3	3.5	0.9	0.0	0.4	0.0	0.0	0.4	505.1	15.9
		25-29歳	10.9	7.0	23.9	35.1	93.5	104.9	268.1	203.8	84.7	17.1	6.3	4.7	3.7	1.1	0.2	2.2	876.1	8.8
		30-34歳	11.2	9.4	17.4	26.3	56.4	57.0	171.4	154.3	104.0	53.9	23.0	6.0	6.4	6.5	2.7	0.8	713.1	9.0
		35-39歳	14.9	12.8	17.1	22.5	46.2	47.1	117.0	126.5	88.1	54.2	29.1	20.2	6.6	5.2	0.3	1.0	613.9	11.0
		40-44歳	21.2	11.3	18.5	25.4	58.0	53.3	127.1	124.7	105.3	55.2	42.0	25.5	11.7	15.4	1.2	3.7	709.3	10.8
		45-49歳	17.4	14.1	21.4	28.4	55.1	54.9	111.5	96.2	96.1	71.0	53.2	31.5	32.5	27.0	5.9	6.8	730.8	11.1
		合計	81.9	62.2	133.6	185.0	423.2	435.5	944.4	760.4	481.6	254.9	154.4	87.9	61.4	55.2	10.2	14.8	4189.4	11.0
女性・単身世帯	正社員(役員含む)	15-19歳	0.1	0.0	1.8	7.4	4.6	0.7	0.2	0.0	0.0	0.0	0.0	0.0	0.0	0.0	0.0	0.0	14.9	62.1
		20-24歳	0.4	3.8	8.7	34.5	93.4	70.4	65.1	13.5	1.5	0.0	0.0	0.0	0.3	0.0	0.0	0.0	292.2	16.2
		25-29歳	2.6	1.1	6.2	19.8	76.3	71.9	137.0	85.9	24.0	6.2	1.6	0.0	0.1	0.9	0.7	0.0	435.4	6.8
		30-34歳	1.2	1.7	6.1	11.6	39.3	38.8	87.4	57.4	31.1	11.9	5.3	2.2	2.0	3.0	0.0	0.0	300.1	6.8
		35-39歳	0.3	1.0	2.3	8.0	19.3	22.2	55.4	46.7	33.2	19.0	3.1	3.7	6.5	2.3	0.0	0.0	225.2	5.2
		40-44歳	0.5	0.6	3.1	7.5	24.1	21.4	43.2	44.5	30.6	22.1	7.0	5.3	2.8	3.4	1.3	1.2	219.8	5.3
		45-49歳	0.4	0.9	4.4	7.6	21.5	20.7	45.4	36.5	18.4	21.6	14.4	9.5	1.4	6.4	1.9	0.6	212.9	6.2
		合計	5.4	9.0	32.4	96.4	278.5	246.1	433.8	284.5	138.8	80.8	31.5	20.7	12.8	16.3	4.0	1.9	1700.5	8.4
	パート・アルバイト	15-19歳	1.3	0.5	3.2	0.7	0.1	0.4	0.2	0.0	0.0								6.0	95.7
		20-24歳	1.4	7.3	17.1	6.1	10.6	1.3	0.4	0.0	0.3								44.8	71.0
		25-29歳	2.1	7.7	10.2	12.1	5.9	1.0	0.7	0.0	0.0								42.7	75.0
		30-34歳	1.8	6.8	8.7	11.2	7.3	3.1	0.0	0.8	0.0								40.9	69.9
		35-39歳	2.9	6.7	13.7	7.3	4.2	1.6	1.6	0.1	0.0								38.4	79.8
		40-44歳	6.6	11.4	13.0	11.4	9.0	2.1	3.0	0.0	0.0								57.0	74.5
		45-49歳	3.4	14.6	20.3	10.8	8.0	2.4	0.8	0.0						0.1			61.5	79.9
		合計	19.6	54.9	86.2	59.6	45.1	11.6	6.5	0.9	0.3					0.1			291.2	75.7
	その他非典型	15-19歳	0.0	0.0	0.4	0.4	1.3	0.2	0.0	0.0	0.0	0.0				0.0	0.0		2.3	35.0
		20-24歳	1.2	0.3	5.7	14.9	12.1	5.8	4.4	0.2	0.0	0.0				0.0	0.2		44.9	49.1
		25-29歳	0.6	2.1	4.7	12.2	21.1	9.6	8.6	2.4	0.6	0.0				0.0	0.0		62.3	31.4
		30-34歳	2.3	0.0	4.3	8.5	18.3	10.6	9.6	1.3	1.3	1.4				0.1	0.0		58.3	25.9
		35-39歳	2.0	2.4	3.4	8.0	15.4	9.3	7.9	1.8	0.8	0.0				0.0	0.0		51.2	30.8
		40-44歳	2.1	0.7	5.9	7.2	12.8	10.6	10.3	3.0	1.3	0.0				0.0	0.0		54.3	29.1
		45-49歳	1.6	1.5	4.4	12.1	16.5	7.7	12.7	2.6	0.0	0.5				0.0	0.0		61.8	31.8
		合計	9.7	6.9	28.7	63.4	97.4	53.7	53.4	11.3	4.1	1.9				0.1	0.2		335.1	32.5
	その他就業	15-19歳	0.4	0.0	0.0	0.0	0.0	0.0	0.0	0.0	0.0	0.0	0.0			0.0	0.0	0.0	0.4	87.1
		20-24歳	1.0	0.0	0.1	0.0	0.9	0.0	0.0	0.8	0.0	0.0	0.0			0.0	0.2		2.8	38.4
		25-29歳	2.0	0.1	0.7	0.9	0.5	3.3	1.7	0.0	0.0	0.0				0.0	0.0	0.0	9.2	38.8
		30-34歳	2.1	1.2	3.2	1.2	0.1	0.1	0.6	0.9	0.2	1.0				0.0	0.0	0.1	10.6	72.1
		35-39歳	4.2	1.0	0.9	1.2	1.5	0.6	1.8	0.1	0.1	0.0	0.2	0.3		0.3	0.0	0.0	13.3	55.3
		40-44歳	4.5	0.9	1.6	1.5	0.4	0.8	0.2	1.9	0.1	0.0				0.0	0.0		13.6	63.4
		45-49歳	6.9	2.1	1.4	2.3	2.8	1.6	1.1	0.9	1.1	0.7				0.0	0.4	0.4	22.6	56.3
		合計	21.0	5.3	7.9	7.1	6.2	6.4	5.4	4.6	1.5	1.7	1.3	0.3		0.3	0.4	0.4	72.5	57.0
	合計	15-19歳	1.7	0.6	3.6	8.6	6.0	0.9	0.3	0.0	0.0	0.0	0.0	0.0	0.0	0.0	0.0	0.0	23.6	68.4
		20-24歳	3.9	11.3	31.5	55.5	117.1	77.5	69.8	14.5	1.5	0.3	0.0	0.0	0.0	0.4	0.0	0.0	384.6	26.6
		25-29歳	7.2	10.9	21.7	44.9	103.7	85.9	148.0	88.3	24.6	6.2	1.6	0.0	0.1	0.9	0.7	0.0	549.6	15.4
		30-34歳	7.4	9.8	22.3	32.5	65.0	52.6	97.5	60.3	32.6	14.3	5.3	2.2	2.1	3.0	0.0	0.1	409.9	17.5
		35-39歳	9.5	11.1	20.3	24.6	40.4	33.7	66.8	48.7	34.1	19.0	4.1	4.0	6.5	2.6	0.0	0.0	328.2	19.9
		40-44歳	13.7	13.6	23.5	27.6	46.2	34.9	56.7	49.4	32.1	22.2	7.2	5.3	2.8	3.5	1.3	1.2	344.6	22.8
		45-49歳	12.4	19.0	30.5	32.9	48.8	32.4	59.9	40.0	19.5	22.8	14.4	9.5	1.4	6.5	2.3	1.0	358.8	26.4
		合計	55.7	76.2	155.2	226.6	427.3	317.9	499.1	301.2	144.4	84.7	32.7	21.0	12.9	16.9	4.3	2.3	2399.3	21.4

付表２－７　正社員のキャリア類型別労働時間、収入（性・学歴・年齢階層別、実測値）

			男性				女性		
			週労働時間(時間)	年収(万円)	時間当たり収入(円)	N	週労働時間(時間)	年収(万円)	時間当たり収入(円)	N
中学卒	正社員定着	15～19歳	48.3	201.4	931.5	66	—	—	—	7
		20～24歳	48.1	241.8	1,066.8	142	—	—	—	28
		25～29歳	46.2	294.5	1,723.6	157	—	—	—	24
		30～34歳	48.1	347.6	1,702.3	274	41.6	233.9	1,165.7	56
		35～39歳	46.9	362.5	1,812.7	377	39.8	208.3	1,233.1	48
		40～44歳	48.1	390.7	1,869.1	438	41.6	249.6	1,325.6	60
		45～49歳	47.5	420.1	1,910.3	444	42.3	256.9	1,516.3	69
		合計	47.6	360.6	1,738.8	1,898	41.3	230.3	1,271.3	292
	正社員転職	15～19歳	—	—	—	11	—	—	—	2
		20～24歳	48.4	249.5	1,229.6	49	—	—	—	5
		25～29歳	49.0	333.2	1,617.5	102	—	—	—	5
		30～34歳	50.3	352.3	1,574.3	199	—	—	—	11
		35～39歳	49.9	371.4	1,687.3	286	—	—	—	24
		40～44歳	49.5	379.5	1,758.8	409	44.1	267.6	1,590.7	36
		45～49歳	49.5	400.8	1,896.1	433	42.4	235.8	1,113.6	43
		合計	49.6	371.6	1,727.3	1,489	42.1	246.3	1,431.7	126
	正社員一時非典型	15～19歳	—	—	—	1	—	—	—	0
		20～24歳	—	—	—	6	—	—	—	1
		25～29歳	—	—	—	15	—	—	—	4
		30～34歳	47.2	329.1	1,681.9	37	—	—	—	6
		35～39歳	50.7	387.2	1,544.1	44	—	—	—	14
		40～44歳	51.0	356.3	1,444.0	70	41.8	246.0	1,240.1	34
		45～49歳	47.4	393.8	2,116.1	92	41.8	228.6	1,186.5	48
		合計	49.3	363.5	1,694.5	265	40.7	236.6	1,395.7	107
	他形態から正社員	15～19歳	—	—	—	16	—	—	—	6
		20～24歳	46.9	249.2	1,326.3	89	—	—	—	29
		25～29歳	50.1	286.9	1,300.8	148	41.8	202.0	1,065.0	46
		30～34歳	48.5	328.5	1,517.5	248	39.6	211.3	1,282.4	78
		35～39歳	48.3	348.3	1,638.3	250	42.6	236.5	1,317.3	61
		40～44歳	50.3	390.3	1,662.2	230	43.4	233.9	1,102.6	60
		45～49歳	49.2	398.8	1,961.5	240	43.8	243.4	1,184.9	78
		合計	49.0	345.7	1,608.2	1,221	42.0	222.3	1,197.0	358
	合計	15～19歳	48.1	205.5	925.8	94	—	—	—	15
		20～24歳	47.9	245.6	1,174.6	286	39.0	185.8	1,154.9	63
		25～29歳	48.5	301.1	1,526.3	422	42.1	208.5	1,264.7	79
		30～34歳	48.8	341.8	1,607.3	758	40.1	224.4	1,292.3	151
		35～39歳	48.3	362.6	1,717.3	957	41.1	228.0	1,333.5	147
		40～44歳	49.2	384.7	1,762.4	1,147	42.7	247.4	1,290.1	190
		45～49歳	48.6	407.0	1,931.0	1,209	42.7	243.3	1,268.4	238
		合計	48.7	360.3	1,700.2	4,873	41.6	230.0	1,279.1	883
高校卒	正社員定着	15～19歳	44.7	217.8	1,072.6	1,166	42.9	192.6	981.4	691
		20～24歳	46.4	276.8	1,349.4	3,123	43.2	224.0	1,142.7	1,655
		25～29歳	46.2	342.9	1,731.4	2,748	42.5	255.9	1,365.8	1,105
		30～34歳	47.1	385.5	1,879.2	2,833	42.0	262.1	1,416.3	899
		35～39歳	46.9	442.0	2,211.8	3,725	41.2	287.4	1,579.1	1,110
		40～44歳	46.3	504.1	2,515.5	5,381	40.8	328.8	1,834.1	1,467
		45～49歳	46.3	547.8	2,687.7	5,640	41.7	347.7	1,889.7	1,611
		合計	46.4	430.2	2,132.0	24,616	42.0	279.2	1,503.8	8,538
	正社員転職	15～19歳	—	—	—	28	—	—	—	21
		20～24歳	47.8	257.9	1,232.3	611	43.4	201.0	1,055.0	304
		25～29歳	48.5	303.8	1,430.0	1,063	40.9	223.9	1,310.0	400
		30～34歳	48.0	351.0	1,720.3	1,837	41.4	239.0	1,391.6	469
		35～39歳	48.2	383.1	1,839.4	2,721	40.9	251.5	1,449.2	600
		40～44歳	48.1	414.6	1,955.6	3,890	41.4	270.6	1,489.3	1,039
		45～49歳	47.9	445.4	2,086.3	4,606	41.5	285.4	1,574.7	1,471
		合計	48.1	395.5	1,876.5	14,756	41.4	259.7	1,452.3	4,304

正社員一時非典型	15～19歳	—	—	—	5	—	—	—	2
	20～24歳	48.9	261.6	1,171.2	80	42.7	193.3	1,011.0	55
	25～29歳	48.8	285.8	1,401.5	219	40.6	205.8	1,233.3	147
	30～34歳	48.1	332.3	1,653.0	378	39.6	213.8	1,277.4	243
	35～39歳	47.8	351.8	1,654.2	525	41.1	230.6	1,275.4	434
	40～44歳	48.1	377.4	1,791.1	620	41.0	238.6	1,327.3	742
	45～49歳	47.8	411.5	1,882.1	684	41.8	256.8	1,336.5	1,050
	合計	48.1	362.5	1,711.1	2,511	41.2	239.5	1,306.3	2,673
他形態から正社員	15～19歳	—	—	—	19	—	—	—	16
	20～24歳	47.1	249.6	1,188.5	195	41.2	212.4	1,230.1	166
	25～29歳	47.0	279.7	1,373.7	461	41.3	213.6	1,252.4	294
	30～34歳	47.1	329.0	1,633.1	848	40.9	218.7	1,288.3	423
	35～39歳	48.3	364.7	1,685.0	885	41.0	234.6	1,279.9	418
	40～44歳	48.4	392.7	1,818.7	685	41.2	252.3	1,431.7	297
	45～49歳	47.5	433.3	2,062.4	645	41.6	275.7	1,437.9	296
	合計	47.7	356.4	1,694.8	3,738	41.2	234.7	1,320.7	1,910
合計	15～19歳	44.7	217.8	1,074.5	1,218	42.8	191.6	986.4	730
	20～24歳	46.7	272.3	1,320.2	4,009	43.0	219.1	1,133.8	2,180
	25～29歳	47.0	324.5	1,607.3	4,491	41.8	239.2	1,327.2	1,946
	30～34歳	47.4	363.1	1,779.8	5,896	41.4	241.9	1,367.4	2,034
	35～39歳	47.6	407.0	1,986.2	7,856	41.1	260.8	1,448.4	2,562
	40～44歳	47.2	456.6	2,221.9	10,576	41.0	286.3	1,593.3	3,545
	45～49歳	47.1	492.6	2,366.0	11,575	41.6	300.6	1,623.7	4,428
	合計	47.1	409.2	1,990.4	45,621	41.6	263.4	1,440.7	17,425
専門学校(1～2年未満)卒　正社員定着	15～19歳	—	—	—	11	—	—	—	8
	20～24歳	47.3	244.1	1,226.9	374	44.1	213.3	1,126.4	423
	25～29歳	48.3	309.0	1,434.4	332	43.8	251.3	1,399.3	245
	30～34歳	47.4	354.4	1,703.3	529	42.5	266.6	1,513.6	274
	35～39歳	47.4	404.4	2,028.4	578	42.3	308.6	1,557.5	275
	40～44歳	47.0	451.5	2,187.4	824	42.7	317.5	1,597.2	328
	45～49歳	47.4	487.5	2,387.8	660	42.0	336.7	1,839.2	310
	合計	47.4	395.9	1,934.9	3,308	42.9	279.0	1,483.2	1,863
正社員転職	20～24歳	48.5	273.6	1,170.5	70	45.2	210.3	956.9	38
	25～29歳	46.5	289.5	1,607.1	162	43.9	224.6	1,116.4	117
	30～34歳	47.0	334.7	1,769.7	307	42.8	253.9	1,256.1	136
	35～39歳	48.8	374.4	1,718.6	427	39.6	262.0	1,524.5	168
	40～44歳	48.0	424.3	2,078.5	611	40.8	281.3	1,480.3	205
	45～49歳	48.3	450.2	2,042.2	574	43.2	316.3	1,599.2	217
	合計	48.0	393.3	1,888.2	2,151	42.1	271.5	1,412.5	881
正社員一時非典型	20～24歳	—	—	—	8	—	—	—	10
	25～29歳	—	—	—	21	43.8	209.2	1,156.8	30
	30～34歳	48.4	330.7	1,718.5	62	41.8	220.4	1,217.0	47
	35～39歳	46.5	324.3	1,705.3	67	40.8	248.1	1,352.7	62
	40～44歳	45.8	358.2	1,954.2	102	39.7	239.9	1,331.9	130
	45～49歳	49.6	372.0	1,535.3	74	42.0	284.0	1,506.2	140
	合計	47.3	342.4	1,715.7	334	41.2	250.3	1,359.3	419
他形態から正社員	15～19歳	—	—	—	1	—	—	—	0
	20～24歳	—	—	—	25	41.7	186.5	939.2	34
	25～29歳	47.5	275.5	1,368.8	54	43.0	249.5	1,336.9	50
	30～34歳	48.4	327.6	1,406.8	122	41.6	240.5	1,305.6	93
	35～39歳	47.9	363.7	1,714.7	141	42.9	267.3	1,433.2	86
	40～44歳	48.2	380.3	1,673.0	105	41.0	270.7	1,383.7	79
	45～49歳	49.5	339.9	1,553.5	61	42.1	287.1	1,356.6	65
	合計	48.2	340.0	1,545.6	509	42.0	255.6	1,329.1	407
合計	15～19歳	—	—	—	12	—	—	—	8
	20～24歳	47.5	247.9	1,218.2	477	44.0	210.8	1,098.1	505
	25～29歳	47.7	299.8	1,471.3	569	43.7	241.3	1,300.9	442
	30～34歳	47.5	343.8	1,688.7	1,020	42.4	255.1	1,389.4	550
	35～39歳	47.9	384.6	1,865.0	1,213	41.4	282.9	1,508.6	591
	40～44歳	47.4	431.0	2,099.5	1,642	41.4	288.8	1,495.7	742
	45～49歳	48.0	459.2	2,159.6	1,369	42.3	316.4	1,661.5	732
	合計	47.6	387.7	1,875.9	6,302	42.4	271.1	1,433.7	3,570

専門学校(2~4年未満)卒	正社員定着	20~24歳	46.1	257.1	1,247.5	590	44.4	250.6	1,278.8	992
		25~29歳	46.7	320.9	1,651.4	655	43.1	298.8	1,622.8	836
		30~34歳	46.7	382.6	1,907.8	882	42.4	327.9	1,768.0	906
		35~39歳	46.8	436.9	2,135.1	948	41.8	361.3	2,020.9	901
		40~44歳	47.0	493.7	2,391.1	1,171	42.2	409.5	2,215.7	958
		45~49歳	46.2	575.8	2,943.3	954	43.0	438.5	2,228.6	802
		合計	46.6	430.3	2,140.8	5,200	42.8	345.5	1,845.7	5,395
	正社員転職	20~24歳	45.5	253.0	1,291.0	90	41.2	225.9	1,474.3	110
		25~29歳	46.4	298.2	1,540.5	293	42.9	255.0	1,262.3	228
		30~34歳	47.5	357.0	1,722.1	612	41.8	292.9	1,496.4	344
		35~39歳	47.4	421.1	2,058.7	768	41.2	316.0	1,749.4	359
		40~44歳	47.5	456.9	2,156.1	978	41.3	348.3	1,858.4	523
		45~49歳	47.4	493.5	2,311.7	818	41.9	374.7	1,935.1	437
		合計	47.3	422.0	2,023.7	3,559	41.7	321.3	1,704.3	2,001
	正社員一時非典型	20~24歳	—	—	—	10	—	—	—	12
		25~29歳	48.0	258.5	1,092.3	46	41.3	221.7	1,309.6	42
		30~34歳	49.1	312.4	1,321.6	78	42.2	252.9	1,269.1	93
		35~39歳	48.3	388.4	2,015.8	108	40.6	282.3	1,645.4	118
		40~44歳	48.3	377.2	1,671.9	112	40.8	303.7	1,636.1	177
		45~49歳	47.0	432.9	2,081.8	97	41.9	320.0	1,677.2	220
		合計	48.1	365.2	1,717.9	451	41.4	291.2	1,567.1	662
	他形態から正社員	20~24歳	46.7	250.8	1,291.5	31	43.0	217.3	1,188.3	39
		25~29歳	47.1	278.9	1,328.8	108	41.3	238.8	1,420.8	105
		30~34歳	46.4	335.4	1,713.3	190	41.4	277.5	1,517.7	137
		35~39歳	46.1	381.5	1,888.4	205	41.3	279.6	1,454.6	160
		40~44歳	44.6	405.4	2,256.8	121	42.1	299.8	1,473.7	117
		45~49歳	47.8	500.3	2,351.2	73	41.3	342.1	1,858.7	80
		合計	46.3	364.5	1,841.9	728	41.6	280.3	1,500.5	638
	合計	20~24歳	46.0	256.2	1,257.7	721	44.1	246.8	1,291.2	1,153
		25~29歳	46.7	308.2	1,566.9	1,102	42.9	282.8	1,526.5	1,211
		30~34歳	47.1	365.6	1,796.3	1,762	42.2	310.4	1,650.3	1,480
		35~39歳	47.1	422.7	2,074.9	2,029	41.5	336.5	1,869.8	1,538
		40~44歳	47.1	468.5	2,254.0	2,382	41.7	373.9	2,003.7	1,775
		45~49歳	46.8	531.3	2,611.9	1,942	42.4	398.3	2,047.2	1,539
		合計	46.9	419.6	2,057.8	9,938	42.4	331.2	1,766.7	8,696
短大・高専卒	正社員定着	20~24歳	46.1	277.4	1,320.1	312	44.2	231.2	1,227.6	1,054
		25~29歳	46.7	357.8	1,941.6	300	42.4	273.9	1,514.9	804
		30~34歳	47.9	420.7	1,996.2	349	41.6	299.2	1,709.2	722
		35~39歳	46.5	458.3	2,252.8	434	41.7	340.9	1,851.4	909
		40~44歳	47.4	531.1	2,566.9	615	41.8	390.8	2,114.0	1,215
		45~49歳	45.9	633.4	3,042.9	661	42.7	438.3	2,294.1	1,132
		合計	46.7	480.6	2,343.2	2,671	42.5	335.7	1,815.3	5,836
	正社員転職	20~24歳	46.3	243.8	1,217.4	35	40.7	223.6	1,281.1	88
		25~29歳	47.8	298.0	1,383.5	98	40.9	257.6	1,528.5	244
		30~34歳	47.5	364.8	1,739.4	203	41.9	279.0	1,563.3	280
		35~39歳	48.2	426.6	2,008.2	282	40.9	274.3	1,525.6	452
		40~44歳	48.0	454.0	2,230.1	406	41.1	313.3	1,714.1	715
		45~49歳	47.1	510.2	2,368.2	343	40.8	343.0	1,950.2	767
		合計	47.7	432.6	2,059.5	1,367	41.0	303.2	1,702.4	2,546
	正社員一時非典型	20~24歳	—	—	—	1	—	—	—	8
		25~29歳	—	—	—	13	41.7	246.0	1,462.8	62
		30~34歳	—	—	—	20	39.9	228.0	1,303.5	105
		35~39歳	47.6	357.8	1,846.8	43	39.5	271.4	1,646.0	208
		40~44歳	46.4	385.5	1,647.8	48	39.3	290.1	1,744.6	399
		45~49歳	46.1	435.2	2,502.4	32	41.2	291.8	1,544.1	432
		合計	47.5	372.1	1,796.7	157	40.2	279.2	1,598.1	1,214

学歴	区分	年齢								
	他形態か	20〜24歳	—	—	—	8	44.0	217.1	1,113.8	40
	ら正社員	25〜29歳	43.6	292.3	1,712.4	25	40.7	231.6	1,315.0	116
		30〜34歳	47.0	331.5	1,820.5	63	40.6	264.0	1,509.9	168
		35〜39歳	46.0	352.8	1,877.3	71	40.5	273.5	1,559.9	269
		40〜44歳	51.9	442.0	1,777.0	50	40.3	300.3	1,708.0	287
		45〜49歳	49.5	505.4	2,182.9	27	42.6	323.2	1,585.5	166
		合計	47.8	374.6	1,837.9	244	41.0	280.3	1,552.3	1,046
	合計	20〜24歳	46.2	274.7	1,307.6	356	43.9	229.8	1,225.3	1,190
		25〜29歳	46.8	339.1	1,785.6	436	41.9	265.2	1,496.1	1,226
		30〜34歳	47.8	390.8	1,872.6	635	41.4	284.3	1,617.5	1,275
		35〜39歳	47.1	433.1	2,116.5	830	41.1	306.6	1,705.4	1,838
		40〜44歳	47.8	492.9	2,370.0	1,119	41.1	344.1	1,903.8	2,616
		45〜49歳	46.4	584.1	2,787.1	1,063	41.9	375.6	2,011.6	2,497
		合計	47.1	456.1	2,208.7	4,439	41.7	316.0	1,737.7	10,642
大学卒	正社員定着	20〜24歳	45.8	288.9	1,485.6	2,029	43.9	266.0	1,433.1	2,148
		25〜29歳	47.2	364.8	1,789.5	3,865	44.2	329.1	1,781.1	3,055
		30〜34歳	47.5	474.6	2,350.3	3,866	42.8	374.7	2,024.0	2,087
		35〜39歳	48.1	551.0	2,678.0	3,950	42.5	419.7	2,239.6	1,483
		40〜44歳	48.3	631.0	2,929.6	4,839	44.0	483.3	2,523.8	1,275
		45〜49歳	47.3	728.6	3,494.3	5,322	46.0	577.6	2,743.8	1,143
		合計	47.5	541.5	2,612.7	23,871	43.8	380.2	2,003.3	11,191
	正社員転職	20〜24歳	42.0	277.2	1,687.2	77	41.3	250.6	1,326.4	78
		25〜29歳	45.6	338.7	1,824.7	976	42.0	288.6	1,591.9	650
		30〜34歳	46.5	418.2	2,135.7	1,750	42.3	333.1	1,900.0	718
		35〜39歳	47.0	488.6	2,416.4	2,358	41.4	371.6	2,025.6	658
		40〜44歳	47.4	552.4	2,663.5	2,931	41.5	393.0	2,136.9	603
		45〜49歳	47.3	602.6	2,849.7	2,558	42.2	437.3	2,304.4	435
		合計	46.9	506.5	2,482.9	10,650	41.9	356.2	1,949.8	3,142
	正社員一時非典型	20〜24歳	—	—	—	3	—	—	—	3
		25〜29歳	47.0	295.7	1,305.9	80	43.6	263.6	1,292.4	100
		30〜34歳	47.5	364.6	1,706.3	160	41.2	298.7	1,752.7	174
		35〜39歳	47.0	413.5	2,131.2	208	39.7	314.4	1,768.3	245
		40〜44歳	47.0	437.1	2,033.0	267	40.7	352.1	2,032.3	243
		45〜49歳	47.9	456.8	2,327.5	215	41.3	349.3	1,904.3	204
		合計	47.3	411.4	2,002.2	933	41.0	323.1	1,808.9	969
	他形態か ら正社員	20〜24歳	43.7	271.6	1,406.2	50	43.0	249.2	1,358.8	61
		25〜29歳	45.4	316.8	1,663.9	306	44.5	274.6	1,345.3	274
		30〜34歳	47.9	367.4	1,747.9	430	43.2	301.5	1,504.3	286
		35〜39歳	46.9	427.3	2,118.9	618	42.1	333.1	1,825.8	376
		40〜44歳	47.7	459.0	2,272.5	495	44.0	368.2	1,760.3	335
		45〜49歳	47.9	553.0	2,512.4	305	44.5	443.3	2,204.3	151
		合計	47.2	421.0	2,056.1	2,204	43.5	332.0	1,679.6	1,483
	合計	20〜24歳	45.6	288.1	1,490.8	2,159	43.8	265.0	1,426.9	2,290
		25〜29歳	46.8	356.0	1,781.3	5,227	43.8	317.3	1,709.7	4,079
		30〜34歳	47.3	448.4	2,231.5	6,206	42.7	355.0	1,936.8	3,265
		35〜39歳	47.6	515.7	2,527.2	7,134	41.9	386.8	2,090.5	2,762
		40〜44歳	47.9	587.8	2,772.0	8,532	43.0	432.0	2,276.1	2,456
		45〜49歳	47.4	676.8	3,232.5	8,400	44.6	510.5	2,514.2	1,933
		合計	47.3	521.3	2,528.3	37,658	43.3	368.0	1,953.5	16,785
大学院 卒	正社員定着	20〜24歳	39.1	317.5	2,117.9	59	—	—	—	12
		25〜29歳	46.6	406.7	2,050.3	642	45.9	360.4	1,818.2	187
		30〜34歳	48.7	569.5	2,660.6	723	43.9	447.9	2,321.9	174
		35〜39歳	48.5	694.4	3,325.5	873	42.3	513.3	2,853.7	163
		40〜44歳	49.9	799.6	3,684.0	830	44.3	590.6	2,973.9	123
		45〜49歳	48.9	875.5	4,186.2	695	45.6	665.1	3,506.1	81
		合計	48.4	672.2	3,201.3	3,822	44.3	485.1	2,545.2	740
	正社員転職	25〜29歳	42.1	386.3	2,496.5	42	—	—	—	13
		30〜34歳	48.0	490.4	2,365.2	184	43.6	426.0	2,094.1	50
		35〜39歳	46.9	616.5	3,009.2	250	40.7	489.9	2,899.7	62
		40〜44歳	47.2	714.1	3,403.8	282	44.0	583.9	3,204.2	56
		45〜49歳	47.2	757.8	3,989.9	251	47.1	582.9	2,538.6	40
		合計	47.1	646.3	3,224.7	1,009	43.3	507.1	2,719.1	221

正社員一時非典型	25〜29歳	—	—	—	2	—	—	—	2
	30〜34歳	—	—	—	6	—	—	—	7
	35〜39歳	—	—	—	16	—	—	—	15
	40〜44歳	—	—	—	17	—	—	—	13
	45〜49歳	—	—	—	15	—	—	—	15
	合計	47.3	493.3	2,233.0	56	43.1	475.0	2,647.1	52
他形態から正社員	20〜24歳	—	—	—	2	—	—	—	0
	25〜29歳	—	—	—	21	—	—	—	21
	30〜34歳	48.1	478.2	2,274.6	55	—	—	—	27
	35〜39歳	47.1	540.9	2,392.3	68	47.4	448.4	2,194.1	31
	40〜44歳	46.6	585.3	2,759.2	56	44.6	519.1	2,320.1	49
	45〜49歳	49.1	816.8	3,569.0	55	46.5	645.0	3,010.6	19
	合計	47.4	579.4	2,638.6	257	45.5	458.5	2,149.4	147
合計	20〜24歳	39.2	316.1	2,091.1	61	—	—	—	12
	25〜29歳	46.2	403.9	2,066.0	707	45.2	352.2	1,851.8	223
	30〜34歳	48.5	548.5	2,576.3	968	44.0	428.5	2,181.6	258
	35〜39歳	48.1	666.3	3,187.7	1,207	42.7	490.9	2,719.0	271
	40〜44歳	49.0	765.1	3,557.7	1,185	44.2	573.6	2,917.7	241
	45〜49歳	48.5	838.9	4,081.3	1,016	45.9	640.6	3,210.8	155
	合計	48.1	660.5	3,167.2	5,144	44.2	485.4	2,532.7	1,160
合計　正社員定着	15〜19歳	44.9	217.0	1,066.9	1,244	42.9	192.1	977.7	706
	20〜24歳	46.2	276.3	1,373.8	6,655	43.8	242.8	1,278.6	6,336
	25〜29歳	46.8	353.7	1,770.7	8,734	43.5	302.2	1,636.0	6,278
	30〜34歳	47.4	433.6	2,122.9	9,485	42.4	330.6	1,803.6	5,137
	35〜39歳	47.5	496.4	2,442.3	10,951	41.9	358.3	1,949.1	4,908
	40〜44歳	47.4	557.3	2,676.8	14,178	42.2	396.8	2,128.8	5,454
	45〜49歳	46.9	628.5	3,053.0	14,442	43.1	434.3	2,235.9	5,175
	合計	47.0	482.5	2,357.4	65,689	42.9	336.5	1,796.6	33,994
正社員転職	15〜19歳	43.7	216.7	1,173.3	39	—	—	—	23
	20〜24歳	47.1	259.3	1,270.1	934	42.5	215.0	1,186.4	624
	25〜29歳	47.0	317.0	1,617.9	2,743	41.8	259.1	1,443.4	1,664
	30〜34歳	47.5	379.0	1,882.4	5,121	42.0	293.1	1,625.5	2,012
	35〜39歳	47.8	430.8	2,088.2	7,115	41.0	306.8	1,715.9	2,327
	40〜44歳	47.9	470.6	2,248.7	9,539	41.4	321.9	1,752.7	3,186
	45〜49歳	47.8	499.6	2,356.6	9,627	41.6	334.2	1,804.8	3,424
	合計	47.7	439.0	2,115.8	35,118	41.6	305.0	1,674.0	13,260
正社員一時非典型	15〜19歳	—	—	—	6	—	—	—	2
	20〜24歳	48.4	257.1	1,224.8	108	42.9	195.8	985.5	89
	25〜29歳	48.5	286.4	1,323.9	397	41.8	230.3	1,314.9	388
	30〜34歳	48.2	337.1	1,624.9	746	40.5	244.5	1,401.9	678
	35〜39歳	47.8	369.3	1,799.2	1,013	40.5	265.1	1,511.3	1,099
	40〜44歳	47.7	389.6	1,832.1	1,244	40.5	275.3	1,565.2	1,744
	45〜49歳	47.8	419.5	1,996.7	1,215	41.7	283.2	1,491.3	2,123
	合計	47.9	372.7	1,777.0	4,729	41.0	268.8	1,487.4	6,123
他形態から正社員	15〜19歳	48.0	217.8	929.7	38	—	—	—	22
	20〜24歳	46.6	253.5	1,271.4	403	41.9	214.7	1,206.6	369
	25〜29歳	46.9	291.7	1,449.5	1,133	42.4	240.0	1,310.5	909
	30〜34歳	47.5	341.8	1,664.0	1,972	41.6	255.0	1,401.9	1,219
	35〜39歳	47.6	386.9	1,847.0	2,249	41.5	279.9	1,529.0	1,409
	40〜44歳	48.2	418.5	1,976.7	1,748	42.0	309.9	1,603.6	1,232
	45〜49歳	48.1	468.3	2,199.0	1,418	42.7	326.4	1,642.2	863
	合計	47.6	377.2	1,807.7	8,961	42.0	277.3	1,480.5	6,023
合計	15〜19歳	45.0	217.1	1,065.6	1,327	42.7	191.1	990.2	753
	20〜24歳	46.4	272.9	1,354.8	8,100	43.6	238.5	1,263.8	7,418
	25〜29歳	46.9	338.5	1,696.9	13,007	43.0	285.3	1,555.8	9,239
	30〜34歳	47.5	402.8	1,978.1	17,324	42.1	305.5	1,679.8	9,046
	35〜39歳	47.6	457.0	2,230.8	21,328	41.5	324.1	1,783.3	9,743
	40〜44歳	47.6	509.4	2,438.7	26,709	41.7	348.6	1,885.3	11,616
	45〜49歳	47.3	564.0	2,708.5	26,702	42.4	368.8	1,927.8	11,585
	合計	47.3	456.4	2,216.3	114,497	42.3	316.4	1,705.3	59,400

注：ウエイトバック前の実測値による。週労働時間は、「だいたい規則的に」または「年間200日以上」働いている場合のみ。
　・時間当たり収入は年収／（週労働時間×50週）で、年収、週労働時間のいずれにも有効な回答があったケースのみを対象にしている。なお、表中のNは、時間当たり収入に対応するものである。

付表2－8　正社員のキャリア類型別労働時間、収入（性・産業・規模・職業別、在学中を除く有業者、実測値）

①15～34歳・産業別

		男性				女性			
		週労働時間（時間）	年収（万円）	時間当たり収入（円）	N	週労働時間（時間）	年収（万円）	時間当たり収入（円）	N
農林漁業・鉱業	正社員定着	48.7	256.6	1,175.3	424	43.9	206.1	1,125.8	107
	正社員転職	48.0	279.5	1,326.0	216	–	–	–	41
	正社員一時非典型	–	–	–	22	–	–	–	13
	他形態から正社員	46.2	248.4	1,192.9	90	–	–	–	23
	合計	48.3	262.9	1,222.0	752	42.2	193.3	1,086.8	184
建設業	正社員定着	48.8	330.2	1,521.2	2,492	42.3	281.9	1,590.6	336
	正社員転職	48.5	327.4	1,576.9	1,080	41.8	245.6	1,290.3	170
	正社員一時非典型	48.7	313.9	1,505.4	151	–	–	–	49
	他形態から正社員	48.2	293.5	1,420.4	458	37.2	221.6	1,446.0	114
	合計	48.7	324.8	1,524.0	4,181	41.0	256.6	1,475.3	669
製造業	正社員定着	46.2	359.2	1,766.8	7,829	42.5	263.4	1,423.1	2,415
	正社員転職	46.4	347.2	1,745.4	2,410	42.4	254.7	1,357.6	547
	正社員一時非典型	47.5	320.6	1,539.9	384	40.5	223.5	1,375.4	166
	他形態から正社員	47.1	323.0	1,537.6	821	42.7	217.4	1,095.4	304
	合計	46.3	352.7	1,738.3	11,444	42.4	255.9	1,381.4	3,432
情報通信業	正社員定着	45.0	393.4	2,050.1	1,001	43.0	322.3	1,720.5	431
	正社員転職	46.4	416.2	2,140.1	264	40.0	294.2	1,952.1	122
	正社員一時非典型	–	–	–	28	–	–	–	30
	他形態から正社員	44.7	331.0	1,675.4	86	40.9	282.2	1,600.6	56
	合計	45.2	392.8	2,045.2	1,379	42.2	309.5	1,749.8	639
運輸・郵便業	正社員定着	47.4	368.3	1,837.4	1,073	41.8	290.9	1,578.9	261
	正社員転職	51.9	356.3	1,681.3	630	41.8	271.8	1,509.6	68
	正社員一時非典型	52.6	326.8	1,525.3	92	–	–	–	29
	他形態から正社員	51.6	329.9	1,472.7	281	42.7	251.8	1,230.8	56
	合計	49.6	357.7	1,726.8	2,076	41.9	277.1	1,507.6	414
卸売・小売業	正社員定着	48.1	346.9	1,655.3	3,090	42.7	266.0	1,463.7	2,211
	正社員転職	48.7	344.5	1,676.3	1,191	41.8	254.0	1,445.5	691
	正社員一時非典型	49.9	309.7	1,382.5	166	41.1	226.6	1,260.4	180
	他形態から正社員	48.3	304.3	1,506.9	437	41.8	232.6	1,313.9	464
	合計	48.3	341.2	1,637.9	4,884	42.3	257.3	1,430.2	3,546
金融・保険・不動産業	正社員定着	46.2	437.1	2,348.6	1,044	42.2	318.1	1,817.5	1,403
	正社員転職	46.8	398.6	2,140.2	240	39.5	277.5	1,895.5	207
	正社員一時非典型	–	–	–	30	39.8	201.0	1,254.9	72
	他形態から正社員	45.4	369.0	2,053.4	93	40.8	234.1	1,328.0	150
	合計	46.2	423.2	2,283.3	1,407	41.7	301.9	1,764.2	1,832
学術研究・専門サービス業	正社員定着	46.4	405.7	1,973.8	764	42.8	292.1	1,575.3	430
	正社員転職	46.7	379.1	1,943.1	290	41.9	286.2	1,549.7	169
	正社員一時非典型	–	–	–	35	–	–	–	39
	他形態から正社員	45.1	342.2	1,596.0	92	42.5	263.9	1,428.3	82
	合計	46.3	392.3	1,934.9	1,181	42.4	284.6	1,541.6	720
宿泊・飲食サービス業	正社員定着	51.6	276.2	1,201.6	481	45.3	221.7	1,118.7	551
	正社員転職	52.8	298.0	1,225.0	256	44.4	226.8	1,195.5	150
	正社員一時非典型	–	–	–	47	–	–	–	34
	他形態から正社員	49.7	260.9	1,249.6	120	42.4	211.0	1,143.0	76
	合計	52.0	280.3	1,204.9	904	44.8	221.5	1,132.7	811
生活サービス・娯楽業	正社員定着	48.2	296.6	1,527.7	452	47.5	225.7	1,144.2	700
	正社員転職	49.0	297.5	1,343.7	197	44.7	222.7	1,162.1	170
	正社員一時非典型	–	–	–	43	42.2	209.3	1,272.0	50
	他形態から正社員	46.3	284.7	1,402.9	99	44.2	221.2	1,280.7	122
	合計	48.3	294.3	1,446.3	791	46.4	223.9	1,169.2	1,042
教育、学習支援業	正社員定着	53.6	386.4	1,718.6	902	49.0	318.2	1,523.0	1,447
	正社員転職	47.6	413.7	2,153.5	152	45.7	297.0	1,473.1	156
	正社員一時非典型	–	–	–	19	–	–	–	42
	他形態から正社員	51.7	380.5	1,753.6	124	49.9	327.7	1,417.8	154
	合計	52.6	390.0	1,778.0	1,197	48.7	316.7	1,504.4	1,799

		男性				女性			
		週労働時間(時間)	年収(万円)	時間当たり収入(円)	N	週労働時間(時間)	年収(万円)	時間当たり収入(円)	N
医療、福祉	正社員定着	44.2	345.2	1,781.6	2,273	42.7	294.5	1,582.3	6,281
	正社員転職	43.9	335.4	1,731.0	678	41.5	278.7	1,523.1	1,425
	正社員一時非典型	44.8	277.4	1,330.8	81	41.5	248.5	1,280.1	326
	他形態から正社員	42.6	301.0	1,641.9	314	40.8	251.8	1,455.8	671
	合計	44.0	337.5	1,747.3	3,346	42.3	286.9	1,551.6	8,703
複合サービス業・サービス業(その他)	正社員定着	45.6	316.9	1,642.5	1,408	41.9	265.8	1,446.5	734
	正社員転職	45.8	317.3	1,677.4	654	41.8	265.0	1,541.3	199
	正社員一時非典型	45.6	290.1	1,475.8	99	41.1	246.6	1,452.4	66
	他形態から正社員	45.9	301.9	1,559.2	300	40.1	223.9	1,289.6	132
	合計	45.7	314.1	1,634.9	2,461	41.6	259.6	1,445.2	1,131
公務、公益業	正社員定着	45.1	385.5	2,011.5	2,520	41.7	331.1	1,812.4	869
	正社員転職	43.7	403.9	2,200.2	478	41.2	345.5	1,906.5	148
	正社員一時非典型	–	–	–	39	–	–	–	44
	他形態から正社員	45.5	373.6	1,878.0	188	41.9	310.1	1,594.4	76
	合計	44.9	387.4	2,028.2	3,225	41.6	331.3	1,809.2	1,137
合計	正社員定着	46.8	356.2	1,764.0	26,118	43.3	285.5	1,534.8	18,457
	正社員転職	47.3	346.2	1,732.5	8,837	42.0	268.2	1,489.9	4,323
	正社員一時非典型	48.3	313.7	1,492.3	1,257	41.2	236.1	1,340.5	1,157
	他形態から正社員	47.2	314.6	1,543.0	3,546	41.9	243.0	1,337.8	2,519
	合計	47.0	348.9	1,728.7	39,758	42.9	276.4	1,500.2	26,456

②35～44歳・産業別

		男性				女性			
		週労働時間(時間)	年収(万円)	時間当たり収入(円)	N	週労働時間(時間)	年収(万円)	時間当たり収入(円)	N
農林漁業・鉱業	正社員定着	48.9	371.5	1,704.3	289	–	–	–	46
	正社員転職	48.0	342.8	1,662.5	303	41.5	233.0	1,304.8	107
	正社員一時非典型	–	–	–	41	–	–	–	42
	他形態から正社員	46.9	325.8	1,528.4	92	–	–	–	32
	合計	48.4	351.2	1,641.5	725	41.4	210.9	1,188.8	227
建設業	正社員定着	48.8	476.7	2,258.8	2,960	38.9	287.7	1,736.5	320
	正社員転職	49.0	419.7	1,950.0	2,053	38.8	284.7	1,773.1	334
	正社員一時非典型	48.8	346.9	1,629.0	246	37.5	232.6	1,524.5	183
	他形態から正社員	48.3	380.0	1,721.0	440	39.5	262.0	1,478.0	129
	合計	48.8	443.2	2,078.9	5,699	38.7	272.7	1,674.5	966
製造業	正社員定着	46.6	537.1	2,609.4	6,639	40.5	339.5	1,880.1	1,454
	正社員転職	46.9	462.5	2,227.6	4,407	41.6	290.1	1,528.0	772
	正社員一時非典型	46.5	393.0	1,899.1	649	41.3	255.2	1,410.7	488
	他形態から正社員	47.1	405.0	1,960.7	884	41.1	267.1	1,487.4	350
	合計	46.7	494.3	2,393.4	12,579	41.0	305.3	1,671.8	3,064
情報通信業	正社員定着	46.8	615.0	2,947.0	1,023	40.0	430.2	2,491.4	200
	正社員転職	45.8	565.7	2,725.7	517	42.6	392.7	2,070.8	98
	正社員一時非典型	45.9	454.0	2,178.2	57	–	–	–	40
	他形態から正社員	47.4	436.0	1,889.2	115	41.5	354.3	1,875.0	50
	合計	46.5	582.5	2,783.5	1,712	40.9	402.9	2,258.1	388
運輸・郵便業	正社員定着	49.1	497.4	2,350.6	1,236	41.6	348.8	1,924.0	161
	正社員転職	52.8	408.2	1,790.5	1,581	43.9	302.6	1,459.6	123
	正社員一時非典型	53.5	377.9	1,606.1	243	42.5	244.2	1,385.3	78
	他形態から正社員	53.4	393.0	1,673.5	393	42.3	271.5	1,380.4	64
	合計	51.6	436.6	1,964.7	3,453	42.5	304.9	1,609.6	426
卸売・小売業	正社員定着	48.6	499.7	2,419.9	3,149	41.1	320.8	1,819.2	963
	正社員転職	48.9	450.1	2,139.9	2,424	40.9	296.0	1,653.1	771
	正社員一時非典型	48.0	387.7	1,941.3	273	39.8	257.1	1,595.3	383
	他形態から正社員	48.5	381.4	1,851.1	486	41.3	265.6	1,432.6	371
	合計	48.7	466.8	2,248.4	6,332	40.9	295.1	1,675.6	2,488
金融・保険・不動産業	正社員定着	47.7	682.3	3,219.7	862	41.2	419.0	2,363.5	518
	正社員転職	47.9	580.6	2,789.8	575	38.7	319.5	1,946.3	269
	正社員一時非典型	44.9	437.0	2,181.2	47	39.1	264.1	1,514.4	216
	他形態から正社員	45.6	416.9	2,043.0	114	38.0	255.9	1,589.3	160
	合計	47.6	619.2	2,950.5	1,598	39.8	344.5	2,002.8	1,163

		男性				女性			
学術研究・専門サービス業	正社員定着	47.3	596.1	3,009.4	874	40.4	417.5	2,183.1	235
	正社員転職	46.7	554.0	2,827.0	580	41.3	353.5	1,903.2	208
	正社員一時非典型	46.0	494.9	2,888.3	59	39.4	283.3	1,653.8	90
	他形態から正社員	47.3	456.9	2,202.6	123	40.4	295.7	1,699.5	94
	合計	47.0	567.1	2,879.7	1,636	40.6	358.5	1,941.8	627
宿泊・飲食サービス業	正社員定着	51.9	396.3	1,936.5	478	42.2	275.1	1,416.5	169
	正社員転職	53.1	378.8	1,609.6	394	43.9	248.3	1,309.6	160
	正社員一時非典型	53.5	311.7	1,264.4	79	42.6	222.3	1,233.0	72
	他形態から正社員	52.1	326.0	1,448.8	124	42.7	243.1	1,202.4	73
	合計	52.5	375.6	1,711.0	1,075	42.9	253.3	1,319.6	474
生活サービス・娯楽業	正社員定着	48.7	424.6	2,051.1	373	44.9	247.9	1,335.3	235
	正社員転職	48.6	402.4	1,863.4	308	42.6	254.9	1,420.0	138
	正社員一時非典型	49.4	346.1	1,512.4	62	41.3	259.4	1,657.6	70
	他形態から正社員	47.9	381.7	1,842.0	83	43.1	244.1	1,339.6	63
	合計	48.7	406.0	1,919.6	826	43.5	251.0	1,403.5	506
教育、学習支援業	正社員定着	53.5	574.2	2,471.3	949	48.4	478.9	2,262.5	1,049
	正社員転職	48.9	540.0	2,489.2	318	43.9	435.9	2,408.9	237
	正社員一時非典型	-	-	-	32	45.3	395.9	2,037.3	72
	他形態から正社員	51.6	521.1	2,197.0	200	49.0	460.8	2,011.7	226
	合計	52.2	558.1	2,431.0	1,499	47.7	466.0	2,238.4	1,584
医療、福祉	正社員定着	45.1	557.2	2,762.2	1,540	41.9	379.3	2,053.2	3,637
	正社員転職	43.2	418.7	2,179.4	1,145	41.3	326.8	1,756.4	1,797
	正社員一時非典型	43.1	334.1	1,758.4	177	40.8	287.8	1,540.5	854
	他形態から正社員	43.3	362.5	1,845.1	334	41.3	290.0	1,482.8	723
	合計	44.1	474.8	2,402.0	3,196	41.6	345.6	1,855.9	7,011
複合サービス業・サービス業(その他)	正社員定着	46.0	461.4	2,335.6	1,555	40.8	343.9	1,848.6	448
	正社員転職	46.3	414.9	2,063.9	1,212	39.1	291.0	1,747.4	308
	正社員一時非典型	46.4	350.7	1,624.6	209	40.0	264.9	1,470.5	176
	他形態から正社員	46.7	375.7	1,821.2	347	41.6	273.0	1,627.6	179
	合計	46.2	428.4	2,138.1	3,323	40.3	305.2	1,725.0	1,111
公務、公益業	正社員定着	45.1	595.7	2,968.0	2,851	41.3	490.7	2,633.5	770
	正社員転職	44.6	551.6	2,902.3	673	42.3	449.8	2,263.8	135
	正社員一時非典型	44.2	524.1	2,584.6	55	38.8	413.7	2,519.2	53
	他形態から正社員	43.5	520.7	2,843.9	204	41.1	429.4	2,490.2	94
	合計	44.9	582.7	2,944.0	3,783	41.3	476.0	2,567.5	1,052
合計	正社員定着	47.4	530.7	2,574.6	25,129	42.1	378.5	2,043.7	10,362
	正社員転職	47.8	453.6	2,180.1	16,654	41.2	315.5	1,737.1	5,513
	正社員一時非典型	47.7	380.5	1,817.3	2,257	40.5	271.4	1,544.4	2,843
	他形態から正社員	47.9	400.7	1,903.7	3,997	41.8	293.9	1,563.8	2,641
	合計	47.6	486.1	2,346.4	48,037	41.6	337.4	1,838.8	21,359

③15～34歳・企業規模別

		男性				女性			
		週労働時間(時間)	年収(万円)	時間当たり収入(円)	N	週労働時間(時間)	年収(万円)	時間当たり収入(円)	N
1～4人	正社員定着	48.0	266.4	1,329.9	752	43.0	203.1	1,237.2	313
	正社員転職	47.6	281.7	1,467.0	539	41.3	207.5	1,193.0	184
	正社員一時非典型	50.6	280.2	1,317.0	63	38.9	189.8	1,157.8	52
	他形態から正社員	45.2	259.9	1,357.4	206	38.1	176.7	1,165.2	111
	合計	47.6	271.4	1,380.4	1,560	41.4	198.8	1,206.5	660
5～9人	正社員定着	47.4	291.8	1,476.6	1,082	43.1	227.0	1,271.0	805
	正社員転職	47.6	299.5	1,518.5	817	41.9	232.7	1,252.0	410
	正社員一時非典型	48.2	273.4	1,218.7	105	40.2	212.3	1,265.3	108
	他形態から正社員	47.8	281.5	1,362.3	330	40.3	207.0	1,223.8	249
	合計	47.6	292.2	1,463.5	2,334	42.2	224.3	1,258.2	1,572
10～29人	正社員定着	47.3	297.1	1,454.8	2,299	43.7	238.3	1,268.7	1,954
	正社員転職	47.8	312.4	1,540.0	1,555	42.4	236.1	1,272.6	754
	正社員一時非典型	48.0	288.6	1,457.9	233	40.5	214.6	1,310.0	216
	他形態から正社員	47.5	280.7	1,393.9	648	41.4	222.0	1,296.5	428
	合計	47.5	299.4	1,474.6	4,735	42.9	234.2	1,275.8	3,352

		男性				女性			
		週労働時間(時間)	年収(万円)	時間当たり収入(円)	N	週労働時間(時間)	年収(万円)	時間当たり収入(円)	N
30～99人	正社員定着	47.1	302.6	1,428.5	3,509	43.9	244.7	1,265.4	2,887
	正社員転職	47.9	325.6	1,547.9	1,742	42.6	249.4	1,353.1	876
	正社員一時非典型	48.8	303.7	1,434.2	283	41.7	232.9	1,324.4	235
	他形態から正社員	46.5	298.8	1,520.2	729	41.8	228.8	1,326.0	497
	合計	47.3	308.6	1,472.7	6,263	43.3	243.2	1,292.3	4,495
100～299	正社員定着	46.7	321.8	1,586.2	4,247	42.7	267.2	1,442.5	2,981
	正社員転職	47.3	345.7	1,684.0	1,353	41.6	275.5	1,544.7	701
	正社員一時非典型	50.2	324.0	1,394.9	221	41.1	238.8	1,373.9	174
	他形態から正社員	47.6	309.6	1,494.4	504	41.9	250.3	1,395.0	382
	合計	47.0	326.0	1,593.1	6,325	42.4	265.8	1,452.3	4,238
300～999人	正社員定着	46.5	359.6	1,792.0	4,092	42.1	298.3	1,677.9	3,111
	正社員転職	46.9	381.7	1,941.6	945	41.4	298.1	1,713.6	525
	正社員一時非典型	47.0	328.4	1,616.9	145	42.5	251.0	1,235.9	146
	他形態から正社員	46.6	344.6	1,707.9	372	41.9	259.7	1,385.6	282
	合計	46.6	361.6	1,807.3	5,554	42.0	293.9	1,646.3	4,064
1000人以上	正社員定着	46.3	429.9	2,159.2	6,807	42.6	325.8	1,799.3	3,824
	正社員転職	47.1	420.1	2,136.1	1,247	41.1	305.9	1,847.1	522
	正社員一時非典型	46.6	355.8	1,843.3	148	40.4	242.0	1,414.2	136
	他形態から正社員	47.5	373.9	1,776.9	453	42.5	261.8	1,305.6	340
	合計	46.5	424.2	2,130.5	8,655	42.3	316.8	1,758.8	4,822
官公庁など	正社員定着	47.3	390.6	1,929.3	3,190	45.8	348.5	1,721.9	2,432
	正社員転職	44.2	413.3	2,267.0	586	43.0	352.7	1,797.1	320
	正社員一時非典型	45.6	402.9	1,814.6	51	43.0	328.4	1,693.0	82
	他形態から正社員	48.2	392.4	1,824.3	280	46.7	342.0	1,588.4	205
	合計	46.9	394.1	1,968.9	4,107	45.5	348.0	1,720.0	3,039
合計	正社員定着	46.8	356.2	1,764.0	26,118	43.3	285.5	1,534.8	18,457
	正社員転職	47.3	346.2	1,732.5	8,837	42.0	268.2	1,489.9	4,323
	正社員一時非典型	48.3	313.7	1,492.3	1,257	41.2	236.1	1,340.5	1,157
	他形態から正社員	47.2	314.6	1,543.0	3,546	41.9	243.0	1,337.8	2,519
	合計	47.0	348.9	1,728.7	39,758	42.9	276.4	1,500.2	26,456

③35～44歳・企業規模別

		男性				女性			
		週労働時間(時間)	年収(万円)	時間当たり収入(円)	N	週労働時間(時間)	年収(万円)	時間当たり収入(円)	N
1～4人	正社員定着	48.51	349.48	1643.99	1,286	39.4	215.2	1,442.5	378
	正社員転職	48.31	372.57	1777.54	1,108	38.3	223.3	1,442.3	424
	正社員一時非典型	47.1	335.31	1983.9	137	35.7	190.8	1,465.1	204
	他形態から正社員	48.25	319.31	1521.1	277	38.8	185.8	1,191.9	168
	合計	48.34	354.73	1701.15	2,808	38.3	209.5	1,410.5	1,174
5～9人	正社員定着	47.46	405.39	2046.69	1,394	40.5	278.7	1,548.4	523
	正社員転職	47.58	398.55	1952.33	1,469	39.8	255.7	1,492.2	566
	正社員一時非典型	48.15	326	1535.52	199	39.5	241.1	1,358.1	277
	他形態から正社員	48.32	353.95	1738.22	365	39.1	235.9	1,352.5	258
	合計	47.64	392.42	1943.71	3,427	39.9	257.4	1,465.2	1,624
10～29人	正社員定着	47.78	430.28	2133.76	2,278	41.5	285.8	1,584.3	949
	正社員転職	48.44	411.5	1915.65	2,779	40.9	286.2	1,602.1	929
	正社員一時非典型	48.03	322.58	1568.51	415	40.2	257.7	1,493.4	497
	他形態から正社員	47.92	357.31	1635.57	680	41.8	256.5	1,393.7	398
	合計	48.11	406.46	1942.04	6,152	41.1	276.6	1,546.6	2,773
30～99人	正社員定着	47.88	442.86	2085.04	3,053	41.9	311.1	1,679.8	1,249
	正社員転職	48.46	419.64	1987.01	3,287	42.0	300.1	1,614.0	1,025
	正社員一時非典型	48.33	353.37	1584.14	477	41.4	257.3	1,413.0	591
	他形態から正社員	48.31	373.47	1734.79	768	42.2	266.5	1,389.2	494
	合計	48.2	420.14	1975.59	7,585	41.9	291.8	1,570.0	3,359
100～299	正社員定着	47.17	480.16	2337.26	3,293	41.6	336.3	1,814.8	1,552
	正社員転職	47.53	438.84	2113.94	2,508	41.7	323.3	1,759.2	907
	正社員一時非典型	46.82	377.82	1938.72	334	41.3	280.2	1,537.0	446
	他形態から正社員	47.85	388.08	1815.57	554	42.1	292.3	1,483.8	422
	合計	47.34	451.83	2190.42	6,689	41.6	319.7	1,720.4	3,327

		男性 週労働時間(時間)	年収(万円)	時間当たり収入(円)	N	女性 週労働時間(時間)	年収(万円)	時間当たり収入(円)	N
300～999人	正社員定着	47.51	541.54	2599.22	3,512	41.5	382.0	2,087.2	1,580
	正社員転職	47.45	485.73	2361.35	1,929	41.1	354.6	1,953.9	638
	正社員一時非典型	48.38	422.57	1933.39	264	40.9	296.1	1,700.7	309
	他形態から正社員	46.02	421.48	2244.95	435	41.7	314.3	1,671.4	264
	合計	47.42	510.37	2470.76	6,140	41.4	359.9	1,974.6	2,791
1000人以上	正社員定着	47.11	660.11	3213.82	6,557	40.9	431.8	2,379.0	1,845
	正社員転職	47.66	564.11	2732.79	2,614	41.3	378.6	2,004.7	617
	正社員一時非典型	47.08	474.03	2231.49	354	40.6	305.6	1,691.3	365
	他形態から正社員	48.68	477.72	2128.49	568	40.7	328.5	1,791.8	336
	合計	47.34	618.35	2993.7	10,093	40.9	396.0	2,164.2	3,163
官公庁など	正社員定着	47.06	590.59	2850.23	3,631	44.9	497.0	2,524.5	2,212
	正社員転職	45.44	556.35	2797.2	885	43.6	453.3	2,281.9	374
	正社員一時非典型	47.75	535.76	2316.98	69	43.7	421.5	2,122.4	129
	他形態から正社員	46.76	543.11	2707.62	317	46.6	472.4	2,271.4	281
	合計	46.76	580.51	2823.93	4,902	44.8	486.0	2,453.1	2,996
合計	正社員定着	47.41	530.72	2574.57	25,129	42.1	378.5	2,043.7	10,362
	正社員転職	47.83	453.61	2180.1	16,654	41.2	315.5	1,737.1	5,513
	正社員一時非典型	47.74	380.46	1817.32	2,257	40.5	271.4	1,544.4	2,843
	他形態から正社員	47.86	400.71	1903.73	3,997	41.8	293.9	1,563.8	2,641
	合計	47.61	486.1	2346.41	48,037	41.6	337.4	1,838.8	21,359

⑤15～34歳・職業別

		男性 週労働時間(時間)	年収(万円)	時間当たり収入(円)	N	女性 週労働時間(時間)	年収(万円)	時間当たり収入(円)	N
管理的職業従事者	正社員定着	46.9	509.2	2,889.6	61	－	－	－	9
	正社員転職	45.1	494.4	2,288.3	61	－	－	－	7
	正社員一時非典型	－	－	－	10	－	－	－	5
	他形態から正社員	－	－	－	20	－	－	－	4
	合計	46.9	485.0	2,432.4	152	－	－	－	25
専門的・技術的職業従事者	正社員定着	47.6	408.4	1,992.8	4,849	44.5	320.4	1,678.6	6,451
	正社員転職	46.6	400.2	2,008.3	1,022	42.4	317.9	1,726.6	1,034
	正社員一時非典型	46.9	346.4	1,763.9	95	43.5	285.9	1,415.5	190
	他形態から正社員	47.2	373.6	1,800.5	355	44.9	299.6	1,547.1	453
	合計	47.4	404.1	1,981.1	6,321	44.2	318.1	1,671.2	8,128
事務従事者	正社員定着	44.5	380.8	2,004.4	3,708	41.5	285.7	1,577.9	5,372
	正社員転職	44.5	383.7	2,049.0	1,072	41.0	265.4	1,513.4	1,619
	正社員一時非典型	44.3	332.9	1,795.6	104	40.7	241.4	1,391.4	471
	他形態から正社員	44.8	335.7	1,766.8	400	40.2	244.3	1,414.4	908
	合計	44.5	377.0	1,991.4	5,284	41.2	274.7	1,537.2	8,370
販売従事者	正社員定着	47.9	379.9	1,871.6	2,907	43.5	282.9	1,557.1	1,771
	正社員転職	48.5	370.9	1,883.9	1,188	41.8	260.5	1,590.3	462
	正社員一時非典型	49.3	320.6	1,401.4	146	39.2	212.7	1,316.8	135
	他形態から正社員	48.0	320.8	1,647.8	422	42.0	234.9	1,315.7	360
	合計	48.1	370.4	1,839.7	4,663	42.8	269.2	1,519.0	2,728
サービス職業従事者	正社員定着	46.8	279.2	1,397.2	1,602	44.1	234.5	1,229.1	2,516
	正社員転職	47.5	283.9	1,362.6	642	42.9	234.4	1,230.2	719
	正社員一時非典型	49.6	271.7	1,187.1	119	41.7	220.9	1,220.4	182
	他形態から正社員	45.6	268.5	1,363.0	366	42.0	219.7	1,218.9	432
	合計	46.9	278.6	1,375.3	2,729	43.5	232.2	1,227.8	3,849
保安職業従事者	正社員定着	47.4	391.7	1,968.3	1,278	43.5	323.7	1,787.9	126
	正社員転職	47.1	394.8	1,910.8	191	－	－	－	10
	正社員一時非典型	－	－	－	28	－	－	－	7
	他形態から正社員	48.2	367.5	1,872.0	119	－	－	－	12
	合計	47.5	389.2	1,943.8	1,616	43.6	314.3	1,706.0	155
農林漁業従事者	正社員定着	48.7	245.4	1,128.2	391	44.6	191.9	1,009.6	73
	正社員転職	48.2	282.6	1,392.2	206	－	－	－	28
	正社員一時非典型	－	－	－	29	－	－	－	6
	他形態から正社員	46.8	249.2	1,113.2	87	－	－	－	18
	合計	48.3	258.1	1,208.2	713	43.5	186.8	960.7	125

		男性 週労働時間(時間)	年収(万円)	時間当たり収入(円)	N	女性 週労働時間(時間)	年収(万円)	時間当たり収入(円)	N
生産工程従事者	正社員定着	46.4	333.7	1,632.9	7,468	43.3	242.6	1,274.3	1,574
	正社員転職	46.7	327.6	1,643.9	2,427	43.3	221.6	1,170.6	315
	正社員一時非典型	47.6	314.1	1,513.7	407	41.3	199.6	1,245.2	115
	他形態から正社員	47.0	313.5	1,522.8	892	43.7	209.1	1,005.5	232
	合計	46.6	330.1	1,622.2	11,194	43.3	233.9	1,230.3	2,236
輸送・機械運転従事者	正社員定着	47.1	372.0	1,853.5	722	–	–	–	36
	正社員転職	50.9	344.9	1,622.3	542	–	–	–	13
	正社員一時非典型	51.4	317.5	1,570.5	74	–	–	–	1
	他形態から正社員	52.6	329.9	1,363.8	225	–	–	–	11
	合計	49.4	354.1	1,689.4	1,563	42.7	306.5	1,908.1	61
建設・採掘従事者	正社員定着	48.3	316.7	1,485.3	1,887	45.3	255.0	1,338.6	50
	正社員転職	48.9	316.6	1,479.4	826	–	–	–	10
	正社員一時非典型	50.4	307.8	1,366.4	112	–	–	–	5
	他形態から正社員	47.8	284.0	1,364.8	351	–	–	–	11
	合計	48.4	312.7	1,466.3	3,176	44.6	253.0	1,323.6	76
運搬・清掃・包装等従事者	正社員定着	46.2	294.5	1,443.3	895	41.9	223.5	1,304.4	230
	正社員転職	48.1	317.1	1,577.1	563	42.1	205.3	1,041.6	52
	正社員一時非典型	47.9	302.5	1,551.7	112	–	–	–	26
	他形態から正社員	46.6	287.1	1,414.5	269	–	–	–	46
	合計	47.0	300.9	1,486.7	1,839	41.3	213.7	1,248.9	354
合計	正社員定着	46.8	356.2	1,764.0	26,118	43.3	285.5	1,534.8	18,457
	正社員転職	47.3	346.2	1,732.5	8,837	42.0	268.2	1,489.9	4,323
	正社員一時非典型	48.3	313.7	1,492.3	1,257	41.2	236.1	1,340.5	1,157
	他形態から正社員	47.2	314.6	1,543.0	3,546	41.9	243.0	1,337.8	2,519
	合計	47.0	348.9	1,728.7	39,758	42.9	276.4	1,500.2	26,456

⑥35～44歳・職業別

		男性 週労働時間(時間)	年収(万円)	時間当たり収入(円)	N	女性 週労働時間(時間)	年収(万円)	時間当たり収入(円)	N
管理的職業従事者	正社員定着	48.4	718.9	3,325.0	431	–	–	–	33
	正社員転職	48.3	714.5	3,395.7	364	–	–	–	44
	正社員一時非典型	–	–	–	31	–	–	–	10
	他形態から正社員	48.1	613.7	3,344.9	70	–	–	–	14
	合計	48.4	700.7	3,312.7	896	39.6	409.9	2,672.0	101
専門的・技術的職業従事者	正社員定着	48.7	613.6	2,881.5	4,791	43.9	434.8	2,252.6	3,948
	正社員転職	46.8	539.0	2,610.5	2,186	42.1	385.9	2,056.8	1,452
	正社員一時非典型	46.8	458.3	2,342.3	197	42.0	347.7	1,804.3	458
	他形態から正社員	48.1	468.6	2,199.3	548	44.8	387.7	1,838.2	562
	合計	48.0	578.2	2,742.6	7,722	43.4	413.5	2,140.1	6,420
事務従事者	正社員定着	45.5	580.8	2,899.5	4,821	40.3	377.9	2,113.4	3,608
	正社員転職	45.6	518.0	2,623.4	2,345	39.9	307.4	1,745.3	2,295
	正社員一時非典型	45.3	457.0	2,360.6	252	39.3	279.2	1,648.5	1,202
	他形態から正社員	44.5	453.5	2,335.6	536	40.0	295.0	1,672.5	1,052
	合計	45.4	549.7	2,763.0	7,954	40.0	332.6	1,884.5	8,157
販売従事者	正社員定着	48.7	551.2	2,630.7	3,041	41.4	335.7	1,864.1	609
	正社員転職	49.0	491.8	2,310.4	2,425	41.6	297.2	1,669.3	392
	正社員一時非典型	49.0	415.0	1,950.3	237	40.1	246.2	1,450.3	273
	他形態から正社員	48.9	399.5	1,791.0	486	41.2	254.4	1,452.2	260
	合計	48.8	510.7	2,413.2	6,189	41.2	296.2	1,670.9	1,534
サービス職業従事者	正社員定着	48.8	377.4	1,832.6	1,006	42.2	277.1	1,518.8	1,008
	正社員転職	47.3	347.4	1,744.9	947	42.3	257.8	1,360.3	680
	正社員一時非典型	46.5	302.2	1,460.1	199	40.9	239.2	1,332.1	443
	他形態から正社員	47.4	328.2	1,538.4	306	41.5	240.9	1,267.5	397
	合計	47.9	353.6	1,732.0	2,458	41.9	259.5	1,404.0	2,528
保安職業従事者	正社員定着	46.6	589.7	2,940.6	1,101	43.5	488.9	2,808.7	78
	正社員転職	47.7	514.7	2,540.0	284	–	–	–	10
	正社員一時非典型	–	–	–	48	–	–	–	8
	他形態から正社員	49.6	466.7	2,215.9	106	–	–	–	16
	合計	47.0	561.6	2,780.5	1,539	42.1	443.7	2,671.6	112

農林漁業従事者	正社員定着	48.9	351.6	1,568.9	266	43.2	229.4	1,310.0	39
	正社員転職	47.6	337.1	1,692.5	273	41.9	202.0	1,098.8	77
	正社員一時非典型	−	−	−	39	−	−	−	29
	他形態から正社員	46.9	317.8	1,509.3	81	−	−	−	21
	合計	48.2	338.9	1,593.5	659	42.1	193.7	1,056.2	166
生産工程従事者	正社員定着	46.8	479.3	2,342.7	5,616	41.4	294.1	1,607.3	747
	正社員転職	47.3	415.2	1,971.3	3,910	42.9	245.3	1,245.2	396
	正社員一時非典型	47.1	372.0	1,749.3	646	42.3	226.8	1,226.9	292
	他形態から正社員	47.0	384.8	1,853.6	858	42.2	234.9	1,235.2	217
	合計	47.0	443.0	2,138.3	11,030	42.0	262.7	1,404.4	1,652
輸送・機械運転従事者	正社員定着	48.8	463.8	2,208.7	926	−	−	−	18
	正社員転職	52.0	386.0	1,763.9	1,438	−	−	−	15
	正社員一時非典型	52.3	361.1	1,640.5	219	−	−	−	15
	他形態から正社員	52.7	366.5	1,580.5	349	−	−	−	10
	合計	51.1	406.7	1,873.3	2,932	52.7	285.8	1,157.0	58
建設・採掘従事者	正社員定着	48.2	443.3	2,160.8	2,057	−	−	−	19
	正社員転職	49.1	392.3	1,792.2	1,386	−	−	−	19
	正社員一時非典型	49.4	330.0	1,463.9	176	−	−	−	13
	他形態から正社員	48.6	356.7	1,647.0	329	−	−	−	8
	合計	48.6	413.1	1,957.5	3,948	41.6	271.0	1,594.5	59
運搬・清掃・包装等従事者	正社員定着	46.4	422.0	2,074.5	745	40.3	250.9	1,341.0	113
	正社員転職	47.8	376.0	1,804.7	944	40.6	229.9	1,248.3	86
	正社員一時非典型	46.6	332.5	1,613.2	182	41.3	217.9	1,283.9	79
	他形態から正社員	47.7	352.0	1,620.0	270	45.0	206.2	960.7	59
	合計	47.2	385.1	1,859.0	2,141	41.5	229.9	1,237.4	337
合計	正社員定着	47.4	530.7	2,574.6	25,129	42.1	378.5	2,043.7	10,362
	正社員転職	47.8	453.6	2,180.1	16,654	41.2	315.5	1,737.1	5,513
	正社員一時非典型	47.7	380.5	1,817.3	2,257	40.5	271.4	1,544.4	2,843
	他形態から正社員	47.9	400.7	1,903.7	3,997	41.8	293.9	1,563.8	2,641
	合計	47.6	486.1	2,346.4	48,037	41.6	337.4	1,838.8	21,359

注：ウエイトバック前の実測値による。週労働時間は、「だいたい規則的に」または「年間200日以上」働いている場合のみ。

・時間当たり収入は年収／（週労働時間×50週）で、年収、週労働時間のいずれにも有効な回答があったケースのみを対象にしている。なお、表中のＮは、時間当たり収入に対応するものである。

・産業および職業における「分類不能」、企業規模の「不詳」は掲載を省いた。また、ケース数が特に少ないもの（50ケース未満）についても掲載を省いた。

付表2－9　正社員の年収の規定要因（年収を被説明変数とした重回帰分析）

①35～44歳・男性正社員（標準化係数値）

		モデル1	モデル2	モデル3	モデル4	モデル5
年齢		0.156 ***	0.148 ***	0.134 ***	0.132 ***	0.132 ***
学歴（基準：高卒）	中学卒	-0.056 ***	-0.046 ***	-0.034 ***	-0.007	-0.009 *
	専門学校（1～2年未満）卒	-0.026 ***	-0.026 ***	-0.024 ***	-0.013 **	-0.011 **
	専門学校（2～4年未満）卒	0.020 ***	0.019 ***	0.000	0.007	0.008
	短大・高専卒	0.030 ***	0.026 ***	0.014 **	0.012 **	0.013 **
	大学卒	0.263 ***	0.249 ***	0.179 ***	0.150 ***	0.146 ***
	大学院卒	0.285 ***	0.267 ***	0.223 ***	0.180 ***	0.179 ***
	その他・不詳	0.001	-0.002	0.001	0.002	0.003
キャリア類型（基準：正社員定着）	正社員転職		-0.141 ***	-0.124 ***	-0.073 ***	-0.072 ***
	正社員一時非典型		-0.115 ***	-0.101 ***	-0.08 ***	-0.078 ***
	他形態から正社員		-0.126 ***	-0.116 ***	-0.089 ***	-0.085 ***
職業（基準：サービス職）	専門的・技術的職業従事者			0.238 ***	0.210 ***	0.198 ***
	事務従事者			0.225 ***	0.168 ***	0.154 ***
	販売従事者			0.174 ***	0.151 ***	0.148 ***
	保安職業従事者			0.136 ***	0.103 ***	0.096 ***
	生産工程従事者			0.150 ***	0.114 ***	0.104 ***
	輸送・機械運転従事者			0.068 ***	0.046 ***	0.050 ***
	建設・採掘従事者			0.070 ***	0.109 ***	0.068 ***
	運搬・清掃・包装等従事者			0.032 ***	0.007	0.020 **
	管理的職業従事者			0.188 ***	0.203 ***	0.199 ***
	その他・分類不能の職業.			0.016 **	0.030 ***	0.042 ***
企業規模（基準：1～4人）	5～9人				0.054 ***	0.054 ***
	10～29人				0.097 ***	0.098 ***
	30～99人				0.127 ***	0.130 ***
	100～299人				0.152 ***	0.155 ***
	300～999人				0.214 ***	0.218 ***
	1000人以上				0.434 ***	0.435 ***
	官公庁など				0.210 ***	0.216 ***
	不詳				0.028 ***	0.029 ***
産業（基準：農林漁業・鉱業）	建設業					0.090 ***
	製造業					0.068 **
	情報通信業					0.046 ***
	運輸・郵便業					0.021
	卸売・小売業					0.013
	金融・保険・不動産業					0.088 ***
	学術研究・専門サービス業					0.057 ***
	宿泊・飲食サービス業					0.009
	生活サービス・娯楽業					0.017 *
	教育、学習支援業					-0.007
	医療、福祉					0.031 *
	複合サービス・サービス業（その他）					-0.019
	公務、公益業					0.050 ***
	分類不能の産業					0.008
R2乗		0.155	0.188	0.237	0.323	0.335
調整済みR2乗		0.155	0.188	0.236	0.322	0.334

注：***＜.001、**＜.01、*＜.05で有意。
　　被説明変数の年収は、カテゴリー変数の中央値。

②35〜44歳・女性正社員（標準化係数値）

		モデル1	モデル2	モデル3	モデル4	モデル5
年齢		0.124 ***	0.13 ***	0.125 ***	0.118 ***	0.117 ***
学歴（基準：高卒）	中学卒	-0.027 ***	-0.021 **	-0.011	-0.001	0.000
	専門学校(1〜2年未満)卒	0.018 **	0.014 *	-0.007	0.009	0.010
	専門学校(2〜4年未満)卒	0.184 ***	0.157 ***	0.065 ***	0.071 ***	0.073 ***
	短大・高専卒	0.130 ***	0.118 ***	0.058 ***	0.050 ***	0.050 ***
	大学卒	0.358 ***	0.336 ***	0.251 ***	0.193 ***	0.185 ***
	大学院卒	0.239 ***	0.228 ***	0.185 ***	0.157 ***	0.151 ***
	その他・不詳.	-0.001	-0.004	-0.001	0.001	0.000
キャリア類型（基準：正社員定着）	正社員転職		-0.154 ***	-0.135 ***	-0.062 ***	-0.061 ***
	正社員一時非典型		-0.185 ***	-0.159 ***	-0.106 ***	-0.105 ***
	他形態から正社員		-0.154 ***	-0.132 ***	-0.089 ***	-0.088 ***
職業（基準：サービス職）	専門的・技術的職業従事者			0.285 ***	0.208 ***	0.194 ***
	事務従事者			0.136 ***	0.106 ***	0.074 ***
	販売従事者			0.039 ***	0.004	-0.011
	保安職業従事者			0.061 ***	0.023 ***	0.013 *
	生産工程従事者			0	-0.011	-0.037 ***
	輸送・機械運転従事者			0.011	0.007	0.005
	建設・採掘従事者			0.006	0.017 *	0.014 *
	運搬・清掃・包装等従事者			-0.018 **	-0.021 ***	-0.026 ***
	管理的職業従事者			0.056 ***	0.070 ***	0.066 ***
	その他・分類不能の職業.			-0.019 **	0.001	-0.004
企業規模（基準：1〜4人）	5〜9人				0.068 ***	0.070 ***
	10〜29人				0.128 ***	0.131 ***
	30〜99人				0.173 ***	0.175 ***
	100〜299人				0.215 ***	0.217 ***
	300〜999人				0.259 ***	0.261 ***
	1000人以上				0.358 ***	0.358 ***
	官公庁など				0.419 ***	0.402 ***
	不詳				0.040 ***	0.041 ***
産業（基準：農林漁業・鉱業）	建設業					0.007
	製造業					0.035
	情報通信業					0.038 **
	運輸・郵便業					0.004
	卸売・小売業					0.014
	金融・保険・不動産業					0.027
	学術研究・専門サービス業					0.053 ***
	宿泊・飲食サービス業					-0.019
	生活サービス・娯楽業					-0.003
	教育、学習支援業					0.021
	医療、福祉					0.012
	複合サービス・サービス業(その他)					-0.004
	公務、公益業					0.049 **
	分類不能の産業					0.008
R2 乗		0.147	0.195	0.244	0.341	0.346
調整済み R2 乗		0.147	0.195	0.243	0.340	0.344

注：***＜.001、**＜.01、*＜.05 で有意。

被説明変数の年収は、カテゴリー変数の中央値。

付表２－１０　非典型雇用者の就業形態別労働時間、収入（性・年齢階層別、在学中を除く有業者、実測値）

		男性				女性			
		週労働時間(時間)	年収(万円)	時間当たり収入(円)	N	週労働時間(時間)	年収(万円)	時間当たり収入(円)	N
パート	15-19歳	34.1	113.4	825.6	51	31.1	114.1	838.0	80
	20-24歳	35.4	136.4	853.5	315	32.9	127.5	862.6	900
	25-29歳	35.0	149.0	966.0	406	30.1	117.6	888.9	2,114
	30-34歳	35.9	154.8	990.5	371	28.3	113.7	924.4	4,193
	35-39歳	35.2	156.0	998.3	392	27.1	111.4	936.8	6,282
	40-44歳	36.5	157.9	1002.8	374	26.7	111.9	954.3	9,279
	45-49歳	37.4	175.3	1042.8	368	27.2	113.9	951.3	9,968
	合計	35.8	154.4	975.3	2,277	27.5	113.4	939.2	32,816
アルバイト	15-19歳	31.7	100.3	778.7	189	27.9	85.7	787.2	149
	20-24歳	34.5	125.5	873.2	656	31.6	117.3	929.6	760
	25-29歳	34.6	136.6	913.8	670	30.3	119.1	961.3	738
	30-34歳	36.0	151.9	977.3	519	28.1	110.2	983.6	699
	35-39歳	35.1	152.8	1007.2	425	25.1	96.5	945.6	673
	40-44歳	35.5	147.3	1061.6	392	24.2	91.3	929.7	786
	45-49歳	36.6	148.2	1030.4	297	23.7	92.6	975.7	791
	合計	35.0	139.0	949.7	3,148	27.2	103.5	948.6	4,596
労働者派遣事業所の派遣社員	15-19歳	―	―	―	21	―	―	―	12
	20-24歳	43.0	213.3	1084.5	204	39.8	176.4	1024.3	268
	25-29歳	42.7	226.2	1335.2	299	37.8	179.5	1074.6	486
	30-34歳	41.8	231.0	1331.1	307	36.7	184.5	1221.2	568
	35-39歳	43.5	248.6	1261.1	323	35.7	179.4	1192.1	639
	40-44歳	43.4	257.7	1337.4	377	36.2	174.9	1096.0	828
	45-49歳	42.9	255.1	1313.3	368	35.7	180.3	1132.2	785
	合計	42.9	240.9	1286.6	1,899	36.6	179.0	1131.9	3,586
契約社員	15-19歳	40.1	162.3	972.3	46	39.8	151.3	911.4	36
	20-24歳	43.0	208.6	1095.7	529	41.1	188.1	1014.6	640
	25-29歳	43.5	240.5	1250.1	758	40.3	202.3	1120.7	996
	30-34歳	43.3	262.2	1323.1	760	38.9	207.5	1215.3	979
	35-39歳	43.8	272.5	1424.6	693	38.5	201.3	1163.6	1,071
	40-44歳	42.9	281.2	1488.3	780	37.7	206.4	1215.8	1,289
	45-49歳	43.3	285.7	1452.2	727	38.3	204.3	1156.6	1,351
	合計	43.3	259.9	1346.7	4,293	38.9	202.5	1157.5	6,362
嘱託	15-19歳	―	―	―	5	―	―	―	1
	20-24歳	41.0	200.0	1145.8	35	38.2	183.4	1098.6	112
	25-29歳	41.8	227.3	1257.8	73	37.7	200.4	1154.2	170
	30-34歳	43.4	263.2	1325.0	71	35.1	201.6	1299.8	223
	35-39歳	38.6	257.3	1520.5	72	34.9	185.3	1219.8	316
	40-44歳	38.6	259.6	1536.0	95	33.9	191.0	1271.9	430
	45-49歳	40.2	275.7	1624.9	102	34.5	191.5	1190.8	552
	合計	40.5	252.6	1436.3	453	35.0	191.8	1219.0	1,804
その他	15-19歳	―	―	―	24	―	―	―	23
	20-24歳	38.7	166.8	1109.9	160	39.2	157.7	845.0	150
	25-29歳	43.7	195.0	1021.7	193	39.4	169.9	969.0	188
	30-34歳	42.6	178.0	951.4	160	35.8	149.4	998.7	184
	35-39歳	42.7	200.8	1118.3	164	36.6	150.3	967.3	258
	40-44歳	42.9	212.6	1123.7	201	33.0	146.4	1093.4	386
	45-49歳	40.7	237.6	1612.6	173	34.8	159.4	1063.0	383
	合計	41.9	198.5	1143.4	1,075	35.8	154.2	1010.6	1,572
合計	15-19歳	34.8	116.4	805.7	336	31.4	105.4	815.2	301
	20-24歳	38.4	161.2	979.6	1,899	35.6	144.8	938.7	2,830
	25-29歳	39.4	187.9	1100.6	2,399	33.7	145.8	981.5	4,692
	30-34歳	40.1	204.4	1158.7	2,188	30.9	135.2	1010.9	6,846
	35-39歳	40.1	213.0	1211.6	2,069	29.4	127.9	991.9	9,239
	40-44歳	40.4	221.9	1274.5	2,219	28.6	126.7	1002.4	12,998
	45-49歳	40.8	231.9	1313.8	2,035	29.0	128.9	995.7	13,830
	合計	39.7	201.1	1165.1	13,145	30.1	131.3	993.2	50,736

付表2－11　性・現職就業形態別就業継続・転職希望（15～34歳、在学中を除く有業者、ウエイトバック値）

単位：％、太字は実数

性別	就業形態	合計(N)		この仕事を続けたい	この仕事のほかに別の仕事もしたい	他の仕事に変わりたい	仕事をすっかりやめてしまいたい	不詳
		(千人)	(%)					
男性	正規の職員・従業員	**6,442.7**	100.0	76.7	8.1	12.5	2.0	0.7
	パート	**159.7**	100.0	56.4	11.9	29.3	1.8	0.6
	アルバイト	**458.6**	100.0	41.6	18.6	33.9	4.0	2.0
	労働者派遣事業所の派遣社員	**160.8**	100.0	45.0	15.7	33.9	4.1	1.3
	契約社員	**345.6**	100.0	65.5	10.5	20.1	2.9	0.9
	嘱託	**23.5**	100.0	69.7	10.3	17.3	2.6	0.0
	その他	**80.4**	100.0	66.9	13.1	16.3	0.9	2.8
	会社などの役員	**94.0**	100.0	83.3	11.2	4.5	0.5	0.6
	自営業・手伝い	**278.0**	100.0	81.1	10.8	5.9	0.9	1.2
	内職	**0.4**	100.0	7.2	15.6	56.1	21.1	0.0
	不詳	**26.2**	100.0	10.9	0.5	1.6	0.0	87.0
	合計	**8,070.1**	100.0	73.1	9.2	14.5	2.1	1.1
女性	正規の職員・従業員	**4,240.5**	100.0	74.3	7.0	15.3	2.8	0.6
	パート	**1,060.6**	100.0	68.6	10.5	17.4	2.7	0.8
	アルバイト	**522.8**	100.0	50.5	18.7	26.0	3.7	1.1
	労働者派遣事業所の派遣社員	**261.0**	100.0	55.2	15.7	25.0	3.4	0.7
	契約社員	**411.1**	100.0	64.5	9.9	22.1	2.8	0.8
	嘱託	**58.8**	100.0	61.8	10.7	23.2	3.8	0.4
	その他	**78.4**	100.0	65.8	13.2	15.8	1.9	3.3
	会社などの役員	**33.9**	100.0	64.7	18.8	6.9	6.4	3.1
	自営業・手伝い	**163.7**	100.0	78.4	11.8	7.4	1.7	0.6
	内職	**12.8**	100.0	48.5	27.5	22.6	1.4	0.0
	不詳	**9.6**	100.0	23.3	3.9	9.0	0.0	63.8
	合計	**6,853.0**	100.0	70.0	9.3	17.0	2.9	0.8
男女計	正規の職員・従業員	**10,683.2**	100.0	75.8	7.7	13.6	2.3	0.7
	パート	**1,220.4**	100.0	67.0	10.7	18.9	2.6	0.8
	アルバイト	**981.5**	100.0	46.4	18.6	29.7	3.8	1.5
	労働者派遣事業所の派遣社員	**421.8**	100.0	51.3	15.7	28.4	3.7	0.9
	契約社員	**756.7**	100.0	65.0	10.2	21.2	2.9	0.8
	嘱託	**82.2**	100.0	64.1	10.6	21.5	3.5	0.3
	その他	**158.8**	100.0	66.3	13.1	16.1	1.4	3.1
	会社などの役員	**127.9**	100.0	78.3	13.2	5.1	2.1	1.2
	自営業・手伝い	**441.7**	100.0	80.1	11.2	6.5	1.2	1.0
	内職	**13.2**	100.0	47.2	27.2	23.7	2.0	0.0
	不詳	**35.8**	100.0	14.2	1.4	3.6	0.0	80.8
	合計	**14,923.1**	100.0	71.7	9.2	15.7	2.5	1.0

付表2-12 性・現職就業形態・年齢階層別就業継続・転職希望(在学中を除く有業者、ウエイトバック値)

①男性

単位：%、太字は実数

就業形態(詳細)	年齢	合計(N)		この仕事を続けたい	この仕事のほかに別の仕事もしたい	他の仕事に変わりたい	仕事をすっかりやめてしまいたい	不詳
		(千人)	(%)					
正規の職員・従業員	15-19歳	**161.9**	100.0	85.1	4.3	8.3	1.0	1.3
	20-24歳	**1,270.2**	100.0	76.7	8.4	12.6	1.6	0.7
	25-29歳	**2,296.7**	100.0	75.2	8.5	13.5	1.9	0.9
	30-34歳	**2,714.0**	100.0	77.5	7.8	11.8	2.3	0.6
	35-39歳	**2,971.7**	100.0	79.9	7.1	10.6	1.5	0.8
	40-44歳	**3,506.6**	100.0	81.8	5.6	9.9	1.8	0.9
	45-49歳	**3,404.4**	100.0	85.0	4.2	8.4	1.6	0.8
	合計	**16,325.3**	100.0	80.1	6.6	10.7	1.8	0.8
パート	15-19歳	**6.0**	100.0	58.6	26.9	9.6	4.9	0.0
	20-24歳	**43.0**	100.0	61.3	15.1	22.1	0.2	1.3
	25-29歳	**57.9**	100.0	53.8	9.2	34.4	2.0	0.6
	30-34歳	**52.9**	100.0	55.0	10.5	31.9	2.4	0.3
	35-39歳	**53.5**	100.0	57.7	13.2	25.6	2.1	1.5
	40-44歳	**53.1**	100.0	55.0	13.7	25.5	3.6	2.2
	45-49歳	**52.9**	100.0	56.2	13.1	24.6	2.6	3.5
	合計	**319.3**	100.0	56.4	12.6	27.3	2.3	1.5
アルバイト	15-19歳	**37.2**	100.0	54.4	17.2	20.0	3.9	4.6
	20-24歳	**158.9**	100.0	39.1	19.1	36.1	3.2	2.5
	25-29歳	**152.6**	100.0	40.1	21.1	33.0	4.5	1.3
	30-34歳	**109.9**	100.0	43.0	14.6	36.7	4.4	1.3
	35-39歳	**85.7**	100.0	52.9	19.3	23.5	2.6	1.6
	40-44歳	**81.0**	100.0	53.7	15.1	25.1	3.5	2.5
	45-49歳	**62.1**	100.0	55.8	15.7	25.0	2.9	0.7
	合計	**687.6**	100.0	45.7	18.0	30.8	3.6	1.9
労働者派遣事業所の派遣社員	15-19歳	**4**	100.0	64.5	28.4	4.6	2.5	0.0
	20-24歳	**37**	100.0	48.4	15.4	29.8	4.6	1.9
	25-29歳	**60**	100.0	40.5	15.8	39.0	3.6	1.2
	30-34歳	**60**	100.0	45.9	15.0	33.5	4.5	1.1
	35-39歳	**57**	100.0	43.6	16.4	33.6	5.9	0.6
	40-44歳	**67**	100.0	52.0	14.0	32.4	0.3	1.3
	45-49歳	**59**	100.0	51.5	12.8	27.6	4.5	3.5
	合計	**344**	100.0	47.2	15.0	32.5	3.7	1.5
契約社員	15-19歳	**6**	100.0	70.9	4.1	15.2	4.4	5.5
	20-24歳	**81**	100.0	66.2	11.9	18.6	2.5	0.7
	25-29歳	**135**	100.0	67.2	9.9	20.5	1.7	0.8
	30-34歳	**124**	100.0	63.0	10.6	20.9	4.5	1.1
	35-39歳	**112**	100.0	57.4	13.4	22.7	5.7	0.8
	40-44歳	**126**	100.0	66.8	9.7	20.5	2.4	0.6
	45-49歳	**115**	100.0	65.1	10.4	21.4	2.4	0.9
	合計	**699**	100.0	64.4	10.8	20.8	3.2	0.8
嘱託	15-19歳	**1**	100.0	100.0	0.0	0.0	0.0	0.0
	20-24歳	**5**	100.0	71.1	17.0	5.9	6.0	0.0
	25-29歳	**9**	100.0	68.0	11.1	18.2	2.7	0.0
	30-34歳	**9**	100.0	68.8	6.7	23.5	1.0	0.0
	35-39歳	**12**	100.0	58.5	11.6	26.5	2.4	0.9
	40-44歳	**13**	100.0	63.7	17.8	15.4	3.1	0.0
	45-49歳	**13**	100.0	70.5	12.1	16.4	1.0	0.0
	合計	**61**	100.0	66.5	12.5	18.5	2.4	0.2

その他	15-19歳	3	100.0	64.3	4.9	15.7	0.0	15.1
	20-24歳	20	100.0	66.9	16.9	13.7	0.7	1.8
	25-29歳	29	100.0	70.5	10.4	15.0	1.2	2.8
	30-34歳	28	100.0	63.3	13.9	19.6	0.9	2.3
	35-39歳	28	100.0	62.7	20.1	14.7	1.1	1.4
	40-44歳	31	100.0	70.3	11.7	11.9	4.7	1.5
	45-49歳	30	100.0	67.5	11.6	14.4	2.2	4.3
	合計	170	100.0	66.9	13.7	14.9	1.9	2.6
会社などの役員	20-24歳	4	100.0	81.5	14.0	1.9	0.0	2.5
	25-29歳	26	100.0	76.4	14.8	5.8	1.4	1.7
	30-34歳	65	100.0	86.1	9.6	4.1	0.2	0.0
	35-39歳	134	100.0	84.7	8.4	4.1	1.2	1.6
	40-44歳	237	100.0	84.2	10.6	2.9	1.0	1.3
	45-49歳	296	100.0	85.5	9.6	2.2	1.5	1.3
	合計	761	100.0	84.7	9.9	3.0	1.2	1.2
自営業・手伝い	15-19歳	5	100.0	92.2	4.6	3.2	0.0	0.0
	20-24歳	34	100.0	79.9	8.2	9.0	1.0	1.9
	25-29歳	79	100.0	83.5	9.0	6.1	0.9	0.5
	30-34歳	159	100.0	79.8	12.5	5.3	0.9	1.4
	35-39歳	253	100.0	82.0	10.8	4.3	1.5	1.4
	40-44歳	349	100.0	82.3	9.6	4.2	2.2	1.7
	45-49歳	401	100.0	80.8	10.0	5.5	2.0	1.8
	合計	1,281	100.0	81.5	10.2	5.0	1.7	1.5
内職	20-24歳	0	100.0	0.0	100.0	0.0	0.0	0.0
	25-29歳	0	100.0	21.0	0.0	17.5	61.5	0.0
	30-34歳	0	100.0	0.0	0.0	100.0	0.0	0.0
	35-39歳	1	100.0	36.1	0.0	10.0	53.8	0.0
	40-44歳	1	100.0	45.6	10.9	13.2	0.0	30.3
	45-49歳	1	100.0	30.5	59.0	8.4	0.0	2.1
	合計	4	100.0	32.8	22.6	15.5	22.4	6.7
不詳	15-19歳	1	100.0	0.0	0.0	0.0	0.0	100.0
	20-24歳	5	100.0	15.2	0.0	0.0	0.0	84.8
	25-29歳	10	100.0	11.8	0.0	0.0	0.0	88.2
	30-34歳	10	100.0	8.8	1.3	4.2	0.0	85.7
	35-39歳	8	100.0	13.9	5.6	4.2	0.0	76.4
	40-44歳	8	100.0	16.6	0.7	0.6	3.2	78.8
	45-49歳	10	100.0	13.9	1.6	3.1	1.3	80.2
	合計	51	100.0	12.8	1.5	2.1	0.7	82.8
合計	15-19歳	225	100.0	78.2	7.5	10.3	1.6	2.4
	20-24歳	1,659	100.0	71.3	10.1	15.6	1.8	1.2
	25-29歳	2,855	100.0	71.7	9.5	15.6	2.0	1.2
	30-34歳	3,331	100.0	74.9	8.6	13.3	2.4	0.9
	35-39歳	3,715	100.0	77.7	8.2	11.2	1.8	1.1
	40-44歳	4,473	100.0	80.0	6.8	10.2	1.8	1.2
	45-49歳	4,445	100.0	82.6	5.7	8.8	1.7	1.2
	合計	20,704	100.0	77.5	7.7	11.7	1.9	1.1

②女性　　　　　　　　　　　　　　　　　　　　　　　　　　　　　　　　単位：％、太字は実数

就業形態（詳細）	年齢	合計（N）		この仕事を続けたい	この仕事のほかに別の仕事もしたい	他の仕事に変わりたい	仕事をすっかりやめてしまいたい	不詳
		（千人）	（％）					
正規の職員・従業員	15-19歳	92.6	100.0	73.0	9.9	14.4	1.8	0.9
	20-24歳	1,150.7	100.0	72.5	8.2	15.9	2.7	0.7
	25-29歳	1,609.0	100.0	74.8	6.6	15.4	2.7	0.5
	30-34歳	1,388.2	100.0	75.4	6.4	14.6	3.1	0.5
	35-39歳	1,303.5	100.0	80.7	5.0	11.0	2.7	0.6
	40-44歳	1,441.8	100.0	81.3	4.8	10.7	2.4	0.7
	45-49歳	1,348.3	100.0	82.2	4.3	9.7	3.0	0.8
	合計	8,334.0	100.0	77.8	5.9	12.9	2.8	0.6
パート	15-19歳	12.4	100.0	69.2	16.1	12.5	2.0	0.2
	20-24歳	132.8	100.0	63.6	12.0	19.0	4.1	1.2
	25-29歳	312.5	100.0	66.7	10.3	19.0	3.3	0.6
	30-34歳	602.9	100.0	70.7	10.2	16.2	2.0	0.8
	35-39歳	869.2	100.0	73.6	9.2	14.5	2.5	0.3
	40-44歳	1,297.3	100.0	75.4	8.0	14.1	1.9	0.5
	45-49歳	1,412.8	100.0	75.6	7.8	13.5	2.5	0.6
	合計	4,640.0	100.0	73.6	8.8	14.7	2.4	0.6
アルバイト	15-19歳	32.1	100.0	51.0	19.6	26.5	2.1	0.7
	20-24歳	175.8	100.0	45.9	21.0	27.9	4.0	1.2
	25-29歳	174.2	100.0	51.8	16.1	26.3	4.1	1.6
	30-34歳	140.7	100.0	54.6	18.6	23.2	3.3	0.3
	35-39歳	130.9	100.0	66.8	14.7	15.2	2.4	0.9
	40-44歳	149.8	100.0	65.9	13.6	14.8	4.3	1.3
	45-49歳	142.1	100.0	68.1	12.1	15.8	3.0	0.9
	合計	945.7	100.0	57.9	16.3	21.2	3.5	1.1
労働者派遣事業所の派遣社員	15-19歳	2.4	100.0	22.9	11.2	37.6	19.4	8.9
	20-24歳	49.5	100.0	47.3	16.7	28.7	5.5	1.7
	25-29歳	96.4	100.0	55.9	15.1	24.4	3.9	0.7
	30-34歳	112.7	100.0	58.7	15.8	23.6	1.8	0.1
	35-39歳	117.0	100.0	62.0	10.1	23.6	3.2	1.0
	40-44歳	145.6	100.0	56.7	13.0	27.4	2.5	0.4
	45-49歳	151.5	100.0	60.1	12.0	24.8	1.8	1.2
	合計	675.1	100.0	57.8	13.3	25.2	2.8	0.8
契約社員	15-19歳	4.6	100.0	74.1	9.4	16.5	0.0	0.0
	20-24歳	96.2	100.0	67.6	11.0	19.2	1.6	0.7
	25-29歳	159.6	100.0	63.5	8.8	23.4	3.5	0.7
	30-34歳	150.7	100.0	63.2	10.2	22.7	3.0	0.9
	35-39歳	149.0	100.0	63.9	9.6	23.0	2.7	0.8
	40-44歳	176.7	100.0	69.4	8.1	19.7	2.4	0.4
	45-49歳	180.5	100.0	71.6	8.9	16.9	1.9	0.8
	合計	917.2	100.0	66.7	9.3	20.7	2.6	0.7
嘱託	15-19歳	0.2	100.0	0.0	0.0	100.0	0.0	0.0
	20-24歳	12.9	100.0	65.3	6.6	23.8	3.0	1.3
	25-29歳	21.5	100.0	58.3	12.6	24.3	4.8	0.0
	30-34歳	24.2	100.0	63.8	11.3	21.2	3.4	0.3
	35-39歳	35.8	100.0	69.2	13.8	15.7	1.3	0.0
	40-44歳	49.4	100.0	71.7	10.1	16.6	1.6	0.0
	45-49歳	59.8	100.0	71.3	13.0	13.7	1.9	0.0
	合計	203.7	100.0	68.3	11.8	17.5	2.3	0.1

その他	15-19歳	2.9	100.0	61.2	5.6	8.8	0.0	24.4
	20-24歳	19.7	100.0	65.8	9.7	17.0	3.3	4.2
	25-29歳	30.6	100.0	63.6	17.2	16.3	0.2	2.7
	30-34歳	25.2	100.0	69.0	11.9	15.1	3.1	0.9
	35-39歳	34.7	100.0	70.1	11.6	10.5	6.8	1.0
	40-44歳	48.9	100.0	70.7	10.3	14.9	2.9	1.1
	45-49歳	56.6	100.0	76.1	10.9	9.8	2.1	1.1
	合計	218.6	100.0	70.2	11.7	13.2	3.0	1.9
会社などの役員	20-24歳	4.3	100.0	35.8	16.4	28.1	19.8	0.0
	25-29歳	7.6	100.0	66.9	28.5	1.2	3.4	0.0
	30-34歳	21.9	100.0	69.7	16.0	4.8	4.8	4.9
	35-39歳	38.8	100.0	80.7	11.9	3.6	3.4	0.3
	40-44歳	62.5	100.0	85.3	7.0	3.9	2.7	1.1
	45-49歳	81.8	100.0	85.1	7.1	4.1	3.1	0.6
	合計	216.9	100.0	81.2	9.8	4.4	3.6	1.1
自営業・手伝い	15-19歳	3.4	100.0	80.5	0.0	12.6	0.0	7.0
	20-24歳	21.1	100.0	69.5	13.4	15.4	1.0	0.7
	25-29歳	47.7	100.0	76.1	11.9	9.7	1.8	0.5
	30-34歳	91.5	100.0	81.6	11.9	4.2	1.9	0.5
	35-39歳	133.4	100.0	75.9	13.9	6.8	2.4	1.0
	40-44歳	179.8	100.0	79.4	10.9	5.0	2.6	2.1
	45-49歳	190.8	100.0	79.5	11.8	5.6	2.6	0.5
	合計	667.6	100.0	78.5	12.0	6.1	2.3	1.1
内職	15-19歳	0.1	100.0	100.0	0.0	0.0	0.0	0.0
	20-24歳	0.7	100.0	75.6	0.0	24.4	0.0	0.0
	25-29歳	4.5	100.0	40.6	46.1	13.3	0.0	0.0
	30-34歳	7.5	100.0	50.0	19.3	28.3	2.3	0.0
	35-39歳	10.1	100.0	58.6	20.8	19.9	0.0	0.6
	40-44歳	15.3	100.0	57.9	12.5	22.6	4.5	2.5
	45-49歳	10.7	100.0	71.0	11.9	14.5	1.7	1.0
	合計	48.9	100.0	58.4	18.0	20.3	2.1	1.1
不詳	15-19歳	0.5	100.0	60.7	0.0	12.3	0.0	27.0
	20-24歳	1.6	100.0	20.3	4.9	0.0	0.0	74.8
	25-29歳	2.6	100.0	12.0	0.0	5.0	0.0	83.0
	30-34歳	4.8	100.0	26.3	6.2	13.9	0.0	53.6
	35-39歳	3.8	100.0	26.1	2.3	0.0	0.0	71.6
	40-44歳	6.0	100.0	22.7	4.9	7.5	0.0	64.9
	45-49歳	4.8	100.0	8.2	4.1	0.0	1.4	86.2
	合計	24.2	100.0	20.6	3.9	5.4	0.3	69.7
合計	15-19歳	151.2	100.0	67.1	12.1	17.2	2.0	1.6
	20-24歳	1,665.2	100.0	67.6	10.3	18.1	3.0	0.9
	25-29歳	2,466.2	100.0	70.2	8.7	17.4	2.9	0.7
	30-34歳	2,570.3	100.0	71.5	9.0	16.0	2.8	0.7
	35-39歳	2,826.1	100.0	75.6	8.0	13.2	2.6	0.7
	40-44歳	3,573.1	100.0	76.4	7.4	13.0	2.3	0.8
	45-49歳	3,639.6	100.0	77.2	7.2	12.1	2.6	0.8
	合計	16,891.9	100.0	73.8	8.2	14.5	2.7	0.8

付表２－13　性・学歴・キャリア類型別就業継続・転職希望（15～34歳、在学中を除く有業者、ウエイトバック値）

①男性　　　　　　　　　　　　　　　　　　　　　　　　　　　　　　単位：％、太字は実数

学歴	キャリア類型	合計(N)（千人）	(%)	この仕事を続けたい	この仕事のほかに別の仕事もしたい	他の仕事に変わりたい	仕事をすっかりやめてしまいたい	不詳
中学卒	正社員定着	84.7	100.0	79.1	8.4	9.8	2.5	0.2
	正社員転職	50.2	100.0	75.9	9.1	12.5	2.5	0.0
	正社員一時非典型	7.0	100.0	60.0	17.6	18.5	3.9	0.0
	他形態から正社員	68.8	100.0	73.1	6.5	16.6	2.9	0.8
	非典型中心	85.9	100.0	61.3	17.2	18.6	2.6	0.4
	正社員から非典型	13.4	100.0	69.1	8.6	19.7	1.9	0.7
	自営家業	45.6	100.0	81.5	9.7	4.7	1.9	2.2
	無回答・経歴不詳	20.2	100.0	42.1	14.4	10.9	0.8	31.8
	合計	375.9	100.0	71.1	10.8	13.4	2.5	2.3
高校卒	正社員定着	1,281.1	100.0	80.5	6.7	10.9	1.7	0.1
	正社員転職	420.1	100.0	75.3	7.5	14.6	2.3	0.2
	正社員一時非典型	81.2	100.0	72.1	6.9	16.5	3.9	0.6
	他形態から正社員	214.2	100.0	70.8	9.4	15.6	4.0	0.2
	非典型中心	378.7	100.0	57.6	14.1	24.3	3.7	0.3
	正社員から非典型	127.3	100.0	53.4	14.0	28.9	3.6	0.1
	自営家業	112.4	100.0	82.1	8.8	7.0	0.9	1.2
	無回答・経歴不詳	79.9	100.0	45.9	11.3	6.7	1.9	34.3
	合計	2,694.9	100.0	73.2	8.7	14.5	2.4	1.3
専門学校(1～2年未満)卒	正社員定着	176.3	100.0	77.5	8.1	12.8	1.4	0.2
	正社員転職	70.7	100.0	73.4	11.6	13.0	1.9	0.1
	正社員一時非典型	12.3	100.0	67.0	14.7	18.0	0.3	0.0
	他形態から正社員	28.7	100.0	77.6	8.1	13.7	0.5	0.0
	非典型中心	49.6	100.0	51.6	13.2	33.8	1.4	0.0
	正社員から非典型	20.2	100.0	53.6	9.6	34.2	2.6	0.0
	自営家業	17.4	100.0	83.7	12.9	2.3	0.3	0.8
	無回答・経歴不詳	11.8	100.0	44.7	8.0	18.3	0.6	28.4
	合計	386.9	100.0	71.1	9.9	16.6	1.4	1.0
専門学校(2～4年未満)卒	正社員定着	348.5	100.0	78.1	7.4	12.0	2.4	0.2
	正社員転職	145.0	100.0	76.3	9.6	13.3	0.7	0.1
	正社員一時非典型	20.4	100.0	66.6	6.7	25.0	1.7	0.0
	他形態から正社員	54.3	100.0	64.4	12.3	20.9	2.3	0.1
	非典型中心	77.2	100.0	55.7	11.3	29.0	4.0	0.1
	正社員から非典型	39.2	100.0	45.2	13.6	38.4	2.8	0.0
	自営家業	30.3	100.0	82.9	11.1	4.5	1.4	0.0
	無回答・経歴不詳	13.7	100.0	41.5	22.2	6.4	3.3	26.5
	合計	728.7	100.0	71.8	9.3	16.1	2.2	0.6
短大・高専卒	正社員定着	131.9	100.0	77.6	7.1	11.6	3.6	0.0
	正社員転職	45.5	100.0	76.9	6.9	13.2	3.0	0.0
	正社員一時非典型	3.8	100.0	73.0	5.9	18.6	2.5	0.0
	他形態から正社員	13.1	100.0	66.3	10.6	22.4	0.8	0.0
	非典型中心	16.6	100.0	50.7	18.3	29.9	0.6	0.5
	正社員から非典型	10.9	100.0	52.8	9.5	37.7	0.0	0.0
	自営家業	6.1	100.0	79.2	1.1	16.3	1.4	2.0
	無回答・経歴不詳	5.6	100.0	40.9	3.0	19.1	2.3	34.7
	合計	233.5	100.0	72.8	7.9	15.5	2.9	1.0
大学卒	正社員定着	1,955.3	100.0	77.0	8.8	12.3	1.8	0.2
	正社員転職	523.7	100.0	78.5	7.3	12.0	2.1	0.2
	正社員一時非典型	45.0	100.0	70.4	10.0	14.8	4.8	0.0
	他形態から正社員	138.3	100.0	75.1	7.3	15.4	2.2	0.0
	非典型中心	226.3	100.0	50.2	15.4	31.1	3.2	0.0
	正社員から非典型	88.0	100.0	41.6	19.6	35.1	3.6	0.0
	自営家業	55.5	100.0	77.9	14.8	6.6	0.2	0.5
	無回答・経歴不詳	51.5	100.0	49.4	8.8	11.3	1.3	29.2
	合計	3,083.7	100.0	73.7	9.4	14.3	2.0	0.6

学歴	キャリア類型	合計(N) (千人)	(%)	この仕事を続けたい	この仕事のほかに別の仕事もしたい	他の仕事に変わりたい	仕事をすっかりやめてしまいたい	不詳
大学院卒	正社員定着	370.5	100.0	79.5	8.8	10.7	0.9	0.1
	正社員転職	52.4	100.0	80.2	6.9	12.1	0.8	0.0
	正社員一時非典型	1.6	100.0	18.1	43.7	38.2	0.0	0.0
	他形態から正社員	17.6	100.0	76.2	7.6	16.0	0.0	0.2
	非典型中心	25.9	100.0	56.4	10.3	33.3	0.0	0.0
	正社員から非典型	5.1	100.0	46.3	18.4	33.2	2.1	0.0
	自営家業	7.1	100.0	76.7	22.9	0.4	0.0	0.0
	無回答・経歴不詳	3.7	100.0	75.5	0.0	0.9	0.0	23.7
	合計	483.9	100.0	77.6	9.0	12.4	0.8	0.3

②女性

学歴	キャリア類型	合計(N) (千人)	(%)	この仕事を続けたい	この仕事のほかに別の仕事もしたい	他の仕事に変わりたい	仕事をすっかりやめてしまいたい	不詳
中学卒	正社員定着	16.0	100.0	79.9	6.7	7.9	5.5	0.0
	正社員転職	3.6	100.0	62.0	3.9	34.1	0.0	0.0
	正社員一時非典型	1.2	100.0	55.2	22.0	22.8	0.0	0.0
	他形態から正社員	22.7	100.0	62.9	13.3	22.1	1.8	0.0
	非典型中心	149.0	100.0	63.8	13.4	19.5	3.0	0.3
	正社員から非典型	13.6	100.0	62.6	11.4	24.9	1.1	0.0
	自営家業	10.5	100.0	79.4	12.5	6.3	1.2	0.6
	無回答・経歴不詳	12.4	100.0	51.4	9.8	19.2	6.4	13.3
	合計	229.0	100.0	64.7	12.5	18.9	3.0	0.9
高校卒	正社員定着	519.2	100.0	73.0	7.3	16.1	3.4	0.2
	正社員転職	139.5	100.0	72.1	7.0	17.7	3.2	0.0
	正社員一時非典型	47.9	100.0	72.6	5.6	16.6	4.9	0.4
	他形態から正社員	122.7	100.0	69.5	10.4	17.8	2.3	0.0
	非典型中心	581.6	100.0	63.0	12.8	20.3	3.7	0.1
	正社員から非典型	278.7	100.0	65.6	11.9	20.2	2.3	0.0
	自営家業	67.2	100.0	71.4	12.8	12.7	2.5	0.7
	無回答・経歴不詳	59.9	100.0	48.3	13.3	13.4	2.2	22.6
	合計	1,816.7	100.0	67.5	10.3	18.1	3.2	0.9
専門学校(1～2年未満)卒	正社員定着	127.3	100.0	73.2	7.6	17.0	2.2	0.0
	正社員転職	38.2	100.0	68.5	7.2	22.4	1.6	0.3
	正社員一時非典型	10.9	100.0	66.4	10.9	14.8	6.7	1.2
	他形態から正社員	26.4	100.0	69.8	12.0	14.0	4.2	0.0
	非典型中心	102.1	100.0	61.9	15.6	20.1	2.0	0.4
	正社員から非典型	57.2	100.0	57.8	16.4	22.8	2.8	0.2
	自営家業	16.3	100.0	78.9	10.2	8.6	2.1	0.3
	無回答・経歴不詳	13.2	100.0	40.1	16.7	18.1	0.2	24.9
	合計	391.5	100.0	66.3	11.7	18.6	2.4	1.0
専門学校(2～4年未満)卒	正社員定着	408.4	100.0	76.8	7.7	11.9	3.1	0.6
	正社員転職	102.9	100.0	76.1	5.2	14.6	4.1	0.0
	正社員一時非典型	20.7	100.0	67.7	6.0	17.6	8.8	0.0
	他形態から正社員	44.7	100.0	75.9	7.5	15.4	1.2	0.0
	非典型中心	174.1	100.0	64.5	11.2	20.5	3.5	0.2
	正社員から非典型	117.3	100.0	63.7	9.4	24.0	2.9	0.0
	自営家業	23.4	100.0	80.6	10.2	7.4	0.6	1.2
	無回答・経歴不詳	17.2	100.0	39.9	20.4	6.8	6.7	26.2
	合計	908.6	100.0	71.8	8.6	15.5	3.3	0.8

	正社員定着	352.5	100.0	73.9	7.6	15.7	2.8	0.0
	正社員転職	90.0	100.0	69.0	8.1	18.8	3.8	0.2
短	正社員一時非典型	21.4	100.0	79.0	6.8	11.6	2.6	0.0
大・	他形態から正社員	46.0	100.0	70.2	8.5	18.9	2.3	0.1
高専	非典型中心	160.9	100.0	64.1	11.9	21.1	2.9	0.1
卒	正社員から非典型	111.3	100.0	69.4	11.8	16.3	2.3	0.1
	自営家業	12.9	100.0	76.6	10.2	11.6	1.6	0.0
	無回答・経歴不詳	17.6	100.0	53.0	8.9	13.9	1.6	22.6
	合計	812.6	100.0	70.3	9.2	17.2	2.8	0.6
	正社員定着	1,447.5	100.0	76.6	6.0	14.4	2.9	0.2
	正社員転職	283.1	100.0	74.9	6.0	17.5	1.5	0.2
	正社員一時非典型	51.3	100.0	69.9	7.7	18.8	2.8	0.8
大学	他形態から正社員	108.6	100.0	73.2	10.6	13.8	2.4	0.0
卒	非典型中心	275.5	100.0	57.9	14.5	23.9	3.5	0.1
	正社員から非典型	228.8	100.0	60.1	13.5	23.8	2.6	0.0
	自営家業	37.5	100.0	77.0	18.7	2.9	1.3	0.2
	無回答・経歴不詳	40.6	100.0	55.7	12.2	8.9	1.4	21.8
	合計	2,472.9	100.0	72.2	8.2	16.5	2.7	0.5
	正社員定着	99.6	100.0	79.5	6.2	12.8	1.5	0.0
	正社員転職	19.7	100.0	64.2	21.6	12.4	1.9	0.0
	正社員一時非典型	2.4	100.0	64.5	0.0	35.5	0.0	0.0
大学	他形態から正社員	10.4	100.0	72.7	8.5	16.3	2.5	0.0
院卒	非典型中心	20.9	100.0	62.5	8.5	25.0	4.0	0.0
	正社員から非典型	4.0	100.0	48.2	23.8	28.0	0.0	0.0
	自営家業	5.5	100.0	98.3	1.7	0.0	0.0	0.0
	無回答・経歴不詳	1.2	100.0	0.0	25.3	69.4	0.0	5.3
	合計	163.9	100.0	74.1	8.8	15.2	1.8	0.0

注：2012 年調査から専門学校については、修業年限「1 年以上 2 年未満」「2 年以上 4 年未満」「4 年以上」の 3
つにカテゴリーに分けて調査されたが、集計に当たっては、「4 年以上」は大卒のカテゴリーに統合して
集計した。

付表2－14　性・学歴・卒業年グループ別キャリア類型（在学中、および専業主婦（夫）を除く、ウエイトバック値）

①男性

		バブル後期(88〜92年卒)	就職氷河期前期(93〜98年卒)	就職氷河期後期(99〜04年卒)	回復期(05〜09年卒)	リーマンショック期(10〜11年卒)	アベノミクス期(12〜17年卒)	合計
中学卒	学卒就職正社員定着	2.8	3.3	2.8	3.2	1.8	6.6	3.2
	その他正社員定着	16.8	17.0	14.9	12.2	21.3	10.6	15.5
	正社員転職	17.8	15.0	14.1	8.7	8.6	3.5	13.4
	正社員一時非典型	3.2	3.0	2.1	1.6	0.2	0.3	2.3
	他形態から正社員	8.9	12.6	17.2	15.6	11.0	6.3	12.5
	非典型一貫	7.4	10.3	11.6	17.9	21.9	31.1	13.2
	正社員から非典型	4.4	3.7	2.9	2.8	2.9	2.4	3.4
	自営・手伝い	16.3	14.1	12.9	8.3	5.4	3.1	12.3
	無業	18.2	17.4	18.5	23.7	23.7	34.4	20.4
	無回答・経歴不詳	4.2	3.7	3.1	6.0	3.3	1.7	3.8
	合計	100.0	100.0	100.0	100.0	100.0	100.0	100.0
	(N,千人)	237.4	247.3	207.4	127.8	43.0	80.4	943.4
高校卒	学卒就職正社員定着	23.9	21.4	17.5	25.9	27.9	42.0	25.2
	その他正社員定着	14.6	15.0	15.6	13.4	13.2	8.1	13.7
	正社員転職	27.6	25.2	22.0	16.9	13.9	6.6	20.8
	正社員一時非典型	4.0	4.6	4.5	3.6	1.7	0.8	3.6
	他形態から正社員	4.2	7.0	10.7	8.4	6.6	2.5	6.5
	非典型一貫	3.1	4.8	7.7	10.6	14.7	15.0	7.7
	正社員から非典型	4.1	4.6	4.1	4.7	5.1	3.6	4.3
	自営・手伝い	8.3	7.9	6.1	3.8	2.8	2.4	6.1
	無業	7.2	7.0	9.2	10.4	11.7	16.8	9.6
	無回答・経歴不詳	3.0	2.5	2.6	2.2	2.4	2.1	2.5
	合計	100.0	100.0	100.0	100.0	100.0	100.0	100.0
	(N,千人)	1,669.3	1,736.0	1,313.1	931.8	342.5	1,018.5	7,011.2
専門学校(1〜2年未満)卒	学卒就職正社員定着	17.9	20.0	16.9	21.9	23.1	33.8	21.3
	その他正社員定着	14.7	16.9	18.3	15.3	22.0	13.4	16.2
	正社員転職	30.2	25.9	26.5	23.5	17.1	10.8	24.1
	正社員一時非典型	2.8	4.6	3.5	5.2	2.9	1.5	3.6
	他形態から正社員	3.0	5.0	10.1	7.5	6.1	4.2	5.9
	非典型一貫	3.1	3.9	6.0	9.6	9.9	17.6	7.1
	正社員から非典型	5.7	3.9	4.0	5.2	4.8	5.0	4.6
	自営・手伝い	14.0	12.2	7.8	4.9	4.9	2.1	8.9
	無業	5.1	4.8	5.2	4.3	7.6	9.0	5.6
	無回答・経歴不詳	3.4	2.9	1.6	2.8	1.5	2.6	2.6
	合計	100.0	100.0	100.0	100.0	100.0	100.0	100.0
	(N,千人)	206.4	313.7	210.3	157.0	44.9	148.1	1,080.5
専門学校(2〜4年未満)卒	学卒就職正社員定着	25.2	22.1	19.4	23.6	23.7	41.3	25.3
	その他正社員定着	12.8	16.4	17.8	14.1	16.8	10.4	14.9
	正社員転職	29.0	29.8	26.7	24.7	19.2	12.7	24.9
	正社員一時非典型	4.1	4.6	3.8	2.9	4.3	2.1	3.6
	他形態から正社員	2.7	4.2	7.6	9.9	5.3	4.4	5.8
	非典型一貫	2.8	2.8	6.3	6.9	9.8	13.3	6.3
	正社員から非典型	5.3	5.0	3.7	4.7	6.5	5.2	4.8
	自営・手伝い	10.3	8.2	7.5	6.2	5.6	2.5	7.0
	無業	5.5	4.4	4.9	5.6	7.3	6.6	5.4
	無回答・経歴不詳	2.4	2.4	2.3	1.5	1.3	1.4	2.0
	合計	100.0	100.0	100.0	100.0	100.0	100.0	100.0
	(N,千人)	285.2	460.2	443.0	330.8	102.4	300.1	1,921.7

短大・高専卒	学卒就職正社員定着	38.3	29.2	24.6	29.8	41.0	53.4	33.9
	その他正社員定着	11.9	17.1	15.6	16.3	13.7	9.5	14.5
	正社員転職	27.6	24.9	27.4	24.1	16.6	12.4	23.8
	正社員一時非典型	3.6	3.4	3.9	3.0	3.9	0.2	3.1
	他形態から正社員	1.7	4.0	7.1	6.6	7.5	3.7	4.6
	非典型一貫	1.6	3.3	4.5	6.2	8.8	5.7	4.2
	正社員から非典型	2.4	4.9	3.1	4.1	4.1	4.6	3.9
	自営・手伝い	7.2	6.3	6.7	2.8	1.5	1.4	5.2
	無業	4.5	5.0	4.2	3.9	2.3	8.7	5.0
	無回答・経歴不詳	1.2	1.9	3.0	3.2	0.7	0.4	1.9
	合計	100.0	100.0	100.0	100.0	100.0	100.0	100.0
	(N,千人)	141.3	196.9	138.4	102.4	31.7	93.7	704.5
大学卒	学卒就職正社員定着	46.0	36.2	29.2	38.2	37.5	52.9	40.0
	その他正社員定着	12.1	14.3	17.6	14.9	15.9	13.2	14.6
	正社員転職	23.2	29.0	28.8	24.6	21.0	9.5	23.0
	正社員一時非典型	2.2	2.3	2.3	2.5	1.3	0.7	1.9
	他形態から正社員	1.7	3.6	6.8	5.2	5.4	3.6	4.4
	非典型一貫	1.0	1.8	3.3	3.6	7.7	9.1	4.1
	正社員から非典型	3.2	2.6	2.1	3.0	2.3	2.8	2.7
	自営・手伝い	5.7	5.0	4.5	3.1	2.0	0.7	3.7
	無業	3.7	3.7	3.6	3.5	5.2	6.2	4.2
	無回答・経歴不詳	1.0	1.6	1.7	1.4	1.6	1.5	1.5
	合計	100.0	100.0	100.0	100.0	100.0	100.0	100.0
	(N,千人)	1,265.5	1,751.1	1,664.0	1,342.7	550.3	1,595.4	8,169.0
大学院卒	学卒就職正社員定着	53.2	46.6	45.4	48.7	45.0	59.9	50.7
	その他正社員定着	13.9	16.9	17.5	15.9	17.8	12.9	15.6
	正社員転職	16.3	22.2	22.2	17.6	15.2	10.3	17.0
	正社員一時非典型	0.7	1.0	0.7	1.7	0.7	0.5	0.9
	他形態から正社員	3.0	2.8	4.6	6.1	6.0	3.1	4.2
	非典型一貫	1.5	1.9	2.2	3.4	6.4	5.7	3.6
	正社員から非典型	1.9	1.1	1.9	1.4	1.7	1.3	1.5
	自営・手伝い	6.3	4.0	3.0	2.7	3.3	1.8	3.1
	無業	2.0	2.2	1.7	2.1	2.6	3.8	2.5
	無回答・経歴不詳	1.3	1.3	0.8	0.4	1.3	0.8	0.9
	合計	100.0	100.0	100.0	100.0	100.0	100.0	100.0
	(N,千人)	116.9	211.0	278.2	280.4	120.0	356.3	1,362.6
合計	学卒就職正社員定着	30.9	27.1	23.6	31.7	32.8	47.7	31.6
	その他正社員定着	13.7	15.3	16.8	14.4	15.7	11.4	14.5
	正社員転職	25.5	26.3	25.1	21.2	17.7	9.0	21.7
	正社員一時非典型	3.2	3.5	3.2	2.9	1.7	0.8	2.7
	他形態から正社員	3.4	5.4	8.6	7.2	6.0	3.4	5.7
	非典型一貫	2.6	3.6	5.5	6.9	10.3	11.6	6.0
	正社員から非典型	3.9	3.7	3.0	3.7	3.5	3.2	3.5
	自営・手伝い	8.3	7.3	5.8	3.8	2.9	1.6	5.4
	無業	6.2	5.7	6.2	6.4	7.5	9.8	6.8
	無回答・経歴不詳	2.3	2.2	2.1	1.9	1.8	1.6	2.0
	合計	100.0	100.0	100.0	100.0	100.0	100.0	100.0
	(N,千人)	3,931.5	4,925.8	4,267.9	3,280.8	1,239.0	3,601.1	21,246.2

②女性

		バブル後期（88〜92年卒）	就職氷河期前期（93〜98年卒）	就職氷河期後期（99〜04年卒）	回復期（05〜09年卒）	リーマンショック期（10〜11年卒）	アベノミクス期（12〜17年卒）	合計
中学卒	学卒就職正社員定着	0.4	0.6	0.4	0.0	0.3	1.5	0.5
	その他正社員定着	4.0	4.4	4.1	1.8	6.5	3.5	3.8
	正社員転職	2.3	1.7	1.1	1.2	0.1	0.3	1.4
	正社員一時非典型	2.2	0.9	0.4	0.2	0.0	0.0	0.8
	他形態から正社員	4.7	6.1	5.6	6.3	8.9	2.5	5.6
	非典型一貫	32.6	33.3	39.9	37.6	32.9	34.5	35.6
	正社員から非典型	10.9	6.2	4.3	3.8	1.2	2.0	5.6
	自営・手伝い	5.4	4.3	3.0	3.9	0.6	1.1	3.6
	無業	34.8	39.6	37.9	42.7	46.9	51.5	40.1
	無回答・経歴不詳	2.7	3.0	3.3	2.5	2.6	3.2	2.9
	合計	100.0	100.0	100.0	100.0	100.0	100.0	100.0
	（N,千人）	134.2	155.0	168.2	110.7	37.0	57.3	662.3
高校卒	学卒就職正社員定着	6.3	5.7	5.3	11.7	14.6	29.5	10.0
	その他正社員定着	4.6	4.5	5.3	4.7	6.2	5.7	4.9
	正社員転職	8.3	6.9	5.3	6.6	7.7	4.3	6.6
	正社員一時非典型	6.0	4.9	3.6	2.5	1.8	0.6	3.9
	他形態から正社員	1.8	3.4	6.0	5.5	4.6	3.1	3.8
	非典型一貫	14.1	18.6	22.2	23.4	26.0	23.7	19.7
	正社員から非典型	30.9	24.7	16.3	13.5	10.8	6.8	20.4
	自営・手伝い	3.5	3.8	3.7	2.6	1.9	2.1	3.2
	無業	22.2	25.1	30.2	27.4	24.6	21.8	25.2
	無回答・経歴不詳	2.2	2.4	2.2	2.0	1.8	2.4	2.2
	合計	100.0	100.0	100.0	100.0	100.0	100.0	100.0
	（N,千人）	1,561.2	1,441.0	1,144.7	757.4	274.3	738.2	5,916.9
専門学校(1〜2年未満)卒	学卒就職正社員定着	4.8	5.1	5.8	10.7	11.0	29.5	9.8
	その他正社員定着	7.5	7.9	5.3	8.0	11.2	12.5	8.1
	正社員転職	7.3	6.8	8.5	9.1	11.8	6.5	7.8
	正社員一時非典型	6.5	4.9	3.4	2.6	3.8	1.2	4.0
	他形態から正社員	2.4	3.0	5.7	5.2	4.9	4.2	4.1
	非典型一貫	15.0	19.3	20.4	19.6	18.7	20.0	18.9
	正社員から非典型	27.5	25.6	18.0	12.3	13.0	8.8	19.3
	自営・手伝い	7.4	5.9	5.4	5.3	1.5	1.6	5.2
	無業	18.7	19.5	26.0	25.6	21.5	13.6	20.9
	無回答・経歴不詳	2.8	2.0	1.5	1.6	2.6	2.1	2.0
	合計	100.0	100.0	100.0	100.0	100.0	100.0	100.0
	（N,千人）	224.4	334.9	253.1	195.3	64.4	172.2	1,244.4
専門学校(2〜4年未満)卒	学卒就職正社員定着	8.6	11.2	11.9	19.4	23.1	38.8	17.8
	その他正社員定着	10.0	9.9	9.8	9.2	11.5	9.8	9.9
	正社員転職	9.3	11.1	8.8	10.4	12.0	10.2	10.1
	正社員一時非典型	6.6	4.7	3.1	2.4	2.3	2.0	3.6
	他形態から正社員	2.1	2.8	4.2	3.5	6.3	4.4	3.6
	非典型一貫	12.2	14.6	16.9	14.5	15.4	14.9	14.8
	正社員から非典型	27.2	20.8	17.4	13.0	9.7	6.5	16.5
	自営・手伝い	3.9	4.2	4.4	2.6	3.3	1.5	3.4
	無業	18.6	18.9	22.1	23.9	14.7	10.2	18.7
	無回答・経歴不詳	1.5	1.9	1.3	1.0	1.8	1.9	1.5
	合計	100.0	100.0	100.0	100.0	100.0	100.0	100.0
	（N,千人）	381.4	584.8	578.7	465.4	156.1	439.2	2,605.5

短大・高専卒	学卒就職正社員定着	8.3	8.5	9.4	17.3	25.1	46.7	13.6
	その他正社員定着	4.2	5.6	6.1	6.5	8.5	8.1	5.8
	正社員転職	9.7	8.1	8.2	10.3	15.6	6.3	8.8
	正社員一時非典型	4.9	4.7	3.8	3.1	2.8	0.9	4.0
	他形態から正社員	1.5	3.5	5.2	4.5	4.8	3.5	3.5
	非典型一貫	10.6	14.3	15.5	15.7	17.6	14.2	13.9
	正社員から非典型	32.6	25.9	18.3	12.8	10.6	8.1	22.3
	自営・手伝い	3.8	3.3	2.4	1.9	0.6	0.5	2.7
	無業	22.6	24.4	29.3	26.4	13.2	10.2	23.5
	無回答・経歴不詳	1.6	1.7	1.8	1.5	1.2	1.6	1.7
	合計	100.0	100.0	100.0	100.0	100.0	100.0	100.0
	(N,千人)	886.0	1,201.8	765.0	417.7	130.8	336.2	3,737.4
大学卒	学卒就職正社員定着	16.2	12.0	14.0	24.9	29.9	55.4	28.2
	その他正社員定着	6.4	7.2	7.6	8.1	8.1	7.0	7.4
	正社員転職	9.8	10.7	11.4	12.4	13.4	7.2	10.4
	正社員一時非典型	3.7	4.8	4.0	3.2	2.4	0.9	3.0
	他形態から正社員	2.2	4.4	6.2	4.3	5.6	3.3	4.4
	非典型一貫	8.2	11.7	11.6	8.7	11.1	9.9	10.3
	正社員から非典型	22.9	21.1	14.2	11.5	10.1	5.5	13.0
	自営・手伝い	6.0	5.0	3.9	2.4	1.4	0.8	3.0
	無業	23.5	22.2	26.0	23.2	17.1	8.6	19.3
	無回答・経歴不詳	1.1	1.0	1.1	1.2	0.8	1.5	1.2
	合計	100.0	100.0	100.0	100.0	100.0	100.0	100.0
	(N,千人)	530.3	931.9	1,164.9	1,093.2	465.0	1,508.7	5,694.0
大学院卒	学卒就職正社員定着	15.1	10.7	21.1	21.2	28.6	41.1	27.0
	その他正社員定着	15.6	11.7	12.0	12.7	12.8	13.4	12.8
	正社員転職	8.8	13.5	11.3	15.1	17.3	12.6	13.4
	正社員一時非典型	1.6	7.4	3.1	2.9	3.7	1.0	2.8
	他形態から正社員	2.6	6.9	9.6	7.0	9.9	6.6	7.5
	非典型一貫	16.1	15.4	9.8	10.5	8.9	12.5	11.5
	正社員から非典型	11.3	11.3	9.8	5.0	5.4	3.6	6.4
	自営・手伝い	11.8	6.7	5.1	4.4	3.6	1.9	4.1
	無業	12.1	15.0	17.6	20.5	7.7	6.4	13.2
	無回答・経歴不詳	5.0	1.6	0.6	0.8	2.2	0.8	1.1
	合計	100.0	100.0	100.0	100.0	100.0	100.0	100.0
	(N,千人)	15.9	45.8	94.0	105.0	48.1	145.1	453.9
合計	学卒就職正社員定着	8.1	8.2	9.6	18.0	22.8	43.9	16.8
	その他正社員定着	5.5	6.3	6.8	7.2	8.5	7.7	6.8
	正社員転職	8.7	8.3	8.2	9.9	11.8	6.9	8.6
	正社員一時非典型	5.4	4.7	3.5	2.7	2.3	1.0	3.5
	他形態から正社員	2.0	3.6	5.7	4.7	5.6	3.6	4.0
	非典型一貫	13.0	16.1	17.6	15.8	17.0	15.0	15.7
	正社員から非典型	28.8	23.1	15.7	11.9	10.0	6.2	17.3
	自営・手伝い	4.3	4.2	3.7	2.7	1.8	1.2	3.2
	無業	22.3	23.5	27.5	25.5	18.9	12.7	22.4
	無回答・経歴不詳	1.9	1.9	1.7	1.5	1.4	1.8	1.8
	合計	100.0	100.0	100.0	100.0	100.0	100.0	100.0
	(N,千人)	3,746.5	4,704.8	4,176.3	3,153.9	1,179.0	3,406.3	20,366.7

注：専門学校については、修業年限「1年以上2年未満」「2年以上4年未満」「4年以上」の3つにカテゴリー
　に分けて調査されたが、集計に当たっては、「4年以上」は大卒のカテゴリーに統合して集計した。
・「学卒就職正社員定着」は「正社員定着」キャリアの者のうち、初職入職が学校卒業年の6月までであ
　った者。「その他正社員定着」は「学卒就職正社員定着」を除いた「正社員定着」キャリアの者。

付表3－1　年齢階層別「求職者」数と対人口（非在学）比率の推移（ウエイトバック値）

単位：%、太字は実数（千人）

		「求職者」数（千人）								「求職者」の人口比（%）							
		15-34歳計	15-19歳	20-24歳	25-29歳	30-34歳	35-39歳	40-44歳	45-49歳	15-34歳計	15-19歳	20-24歳	25-29歳	30-34歳	35-39歳	40-44歳	45-49歳
男女計	1992年	1,150	118	350	365	317	—	—	—	4.6	7.0	4.8	4.5	4.1	—	—	—
	1997年	1,613	145	486	539	444	—	—	—	6.2	12.0	6.8	5.8	5.4	—	—	—
	2002年	1,923	148	511	657	608	—	—	—	7.7	15.5	9.2	7.1	6.4	—	—	—
	2007年	1,342	76	344	453	470	471	369	—	6.0	11.4	7.2	6.0	5.1	5.0	4.5	—
	2012年	1,180	61	308	405	407	489	495	—	6.2	10.5	7.8	5.9	5.2	5.2	5.2	—
	2017年	779	33	199	268	279	312	323	338	4.5	6.2	5.3	4.4	4.0	4.0	3.4	3.6
男性	1992年	311	58	119	79	55	—	—	—	2.5	6.0	3.5	1.9	1.4	—	—	—
	1997年	530	76	198	162	95	—	—	—	4.1	10.7	5.9	3.5	2.3	—	—	—
	2002年	803	82	258	269	194	—	—	—	6.4	15.5	9.7	5.8	4.1	—	—	—
	2007年	537	37	164	182	153	128	94	—	4.8	10.1	7.2	4.8	3.3	2.7	2.3	—
	2012年	516	31	153	179	154	148	147	—	5.4	9.3	8.1	5.2	3.9	3.1	3.1	—
	2017年	320	19	92	109	99	95	89	105	3.6	6.0	5.0	3.5	2.8	2.4	1.9	2.2
女性	1992年	839	60	231	286	262	—	—	—	6.7	8.3	5.9	7.1	6.8	—	—	—
	1997年	1,083	69	288	377	350	—	—	—	8.4	13.7	7.7	8.1	8.6	—	—	—
	2002年	1,120	66	253	388	413	—	—	—	8.9	15.5	8.7	8.5	8.8	—	—	—
	2007年	805	39	180	270	316	343	275	—	7.2	13.0	7.2	7.2	6.9	7.4	6.8	—
	2012年	664	31	155	226	253	340	348	—	7.0	12.1	7.6	6.7	6.6	7.4	7.5	—
	2017年	459	14	107	159	180	217	234	233	5.3	6.5	5.5	5.3	5.2	5.6	5.0	5.0

注：「求職者」は、ふだん無業で就業を希望し実際に求職活動や開業の準備をしている者、在学中の者を除く。

付表3－2　年齢階層別「独身家事従業者」数と対人口（非在学）比率の推移（ウエイトバック値）

単位：%、太字は実数（千人）

		「独身家事従事者」数（千人）								「独身家事従事者」の人口比（%）							
		15-34歳計	15-19歳	20-24歳	25-29歳	30-34歳	35-39歳	40-44歳	45-49歳	15-34歳計	15-19歳	20-24歳	25-29歳	30-34歳	35-39歳	40-44歳	45-49歳
男女計	1992年	153	18	56	51	28	—	—	—	0.6	1.1	0.8	0.6	0.4	—	—	—
	1997年	157	16	52	59	30	—	—	—	0.6	1.3	0.7	0.6	0.4	—	—	—
	2002年	254	18	61	88	88	—	—	—	1.0	1.8	1.1	1.0	0.9	—	—	—
	2007年	182	12	44	56	70	59	53	—	0.8	1.8	0.9	0.7	0.8	0.6	0.6	—
	2012年	190	11	46	68	65	70	78	—	1.0	1.9	1.2	1.0	0.8	0.8	0.8	—
	2017年	171	8	40	54	69	65	87	104	1.0	1.5	1.1	0.9	1.0	0.8	0.9	1.1
男性	1992年	5	0	3	2	0	—	—	—	0.0	0.0	0.1	0.0	0.0	—	—	—
	1997年	11	1	4	4	2	—	—	—	0.1	0.2	0.1	0.1	0.0	—	—	—
	2002年	40	2	7	14	17	—	—	—	0.3	0.4	0.3	0.3	0.4	—	—	—
	2007年	24	2	6	8	9	5	9	—	0.2	0.5	0.3	0.2	0.2	0.1	0.2	—
	2012年	38	2	9	12	15	13	15	—	0.4	0.6	0.5	0.4	0.4	0.3	0.3	—
	2017年	48	3	12	14	19	14	28	25	0.5	0.9	0.6	0.4	0.5	0.4	0.6	0.5
女性	1992年	148	17	54	49	28	—	—	—	1.2	2.4	1.4	1.2	0.7	—	—	—
	1997年	146	15	48	56	28	—	—	—	1.1	2.9	1.3	1.2	0.7	—	—	—
	2002年	214	15	54	74	71	—	—	—	1.7	3.6	1.9	1.6	1.5	—	—	—
	2007年	158	10	39	48	61	54	44	—	1.4	3.3	1.5	1.3	1.3	1.2	1.1	—
	2012年	152	9	37	56	50	58	63	—	1.6	3.5	1.8	1.6	1.3	1.2	1.3	—
	2017年	123	5	28	40	50	50	59	79	1.4	2.3	1.4	1.3	1.4	1.3	1.3	1.7

注：「独身家事従事者」は、無業者のうち求職活動をしていない者で、卒業者かつ通学していず、配偶者なしで家事をおこなっている者。

付表３－３　就業希望のある非求職無業者の仕事があれば就く意思（ウエイトバック値）

単位：％、太字は実数（千人）

		合計		仕事があれば			
		（％）	実数（千人）	すぐつくつもり	すぐではないがつくつもり	つくかどうかわからない	不詳
15－34歳男	探したが見つからなかった	100.0	10.2	37.9	41.1	12.8	8.2
	希望する仕事がありそうにない	100.0	8.9	23.1	52.1	24.9	0.0
	知識・能力に自信がない	100.0	18.3	23.9	53.7	22.4	0.0
	介護・看護のため	100.0	1.3	7.7	72.8	19.5	0.0
	病気・けがのため	100.0	36.8	7.5	50.8	39.8	1.8
	通学のため	100.0	0.6	0.0	50.9	49.1	0.0
	学校以外で進学や資格取得などの勉強をしている	100.0	10.7	25.2	59.5	15.2	0.0
	急いで仕事につく必要がない	100.0	11.1	19.1	48.1	32.8	0.0
	その他	100.0	41.2	24.9	34.1	40.1	0.9
	不詳	100.0	1.3	0.0	27.5	60.6	11.8
	15－34歳男計	100.0	140.4	20.1	46.1	32.4	1.4
15－34歳女	探したが見つからなかった	100.0	3.5	21.0	62.3	16.7	0.0
	希望する仕事がありそうにない	100.0	3.7	20.8	69.6	9.7	0.0
	知識・能力に自信がない	100.0	10.4	14.7	65.1	20.2	0.0
	出産・育児のため	100.0	1.9	7.8	67.6	21.3	3.3
	介護・看護	100.0	0.7	0.0	31.1	0.0	68.9
	病気・けがのため	100.0	30.9	13.5	49.4	36.5	0.7
	通学のため	100.0	0.1	31.1	68.9	0.0	0.0
	学校以外で進学や資格取得などの勉強をしている	100.0	6.6	5.6	77.8	16.6	0.0
	急いで仕事につく必要がない	100.0	6.8	13.3	57.4	29.3	0.0
	その他	100.0	19.5	12.2	43.4	44.5	0.0
	不詳	100.0	0.1	0.0	47.9	0.0	52.1
	15－34歳女計	100.0	84.3	13.1	54.5	31.4	1.0
35－44歳男	探したが見つからなかった	100.0	10.4	26.6	47.7	22.2	3.5
	希望する仕事がありそうにない	100.0	4.0	11.4	64.5	24.1	0.0
	知識・能力に自信がない	100.0	10.6	19.1	55.3	23.4	2.2
	介護・看護のため	100.0	1.3	25.4	57.1	17.6	0.0
	病気・けがのため	100.0	51.1	10.7	48.9	39.4	1.0
	通学のため	100.0	0.1	0.0	100.0	0.0	0.0
	学校以外で進学や資格取得などの勉強をしている	100.0	3.6	31.6	50.9	17.5	0.0
	急いで仕事につく必要がない	100.0	6.7	12.4	37.3	50.3	0.0
	その他	100.0	27.6	21.6	29.9	43.5	5.0
	不詳	100.0	0.2	0.0	57.8	42.2	0.0
	35－44歳男計	100.0	115.6	16.4	44.9	36.5	2.2
35－44歳女	探したが見つからなかった	100.0	2.3	12.2	41.2	46.6	0.0
	希望する仕事がありそうにない	100.0	1.1	10.0	34.6	55.5	0.0
	知識・能力に自信がない	100.0	2.1	2.4	80.9	13.4	3.2
	出産・育児のため	100.0	1.0	0.0	78.8	21.2	0.0
	介護・看護	100.0	0.9	12.6	64.9	22.5	0.0
	病気・けがのため	100.0	29.2	8.9	48.6	42.1	0.4
	学校以外で進学や資格取得などの勉強をしている	100.0	0.9	58.4	24.9	16.7	0.0
	急いで仕事につく必要がない	100.0	1.2	0.0	38.0	62.0	0.0
	その他	100.0	8.3	14.8	24.8	47.4	13.0
	不詳	100.0	0.0	100.0	0.0	0.0	0.0
	35－44歳男計	100.0	47.0	10.4	45.4	41.5	2.7
合計	探したが見つからなかった	100.0	12.8	24.0	46.5	26.7	2.8
	希望する仕事がありそうにない	100.0	5.1	11.1	57.9	31.0	0.0
	知識・能力に自信がない	100.0	12.6	16.3	59.5	21.8	2.4
	出産・育児のため	100.0	1.0	0.0	78.8	21.2	0.0
	介護・看護	100.0	2.2	20.3	60.2	19.5	0.0
	病気・けがのため	100.0	80.3	10.0	48.8	40.4	0.8
	通学のため	100.0	0.1	0.0	100.0	0.0	0.0
	学校以外で進学や資格取得などの勉強をしている	100.0	4.4	36.8	45.9	17.4	0.0
	急いで仕事につく必要がない	100.0	7.9	10.5	37.4	52.1	0.0
	その他	100.0	35.9	20.1	28.7	44.4	6.9
	不詳	100.0	0.3	10.7	51.6	37.7	0.0
	合計	100.0	**162.6**	14.7	45.0	38.0	2.3

付表3−4　1年前の状況別　現在の就業状況（15〜34歳および35〜44歳、ウエイトバック値）

①15〜34歳　　　　　　　　　　　　　　　　　　　　　　単位：％、太字は実数（千人）

1年前の状況	正規の職員・従業員	パート・アルバイト	労働者派遣事業所の派遣社員	契約・嘱託・その他雇用	役員・自営・自営手伝い	家事等が主で有業	求職者	非求職無業者	独身・家事	専業主婦（夫）	その他無業	合計(%)	合計 実数（千人）
男性 正規の職員・従業員	97.7	0.4	0.2	0.4	0.2	0.1	0.9	0.1	0.0	0.0	0.0	100.0	5749.6
パート・アルバイト	6.1	83.7	0.9	2.2	0.2	1.2	4.0	1.3	0.3	0.0	0.2	100.0	469.2
労働者派遣事業所の派遣社員	8.3	2.5	81.1	2.4	0.0	0.8	3.5	0.8	0.6	0.0	0.0	100.0	124.3
契約・嘱託・その他雇用	6.8	1.5	0.9	86.3	0.4	0.5	2.7	0.7	0.0	0.0	0.1	100.0	364.6
役員・自営・自営手伝い	1.4	0.2	0.0	0.4	96.4	0.7	0.5	0.2	0.0	0.0	0.1	100.0	321.0
主に仕事(不明)	50.8	14.3	3.2	8.9	4.8	1.9	11.3	3.0	0.7	0.0	0.9	100.0	236.7
かたわらに仕事(正社員)	76.7	1.5	0.0	0.0	1.7	15.5	3.2	1.3	0.0	0.0	0.0	100.0	14.2
かたわらに仕事(非正社員)	34.2	33.7	4.2	4.8	0.5	12.3	8.8	1.2	0.4	0.0	0.0	100.0	85.2
かたわらに仕事(その他・不明)	12.9	13.9	4.3	3.7	22.1	20.1	11.2	6.9	4.1	0.0	0.9	100.0	19.9
無業・家事	5.3	4.4	0.7	1.7	1.0	1.3	33.7	4.1	40.2	4.7	3.0	100.0	80.2
無業・通学	65.6	5.3	1.1	4.9	1.3	1.8	6.7	6.8	0.4	0.0	6.1	100.0	624.9
無業・非家事非通学・無配偶卒業	18.3	8.5	2.6	4.4	1.5	0.6	19.7	42.9	0.8	0.0	0.6	100.0	596.3
無業・その他	43.0	5.0	2.5	7.7	9.0	1.0	12.6	0.0	0.0	0.0	19.3	100.0	71.1
1年前不詳	39.4	9.2	2.5	6.2	3.5	27.8	0.2	5.2	0.2	0.0	5.7	100.0	84.9
男性計	72.8	6.6	1.8	5.0	4.1	0.9	3.6	3.8	0.5	0.1	0.8	100.0	8842.2
女性 正規の職員・従業員	92.1	1.0	0.5	0.7	0.1	2.1	1.8	0.3	0.1	1.2	0.1	100.0	3734.8
パート・アルバイト	3.1	74.3	1.5	1.2	0.3	11.6	3.7	0.5	0.6	2.9	0.3	100.0	926.0
労働者派遣事業所の派遣社員	4.9	1.7	75.1	2.8	0.4	4.6	5.5	1.2	0.2	3.7	0.0	100.0	176.4
契約・嘱託・その他雇用	4.0	2.4	0.6	82.3	0.4	3.5	4.2	0.2	0.2	2.1	0.0	100.0	442.4
役員・自営・自営手伝い	1.2	0.6	0.1	0.3	82.7	12.8	0.5	0.4	0.1	1.4	0.0	100.0	122.3
主に仕事(不明)	29.3	17.1	9.6	7.0	2.0	7.4	14.5	1.1	1.3	9.7	0.9	100.0	245.4
かたわらに仕事(正社員)	26.3	1.6	0.6	0.3	0.4	55.0	3.3	0.7	0.1	11.0	0.6	100.0	86.3
かたわらに仕事(非正社員)	7.8	9.8	0.8	1.7	0.0	68.0	3.3	0.4	0.6	7.2	0.3	100.0	486.0
かたわらに仕事(その他・不明)	5.8	5.9	1.3	2.7	4.2	59.3	5.7	1.2	1.2	12.6	0.1	100.0	104.2
無業・家事	1.6	3.1	0.5	0.8	0.1	11.3	14.5	0.9	6.9	59.5	0.7	100.0	1208.7
無業・通学	67.3	6.5	1.6	6.4	0.6	2.4	5.7	4.0	0.8	0.7	3.9	100.0	543.4
無業・非家事非通学・無配偶卒業	17.4	13.6	4.7	6.5	1.2	1.4	14.5	36.9	3.6	0.0	0.2	100.0	386.5
無業・その他	15.4	10.0	3.1	4.6	0.5	25.7	8.1	0.0	0.0	18.8	13.8	100.0	88.9
1年前不詳	30.3	16.6	4.1	8.2	1.1	18.9	0.8	4.2	2.3	7.5	6.0	100.0	58.4
女性計	47.9	11.4	2.7	6.0	1.5	10.1	5.3	2.3	1.4	10.6	0.7	100.0	8609.7
男女計 正規の職員・従業員	95.5	0.6	0.3	0.5	0.2	0.9	1.3	0.2	0.1	0.5	0.1	100.0	9484.3
パート・アルバイト	4.1	77.4	1.3	1.5	0.3	8.1	3.8	0.8	0.5	1.9	0.2	100.0	1395.2
労働者派遣事業所の派遣社員	6.3	2.0	77.6	2.6	0.2	3.0	4.7	1.0	0.3	2.2	0.0	100.0	300.7
契約・嘱託・その他雇用	5.3	2.0	0.8	84.1	0.4	2.2	3.5	0.5	0.1	1.2	0.1	100.0	807.1
役員・自営・自営手伝い	1.4	0.3	0.1	0.4	92.6	4.0	0.5	0.3	0.0	0.4	0.0	100.0	443.3
主に仕事(不明)	39.9	15.7	6.4	8.0	3.4	4.7	12.9	2.0	1.0	5.0	0.9	100.0	482.1
かたわらに仕事(正社員)	33.4	1.6	0.5	0.3	0.6	49.4	3.3	0.7	0.1	9.5	0.5	100.0	100.5
かたわらに仕事(非正社員)	11.8	13.3	1.3	2.2	0.1	59.7	4.1	0.6	0.6	6.1	0.3	100.0	571.2
かたわらに仕事(その他・不明)	6.9	7.1	1.8	2.9	7.1	53.0	6.6	2.1	1.7	10.6	0.2	100.0	124.2
無業・家事	1.8	3.1	0.6	0.9	0.2	10.7	15.7	1.1	9.0	56.1	0.9	100.0	1288.9
無業・通学	66.4	5.9	1.4	5.6	1.0	2.1	6.3	5.5	0.6	0.3	5.1	100.0	1168.3
無業・非家事非通学・無配偶卒業	18.0	10.5	3.4	5.2	1.4	0.9	17.6	40.5	1.9	0.0	0.4	100.0	982.8
無業・その他	27.7	7.8	2.8	6.0	4.2	14.7	10.1	0.0	0.0	10.5	16.2	100.0	160.0
1年前不詳	35.7	12.2	3.1	7.0	2.5	24.2	0.5	4.8	1.0	3.1	5.9	100.0	143.3
男女計	60.5	9.0	2.3	5.5	2.9	5.4	4.5	3.1	1.0	5.3	0.7	100.0	17451.9

②35〜44歳　　　　　　　　　　　　　　　　　　　　　　　　　　　　　　　　単位：％、太字は実数（千人）

	1年前の状況	正規の職員・従業員	パート・アルバイト	労働者派遣事業所の派遣社員	契約・嘱託・その他雇用	役員・自営業主・自営手伝い	家事等が主で有業	求職者	非求職無業者	独身・家事	専業主婦（夫）	その他無業	合計 (%)	合計 実数(千人)
男性	正規の職員・従業員	98.7	0.1	0.0	0.2	0.3	0.1	0.5	0.1	0.0	0.0	0.0	100.0	6272.9
	パート・アルバイト	3.2	89.5	0.5	0.3	0.5	1.0	3.1	1.2	0.1	0.0	0.5	100.0	232.7
	労働者派遣事業所の派遣社員	3.2	0.6	90.1	2.0	0.1	0.1	3.5	0.2	0.1	0.0	0.2	100.0	98.0
	契約・嘱託・その他雇用	4.6	0.6	0.5	90.0	0.7	0.7	2.1	0.6	0.0	0.0	0.1	100.0	293.9
	役員・自営・自営手伝い	0.9	0.2	0.0	0.1	98.1	0.3	0.1	0.1	0.0	0.0	0.1	100.0	900.7
	主に仕事(不明)	57.6	6.9	4.4	6.4	12.6	1.9	7.1	2.1	0.4	0.0	0.5	100.0	227.5
	かたわらに仕事(正社員)	63.6	0.0	0.0	8.4	0.0	27.9	0.0	0.0	0.0	0.0	0.0	100.0	4.4
	かたわらに仕事(非正社員)	3.7	17.6	2.3	14.4	0.5	49.0	2.7	0.4	9.4	0.0	0.0	100.0	12.8
	かたわらに仕事(その他・不明)	5.5	5.1	0.0	1.1	47.4	32.8	6.5	0.4	0.0	0.9	0.2	100.0	10.8
	無業・家事	2.0	2.6	2.7	0.5	1.5	1.3	32.3	6.5	37.7	11.0	1.9	100.0	82.4
	無業・通学	34.2	0.9	0.9	14.3	0.8	6.1	27.4	3.2	0.0	0.0	12.1	100.0	6.6
	無業・非家事非通学・無配偶卒業	8.8	4.0	3.3	3.3	1.9	0.2	19.1	57.6	1.5	0.0	0.4	100.0	401.8
	無業・その他	38.1	3.6	2.6	2.8	9.5	0.7	10.8	0.0	0.0	1.3	30.6	100.0	104.7
	1年前不詳	42.6	5.7	1.6	3.6	12.0	13.7	2.6	7.7	0.3	0.0	10.2	100.0	86.0
	男性計	74.1	3.0	1.4	3.6	11.1	0.5	2.1	3.0	0.5	0.1	0.6	100.0	8735.4
女性	正規の職員・従業員	94.0	0.4	0.2	0.2	0.1	0.3	1.2	0.1	0.1	0.7	0.0	100.0	2566.2
	パート・アルバイト	1.6	70.2	0.5	0.6	0.1	23.5	2.0	0.1	0.1	1.2	0.1	100.0	1023.3
	労働者派遣事業所の派遣社員	4.2	1.7	82.2	1.8	0.0	5.4	3.0	0.1	0.4	1.1	0.0	100.0	180.1
	契約・嘱託・その他雇用	3.5	1.2	0.7	84.1	0.2	6.9	2.1	0.2	0.1	1.1	0.0	100.0	392.1
	役員・自営・自営手伝い	0.5	0.2	0.0	0.1	78.4	19.5	0.2	0.1	0.3	0.7	0.0	100.0	236.6
	主に仕事(不明)	28.9	19.7	7.9	7.4	2.9	14.1	10.2	1.0	1.1	6.6	0.3	100.0	165.3
	かたわらに仕事(正社員)	21.6	0.9	0.1	0.0	0.0	72.9	2.2	0.0	0.1	2.2	0.0	100.0	109.3
	かたわらに仕事(非正社員)	0.4	5.0	0.3	0.9	0.1	88.4	2.2	0.0	0.1	2.6	0.0	100.0	1259.7
	かたわらに仕事(その他・不明)	0.7	2.3	0.3	0.4	5.0	83.5	3.6	0.4	0.3	3.5	0.0	100.0	229.4
	無業・家事	0.5	1.5	0.4	0.4	0.1	11.8	14.9	0.6	4.4	64.8	0.6	100.0	1965.9
	無業・通学	30.0	11.9	3.7	7.8	9.0	14.4	12.2	0.0	0.5	3.4	7.1	100.0	13.0
	無業・非家事非通学・無配偶卒業	7.7	8.1	4.1	3.7	0.7	2.0	13.0	53.9	6.4	0.0	0.5	100.0	200.9
	無業・その他	9.4	11.3	4.6	4.2	1.6	30.3	6.9	0.0	0.0	18.3	13.4	100.0	124.4
	1年前不詳	22.7	9.8	4.0	2.8	6.2	35.3	0.8	4.2	0.9	8.9	4.3	100.0	51.7
	女性計	30.3	10.6	2.4	4.6	2.5	24.7	5.3	1.5	1.3	16.4	0.4	100.0	8517.9
男女計	正規の職員・従業員	97.3	0.2	0.1	0.2	0.2	0.9	0.7	0.1	0.0	0.2	0.0	100.0	8839.1
	パート・アルバイト	1.9	73.8	0.5	0.6	0.2	19.3	2.2	0.3	0.1	1.0	0.1	100.0	1256.0
	労働者派遣事業所の派遣社員	3.8	1.3	85.0	1.9	0.0	3.6	3.2	0.2	0.3	0.7	0.1	100.0	278.1
	契約・嘱託・その他雇用	3.9	0.9	0.6	86.7	0.4	4.3	2.1	0.3	0.0	0.6	0.1	100.0	685.9
	役員・自営・自営手伝い	0.8	0.2	0.0	0.1	94.0	4.3	0.1	0.1	0.1	0.2	0.0	100.0	1137.4
	主に仕事(不明)	45.5	12.3	5.9	6.8	8.5	7.1	8.4	1.6	0.7	2.8	0.5	100.0	392.9
	かたわらに仕事(正社員)	23.3	0.9	0.1	0.3	0.0	71.1	2.1	0.0	0.1	2.1	0.0	100.0	113.7
	かたわらに仕事(非正社員)	0.4	5.1	0.3	1.0	0.1	88.0	2.2	0.0	0.2	2.6	0.0	100.0	1272.5
	かたわらに仕事(その他・不明)	0.9	2.4	0.3	0.4	6.9	81.2	3.8	0.4	0.3	3.4	0.0	100.0	240.2
	無業・家事	0.6	1.5	0.5	0.4	0.2	11.4	15.6	0.8	5.8	62.7	0.6	100.0	2048.3
	無業・通学	31.4	8.2	2.8	10.0	6.2	11.6	17.4	1.1	0.3	2.3	8.8	100.0	19.6
	無業・非家事非通学・無配偶卒業	8.4	5.4	3.5	3.4	1.5	0.8	17.1	56.3	3.1	0.0	0.4	100.0	602.7
	無業・その他	22.5	7.8	3.7	3.6	5.2	16.8	8.7	0.0	0.0	10.5	21.2	100.0	229.1
	1年前不詳	35.1	7.3	2.5	3.3	9.8	21.8	1.9	6.4	0.5	3.4	8.0	100.0	137.8
	男女計	52.5	6.8	1.9	4.1	6.9	12.4	3.7	2.3	0.9	8.2	0.5	100.0	17253.3

付表３－５　世帯主である非求職無業者と無配偶求職者の主な収入の種類別　世帯全体
　　　　の年間収入（15～34歳、ウエイトバック値）

①非求職無業者　　　　　　　　　　　　　　　　　　　　　　　　単位：％、太字は実数（千人）

		合計 （千人、N）	100万円 未満	100～ 199万円	200～ 299万円	300～ 399万円	400～ 499万円	500万円 以上	不詳
	男性計	**56.6**	68.5	13.8	2.0	1.1	0.8	1.6	12.2
男性	賃金・給料	**0.8**	0.0	57.1	0.0	15.4	18.8	0.0	8.8
	年金・恩給	**25.1**	84.5	11.2	0.0	1.9	0.0	0.0	2.4
	雇用保険	**0.1**	0.0	100.0	0.0	0.0	0.0	0.0	0.0
	その他の給付	**7.6**	43.9	28.6	0.0	0.0	0.0	0.0	27.6
	仕送り	**5.2**	78.4	17.1	0.0	0.0	1.0	1.7	1.9
	家賃・地代	**1.2**	0.0	0.0	0.0	0.0	0.0	0.0	100.0
	利子・配当	**0.1**	100.0	0.0	0.0	0.0	0.0	0.0	0.0
	その他	**4.8**	50.9	20.8	8.6	0.0	3.1	16.7	0.0
	なし	**10.8**	71.4	3.7	6.5	0.4	1.0	0.0	17.1
	不詳	**1.0**	0.0	0.0	0.0	0.0	0.0	0.0	100.0
	女性計	**42.2**	67.2	13.8	5.2	1.4	0.0	2.5	9.9
女性	賃金・給料	**2.8**	6.2	48.9	36.3	8.6	0.0	0.0	0.0
	年金・恩給	**14.7**	75.5	11.5	0.6	1.2	0.0	0.0	11.3
	雇用保険	**0.2**	100.0	0.0	0.0	0.0	0.0	0.0	0.0
	その他の給付	**6.1**	39.8	37.5	12.6	1.5	0.0	0.0	8.7
	仕送り	**5.6**	91.1	0.0	5.0	0.0	0.0	0.0	3.8
	家賃・地代	**0.1**	0.0	0.0	0.0	100.0	0.0	0.0	0.0
	利子・配当	**0.1**	0.0	100.0	0.0	0.0	0.0	0.0	0.0
	その他	**5.1**	84.3	4.6	0.0	0.0	0.0	0.0	11.0
	なし	**7.5**	67.1	2.1	0.6	0.0	0.0	14.2	16.0

②配偶者のいない求職者　　　　　　　　　　　　　　　　　　　　単位：％、太字は実数（千人）

		合計 （千人、N）	100万円 未満	100～ 199万円	200～ 299万円	300～ 399万円	400～ 499万円	500万円 以上	不詳
	男性計	**44.8**	49.0	21.1	8.4	3.6	0.7	2.9	14.2
男性	賃金・給料	**13.9**	22.5	39.3	17.2	0.0	0.8	5.5	14.8
	年金・恩給	**0.5**	7.0	0.0	14.4	0.0	0.0	0.0	78.6
	雇用保険	**1.7**	43.6	16.0	0.0	31.8	0.0	3.8	4.8
	その他の給付	**2.5**	49.0	51.0	0.0	0.0	0.0	0.0	0.0
	仕送り	**9.1**	48.6	12.6	1.0	0.0	0.0	2.5	35.2
	家賃・地代	**0.1**	0.0	0.0	0.0	100.0	0.0	0.0	0.0
	その他	**1.9**	33.0	9.4	5.7	51.9	0.0	0.0	0.0
	なし	**13.9**	77.3	7.4	7.3	0.0	1.6	1.7	4.8
	不詳	**1.3**	83.3	7.7	8.9	0.0	0.0	0.0	0.0
	女性計	**52.3**	55.8	20.7	7.8	3.7	2.5	2.0	7.5
女性	**賃金・給料**	**16.9**	26.6	32.1	18.8	5.6	4.6	0.0	12.3
	事業収入	**0.0**	0.0	100.0	0.0	0.0	0.0	0.0	0.0
	年金・恩給	**0.8**	57.3	22.6	0.0	0.0	0.0	0.0	20.1
	雇用保険	**1.8**	21.6	30.3	6.3	6.9	17.8	11.0	6.0
	その他の給付	**2.2**	55.2	44.8	0.0	0.0	0.0	0.0	0.0
	仕送り	**6.4**	64.9	5.2	0.0	4.3	3.6	13.6	8.4
	その他	**7.7**	55.2	41.3	3.4	0.0	0.0	0.0	0.0
	なし	**15.7**	88.2	1.2	2.7	1.8	0.0	0.0	6.2
	不詳	**1.0**	47.1	0.0	9.7	34.5	0.0	0.0	8.7

付表３－６　世帯主である非求職無業者と無配偶求職者の主な収入の種類別　世帯全体
　　の年間収入（35～44歳、ウエイトバック値）

①非求職無業者　　　　　　　　　　　　　　　　　　　　　　　　　　　単位：％、太字は実数（千人）

		合計 （千人、N）	100万円 未満	100～ 199万円	200～ 299万円	300～ 399万円	400～ 499万円	500万円 以上	不詳
	男性計	99.9	71.1	13.5	5.1	0.7	0.2	0.1	9.4
男性	賃金・給料	3.9	61.6	13.3	25.1	0.0	0.0	0.0	0.0
	年金・恩給	37.4	77.7	7.3	4.4	0.3	0.4	0.0	9.9
	雇用保険	0.2	44.3	0.0	55.7	0.0	0.0	0.0	0.0
	その他の給付	15.6	63.8	31.1	1.4	2.4	0.4	0.0	0.9
	仕送り	3.1	86.0	14.0	0.0	0.0	0.0	0.0	0.0
	家賃・地代	0.2	43.9	0.0	56.1	0.0	0.0	0.0	0.0
	利子・配当	1.2	91.7	0.0	0.0	0.0	0.0	8.3	0.0
	その他	14.6	47.8	29.2	4.3	1.0	0.0	0.0	17.5
	なし	20.9	88.8	3.1	0.6	0.0	0.0	0.0	7.6
	不詳	2.8	3.5	3.1	44.2	0.0	0.0	0.0	49.2
	女性計	59.0	59.3	25.7	1.9	0.6	0.0	1.2	11.3
	（うち）								
女性	賃金・給料	1.2	24.8	13.5	0.0	19.3	0.0	0.0	42.5
	事業収入	0.1	100.0	0.0	0.0	0.0	0.0	0.0	0.0
	年金・恩給	22.6	70.1	22.4	0.4	0.0	0.0	0.0	7.2
	雇用保険	0.2	100.0	0.0	0.0	0.0	0.0	0.0	0.0
	その他の給付	13.6	39.7	42.9	0.6	0.8	0.0	5.4	10.6
	仕送り	1.3	70.3	7.3	0.0	0.0	0.0	0.0	22.4
	家賃・地代	0.2	0.0	0.0	0.0	0.0	0.0	0.0	100.0
	利子・配当	0.1	0.0	100.0	0.0	0.0	0.0	0.0	0.0
	その他	11.5	49.8	24.3	7.6	0.0	0.0	0.0	18.3
	なし	7.3	84.2	9.5	1.3	0.0	0.0	0.0	4.9
	不詳	1.1	39.8	42.8	0.0	0.0	0.0	0.0	17.4

②配偶者のいない求職者　　　　　　　　　　　　　　　　　　　　　　単位：％、太字は実数（千人）

		合計 （千人、N）	100万円 未満	100～ 199万円	200～ 299万円	300～ 399万円	400～ 499万円	500万円 以上	不詳
	男性計	39.6	58.3	10.1	14.8	4.9	1.0	0.4	10.4
男性	賃金・給料	8.0	14.7	22.2	26.0	15.1	2.7	2.0	17.3
	内職収入	0.5	100.0	0.0	0.0	0.0	0.0	0.0	0.0
	年金・恩給	1.2	60.0	37.1	0.0	2.8	0.0	0.0	0.0
	雇用保険	2.5	75.6	13.4	11.1	0.0	0.0	0.0	0.0
	その他の給付	4.7	56.9	6.7	31.1	1.2	4.2	0.0	0.0
	仕送り	2.5	89.5	0.0	0.0	10.5	0.0	0.0	0.0
	家賃・地代	0.5	17.5	42.0	0.0	21.6	0.0	0.0	18.9
	利子・配当	0.7	0.0	0.0	100.0	0.0	0.0	0.0	0.0
	その他	7.5	76.4	7.2	8.0	0.9	0.0	0.0	7.5
	なし	10.8	75.7	2.6	6.0	1.9	0.0	0.0	13.8
	不詳	0.8	0.0	11.9	16.3	0.0	0.0	0.0	71.8
	女性計	41.0	50.3	24.0	13.9	2.3	1.6	1.7	6.3
女性	賃金・給料	8.9	33.5	25.0	20.9	1.7	5.4	1.4	12.2
	年金・恩給	2.8	18.0	57.8	13.3	2.4	2.8	0.0	5.6
	雇用保険	1.8	29.5	39.2	27.7	0.0	0.0	3.5	0.0
	その他の給付	5.2	30.0	43.8	10.9	5.7	0.0	0.0	9.6
	仕送り	3.5	81.4	4.7	13.9	0.0	0.0	0.0	0.0
	家賃・地代	0.4	46.8	40.1	13.1	0.0	0.0	0.0	0.0
	その他	6.7	56.4	17.3	17.8	0.5	0.0	0.6	7.4
	なし	9.3	78.6	9.9	5.3	0.0	0.9	5.3	0.0
	不詳	2.3	38.5	24.1	6.2	16.6	0.0	0.0	14.6

付表3−7　世帯の中で「子」である本人の就業状況別　世帯全体の年間収入（ウエイトバック値）

①「子」である本人が15～34歳（在学中は除く）

単位：%、太字は実数（千人）

		100万円未満	100~199万円	200~299万円	300~399万円	400~499万円	500~599万円	600~699万円	700~799万円	800~899万円	900~999万円	1000~1249万円	1250~1499万円	1500~1999万円	2000万円以上	不詳	合計(千人)
男性	正社員（役員含む）	0.0	0.3	1.6	4.0	6.9	8.6	9.5	10.4	9.9	9.0	17.3	9.6	7.4	2.8	2.6	**2,269.4**
	非典型雇用	0.7	2.5	7.0	10.0	9.9	12.1	10.3	9.9	8.0	6.7	11.4	5.6	2.6	1.0	2.5	**728.8**
	自営	1.5	5.9	8.3	11.5	9.0	9.9	8.3	8.3	7.0	7.1	10.8	5.1	2.7	1.9	2.6	**86.4**
	その他有業	1.3	3.0	4.3	8.5	11.7	9.0	7.6	6.3	5.7	6.1	10.2	5.4	4.2	2.6	14.0	**47.3**
	求職者	3.6	7.0	13.9	12.9	12.7	9.7	8.0	6.9	4.9	4.9	7.0	2.8	1.9	0.8	2.9	**237.2**
	非求職無業者	2.8	8.0	10.7	13.4	10.7	11.4	7.9	6.1	5.8	4.3	8.0	4.0	1.7	1.8	3.4	**259.8**
	独身家事従事者	3.1	10.5	10.3	8.6	8.0	12.7	10.9	6.2	6.3	6.5	7.9	1.9	2.8	0.9	3.4	**38.0**
	通学*	1.6	0.0	6.0	3.8	5.0	6.1	4.0	9.1	9.0	12.4	13.3	12.0	10.0	4.1	3.6	**33.2**
	専業主婦（夫）	0.0	0.0	0.0	0.0	53.9	0.0	46.1	0.0	0.0	0.0	0.0	0.0	0.0	0.0	0.0	**0.1**
	その他無業	9.2	9.9	13.8	10.8	10.5	2.7	10.6	7.5	0.0	6.6	4.8	3.3	2.9	1.3	5.8	**9.8**
	合計	0.7	2.0	4.4	6.7	8.3	9.6	9.4	9.6	8.7	7.8	14.4	7.8	5.5	2.2	2.8	**3,710.1**
女性	正社員（役員含む）	0.0	0.4	2.0	4.7	6.9	9.2	9.1	8.7	9.3	8.4	16.6	10.8	7.9	3.6	2.4	**1944.2**
	非典型雇用	0.6	2.5	6.3	9.5	12.0	11.2	9.9	9.0	8.2	6.5	10.8	5.8	3.1	1.7	2.6	**1012.8**
	自営	2.2	5.4	9.7	8.0	9.4	9.1	9.8	7.6	6.9	3.1	13.1	2.4	3.6	5.2	4.6	**47.5**
	その他有業	2.2	5.0	9.3	9.2	12.8	11.6	8.1	7.8	7.7	3.1	5.6	2.6	2.7	0.6	11.7	**17.0**
	求職者	2.4	7.0	10.1	11.7	12.2	9.7	8.7	6.7	6.6	5.7	7.9	3.6	2.0	1.5	4.2	**195.9**
	非求職無業者	2.7	7.4	11.6	14.0	11.9	9.8	7.2	6.6	5.9	2.8	9.9	3.0	2.9	0.8	3.5	**146.3**
	独身家事従事者	6.1	9.7	13.5	12.9	11.0	8.9	8.6	6.1	6.3	3.5	6.8	1.7	1.0	0.7	3.1	**82.7**
	通学*	1.7	0.4	1.4	6.8	5.7	8.3	4.9	11.2	13.8	6.4	10.3	14.3	8.5	5.3	1.0	**19.2**
	専業主婦（夫）	0.0	0.6	9.0	4.3	13.4	5.9	11.4	12.2	5.3	7.6	14.3	4.8	7.4	3.2	0.5	**21.4**
	その他無業	3.9	9.4	6.2	12.0	13.2	7.5	13.6	5.6	0.0	3.6	10.0	2.3	1.8	0.7	9.5	**11.9**
	合計	0.7	2.0	4.6	7.2	9.1	9.8	9.3	8.5	8.5	7.2	13.8	8.2	5.7	2.7	2.7	**3498.9**
男女計	正社員（役員含む）	0.0	0.4	1.8	4.3	6.9	8.9	9.3	9.6	9.6	8.7	17.0	10.2	7.6	3.2	2.5	**4213.6**
	非典型雇用	0.6	2.5	6.6	9.7	11.1	11.6	10.1	9.4	8.1	6.6	11.1	5.7	2.9	1.4	2.6	**1,741.6**
	自営	1.7	5.7	8.8	10.3	9.1	9.6	8.8	8.1	7.0	5.7	11.6	4.1	3.0	3.1	3.4	**133.9**
	その他有業	1.5	3.5	5.6	8.7	12.0	9.7	7.7	6.7	6.2	5.4	9.0	4.7	3.8	2.1	13.4	**64.3**
	求職者	3.1	7.0	12.2	12.4	12.5	9.7	8.3	6.8	5.6	5.3	7.4	3.2	2.0	1.1	3.5	**433.0**
	非求職無業者	2.8	7.8	11.0	13.6	11.2	10.8	7.6	6.3	5.8	3.7	8.7	3.6	2.2	1.5	3.5	**406.1**
	独身家事従事者	5.2	10.0	12.5	11.5	10.1	10.1	9.3	6.1	6.3	4.5	7.2	1.8	1.6	0.7	3.2	**120.7**
	通学*	1.6	0.2	4.3	4.9	5.3	6.9	4.3	9.9	10.7	10.2	12.2	12.9	9.5	4.5	2.6	**52.4**
	専業主婦（夫）	0.0	0.6	8.9	4.3	13.6	5.9	11.6	12.2	5.3	7.6	14.2	4.8	7.4	3.2	0.5	**21.6**
	その他無業	6.3	9.7	9.7	11.5	12.0	5.3	12.3	6.4	0.3	5.0	7.6	2.8	2.3	1.0	7.8	**21.7**
	合計	0.7	2.0	4.5	6.9	8.7	9.7	9.3	9.1	8.6	7.5	14.1	8.0	5.6	2.5	2.8	**7,209.0**

②「子」である本人が15～34歳（在学中は除く）、世帯主が女性（母）：男女計

単位：%、太字は実数（千人）

	100万円未満	100~199万円	200~299万円	300~399万円	400~499万円	500~599万円	600~699万円	700~799万円	800~899万円	900~999万円	1000~1249万円	1250~1499万円	1500~1999万円	2000万円以上	不詳	合計(千人)
正社員（役員含む）	0.1	1.3	6.7	14.8	17.7	14.8	11.0	8.8	6.7	4.9	6.4	2.1	1.1	0.6	3.0	**624.0**
非典型雇用	2.2	7.6	16.6	19.5	15.5	11.1	8.0	6.3	3.8	2.3	3.2	1.1	0.6	0.1	2.3	**357.8**
自営	6.3	12.7	16.6	18.5	6.2	8.1	8.0	6.6	3.8	1.1	5.3	1.6	0.2	0.0	6.2	**25.3**
その他有業	3.0	8.9	10.5	19.0	20.6	2.8	1.1	3.1	2.6	0.0	1.5	0.0	0.0	0.0	26.9	**7.0**
求職者	10.9	19.7	20.2	15.0	12.1	3.8	4.7	2.7	2.2	0.6	2.3	0.4	0.0	0.4	4.8	**92.2**
非求職無業者	9.1	23.3	18.8	17.2	7.3	7.7	3.7	2.9	1.2	0.5	2.9	0.7	0.1	0.0	4.6	**78.4**
独身家事従事者	16.1	19.2	23.1	8.4	7.3	6.4	7.0	1.8	3.5	1.5	2.6	0.2	0.0	0.0	2.8	**30.7**
通学*	12.3	1.5	16.7	19.5	6.7	7.6	0.0	4.9	0.0	0.0	12.2	6.6	0.6	0.0	11.5	**5.6**
専業主婦（夫）	0.0	2.7	27.8	5.0	21.1	7.2	10.6	17.7	0.8	0.0	1.8	3.0	0.0	0.0	2.4	**4.4**
その他無業	9.4	21.8	30.9	13.2	4.0	1.3	3.8	0.0	0.0	0.0	0.0	0.0	0.0	0.0	15.8	**3.9**
合計	2.7	6.7	12.2	16.3	15.4	11.9	8.9	7.0	4.9	3.3	4.7	1.5	0.7	0.4	3.3	**1,229.2**

③「子」である本人が 35～44 歳（在学中は除く）

単位：％、太字は実数（千人）

		100万円未満	100~199万円	200~299万円	300~399万円	400~499万円	500~599万円	600~699万円	700~799万円	800~899万円	900~999万円	1000~1249万円	1250~1499万円	1500~1999万円	2000万円以上	不詳	合計(千人)
男性	正社員(役員含む)	0.1	0.5	3.0	7.4	11.0	14.0	13.9	11.3	9.8	7.4	10.8	3.5	2.4	1.6	3.3	**1,144.5**
	非典型雇用	0.6	4.6	14.1	18.4	16.4	13.7	9.0	6.7	4.1	2.6	3.3	1.1	1.0	0.2	4.2	**306.3**
	自営	1.7	5.1	10.1	12.9	13.1	13.5	9.6	6.7	5.7	2.9	7.5	2.8	2.0	3.0	3.3	**95.0**
	その他有業	3.0	7.5	9.7	13.0	10.1	11.2	5.1	4.4	4.2	3.5	6.8	4.2	3.4	2.3	11.6	**44.3**
	求職者	5.6	13.4	23.2	20.2	11.3	7.1	3.5	3.8	3.4	2.5	1.1	0.4	0.7	0.3	3.6	**107.7**
	非求職無業者	6.2	14.0	24.2	20.6	11.8	8.1	4.5	2.0	1.6	1.1	1.6	0.9	0.5	1.0	1.9	**153.2**
	独身家事従事者	6.1	13.3	26.3	13.1	12.0	7.3	3.8	4.5	1.5	3.2	1.4	2.1	0.7	1.4	3.1	**27.6**
	通学*	17.2	22.2	7.2	29.5	0.0	3.6	0.0	0.0	0.0	1.9	0.0	0.0	0.0	18.4	0.0	**2.2**
	専業主婦(夫)	29.5	10.7	0.0	41.8	6.2	11.9	0.0	0.0	0.0	0.0	0.0	0.0	0.0	0.0	0.0	**0.9**
	その他無業	7.9	11.1	20.2	26.4	7.9	8.3	1.3	2.2	0.0	1.9	0.0	0.0	0.0	1.2	11.6	**13.0**
	合計	1.3	3.7	8.6	11.6	12.0	12.8	11.1	8.8	7.3	5.4	7.8	2.7	1.9	1.4	3.6	**1,894.6**
女性	正社員(役員含む)	0.1	0.9	4.6	8.7	13.9	14.0	13.5	10.8	7.7	6.8	9.2	3.4	2.4	1.6	2.5	**628.7**
	非典型雇用	0.5	5.7	13.7	18.3	16.3	12.3	9.1	6.6	4.4	2.9	4.1	1.5	1.2	0.5	3.0	**445.4**
	自営	3.5	5.1	10.5	20.2	12.7	9.3	8.3	9.5	5.0	3.1	4.1	1.1	0.7	1.4	5.1	**36.5**
	その他有業	4.6	5.6	11.8	15.6	9.3	14.2	6.3	1.8	4.9	0.8	4.8	5.7	2.6	1.8	10.1	**15.3**
	求職者	6.8	14.0	20.5	21.2	9.0	8.0	5.2	3.3	1.7	3.3	2.5	0.3	0.3	1.5	2.4	**63.1**
	非求職無業者	9.0	14.5	21.3	15.0	13.1	9.9	4.2	2.6	1.6	1.0	1.2	0.2	1.2	0.8	4.5	**67.9**
	独身家事従事者	5.4	13.3	21.8	17.8	13.6	8.3	4.1	3.8	1.9	1.1	3.6	0.6	0.1	1.0	3.6	**65.6**
	通学*	9.9	6.0	0.0	0.0	0.0	20.3	25.9	0.0	0.0	0.0	3.4	0.0	0.0	0.0	34.5	**0.7**
	専業主婦(夫)	2.4	4.1	11.2	5.1	8.1	13.1	14.6	8.8	5.5	6.2	7.5	1.7	3.7	3.8	4.3	**16.4**
	その他無業	8.9	7.0	18.5	14.5	4.9	6.4	6.7	2.9	1.9	5.2	0.0	1.8	0.9	1.5	19.0	**5.3**
	合計	1.5	4.6	10.4	13.6	14.2	12.5	10.5	8.1	5.6	4.6	6.2	2.3	1.7	1.2	3.1	**1,344.9**
男女計	正社員(役員含む)	0.1	0.6	3.6	7.8	12.0	14.0	13.8	11.1	9.1	7.2	10.2	3.5	2.4	1.6	3.0	**1,773.2**
	非典型雇用	0.6	5.2	13.9	18.3	16.3	12.9	9.0	6.6	4.3	2.8	3.8	1.3	1.1	0.4	3.5	**751.7**
	自営	2.2	5.2	10.2	15.0	13.0	12.3	9.2	7.4	5.5	3.0	6.6	2.4	1.7	2.6	3.8	**131.5**
	その他有業	3.4	7.0	10.2	13.6	9.9	12.0	5.4	3.7	4.4	2.8	6.3	4.6	3.2	2.2	11.2	**59.6**
	求職者	6.1	13.6	22.2	20.6	10.5	7.4	4.1	3.6	2.8	2.8	1.6	0.3	0.5	0.8	3.1	**170.8**
	非求職無業者	7.0	14.2	23.3	18.9	12.2	8.6	4.4	2.2	1.6	1.1	1.5	0.7	0.7	0.9	2.7	**221.1**
	独身家事従事者	5.6	13.3	23.1	16.5	13.1	8.0	4.0	4.0	1.8	1.7	2.9	1.1	0.3	1.1	3.5	**93.2**
	通学*	15.5	18.4	5.5	22.6	0.0	7.5	6.1	0.0	0.0	1.5	0.8	0.0	0.0	14.1	8.1	**2.9**
	専業主婦(夫)	3.7	4.4	10.6	7.0	8.0	13.1	13.8	8.4	5.2	5.9	7.1	1.6	3.5	3.6	4.1	**17.3**
	その他無業	8.2	9.9	19.7	23.0	7.0	7.7	2.9	2.4	0.5	2.9	0.0	0.5	0.3	1.3	13.7	**18.2**
	合計	1.4	4.1	9.4	12.4	12.9	12.7	10.8	8.5	6.6	5.1	7.2	2.5	1.8	1.3	3.4	**3,239.5**

④「子」である本人が 35～44 歳（在学中は除く）、世帯主が女性（母）：男女計

単位：％、太字は実数（千人）

	100万円未満	100~199万円	200~299万円	300~399万円	400~499万円	500~599万円	600~699万円	700~799万円	800~899万円	900~999万円	1000~1249万円	1250~1499万円	1500~1999万円	2000万円以上	不詳	合計(千人)
正社員(役員含む)	0.3	1.3	6.9	14.5	17.1	16.0	13.0	8.2	6.2	3.7	6.5	1.3	1.2	0.5	3.2	**313.9**
非典型雇用	1.3	12.2	24.8	23.1	13.3	8.1	6.5	3.9	0.9	0.8	1.6	0.2	0.6	0.4	2.3	**166.6**
自営	7.8	14.7	17.4	18.6	9.9	11.2	6.2	0.7	4.8	0.0	3.7	1.0	0.6	0.8	2.5	**27.7**
その他有業	11.5	12.2	13.9	23.7	4.1	7.6	3.8	3.7	1.5	0.0	4.7	0.6	0.0	0.0	12.7	**7.8**
求職者	15.9	26.0	20.5	13.4	6.1	6.6	1.3	1.7	0.5	3.8	1.1	0.0	0.0	0.2	3.0	**44.4**
非求職無業者	20.8	31.2	21.9	8.6	5.5	5.5	0.6	1.4	0.6	0.5	0.8	0.3	0.0	0.1	2.3	**55.4**
独身家事従事者	20.0	28.1	23.9	8.6	7.0	3.1	1.1	4.5	1.3	0.0	0.0	0.0	0.0	0.0	2.4	**19.0**
通学*	9.9	78.4	0.0	0.0	0.0	11.8	0.0	0.0	0.0	0.0	0.0	0.0	0.0	0.0	0.0	**0.7**
専業主婦(夫)	5.8	15.6	3.8	7.5	14.1	17.1	11.0	6.9	4.9	1.5	8.5	0.0	3.3	0.0	0.0	**4.4**
その他無業	7.8	13.1	21.7	34.8	10.0	0.0	2.6	0.0	0.0	0.0	0.0	0.0	0.0	0.0	9.8	**3.3**
合計	4.5	10.2	14.9	16.3	13.5	11.6	8.6	5.5	3.7	2.3	4.0	0.8	0.8	0.4	2.9	**643.0**

⑤「子」である本人が 45〜54 歳（在学中は除く）　　　　　　　　　　単位：%、太字は実数（千人）

		100万円未満	100〜199万円	200〜299万円	300〜399万円	400〜499万円	500〜599万円	600〜699万円	700〜799万円	800〜899万円	900〜999万円	1000〜1249万円	1250〜1499万円	1500〜1999万円	2000万円以上	不詳	合計(千人)
男性	正社員（役員含む）	0.1	1.0	3.7	8.2	11.7	12.4	12.2	10.4	8.8	7.5	10.5	4.4	3.4	1.6	4.2	**750.9**
	非典型雇用	1.0	6.1	19.9	20.4	16.0	10.7	7.8	4.6	2.6	1.2	2.4	1.7	0.4	0.6	4.4	**168.1**
	自営	1.5	6.2	11.1	15.3	10.3	10.5	8.8	5.8	6.8	5.2	6.7	3.3	3.2	2.0	3.3	**103.7**
	その他有業	3.7	10.2	13.3	15.6	8.4	6.5	8.7	2.8	1.9	1.8	6.3	4.1	3.3	1.2	12.1	**28.5**
	求職者	10.5	20.2	28.5	15.8	8.9	4.2	2.1	1.3	0.9	1.4	1.0	0.6	0.0	0.0	4.5	**66.4**
	非求職無業者	8.9	23.0	24.9	17.6	7.7	5.9	2.4	1.2	0.9	0.8	1.0	0.0	1.0	0.4	4.0	**124.7**
	独身家事従事者	10.6	15.9	31.5	20.3	6.4	4.7	1.6	2.0	0.3	0.0	1.7	0.0	0.7	0.0	4.2	**30.9**
	専業主婦（夫）	0.0	0.0	11.9	0.0	12.1	0.0	6.3	0.0	8.4	0.0	10.7	0.0	0.0	0.0	50.6	**0.9**
	その他無業	6.4	15.0	18.8	20.0	8.3	1.5	0.5	1.0	2.5	3.5	1.8	0.0	0.0	1.1	19.7	**9.8**
	合計	2.1	5.9	10.8	12.2	11.4	10.6	9.4	7.5	6.2	5.2	7.3	3.2	2.5	1.3	4.5	**1,283.8**
女性	正社員（役員含む）	0.1	1.3	6.1	12.4	12.5	14.8	10.8	10.2	6.3	5.8	7.8	3.5	3.1	1.5	3.8	**373.2**
	非典型雇用	0.9	7.5	19.7	19.9	15.7	10.1	7.4	4.2	3.2	2.4	3.5	1.1	0.5	0.2	3.8	**285.4**
	自営	3.4	8.9	22.8	13.0	13.2	6.1	6.8	8.3	3.1	3.2	1.7	3.4	1.9	1.6	2.7	**29.0**
	その他有業	5.2	6.2	10.2	14.4	5.7	10.9	6.5	3.8	7.2	3.1	2.0	5.2	1.9	6.5	11.3	**11.9**
	求職者	7.9	23.3	22.0	13.2	10.7	8.3	2.1	3.1	2.9	1.2	2.0	0.0	1.1	0.8	1.4	**44.1**
	非求職無業者	10.5	22.2	21.2	20.7	6.5	4.6	2.2	0.4	4.7	1.2	0.5	0.9	0.0	1.5	3.0	**47.8**
	独身家事従事者	6.8	18.9	29.7	15.8	9.9	4.5	0.0	2.7	3.3	1.3	2.2	0.7	0.2	0.1	3.7	**75.6**
	通学*	0.0	0.0	42.0	45.3	0.0	0.0	0.0	0.0	0.0	0.0	12.7	0.0	0.0	0.0	0.0	**0.5**
	専業主婦（夫）	1.1	5.1	7.5	8.7	6.7	7.6	10.0	13.8	8.3	5.4	6.8	6.7	8.4	2.4	1.6	**12.8**
	その他無業	5.7	16.5	22.0	30.6	6.4	2.1	1.8	0.0	1.0	0.0	1.3	0.0	1.5	4.7	6.3	**6.3**
	合計	2.1	7.5	14.9	15.8	12.7	11.0	7.9	6.6	4.5	3.6	4.9	2.2	1.8	1.0	3.7	**886.5**
男女計	正社員（役員含む）	0.1	1.1	4.5	9.6	12.0	13.2	11.7	10.3	8.0	6.9	9.6	4.1	3.3	1.6	4.0	**1,124.1**
	非典型雇用	1.0	7.0	19.8	20.1	15.8	10.3	7.5	4.3	3.0	2.0	3.1	1.3	0.5	0.3	4.0	**453.5**
	自営	2.0	6.8	13.6	14.8	10.9	9.5	8.4	6.3	6.0	4.8	5.6	3.3	2.9	1.9	3.2	**132.7**
	その他有業	4.1	9.1	12.4	15.2	7.6	7.8	8.0	3.1	3.5	2.2	5.0	4.4	2.9	2.7	11.9	**40.4**
	求職者	9.5	21.4	25.9	14.8	9.6	5.8	2.1	2.0	1.7	1.3	1.4	0.4	0.4	0.3	3.3	**110.5**
	非求職無業者	9.3	22.7	23.9	18.5	7.4	5.5	2.4	1.0	1.9	0.9	0.9	0.4	0.7	0.7	3.7	**172.5**
	独身家事従事者	7.9	18.1	30.2	17.1	8.9	4.5	2.4	2.9	1.0	0.2	2.0	0.5	0.3	0.1	3.9	**106.5**
	通学*	0.0	0.0	42.0	45.3	0.0	0.0	0.0	0.0	0.0	0.0	12.7	0.0	0.0	0.0	0.0	**0.5**
	専業主婦（夫）	1.0	4.7	7.8	8.2	7.0	7.1	9.8	13.0	8.3	5.1	7.0	6.3	7.8	2.2	4.7	**13.6**
	その他無業	6.1	15.6	20.1	24.2	7.6	1.7	1.0	0.6	1.9	2.1	1.6	0.0	0.6	2.5	14.4	**16.1**
	合計	2.1	6.5	12.4	13.7	11.9	10.7	8.8	7.1	5.5	4.5	6.3	2.8	2.2	1.2	4.1	**2,170.4**

注：＊「通学」は一般的な学校以外（予備校や料理学校等）への通学が考えられる。

付表3-8 世帯の中で「子」である本人の就業状況別 世帯主の主な収入および世帯主の平均年齢（ウエイトバック値）

① 「子」である本人が 15～34 歳（在学中は除く）　　　　　　単位：%、太字は実数（千人）

| | | 賃金・給料 | 事業収入 | 内職収入 | 社会保障 | | | 仕送り | 家賃・地代 | 利子・配当 | その他 | なし | 不詳 | 合計(千人) | 世帯主平均年齢 |
					年金・恩給	雇用保険	その他の給付								
男性	正社員（役員含む）	73.0	9.8	0.1	12.4	0.3	0.2	0.1	0.7	0.1	0.6	1.9	0.9	2,269.4	58.1
	非典型雇用	71.2	9.3	0.1	12.9	0.3	0.5	0.3	0.8	0.0	0.7	2.6	1.5	728.8	57.8
	自営	59.1	14.6	0.0	18.4	0.3	0.4	0.0	1.8	0.3	0.8	1.7	2.6	86.4	59.6
	その他有業	23.3	65.5	0.0	5.8	0.0	0.8	0.0	0.0	0.0	0.6	1.5	2.6	47.3	60.2
	求職者	68.1	6.6	0.0	17.0	0.6	1.3	0.2	0.2	0.0	1.0	3.2	1.7	237.2	58.6
	非求職無業者	69.3	7.7	0.0	16.7	0.2	0.6	0.1	0.8	0.0	1.5	1.8	1.1	259.8	57.9
	独身家事従事者	65.0	6.4	0.0	19.6	0.7	1.1	0.2	1.5	0.0	2.1	1.9	1.6	38.0	59.4
	通学*	86.5	6.1	0.0	3.2	0.0	0.0	0.2	0.0	0.0	1.8	1.1	1.1	33.2	54.0
	専業主婦（夫）	0.0	46.1	0.0	53.9	0.0	0.0	0.0	0.0	0.0	0.0	0.0	0.0	0.1	60.4
	その他無業	53.5	10.7	0.0	18.0	0.0	4.3	0.0	0.6	0.0	5.5	5.8	1.6	9.8	59.7
	男性計	71.1	10.1	0.1	13.2	0.3	0.4	0.1	0.7	0.1	0.7	2.1	1.1	3,710.1	58.1
女性	正社員（役員含む）	76.1	8.6	0.0	10.7	0.2	0.2	0.2	0.6	0.1	0.4	1.8	1.2	1,944.2	57.6
	非典型雇用	70.3	10.4	0.0	13.1	0.3	0.4	0.3	0.7	0.1	0.9	2.3	1.0	1,012.8	58.2
	自営	62.2	11.8	0.0	21.1	0.0	0.4	0.0	1.6	0.0	1.1	1.5	0.3	47.5	59.5
	その他有業	36.8	49.8	0.0	6.1	0.0	0.0	1.8	0.0	0.0	0.9	1.7	2.9	17.0	59.1
	求職者	67.2	10.1	0.0	13.6	0.1	0.5	0.2	1.3	0.0	1.5	3.3	2.1	195.9	57.5
	非求職無業者	64.8	8.6	0.0	16.7	0.7	0.7	0.5	2.5	0.1	2.1	2.7	0.7	146.3	58.3
	独身家事従事者	65.6	10.1	0.1	14.7	0.1	1.1	0.7	0.4	0.1	2.5	3.7	1.1	82.7	58.7
	通学*	84.7	6.9	0.0	1.7	0.0	0.6	0.9	0.0	0.0	0.4	1.9	2.8	19.2	52.5
	専業主婦（夫）	61.1	8.6	0.0	22.2	0.3	0.0	3.0	0.3	0.0	0.0	3.4	1.2	21.4	60.0
	その他無業	61.6	10.6	0.0	16.8	0.0	0.6	0.0	0.0	0.0	3.7	1.2	5.5	11.9	59.9
	女性計	72.7	9.5	0.0	12.0	0.2	0.3	0.3	0.7	0.1	0.7	2.1	1.2	3,498.9	57.9
男女計	正社員（役員含む）	74.4	9.3	0.0	11.6	0.2	0.2	0.1	0.6	0.1	0.5	1.8	1.0	4,213.6	57.9
	非典型雇用	70.7	10.0	0.1	13.0	0.3	0.4	0.3	0.7	0.1	0.8	2.4	1.2	1,741.6	58.0
	自営	60.2	13.6	0.0	19.3	0.2	0.4	0.0	1.7	0.2	0.9	1.7	1.7	133.9	59.6
	その他有業	26.8	61.3	0.0	5.9	0.0	0.6	0.5	0.0	0.0	0.7	1.6	2.6	64.3	59.9
	求職者	67.7	8.2	0.0	15.5	0.4	0.9	0.2	0.7	0.0	1.2	3.3	1.9	433.0	58.1
	非求職無業者	67.7	8.0	0.0	16.7	0.4	0.7	0.2	1.4	0.1	1.7	2.1	1.0	406.1	58.1
	独身家事従事者	65.4	8.9	0.1	16.2	0.3	1.1	0.5	0.7	0.0	2.4	3.1	1.2	120.7	58.9
	通学*	85.9	6.4	0.0	2.6	0.0	0.2	0.5	0.0	0.0	1.3	1.4	1.7	52.4	53.5
	専業主婦（夫）	60.8	8.8	0.0	22.3	0.3	0.0	3.0	0.3	0.0	0.0	3.3	1.2	21.6	60.0
	その他無業	58.0	10.7	0.0	17.3	0.0	2.2	0.0	0.3	0.0	4.5	3.3	3.7	21.7	59.8
	男女計	71.9	9.8	0.0	12.6	0.3	0.4	0.2	0.7	0.1	0.7	2.1	1.2	7,209.0	58.0

②「子」である本人が 35〜44 歳（在学中は除く）　　　　　　　　単位：%、太字は実数（千人）

		賃金・給料	事業収入	内職収入	社会保障			仕送り	家賃・地代	利子・配当	その他	なし	不詳	合計(千人)	世帯主平均年齢
					年金・恩給	雇用保険	その他の給付								
男性	正社員(役員含む)	27.9	12.0	0.0	55.3	0.1	0.2	0.0	1.3	0.0	0.5	1.5	1.0	1,144.5	69.3
	非典型雇用	26.7	8.3	0.0	59.6	0.0	0.2	0.0	1.1	0.0	0.6	1.7	1.7	306.3	69.4
	自営	24.8	16.7	0.0	50.8	0.0	0.7	0.0	2.8	0.0	0.4	1.9	1.8	95.0	69.6
	その他有業	7.3	64.1	1.4	20.5	0.0	0.0	0.0	2.5	0.1	1.3	1.3	1.6	44.3	69.9
	求職者	23.2	6.5	0.0	65.4	0.1	0.1	0.1	0.4	0.0	0.5	2.0	1.8	107.7	69.9
	非求職無業者	19.9	6.8	0.0	66.9	0.2	0.6	0.3	1.0	0.0	1.1	2.3	0.8	153.2	70.2
	独身家事従事者	26.8	3.7	0.0	62.3	0.0	0.0	0.0	3.2	0.0	1.2	1.0	1.8	27.6	71.0
	通学*	47.4	17.2	0.0	35.4	0.0	0.0	0.0	0.0	0.0	0.0	0.0	0.0	2.2	67.7
	専業主婦(夫)	11.9	0.0	0.0	22.0	0.0	0.0	0.0	0.0	0.0	0.0	61.2	4.9	0.9	70.5
	その他無業	18.8	4.4	0.0	61.9	0.0	2.6	0.0	0.0	0.0	0.0	7.0	5.3	13.0	70.5
	男性計	26.1	12.0	0.1	56.6	0.1	0.2	0.1	1.3	0.0	0.6	1.7	1.3	1,894.6	69.5
女性	正社員(役員含む)	27.6	8.7	0.1	59.2	0.1	0.0	0.0	1.3	0.1	0.4	1.3	1.3	628.7	69.6
	非典型雇用	25.4	8.8	0.2	59.2	0.1	0.2	0.1	1.3	0.1	0.6	2.2	1.8	445.4	69.6
	自営	22.5	9.9	0.0	58.0	0.0	0.0	1.0	4.7	0.2	0.2	1.4	2.2	36.5	70.5
	その他有業	13.1	48.4	0.6	28.8	0.0	0.0	0.7	0.2	0.0	1.9	0.0	6.3	15.3	69.4
	求職者	27.7	6.0	0.0	60.4	0.0	0.3	0.0	0.7	0.2	1.7	1.9	1.2	63.1	69.5
	非求職無業者	17.5	7.7	0.0	66.9	0.1	0.1	0.0	2.4	0.0	2.4	2.5	0.4	67.9	70.0
	独身家事従事者	23.5	9.6	0.0	61.3	0.0	0.1	0.0	2.8	0.0	0.6	0.5	1.6	65.6	70.4
	通学*	22.2	18.5	0.0	59.3	0.0	0.0	0.0	0.0	0.0	0.0	0.0	0.0	0.7	65.6
	専業主婦(夫)	18.5	16.6	0.0	56.2	0.2	0.0	0.0	4.2	0.2	0.4	2.4	1.4	16.4	69.3
	その他無業	21.7	12.9	0.0	55.5	0.0	0.0	0.0	1.7	0.0	0.0	1.6	6.5	5.3	70.5
	女性計	25.8	9.2	0.1	59.3	0.1	0.1	0.1	1.5	0.1	0.6	1.7	1.5	1,344.9	69.7
男女計	正社員(役員含む)	27.8	10.9	0.0	56.7	0.1	0.1	0.0	1.3	0.0	0.5	1.4	1.1	1,773.2	69.4
	非典型雇用	26.0	8.6	0.1	59.4	0.1	0.2	0.1	1.2	0.1	0.6	2.0	1.7	751.7	69.5
	自営	24.1	14.8	0.0	52.8	0.0	0.5	0.3	3.3	0.1	0.4	1.8	1.9	131.5	69.8
	その他有業	8.8	60.1	1.2	22.6	0.0	0.0	0.2	1.9	0.1	1.5	1.0	2.8	59.6	69.8
	求職者	24.9	6.3	0.0	63.6	0.1	0.2	0.0	0.5	0.1	0.9	1.9	1.6	170.8	69.7
	非求職無業者	19.2	7.1	0.0	66.9	0.1	0.4	0.2	1.4	0.0	1.5	2.4	0.7	221.1	70.1
	独身家事従事者	24.5	7.9	0.0	61.6	0.0	0.1	0.0	2.9	0.0	0.8	0.7	1.6	93.2	70.5
	通学*	41.5	17.5	0.0	41.0	0.0	0.0	0.0	0.0	0.0	0.0	0.0	0.0	2.9	67.2
	専業主婦(夫)	18.2	15.8	0.0	54.5	0.2	0.0	0.0	4.0	0.2	0.3	5.3	1.5	17.3	69.4
	その他無業	19.6	6.8	0.0	60.1	0.0	1.8	0.0	0.5	0.0	0.0	5.4	5.7	18.2	70.5
	男女計	26.0	10.8	0.1	57.7	0.1	0.2	0.1	1.4	0.0	0.6	1.7	1.4	3,239.5	69.6

③「子」である本人が 45～54 歳（在学中は除く）　　　　　　単位：%、太字は実数（千人）

		賃金・給料	事業収入	内職収入	社会保障			仕送り	家賃・地代	利子・配当	その他	なし	不詳	合計(千人)	世帯主平均年齢
					年金・恩給	雇用保険	その他の給付								
男性	正社員(役員含む)	8.9	8.7	0.1	75.4	0.1	0.1	0.0	2.0	0.0	0.7	2.0	2.0	750.9	77.7
	非典型雇用	8.1	7.2	0.0	75.2	0.2	0.5	0.0	2.5	0.1	0.6	2.0	3.5	168.1	77.6
	自営	9.7	13.1	0.0	68.6	0.0	0.2	0.3	2.8	0.0	0.7	2.1	2.6	103.7	78.0
	その他有業	3.2	59.1	0.0	25.3	0.0	0.0	0.0	2.2	0.0	0.0	2.0	8.2	28.5	77.3
	求職者	6.3	5.0	0.0	83.6	0.0	0.3	0.0	1.1	0.0	0.5	1.8	1.4	66.4	78.1
	非求職無業者	7.3	6.2	0.1	78.9	0.3	0.2	0.1	2.0	0.0	0.8	2.5	1.8	124.7	77.9
	独身家事従事者	3.0	3.5	0.0	82.3	0.7	1.5	0.0	2.6	0.0	0.3	1.3	4.6	30.9	80.0
	専業主婦(夫)	0.0	0.0	0.0	91.6	0.0	0.0	0.0	8.4	0.0	0.0	0.0	0.0	0.9	78.1
	その他無業	2.5	6.6	0.0	82.9	0.0	1.2	0.0	0.2	0.0	0.0	0.7	5.8	9.8	78.4
	合計	8.3	9.4	0.0	74.7	0.1	0.2	0.0	2.1	0.0	0.6	2.0	2.4	1,283.8	77.8
女性	正社員(役員含む)	8.5	6.5	0.0	78.4	0.0	0.1	0.0	1.6	0.2	0.6	2.0	2.0	373.2	77.9
	非典型雇用	5.9	5.1	0.0	81.8	0.1	0.1	0.1	2.0	0.0	0.6	2.0	2.1	285.4	78.0
	自営	6.7	6.6	0.0	76.3	0.0	0.3	0.0	5.2	0.0	1.3	0.9	2.9	29.0	78.2
	その他有業	5.9	48.9	0.0	39.4	0.0	1.5	0.0	2.7	0.0	0.8	0.7	0.0	11.9	78.3
	求職者	8.9	3.4	0.0	82.3	0.0	0.2	0.0	0.9	0.8	1.1	1.9	0.5	44.1	77.5
	非求職無業者	7.5	5.5	0.0	77.7	0.0	0.6	0.0	1.8	0.0	1.8	3.0	2.2	47.8	77.5
	独身家事従事者	5.9	5.7	0.0	79.9	0.0	0.1	0.0	3.8	0.0	0.5	2.6	1.5	75.6	79.1
	通学*	0.0	12.7	0.0	87.3	0.0	0.0	0.0	0.0	0.0	0.0	0.0	0.0	0.5	81.9
	専業主婦(夫)	7.9	13.5	0.0	71.1	0.0	0.0	0.0	4.1	0.0	1.6	1.3	0.6	12.8	77.9
	その他無業	2.5	8.9	0.0	70.8	1.0	3.0	0.0	0.0	0.0	3.4	1.1	9.3	6.3	79.1
	合計	7.3	6.5	0.0	79.1	0.1	0.2	0.0	2.0	0.1	0.8	2.0	1.9	886.5	78.0
男女計	正社員(役員含む)	8.8	7.9	0.1	76.4	0.1	0.1	0.0	1.8	0.1	0.7	2.0	2.0	1,124.1	77.8
	非典型雇用	6.7	5.9	0.0	79.4	0.2	0.2	0.1	2.2	0.0	0.6	2.0	2.6	453.5	77.8
	自営	9.0	11.7	0.0	70.3	0.0	0.2	0.2	3.3	0.0	0.8	1.8	2.7	132.7	78.0
	その他有業	4.0	56.1	0.0	29.5	0.0	0.4	0.2	2.3	0.0	0.2	1.6	5.8	40.4	77.6
	求職者	7.3	4.4	0.0	83.1	0.0	0.3	0.0	1.0	0.3	0.7	1.9	1.1	110.5	77.8
	非求職無業者	7.3	6.0	0.1	78.6	0.2	0.3	0.0	1.9	0.0	1.1	2.6	1.9	172.5	77.8
	独身家事従事者	5.0	5.1	0.0	80.6	0.2	0.5	0.0	3.4	0.0	0.5	2.2	2.4	106.5	79.3
	通学*	0.0	12.7	0.0	87.3	0.0	0.0	0.0	0.0	0.0	0.0	0.0	0.0	0.5	81.9
	専業主婦(夫)	7.4	12.6	0.0	72.4	0.0	0.0	0.0	4.3	0.0	1.5	1.2	0.5	13.6	77.9
	その他無業	2.5	7.5	0.0	78.1	0.4	1.9	0.0	0.1	0.0	1.3	0.9	7.2	16.1	78.7
	男女計	7.9	8.2	0.0	76.5	0.1	0.2	0.0	2.1	0.1	0.7	2.0	2.2	2,170.4	77.9

注：＊「通学」は一般的な学校以外（予備校や料理学校等）への通学が考えられる。

付表3-9　親の学歴別 世帯の中で「子」である本人（15～34歳）の現在の就業状況（在学中を除く）

単位：％、太字は実数

①父親の学歴別

	父学歴	正社員（役員含む）	非典型雇用	自営	その他有業	求職者	非求職無業者	独身家事従事者	在学または通学	専業主婦（夫）	その他無業	合計（N.千人）
男性	中学卒	60.3	21.2	3.1	2.3	6.2	5.8	0.7	0.2	0.0	0.2	322.1
	高校卒	64.6	18.4	2.1	1.4	5.9	5.9	1.0	0.5	0.0	0.2	1,469.4
	専門・短大・高専卒	63.3	19.4	1.8	1.7	5.8	6.1	0.9	0.6	0.0	0.5	338.1
	大学・大学院卒	61.2	17.6	2.4	0.8	6.2	8.5	0.9	2.2	0.0	0.3	924.2
	合計	62.9	18.6	2.3	1.4	6.1	6.7	0.9	1.0	0.0	0.3	3,082.4
女性	中学卒	44.9	36.4	1.1	0.9	6.2	5.2	3.8	0.3	0.9	0.3	247.1
	高校卒	56.3	29.5	1.2	0.5	5.0	4.2	2.2	0.4	0.5	0.3	1,279.4
	専門・短大・高専卒	55.3	29.0	1.8	0.5	6.0	3.5	2.0	0.6	0.8	0.4	310.5
	大学・大学院卒	61.3	23.9	1.5	0.3	5.1	4.3	1.8	1.0	0.5	0.3	1,009.9
	合計	56.9	28.1	1.3	0.5	5.2	4.2	2.2	0.6	0.6	0.3	2,877.2

②母親の学歴別

	母学歴	正社員（役員含む）	非典型雇用	自営	その他有業	求職者	非求職無業者	独身家事従事者	在学または通学	専業主婦（夫）	その他無業	合計（N.千人）
男性	中学卒	55.5	23.5	2.7	1.2	6.6	8.8	1.2	0.1	0.0	0.4	223.6
	高校卒	62.9	19.5	2.3	1.3	6.2	6.3	0.9	0.4	0.0	0.2	1,845.3
	専門・短大・高専卒	62.1	18.3	2.3	1.1	6.3	7.5	0.8	1.3	0.0	0.2	1,099.1
	大学・大学院卒	56.0	18.6	2.6	0.9	7.7	9.3	1.4	3.2	0.0	0.2	302.7
	合計	61.5	19.4	2.3	1.2	6.4	7.1	1.0	0.9	0.0	0.2	3,514.4
女性	中学卒	37.7	37.9	1.6	0.8	9.0	5.3	5.8	0.3	1.1	0.6	175.2
	高校卒	55.4	30.2	1.3	0.5	5.3	4.0	2.2	0.5	0.5	0.3	1,670.7
	専門・短大・高専卒	59.0	26.6	1.3	0.4	5.2	4.0	2.1	0.6	0.5	0.3	1,121.2
	大学・大学院卒	60.6	22.6	1.7	0.2	5.9	4.6	1.7	2.0	0.5	0.1	323.3
	合計	56.1	28.7	1.4	0.5	5.5	4.1	2.3	0.6	0.5	0.3	3,329.8

注：学歴不詳等は掲載を省いた。

付表３－１０　親の学歴・世帯の中で「子」である本人（15～34歳）の学歴別　現在の就業状況（在学中を除く）

単位：％、太字は実数

①男性・父親の学歴別

父学歴	本人（男性）学歴	正社員（役員含む）	非典型雇用	自営	その他有業	求職者	白書定義無業者	独身家事従事者	在学または通学	専業主婦(夫)	その他無業	合計(N.千人)	構成比
中学卒	中学卒	42.5	21.3	6.6	2.9	7.6	14.8	2.2	0.1	0.3	1.7	162.5	12.5
	高校卒	61.7	15.4	7.1	2.9	4.2	6.4	1.3	0.1	0.2	0.8	710.8	54.9
	専門・短大・高専卒	63.7	14.3	7.3	2.5	5.1	5.2	1.0	0.0	0.1	0.9	224.0	17.3
	大学・大学院卒	67.6	13.3	5.8	1.8	3.9	4.8	1.0	0.0	0.2	1.6	184.8	14.3
	合計	60.3	15.6	6.8	2.7	4.7	7.0	1.3	0.1	0.2	1.2	1,294.6	100.0
高校卒	中学卒	32.6	22.8	7.3	2.6	8.5	21.7	2.5	0.3	0.3	1.6	137.6	5.2
	高校卒	61.9	17.3	4.1	1.9	5.2	7.4	1.5	0.4	0.1	0.3	1,230.4	46.3
	専門・短大・高専卒	65.2	17.1	5.0	2.3	5.1	3.7	1.1	0.2	0.0	0.3	520.5	19.6
	大学・大学院卒	71.1	13.6	3.4	1.3	4.8	4.0	1.0	0.1	0.1	0.4	755.5	28.4
	合計	63.5	16.5	4.2	1.9	5.2	6.5	1.3	0.3	0.1	0.5	2,659.2	100.0
専門・短大・高専卒	中学卒	34.4	20.0	4.0	4.3	9.2	24.2	3.3	0.0	0.0	0.6	21.3	4.3
	高校卒	56.3	21.9	2.9	1.6	5.8	8.1	1.4	1.0	0.0	0.9	195.1	39.2
	専門・短大・高専卒	64.9	16.3	4.7	5.1	4.4	3.8	0.5	0.0	0.0	0.1	118.3	23.8
	大学・大学院卒	72.1	13.6	1.8	1.1	7.0	3.4	0.6	0.0	0.0	0.4	158.4	31.8
	合計	62.4	17.9	3.0	2.4	6.0	6.2	1.0	0.4	0.0	0.6	497.5	100.0
大学・大学院卒	中学卒	28.3	15.5	7.0	0.4	8.6	33.4	5.4	1.4	0.0	0.0	33.1	2.5
	高校卒	39.3	21.4	4.9	1.0	6.5	18.9	2.2	5.2	0.0	0.6	339.8	25.5
	専門・短大・高専卒	61.0	20.3	4.2	1.0	6.8	6.0	0.6	0.0	0.0	0.1	182.1	13.7
	大学・大学院卒	70.9	13.8	2.2	0.9	5.7	4.8	1.0	0.4	0.0	0.2	772.3	57.9
	合計	60.3	16.7	3.3	1.0	6.1	9.3	1.3	1.6	0.0	0.3	1,334.0	100.0

②男性・母親の学歴別

母学歴	本人（男性）学歴	正社員（役員含む）	非典型雇用	自営	その他有業	求職者	白書定義無業者	独身家事従事者	在学または通学	専業主婦(夫)	その他無業	合計(N.千人)	構成比
中学卒	中学卒	35.8	21.0	6.8	2.2	7.7	20.5	3.0	0.3	0.5	2.0	187.1	14.5
	高校卒	58.9	15.4	6.9	1.8	4.6	9.0	2.2	0.0	0.2	0.9	713.6	55.3
	専門・短大・高専卒	58.6	15.4	8.5	2.6	4.9	7.4	1.4	0.0	0.1	1.0	201.3	15.6
	大学・大学院卒	62.8	13.4	6.4	2.4	5.0	5.9	2.5	0.0	0.4	1.2	176.7	13.7
	合計	55.9	16.0	7.0	2.1	5.2	10.0	2.2	0.1	0.3	1.3	1,289.9	100.0
高校卒	中学卒	30.9	25.1	7.5	2.0	9.6	20.1	3.1	0.2	0.1	1.4	197.9	5.8
	高校卒	58.6	18.6	4.3	1.8	5.8	8.4	1.7	0.4	0.1	0.4	1,560.6	45.6
	専門・短大・高専卒	62.5	19.1	4.8	2.1	5.6	4.6	0.8	0.1	0.0	0.4	641.5	18.8
	大学・大学院卒	69.7	13.7	3.2	1.3	5.1	5.0	1.5	0.1	0.1	0.5	999.7	29.2
	合計	60.9	17.7	4.2	1.7	5.7	7.4	1.5	0.2	0.1	0.6	3,419.6	100.0
専門・短大・高専卒	中学卒	30.0	21.1	5.1	2.8	8.2	26.6	5.4	0.7	0.0	0.2	66.7	4.3
	高校卒	51.4	20.0	3.8	1.5	7.0	12.0	1.2	2.4	0.0	0.6	519.9	33.3
	専門・短大・高専卒	64.0	17.4	4.2	1.7	6.7	5.2	0.6	0.1	0.0	0.2	307.1	19.7
	大学・大学院卒	70.4	15.1	2.2	0.8	5.9	4.3	0.8	0.3	0.0	0.1	659.8	42.3
	合計	61.0	17.4	3.2	1.3	6.5	8.0	1.1	1.0	0.0	0.4	1,559.7	100.0
大学・大学院卒	中学卒	30.5	23.4	4.5	0.0	10.2	28.2	2.9	0.4	0.0	0.0	11.6	2.8
	高校卒	28.5	20.1	6.1	1.2	6.5	25.8	2.2	9.4	0.0	0.2	93.1	22.7
	専門・短大・高専卒	45.5	25.2	5.1	1.8	11.0	9.0	2.5	0.0	0.0	0.0	42.8	10.4
	大学・大学院卒	67.0	15.1	2.7	0.8	7.0	5.5	1.3	0.5	0.1	0.1	260.9	63.5
	合計	54.8	17.6	3.7	1.0	7.4	11.1	1.7	2.4	0.0	0.2	411.0	100.0

③女性・父親の学歴別

父学歴	本人(女性)学歴	正社員(役員含む)	非典型雇用	自営	その他有業	求職者	白書定義無業者	独身家事従事者	在学または通学	専業主婦(夫)	その他無業	合計(N.千人)	構成比
中学卒	中学卒	12.2	36.3	2.3	2.1	8.8	17.0	16.3	0.8	1.7	2.5	59.4	7.7
	高校卒	39.0	38.3	1.6	1.9	5.1	5.0	6.9	0.1	1.8	0.4	393.8	51.3
	専門・短大・高専卒	50.4	31.2	2.7	1.4	4.7	2.9	4.5	0.0	1.7	0.4	241.2	31.4
	大学・大学院卒	59.8	26.5	3.0	1.6	2.0	2.1	3.8	0.4	0.9	0.0	65.2	8.5
	合計	42.2	35.0	2.1	1.7	5.0	5.0	6.6	0.1	1.6	0.7	767.7	100.0
高校卒	中学卒	11.5	37.4	1.7	0.4	13.1	20.3	12.1	0.0	1.1	2.3	58.9	2.9
	高校卒	43.5	34.2	1.7	1.1	5.7	7.0	5.0	0.5	0.9	0.4	726.7	35.8
	専門・短大・高専卒	56.1	30.3	1.9	0.7	3.9	2.4	3.3	0.1	1.1	0.1	778.8	38.3
	大学・大学院卒	66.7	23.8	1.5	0.4	3.2	1.6	1.8	0.1	0.7	0.2	454.8	22.4
	合計	52.6	30.5	1.8	0.8	4.7	4.4	3.8	0.2	1.0	0.3	2,031.6	100.0
専門・短大・高専卒	中学卒	15.2	41.5	1.4	1.2	7.7	14.6	11.0	0.7	6.7	0.0	14.0	3.3
	高校卒	39.6	35.9	2.1	1.5	7.4	5.7	5.4	1.0	1.2	0.2	116.1	27.3
	専門・短大・高専卒	55.3	30.2	2.1	0.8	4.0	2.8	3.5	0.3	0.8	0.3	168.4	39.7
	大学・大学院卒	66.0	22.4	1.6	0.4	5.4	1.7	1.7	0.4	0.5	0.0	123.2	29.0
	合計	52.5	30.0	1.9	0.9	5.4	3.6	3.7	0.5	1.0	0.4	424.5	100.0
大学・大学院卒	中学卒	14.1	25.8	5.2	1.3	10.1	30.1	12.1	1.2	0.0	0.0	18.0	1.3
	高校卒	28.9	31.6	4.7	0.6	6.9	16.4	5.6	3.5	1.1	0.7	197.9	14.6
	専門・短大・高専卒	54.0	30.9	2.0	0.3	4.9	3.4	3.4	0.1	0.7	0.2	383.2	28.3
	大学・大学院卒	68.5	20.5	1.2	0.3	4.4	2.0	2.1	0.3	0.6	0.2	744.8	55.1
	合計	57.8	25.2	2.0	0.4	4.9	4.9	3.1	0.7	0.7	0.4	1,351.7	100.0

④女性・母親の学歴別

母学歴	本人(女性)学歴	正社員(役員含む)	非典型雇用	自営	その他有業	求職者	白書定義無業者	独身家事従事者	在学または通学	専業主婦(夫)	その他無業	合計(N.千人)	構成比
中学卒	中学卒	11.1	37.9	1.8	1.8	11.2	16.6	15.5	0.6	1.4	2.1	80.6	9.6
	高校卒	36.7	36.4	1.9	1.7	5.2	6.2	9.6	0.0	1.8	0.4	450.9	53.6
	専門・短大・高専卒	46.8	32.1	3.4	1.4	4.6	2.7	6.6	0.0	2.1	0.3	250.1	29.7
	大学・大学院卒	46.0	34.7	3.4	1.4	3.9	1.5	6.8	0.4	1.7	0.0	54.2	6.4
	合計	37.8	35.2	2.4	1.6	5.5	5.8	9.0	0.1	1.9	0.6	842.0	100.0
高校卒	中学卒	12.7	36.5	3.3	0.8	13.2	17.2	13.5	0.4	0.9	1.6	89.7	3.2
	高校卒	42.8	35.1	1.8	1.0	6.1	6.5	5.2	0.3	0.8	0.4	1,013.7	36.3
	専門・短大・高専卒	54.7	30.6	1.9	0.9	4.3	2.7	3.5	0.1	1.1	0.2	1,039.8	37.2
	大学・大学院卒	64.6	24.1	1.9	0.4	3.5	1.8	2.7	0.2	0.6	0.1	634.8	22.7
	合計	51.1	31.0	1.9	0.8	5.1	4.3	4.2	0.2	0.9	0.3	2,794.8	100.0
専門・短大・高専卒	中学卒	8.6	38.5	2.2	1.2	9.8	22.9	14.4	0.2	1.4	0.8	29.3	2.0
	高校卒	32.9	36.1	2.4	0.9	7.6	11.4	5.0	1.8	1.3	0.6	312.6	20.8
	専門・短大・高専卒	56.1	30.4	2.6	0.4	4.0	2.4	3.0	0.1	0.7	0.2	525.3	35.0
	大学・大学院卒	69.8	20.1	1.1	0.5	4.2	1.7	1.8	0.0	0.5	0.3	623.7	41.6
	合計	55.9	27.5	1.9	0.6	4.9	4.4	3.1	0.4	0.7	0.4	1,500.3	100.0
大学・大学院卒	中学卒	7.3	18.3	3.8	0.0	7.2	55.3	8.0	0.0	0.0	0.0	5.1	1.2
	高校卒	21.8	30.2	5.3	0.2	7.2	19.8	5.8	9.0	0.5	0.1	52.0	12.4
	専門・短大・高専卒	51.3	27.6	3.4	0.7	8.3	3.4	4.9	0.0	0.3	0.2	75.4	17.9
	大学・大学院卒	66.9	21.1	2.3	0.2	4.2	2.0	2.0	0.6	0.8	0.0	286.6	68.2
	合計	57.8	23.3	2.9	0.3	5.3	5.1	3.0	1.5	0.7	0.1	420.3	100.0

注：学歴不詳等は掲載を省いた。

付表 3 - 1 1　親の学歴別　世帯の中で「子」である本人（15〜34歳）の職業キャリア

①父親の学歴別　　　　　　　　　　　　　　　　　　　　　　　　　　　　　　　　単位：%、太字は実数

	父学歴	正社員定着	正社員転職	正社員一時非典型	他形態から正社員	非典型中心	正社員から非典型	自営・手伝い	無業	無回答・経歴不詳	合計（N.千人）
男性	中学卒	37.5	11.2	3.1	6.4	15.8	4.8	4.8	13.1	3.3	322.1
	高校卒	43.1	12.5	2.0	5.1	13.1	4.4	3.2	13.5	2.9	1,469.4
	専門・短大・高専卒	44.4	12.0	1.3	4.1	14.4	3.8	3.4	13.8	2.8	338.1
	大学・大学院卒	44.1	9.9	1.2	4.6	12.6	4.5	3.0	18.0	2.0	924.2
	合計	42.9	11.5	1.8	5.0	13.5	4.4	3.4	14.9	2.8	3,082.4
女性	中学卒	28.3	8.0	1.9	5.9	25.2	9.3	1.9	16.6	2.7	247.1
	高校卒	39.9	8.8	1.7	4.9	19.9	8.4	1.5	12.5	2.5	1,279.4
	専門・短大・高専卒	41.7	6.4	0.9	4.8	19.9	8.1	2.3	13.4	2.5	310.5
	大学・大学院卒	46.6	8.1	1.5	4.4	16.7	6.3	1.7	13.1	1.5	1,009.9
	合計	41.4	8.2	1.6	4.8	19.2	7.7	1.7	13.1	2.3	2,877.2

②母親の学歴別

	母学歴	正社員定着	正社員転職	正社員一時非典型	他形態から正社員	非典型中心	正社員から非典型	自営・手伝い	無業	無回答・経歴不詳	合計（N.千人）
男性	中学卒	34.8	10.4	2.3	6.4	17.3	5.4	3.5	17.1	2.8	223.6
	高校卒	41.8	12.4	2.1	4.9	13.8	4.9	3.3	14.1	2.8	1,845.3
	専門・短大・高専卒	43.5	10.4	1.5	5.1	13.7	4.0	3.1	16.2	2.5	1,099.1
	大学・大学院卒	41.3	9.0	0.8	4.2	14.4	3.9	3.4	21.8	1.1	302.7
	合計	41.7	11.3	1.8	5.0	14.2	4.6	3.2	15.5	2.7	3,514.4
女性	中学卒	23.8	6.5	1.7	5.4	26.2	8.8	2.2	22.0	3.5	175.2
	高校卒	39.5	8.4	1.6	4.9	20.6	8.4	1.7	12.5	2.4	1,670.7
	専門・短大・高専卒	43.2	8.5	1.6	4.7	18.4	7.0	1.6	12.7	2.2	1,121.2
	大学・大学院卒	45.3	7.8	1.4	5.0	16.9	5.5	1.9	14.8	1.4	323.3
	合計	40.4	8.2	1.6	4.9	19.8	7.7	1.7	13.3	2.4	3,329.8

注：学歴不詳等は掲載を省いた。

付表３－１２　親の学歴・世帯の中で「子」である本人（15〜34歳）の学歴別　職業キャリア（在学中を除く）

単位：％、太字は実数

①男性・父親の学歴別

父学歴	本人(男性)学歴	正社員定着	正社員転職	正社員一時非典型	他形態から正社員	非典型中心	正社員から非典型	自営・手伝い	無業	無回答・経歴不詳	合計（N.千人）	構成比
中学卒	中学卒	20.2	9.9	2.6	7.0	15.4	4.0	9.1	26.8	4.9	162.5	12.5
	高校卒	31.7	17.5	5.0	4.7	7.7	6.3	9.5	13.0	4.6	710.8	54.9
	専門・短大・高専卒	33.4	19.6	4.0	4.3	6.5	6.9	9.6	12.2	3.6	224.0	17.3
	大学・大学院卒	37.9	20.7	2.2	4.3	7.1	5.7	7.6	11.6	2.9	184.8	14.3
	合計	31.3	17.4	4.1	4.8	8.4	6.0	9.1	14.5	4.4	1,294.6	100.0
高校卒	中学卒	13.4	7.2	1.4	8.3	17.8	3.7	9.5	34.8	3.8	137.6	5.2
	高校卒	36.9	14.6	3.0	5.1	11.0	5.4	5.8	14.9	3.3	1,230.4	46.3
	専門・短大・高専卒	36.3	19.5	3.2	4.8	9.8	6.1	7.0	10.4	2.8	520.5	19.6
	大学・大学院卒	44.6	16.3	2.4	5.6	8.9	4.4	4.5	10.5	2.8	755.5	28.4
	合計	37.7	15.6	2.8	5.3	10.5	5.2	5.8	13.9	3.2	2,659.2	100.0
専門・短大・高専卒	中学卒	9.2	9.1	2.7	9.8	17.1	1.8	6.8	37.3	6.1	21.3	4.3
	高校卒	36.2	11.8	2.3	4.2	14.8	5.2	4.5	17.3	3.7	195.1	39.2
	専門・短大・高専卒	41.1	14.3	1.7	5.5	9.8	5.2	9.2	8.9	4.4	118.3	23.8
	大学・大学院卒	48.9	15.8	1.8	4.3	9.7	3.5	2.7	11.4	1.7	158.4	31.8
	合計	40.2	13.7	2.0	4.8	12.2	4.5	5.1	14.2	3.3	497.5	100.0
大学・大学院卒	中学卒	12.7	6.3	0.6	7.4	12.9	2.3	7.0	48.8	2.1	33.1	2.5
	高校卒	23.9	7.0	1.9	5.4	16.8	4.1	5.9	33.4	1.6	339.8	25.5
	専門・短大・高専卒	34.1	16.1	1.8	7.0	11.5	8.2	5.0	13.6	2.8	182.1	13.7
	大学・大学院卒	48.8	14.2	1.6	4.2	8.8	4.6	2.8	12.2	2.9	772.3	57.9
	合計	39.4	12.4	1.7	5.0	11.3	4.9	4.0	18.7	2.7	1,334.0	100.0

②男性・母親の学歴別

母学歴	本人(男性)学歴	正社員定着	正社員転職	正社員一時非典型	他形態から正社員	非典型中心	正社員から非典型	自営・手伝い	無業	無回答・経歴不詳	合計（N.千人）	構成比
中学卒	中学卒	17.1	8.7	1.6	6.0	14.2	4.9	8.2	34.1	5.2	187.1	14.5
	高校卒	29.5	17.4	4.8	4.6	7.6	6.5	8.4	16.9	4.2	713.6	55.3
	専門・短大・高専卒	27.8	19.4	4.2	4.6	7.2	7.2	10.9	14.8	3.9	201.3	15.6
	大学・大学院卒	36.2	17.1	3.3	4.5	5.8	6.9	8.7	14.9	2.6	176.7	13.7
	合計	28.3	16.3	4.1	4.8	8.2	6.4	8.8	18.9	4.2	1,289.9	100.0
高校卒	中学卒	12.7	6.4	1.9	8.3	20.3	3.0	9.2	34.5	3.7	197.9	5.8
	高校卒	34.7	13.7	3.2	4.7	11.8	6.0	5.8	16.7	3.4	1,560.6	45.6
	専門・短大・高専卒	35.0	18.5	2.8	4.7	10.6	7.1	6.6	11.5	3.2	641.5	18.8
	大学・大学院卒	42.7	17.2	2.2	5.2	8.2	5.2	4.1	12.1	3.2	999.7	29.2
	合計	35.7	15.2	2.8	5.1	11.0	5.7	5.6	15.5	3.4	3,419.7	100.0
専門・短大・高専卒	中学卒	11.4	5.7	2.2	7.2	17.4	3.1	7.7	41.0	4.3	66.7	4.3
	高校卒	30.8	10.5	2.2	5.8	14.5	4.7	5.0	23.2	3.2	519.9	33.3
	専門・短大・高専卒	38.1	14.8	2.9	6.4	10.3	6.6	5.8	12.7	2.5	307.1	19.7
	大学・大学院卒	48.8	13.5	1.8	4.7	10.5	4.3	2.8	11.5	2.3	659.8	42.3
	合計	39.0	12.4	2.2	5.5	12.0	4.8	4.4	16.9	2.8	1,559.7	100.0
大学・大学院卒	中学卒	7.1	9.5	2.0	9.1	17.5	2.8	4.5	41.6	6.0	11.6	2.8
	高校卒	17.8	4.2	0.6	5.7	17.9	2.2	7.3	44.1	0.2	93.1	22.7
	専門・短大・高専卒	24.4	10.0	2.4	7.3	17.2	8.0	6.0	22.5	2.2	42.8	10.4
	大学・大学院卒	47.6	12.6	1.2	4.3	10.4	4.4	3.4	14.5	1.6	260.9	63.5
	合計	37.1	10.3	1.2	5.1	13.1	4.2	4.6	22.9	1.6	411.0	100.0

③女性・父親の学歴別

父学歴	本人(女性)学歴	正社員定着	正社員転職	正社員一時非典型	他形態から正社員	非典型中心	正社員から非典型	自営・手伝い	無業	無回答・経歴不詳	合計(N.千人)	構成比
中学卒	中学卒	4.9	1.6	1.0	4.4	31.0	3.5	4.3	47.1	2.1	59.4	7.7
	高校卒	19.7	9.5	5.0	3.8	17.1	18.9	3.3	19.2	3.6	393.8	51.3
	専門・短大・高専卒	26.2	11.6	5.2	6.0	15.1	15.3	3.8	14.3	2.5	241.2	31.4
	大学・大学院卒	36.3	9.8	4.4	8.2	14.5	11.2	4.2	9.2	2.1	65.2	8.5
	合計	21.9	9.5	4.6	4.9	17.3	15.8	3.6	19.0	3.2	767.7	100.0
高校卒	中学卒	4.4	1.4	0.3	4.7	33.8	1.8	2.1	49.0	2.6	58.9	2.9
	高校卒	26.7	8.1	3.2	4.6	20.8	11.7	2.5	19.5	3.0	726.7	35.8
	専門・短大・高専卒	34.2	11.4	3.8	5.5	15.9	12.9	2.5	11.0	2.9	778.8	38.3
	大学・大学院卒	45.6	11.4	2.6	5.9	14.4	8.7	1.7	7.6	2.1	454.8	22.4
	合計	33.1	9.9	3.2	5.2	17.8	11.1	2.4	14.5	2.8	2,031.6	100.0
専門・短大・高専卒	中学卒	2.3	5.2	0.0	7.2	37.9	3.1	2.6	40.7	1.1	14.0	3.3
	高校卒	24.5	5.1	1.9	6.7	24.3	10.1	3.5	20.9	3.0	116.1	27.3
	専門・短大・高専卒	36.6	9.2	2.7	4.3	17.1	11.6	2.7	11.7	3.9	168.4	39.7
	大学・大学院卒	48.5	9.4	1.8	4.9	14.6	7.5	2.0	9.6	1.7	123.2	29.0
	合計	35.4	8.0	2.1	5.2	19.0	9.7	2.7	14.7	3.2	424.5	100.0
大学・大学院卒	中学卒	4.9	0.9	0.4	7.9	24.7	0.7	6.5	53.7	0.4	18.0	1.3
	高校卒	17.1	4.7	2.1	4.5	24.4	5.8	5.2	34.2	1.9	197.9	14.6
	専門・短大・高専卒	34.5	10.3	3.5	4.9	18.4	10.8	2.3	12.8	2.6	383.2	28.3
	大学・大学院卒	51.2	9.5	2.1	4.9	13.0	7.0	1.4	9.5	1.4	744.8	55.1
	合計	40.8	8.9	2.5	4.9	16.4	7.8	2.3	14.7	1.9	1,351.7	100.0

④女性・母親の学歴別

母学歴	本人(女性)学歴	正社員定着	正社員転職	正社員一時非典型	他形態から正社員	非典型中心	正社員から非典型	自営・手伝い	無業	無回答・経歴不詳	合計(N.千人)	構成比
中学卒	中学卒	5.0	1.4	1.2	3.1	29.8	5.7	3.2	47.4	3.2	80.6	9.6
	高校卒	18.1	8.5	5.8	3.3	15.0	18.7	3.5	23.3	3.8	450.9	53.6
	専門・短大・高専卒	21.3	13.0	6.3	4.5	12.8	17.6	4.4	16.3	3.8	250.1	29.7
	大学・大学院卒	24.7	9.5	3.8	6.3	18.9	15.1	4.7	14.4	2.6	54.2	6.4
	合計	18.2	9.2	5.3	3.9	16.0	16.9	3.8	23.0	3.8	842.0	100.0
高校卒	中学卒	3.6	1.0	0.5	7.4	34.5	1.0	4.1	46.8	1.1	89.7	3.2
	高校卒	25.3	8.4	3.2	4.8	21.4	11.9	2.6	19.3	3.2	1,013.7	36.3
	専門・短大・高専卒	33.3	10.9	3.6	5.6	15.9	13.2	2.7	11.9	2.8	1,039.8	37.2
	大学・大学院卒	44.5	10.3	3.0	5.5	14.3	9.2	2.2	8.9	2.0	634.8	22.7
	合計	31.9	9.5	3.2	5.3	18.2	11.4	2.6	15.1	2.8	2,794.8	100.0
専門・短大・高専卒	中学卒	4.4	0.7	0.0	3.0	34.5	1.5	3.4	49.4	3.0	29.3	2.0
	高校卒	19.2	6.0	1.9	5.3	26.0	8.1	3.2	27.6	2.8	312.6	20.8
	専門・短大・高専卒	35.9	10.5	3.4	4.9	17.4	11.5	2.9	10.5	3.0	525.3	35.0
	大学・大学院卒	50.6	11.0	2.0	5.3	12.5	6.9	1.5	8.5	1.6	623.7	41.6
	合計	37.9	9.5	2.4	5.1	17.6	8.6	2.4	14.1	2.4	1,500.3	100.0
大学・大学院卒	中学卒	4.1	3.3	0.0	0.0	15.9	1.2	3.8	70.5	1.2	5.1	1.2
	高校卒	10.2	3.3	1.7	4.7	24.8	5.3	5.5	42.4	2.0	52.0	12.4
	専門・短大・高専卒	27.8	9.4	4.3	8.7	19.3	7.1	4.1	17.0	2.4	75.4	17.9
	大学・大学院卒	49.7	8.9	1.7	5.5	14.4	6.4	2.4	9.5	1.5	286.6	68.2
	合計	40.3	8.3	2.1	5.9	16.6	6.3	3.1	15.8	1.7	420.3	100.0

注：学歴不詳等は掲載を省いた。

付表３－１３　親の給与収入・事業収入の有無別　世帯の中で「子」である本人（15〜34歳）の現在の就業状況と職業キャリア（在学中を除く）　単位：％、太字は実数

①世帯の中で「子」である本人（15〜34歳）の現在の就業状況

	親の給与収入・事業収入	正社員（役員含む）	非典型雇用	自営	その他有業	求職者	非求職無業者	独身家事従事者	在学または通学	専業主婦（夫）	その他無業	合計（N.千人）
男性	なし	52.8	20.7	3.8	1.0	9.6	9.6	1.7	0.2	0.0	0.7	**382.1**
	あり	62.1	19.5	2.2	1.3	6.0	6.7	0.9	1.0	0.0	0.2	**3,327.9**
	合　計	61.2	19.6	2.3	1.3	6.4	7.0	1.0	0.9	0.0	0.3	**3,710.1**
女性	なし	46.2	31.2	1.3	0.5	7.5	7.5	4.1	0.2	0.9	0.7	**348.9**
	あり	56.6	28.7	1.4	0.5	5.4	3.8	2.2	0.6	0.6	0.3	**3,150.0**
	合　計	55.6	28.9	1.4	0.5	5.6	4.2	2.4	0.5	0.6	0.3	**3,498.9**

②世帯の中で「子」である本人（15〜34歳）の職業キャリア

	親の給与収入・事業収入	正社員定着	正社員転職	正社員一時非典型	他形態から正社員	非典型中心	正社員から非典型	自営・手伝い	無業	無回答・経歴不詳	合計（N.千人）
男性	なし	32.5	10.8	2.6	5.8	15.1	5.0	4.2	21.8	2.2	**382.1**
	あり	42.4	11.2	1.7	5.0	14.2	4.5	3.2	14.9	2.9	**3,327.9**
	合　計	41.4	11.2	1.8	5.1	14.3	4.5	3.3	15.6	2.8	**3,710.1**
女性	なし	30.1	7.7	1.4	5.6	21.4	8.3	1.5	20.8	3.3	**348.9**
	あり	41.0	8.1	1.6	4.9	19.8	7.6	1.7	12.9	2.3	**3,150.0**
	合　計	39.9	8.1	1.6	5.0	20.0	7.7	1.7	13.6	2.4	**3,498.9**

表4-1 学歴・就業状況・年齢段階別能力開発実施状況（MA、15～49歳、在学中を除く、ウエイトバック値）

単位:%、太字は実数

		男女計			男性			女性		
		合計(千人)	勤務先が実施した訓練	自己啓発	合計(千人)	勤務先が実施した訓練	自己啓発	合計(千人)	勤務先が実施した訓練	自己啓発
正規の職員・従業員	15～19歳	254.3	46.7	17.3	161.7	48.3	18.4	92.6	43.9	15.4
	20～24歳	2,420.2	50.1	30.1	1,270.2	48.7	27.3	1,150.0	51.7	33.3
	25～29歳	3,904.3	47.6	33.8	2,296.3	48.1	33.4	1,608.0	46.9	34.2
	30～34歳	4,101.1	43.5	31.8	2,712.9	44.3	32.3	1,388.2	41.9	30.9
	35～39歳	4,274.3	38.7	28.5	2,970.8	38.5	27.7	1,303.5	39.1	30.4
	40～44歳	4,947.7	36.7	24.8	3,506.3	36.0	23.3	1,441.4	38.3	28.4
	45～49歳	4,752.3	36.4	23.5	3,404.1	35.3	21.7	1,348.3	38.9	28.1
	15-49歳計	24,654.2	41.3	28.2	16,322.3	40.5	27.0	8,331.9	42.7	30.7
パート・アルバイト	15～19歳	87.6	14.4	13.0	43.1	10.5	12.1	44.5	18.2	13.8
	20～24歳	510.2	18.8	18.8	201.6	17.8	19.7	308.6	19.5	18.2
	25～29歳	696.9	15.4	17.0	210.2	14.0	19.3	486.7	16.0	16.1
	30～34歳	906.5	15.5	15.0	162.9	13.3	17.8	743.6	15.9	14.4
	35～39歳	1,139.1	14.8	14.1	139.2	14.1	14.7	999.9	14.9	14.0
	40～44歳	1,581.2	14.1	12.9	134.1	12.0	13.5	1,447.1	14.3	12.8
	45～49歳	1,669.4	15.8	12.3	115.1	12.6	13.4	1,554.4	16.1	12.2
	15-49歳計	6,590.9	15.4	14.1	1,006.2	14.1	16.7	5,584.7	15.6	13.7
契約社員・嘱託	15～19歳	11.1	37.9	18.6	6.3	23.8	13.6	4.9	56.0	25.0
	20～24歳	195.1	36.3	28.5	86.0	28.8	20.9	109.1	42.1	34.4
	25～29歳	325.0	32.4	28.1	143.9	30.3	27.0	181.1	34.0	28.9
	30～34歳	307.6	29.6	26.2	132.8	27.1	26.2	174.8	31.4	26.2
	35～39歳	308.3	27.2	21.8	123.5	22.8	20.6	184.8	30.1	22.6
	40～44歳	365.2	25.3	21.7	139.1	21.3	19.5	226.0	27.7	23.1
	45～49歳	368.7	27.0	22.4	128.5	21.2	19.4	240.3	30.1	23.9
	15-49歳計	1,881.0	29.1	24.4	760.1	25.1	22.4	1,120.9	31.8	25.7
求職者	15～19歳	33.5	5.0	26.1	19.3	5.2	33.0	14.2	4.8	16.8
	20～24歳	199.1	12.6	38.5	92.4	10.5	40.7	106.7	14.5	36.5
	25～29歳	268.2	11.8	33.3	109.2	12.3	39.9	159.0	11.5	28.7
	30～34歳	279.3	10.3	28.3	99.3	10.0	33.7	180.0	10.4	25.3
	35～39歳	313.3	6.5	25.3	96.6	6.1	31.2	216.6	6.8	22.6
	40～44歳	322.9	6.6	22.2	88.7	7.6	22.6	234.2	6.3	22.1
	45～49歳	338.7	6.2	21.2	105.2	7.1	21.4	233.5	5.8	21.2
	15-49歳計	1,755.0	8.6	27.1	610.8	8.9	31.7	1,144.2	8.4	24.7
非求職無業者	15～19歳	69.4	1.0	16.6	45.4	0.0	15.5	24.0	3.0	18.7
	20～24歳	141.1	3.3	14.8	85.4	2.9	15.1	55.8	4.0	14.4
	25～29歳	163.6	2.3	13.3	101.9	2.3	13.8	61.7	2.2	12.4
	30～34歳	161.2	0.9	12.8	100.5	0.5	12.9	60.7	1.4	12.6
	35～39歳	173.6	1.9	9.4	115.8	1.8	9.4	57.8	1.9	9.4
	40～44歳	215.1	1.3	8.2	142.9	1.3	7.2	72.2	1.3	10.2
	45～49歳	216.5	1.6	7.5	147.3	1.5	7.6	69.2	1.9	7.2
	15-49歳計	1,140.6	1.8	10.9	739.2	1.6	10.7	401.4	2.1	11.4
就業状況計	15～19歳	534.9	27.1	16.2	321.4	27.7	17.0	213.5	26.1	15.0
	20～24歳	3,789.6	38.8	27.6	1,858.0	38.6	26.0	1,931.5	38.9	29.1
	25～29歳	6,092.7	36.1	29.1	3,098.5	40.0	31.2	2,994.2	32.2	27.0
	30～34歳	7,034.6	30.8	26.1	3,564.2	37.3	30.7	3,470.4	24.1	21.5
	35～39歳	7,842.8	26.7	23.3	3,969.1	32.5	26.7	3,873.7	20.7	19.9
	40～44歳	9,410.5	25.1	21.0	4,766.3	30.4	23.2	4,644.1	19.8	18.7
	45～49歳	9,434.9	24.8	20.0	4,763.2	29.1	21.6	4,671.8	20.4	18.3
	15-49歳計	44,140.1	29.0	23.6	22,340.8	33.6	25.9	21,799.3	24.2	21.3

（注）左端の列は「学歴計」

		男女計			男性			女性		
		合計(千人)	勤務先が実施した訓練	自己啓発	合計(千人)	勤務先が実施した訓練	自己啓発	合計(千人)	勤務先が実施した訓練	自己啓発
中学卒	**正規の職員・従業員**									
	15～19歳	14.8	27.9	12.6	12.8	27.7	11.0	2.0	29.4	22.9
	20～24歳	50.4	26.8	12.5	41.7	23.0	12.1	8.7	44.5	14.4
	25～29歳	80.8	22.4	13.5	67.1	23.0	12.0	13.7	20.0	20.8
	30～34歳	112.9	23.2	10.8	93.3	23.3	10.6	19.5	22.7	12.2
	35～39歳	128.7	26.6	11.8	110.8	25.6	11.0	17.9	32.3	17.2
	40～44歳	163.9	19.0	8.8	141.9	18.7	8.2	22.0	21.2	12.9
	45～49歳	175.3	18.6	9.2	147.3	17.7	7.4	28.0	22.9	18.4
	15-49歳計	726.6	22.0	10.6	614.8	21.4	9.6	111.8	25.5	16.1
	パート・アルバイト									
	15～19歳	26.3	5.4	5.3	14.7	8.1	7.4	11.6	1.9	2.7
	20～24歳	44.0	14.4	11.0	17.0	22.0	12.2	27.0	9.7	10.3
	25～29歳	62.0	8.8	13.0	17.4	5.8	10.3	44.6	9.9	14.1
	30～34歳	72.7	9.7	7.3	14.3	10.0	8.3	58.4	9.6	7.1
	35～39歳	65.0	13.3	7.9	18.2	10.6	8.7	46.8	14.3	7.6
	40～44歳	80.1	10.8	8.4	19.5	11.3	13.7	60.7	10.6	6.7
	45～49歳	76.8	9.3	5.7	18.1	11.7	5.5	58.7	8.5	5.7
	15-49歳計	427.0	10.4	8.4	119.1	11.4	9.5	307.8	10.1	8.0
	契約社員・嘱託									
	15～19歳	2.1	17.1	1.7	1.5	11.3	0.0	0.6	32.4	6.3
	20～24歳	5.7	17.7	18.5	4.2	16.3	17.6	1.5	21.5	20.8
	25～29歳	9.6	23.7	8.5	6.7	21.8	7.5	2.9	27.9	10.9
	30～34歳	10.9	27.6	9.5	5.9	14.8	2.6	4.9	43.0	17.7
	35～39歳	12.6	26.4	11.0	7.6	20.0	2.7	5.0	36.0	23.7
	40～44歳	17.1	17.2	7.1	12.2	15.2	3.4	4.9	22.1	16.6
	45～49歳	16.2	17.6	11.2	10.4	12.7	11.0	5.8	26.6	11.6
	15-49歳計	74.1	21.2	9.9	48.5	16.2	6.5	25.6	30.7	16.5
	求職者									
	15～19歳	11.4	0.6	9.0	6.0	0.0	13.0	5.4	1.3	4.5
	20～24歳	18.7	3.6	11.8	8.5	2.5	11.4	10.3	4.5	12.1
	25～29歳	21.6	5.0	12.2	7.8	9.0	13.0	13.9	2.7	11.7
	30～34歳	24.8	3.6	11.9	14.0	5.7	14.9	10.9	0.9	8.1
	35～39歳	23.3	4.5	11.8	11.7	2.7	12.6	11.6	6.4	10.9
	40～44歳	17.9	3.3	7.8	11.6	3.1	8.2	6.3	3.5	7.1
	45～49歳	27.1	7.7	14.4	13.6	9.9	16.1	13.5	5.4	12.8
	15-49歳計	145.0	4.4	11.6	73.1	5.1	12.9	71.8	3.8	10.3
	非求職無業者									
	15～19歳	19.7	0.6	15.1	13.2	0.0	13.6	6.4	2.0	18.1
	20～24歳	20.9	2.0	10.4	14.9	2.3	7.7	6.0	1.3	17.1
	25～29歳	28.6	0.1	8.1	17.1	0.2	9.6	11.6	0.0	5.8
	30～34歳	27.8	0.0	9.0	17.3	0.0	13.0	10.5	0.0	2.3
	35～39歳	36.9	2.2	5.4	23.1	3.5	7.2	13.8	0.0	2.5
	40～44歳	51.0	0.8	2.8	32.4	1.2	1.5	18.6	0.2	5.1
	45～49歳	52.4	0.4	1.8	36.1	0.5	2.3	16.3	0.0	0.8
	15-49歳計	237.2	0.8	6.0	154.1	1.1	6.4	83.2	0.3	5.4
	就業状況計									
	15～19歳	88.2	9.0	9.3	54.7	10.9	10.1	33.5	5.9	8.0
	20～24歳	180.9	14.6	12.3	98.7	17.3	12.5	82.2	11.4	12.0
	25～29歳	272.9	11.8	11.1	145.6	15.4	11.6	127.3	7.7	10.5
	30～34歳	341.8	12.9	10.7	191.0	15.3	12.2	150.8	9.9	8.7
	35～39歳	372.8	15.3	10.8	230.8	17.2	12.1	141.9	12.2	8.6
	40～44歳	467.6	12.3	9.2	297.4	14.7	9.9	170.3	8.0	7.8
	45～49歳	503.8	11.9	8.7	322.1	13.7	9.3	181.7	8.6	7.6
	15-44歳計	2,228.0	12.8	10.1	1,340.4	15.1	10.9	887.6	9.3	8.8

		男女計			男性			女性		
		合計 （千人）	勤務先が実施した訓練	自己啓発	合計 （千人）	勤務先が実施した訓練	自己啓発	合計 （千人）	勤務先が実施した訓練	自己啓発
高校卒										
正規の職員・従業員	15～19歳	234.7	48.0	17.2	146.5	50.4	18.2	88.2	43.9	15.5
	20～24歳	786.7	39.1	15.3	528.4	42.3	15.3	258.3	32.6	15.3
	25～29歳	862.9	33.7	17.4	614.3	36.7	18.2	248.5	26.3	15.2
	30～34歳	977.8	32.3	17.5	735.5	34.0	17.7	242.3	27.1	16.8
	35～39歳	1,202.9	29.7	15.7	930.0	31.3	16.5	272.9	24.3	13.0
	40～44歳	1,603.8	30.2	15.2	1,228.9	31.3	15.1	374.9	26.6	15.7
	45～49歳	1,787.2	29.6	14.0	1,319.7	30.2	13.2	467.6	27.9	16.2
	15-49歳計	7,455.9	32.1	15.6	5,503.3	33.5	15.7	1,952.7	28.2	15.5
パート・アルバイト	15～19歳	59.7	18.7	16.7	27.3	12.3	15.2	32.4	24.1	18.0
	20～24歳	275.3	15.2	13.4	114.0	14.7	16.0	161.3	15.6	11.5
	25～29歳	278.5	12.9	11.0	87.6	12.6	11.9	191.0	13.1	10.6
	30～34歳	359.6	13.6	12.5	72.6	14.7	15.4	287.1	13.3	11.8
	35～39歳	426.7	11.4	8.5	56.1	10.9	8.3	370.6	11.5	8.5
	40～44歳	613.3	10.4	7.6	65.1	10.5	8.6	548.2	10.4	7.5
	45～49歳	749.9	13.6	7.7	50.7	15.0	9.0	699.1	13.5	7.6
	15-49歳計	2,763.0	12.7	9.5	473.4	13.2	12.4	2,289.7	12.7	8.9
契約社員・嘱託	15～19歳	8.8	43.4	22.1	4.5	28.4	16.8	4.3	59.2	27.5
	20～24歳	71.9	25.7	13.7	40.7	20.6	7.1	31.2	32.5	22.3
	25～29歳	81.9	22.7	15.1	41.4	22.4	12.7	40.5	22.9	17.6
	30～34歳	86.7	22.5	13.7	44.9	21.9	12.5	41.8	23.2	15.0
	35～39歳	97.2	19.6	15.0	47.7	15.5	15.2	49.5	23.6	14.7
	40～44歳	123.5	22.8	13.5	55.4	22.8	14.5	68.1	22.8	12.6
	45～49歳	138.5	23.4	13.8	55.3	21.9	14.4	83.1	24.4	13.4
	15-49歳計	608.4	23.0	14.2	289.8	21.0	13.1	318.6	24.8	15.3
求職者	15～19歳	21.4	7.5	35.6	13.0	7.7	42.1	8.4	7.2	25.5
	20～24歳	83.0	9.9	29.4	39.1	11.0	34.0	43.9	8.9	25.3
	25～29歳	82.8	8.8	26.7	36.9	9.4	30.8	45.9	8.4	23.4
	30～34歳	87.6	6.6	19.9	33.2	5.8	27.7	54.4	7.2	15.1
	35～39歳	111.2	6.5	21.5	42.2	6.6	21.8	69.0	6.4	21.4
	40～44歳	116.4	5.6	15.4	35.8	4.6	14.0	80.6	6.1	16.0
	45～49歳	141.1	4.3	14.6	48.6	4.3	16.9	92.6	4.3	13.3
	15-49歳計	643.6	6.7	20.8	248.7	6.9	24.8	394.8	6.5	18.3
非求職無業者	15～19歳	49.2	1.1	17.2	31.7	0.0	16.3	17.6	3.0	19.0
	20～24歳	84.0	1.8	13.2	53.7	2.2	13.7	30.3	1.1	12.2
	25～29歳	87.4	1.3	11.0	53.9	1.7	11.1	33.5	0.8	11.0
	30～34歳	85.6	0.2	10.8	53.7	0.0	9.1	32.0	0.5	13.6
	35～39歳	79.5	2.1	7.5	54.5	2.1	6.3	25.0	2.1	10.0
	40～44歳	103.0	1.2	7.3	66.9	1.0	6.6	36.1	1.4	8.5
	45～49歳	102.2	2.0	6.2	67.3	1.7	5.5	34.9	2.6	7.4
	15-49歳計	591.1	1.4	9.9	381.7	1.3	9.2	209.3	1.5	11.1
就業状況計	15～19歳	435.6	30.8	17.5	261.1	31.5	18.0	174.5	29.8	16.8
	20～24歳	1,466.7	27.1	15.4	842.8	31.2	15.9	623.9	21.4	14.9
	25～29歳	1,646.2	22.9	15.4	916.4	28.7	17.5	729.7	15.7	12.8
	30～34歳	1,979.9	21.2	15.2	1,054.7	27.4	17.7	925.2	14.0	12.3
	35～39歳	2,419.7	19.9	13.7	1,317.2	25.7	16.4	1,102.4	12.9	10.4
	40～44歳	3,208.3	19.9	13.2	1,736.3	25.6	15.5	1,472.0	13.2	10.4
	45～49歳	3,716.9	19.9	12.2	1,888.4	24.6	14.0	1,828.5	15.0	10.5
	15-49歳計	14,873.3	21.4	13.9	8,017.0	26.8	15.9	6,856.3	15.2	11.5

		男女計			男性			女性		
		合計 (千人)	勤務先が実施した訓練	自己啓発	合計 (千人)	勤務先が実施した訓練	自己啓発	合計 (千人)	勤務先が実施した訓練	自己啓発
専門・短大・高専卒	正規の職員・従業員 15〜19歳	4.0	48.4	42.9	1.8	37.0	88.9	2.3	57.2	7.0
	20〜24歳	651.8	53.5	33.1	239.2	51.2	32.6	412.7	54.8	33.4
	25〜29歳	768.0	45.9	30.5	329.2	46.2	31.7	438.7	45.7	29.6
	30〜34歳	929.2	43.3	30.3	482.0	42.6	30.4	447.2	44.1	30.2
	35〜39歳	1,020.9	40.0	28.2	533.3	38.0	26.0	487.6	42.1	30.6
	40〜44歳	1,281.2	38.5	25.7	652.6	35.4	21.9	628.5	41.8	29.7
	45〜49歳	1,124.0	40.1	26.1	564.0	35.2	20.6	560.0	45.1	31.6
	15-49歳計	5,779.1	42.5	28.5	2,802.1	39.7	26.0	2,977.0	45.2	30.8
	パート・アルバイト 15〜19歳	0.8	8.0	0.0	0.7	0.0	0.0	0.2	35.1	0.0
	20〜24歳	124.1	23.6	25.0	39.0	23.8	25.2	85.1	23.5	24.9
	25〜29歳	181.4	17.2	16.6	33.3	16.3	18.1	148.1	17.5	16.2
	30〜34歳	293.2	18.4	15.9	32.5	10.9	15.8	260.8	19.3	15.9
	35〜39歳	428.5	17.3	16.6	28.9	15.5	22.2	399.5	17.4	16.2
	40〜44歳	642.9	16.3	14.6	25.4	14.5	13.7	617.5	16.4	14.7
	45〜49歳	628.0	18.7	14.8	21.6	11.0	17.5	606.4	19.0	14.7
	15-49歳計	2,299.1	17.9	15.9	181.4	15.9	19.1	2,117.7	18.1	15.6
	契約社員・嘱託 15〜19歳	0.2	0.0	21.5	0.2	0.0	21.5	0.0	−	−
	20〜24歳	62.5	40.8	33.8	20.9	36.0	38.3	41.6	43.3	31.5
	25〜29歳	81.8	29.6	21.5	27.6	27.5	19.1	54.2	30.7	22.7
	30〜34歳	86.1	29.5	20.5	27.9	25.4	15.2	58.2	31.5	23.1
	35〜39歳	98.0	30.0	21.1	27.5	22.8	15.8	70.5	32.8	23.2
	40〜44歳	129.5	25.8	22.0	32.0	18.9	20.6	97.5	28.0	22.5
	45〜49歳	125.2	29.2	21.9	24.3	16.6	12.5	100.8	32.3	24.2
	15-49歳計	583.4	29.9	22.8	160.5	24.0	19.7	422.9	32.2	24.0
	求職者 15〜19歳	0.5	0.0	11.3	0.1	0.0	46.0	0.4	0.0	0.0
	20〜24歳	45.6	18.3	42.9	17.4	13.7	43.6	28.2	21.0	42.4
	25〜29歳	63.7	15.0	28.0	17.5	18.0	37.9	46.1	13.8	24.3
	30〜34歳	82.9	11.4	29.6	17.4	8.8	36.6	65.5	12.1	27.7
	35〜39歳	101.0	8.2	24.3	17.2	8.6	42.6	83.8	8.1	20.5
	40〜44歳	115.6	6.0	23.1	18.0	10.4	32.2	97.6	5.2	21.5
	45〜49歳	108.0	7.1	24.0	18.7	4.6	19.9	89.3	7.6	24.9
	15-49歳計	517.3	9.7	26.9	106.3	10.6	35.2	411.0	9.5	24.8
	非求職無業者 15〜19歳	0.5	9.3	14.8	0.5	0.0	16.3	0.0	100.0	0.0
	20〜24歳	21.5	5.2	17.2	7.3	1.6	15.2	14.2	7.0	18.2
	25〜29歳	15.3	2.4	5.2	9.1	1.5	6.9	6.2	3.7	2.7
	30〜34歳	20.8	2.1	12.4	9.3	0.0	10.8	11.6	3.8	13.7
	35〜39歳	24.4	2.5	7.8	14.1	0.8	8.5	10.3	4.7	6.8
	40〜44歳	27.9	3.1	15.4	15.5	3.5	12.5	12.4	2.6	19.1
	45〜49歳	32.8	3.3	11.5	18.3	3.8	11.1	14.5	2.7	12.0
	15-49歳計	143.2	3.1	11.9	73.9	2.2	10.8	69.3	4.2	13.2
	就業状況計 15〜19歳	6.9	30.3	29.3	3.5	19.4	53.3	3.4	41.5	4.6
	20〜24歳	967.6	44.5	32.0	343.5	43.2	32.3	624.1	45.2	31.9
	25〜29歳	1,287.6	34.2	25.9	457.8	38.8	29.6	829.8	31.7	23.8
	30〜34歳	1,791.7	29.4	24.2	632.0	36.7	29.5	1,159.7	25.5	21.4
	35〜39歳	2,194.0	25.9	22.4	729.3	32.0	25.9	1,464.7	22.8	20.7
	40〜44歳	2,856.7	24.8	20.9	904.2	30.3	23.2	1,952.5	22.2	19.8
	45〜49歳	2,649.3	25.5	21.3	811.9	28.7	22.1	1,837.4	24.1	20.9
	15-49歳計	11,753.8	28.5	23.2	3,882.3	33.5	26.1	7,871.6	26.1	21.8

		男女計			男性			女性		
		合計(千人)	勤務先が実施した訓練	自己啓発	合計(千人)	勤務先が実施した訓練	自己啓発	合計(千人)	勤務先が実施した訓練	自己啓発
大学・大学院卒	**正規の職員・従業員**									
	20～24歳	915.2	58.7	42.0	450.8	57.5	40.2	464.4	59.8	43.8
	25～29歳	2,166.4	54.9	42.4	1,269.3	55.8	42.7	897.2	53.8	42.0
	30～34歳	2,053.2	50.3	40.8	1,380.8	52.1	42.5	672.4	46.6	37.1
	35～39歳	1,885.6	44.8	38.3	1,371.2	44.9	37.7	514.4	44.6	40.0
	40～44歳	1,857.5	42.9	34.1	1,451.6	42.3	32.7	405.9	45.3	39.3
	45～49歳	1,625.2	43.4	34.0	1,343.8	42.6	32.3	281.3	47.4	42.2
	15-44歳計	10,503.1	48.6	38.6	7,267.6	48.0	37.7	3,235.5	50.1	40.6
	パート・アルバイト									
	20～24歳	61.9	28.2	36.2	29.6	20.0	31.2	32.2	35.7	40.7
	25～29歳	162.9	20.9	29.5	68.4	17.0	31.3	94.5	23.6	28.2
	30～34歳	170.8	16.9	22.9	41.9	14.1	26.8	128.9	17.8	21.6
	35～39歳	204.0	17.6	23.3	34.3	19.8	22.1	169.7	17.1	23.5
	40～44歳	223.3	19.2	24.5	21.5	12.7	27.8	201.8	19.9	24.2
	45～49歳	192.4	19.3	25.6	23.3	10.3	25.4	169.1	20.5	25.7
	15-49歳計	1,015.3	19.3	25.7	219.0	16.2	28.0	796.3	20.2	25.1
	契約社員・嘱託									
	20～24歳	51.2	47.4	44.0	19.5	42.2	32.3	31.7	50.6	51.2
	25～29歳	148.1	39.9	40.4	66.5	37.1	41.8	81.6	42.1	39.2
	30～34歳	121.5	35.0	40.7	53.2	33.8	46.3	68.3	35.9	36.4
	35～39歳	96.9	32.0	30.5	39.3	30.9	33.6	57.6	32.8	28.3
	40～44歳	90.9	30.6	36.1	38.5	23.7	31.1	52.5	35.6	39.8
	45～49歳	86.1	31.3	39.0	37.6	25.8	33.8	48.5	35.5	43.0
	15-44歳計	594.8	35.6	38.3	254.6	32.2	37.9	340.2	38.1	38.6
	求職者									
	20～24歳	50.7	15.7	60.0	27.3	10.3	57.8	23.4	22.0	62.6
	25～29歳	97.2	14.2	47.3	46.6	12.9	52.8	50.6	15.3	42.3
	30～34歳	81.7	15.1	41.2	33.8	16.4	46.6	47.8	14.2	37.4
	35～39歳	74.7	5.2	36.6	24.6	5.1	47.9	50.1	5.3	31.1
	40～44歳	69.4	10.1	37.0	21.5	12.5	38.3	47.9	9.1	36.5
	45～49歳	57.4	8.7	37.0	22.9	13.7	36.6	34.5	5.3	37.3
	15-49歳計	431.0	11.6	42.8	176.7	12.1	47.8	254.3	11.2	39.3
	非求職無業者									
	20～24歳	13.9	11.5	28.0	8.9	8.7	35.6	5.0	16.3	14.6
	25～29歳	30.9	7.1	28.9	20.7	6.4	28.1	10.3	8.4	30.5
	30～34歳	26.0	2.9	24.1	19.4	2.5	24.8	6.6	4.1	22.0
	35～39歳	30.8	0.6	21.1	23.3	0.2	19.7	7.5	1.6	25.4
	40～44歳	31.5	1.2	14.0	27.1	1.1	12.6	4.4	1.9	22.6
	45～49歳	27.0	0.6	18.9	24.5	0.6	18.6	2.5	0.0	22.3
	15-49歳計	160.1	3.3	21.9	123.8	2.5	21.3	36.3	5.9	24.2
	就業状況計									
	20～24歳	1,137.4	53.2	42.4	554.4	51.2	40.5	583.1	55.1	44.1
	25～29歳	2,817.2	47.6	40.8	1,541.3	50.0	42.2	1,275.9	44.8	39.1
	30～34歳	2,848.8	40.9	37.2	1,646.0	46.9	42.0	1,202.8	32.8	30.6
	35～39歳	2,759.2	35.3	34.6	1,640.9	40.8	37.8	1,118.2	27.2	30.0
	40～44歳	2,765.9	34.3	32.5	1,767.9	38.3	33.3	998.0	27.3	31.2
	45～49歳	2,443.9	34.7	33.3	1,683.6	37.7	32.9	760.3	28.0	34.2
	15-49歳計	14,772.4	39.8	36.3	8,834.2	43.1	37.7	5,938.3	35.0	34.2

付表4－2　職業小分類別職業訓練・自己啓発の実施状況（15〜44歳、在学中を除く、実測値が30人未満の職業は除外）

①勤務先による訓練を受けた者が多い職業

順位		合計（実数）	勤務先が実施した訓練受講者（%）
1位	消防員	1,031	76.9
2位	小学校教員	1,897	73.0
3位	特別支援学校教員	338	72.5
4位	中学校教員	1,002	72.1
5位	理学療法士，作業療法士	1,351	71.0
6位	助産師	120	70.8
7位	幼稚園教員	839	68.3
8位	保健師	256	67.6
9位	視能訓練士，言語聴覚士	132	67.4
10位	高等学校教員	908	63.9
11位	発電員，変電員	204	63.7
12位	薬剤師	852	63.4
13位	金融・保険営業職業従事者	2,171	63.3
14位	医師	614	62.7
15位	車掌	111	62.2
16位	鉄道運転従事者	164	61.0
17位	農林水産・食品技術者	292	61.0
18位	臨床検査技師	354	60.7
19位	看護師（准看護師を含む）	6,325	60.0
20位	その他の社会福祉専門職業従事者	2,018	59.8
21位	その他の法人・団体役員	32	59.4
22位	保険代理・仲立人（ブローカー）	54	59.3
23位	診療放射線技師	253	58.5
24位	図書館司書，学芸員	132	58.3
25位	化学技術者	332	56.6

②自己啓発を実施した者が多い職業

順位		合計（実数）	自己啓発実施者（%）
1位	医師	614	72.3
2位	助産師	120	68.3
3位	理学療法士，作業療法士	1,351	66.7
4位	管理的公務員	30	66.7
5位	音楽家	62	66.1
6位	税理士	81	61.7
7位	歯科医師	155	60.6
8位	個人教師（音楽）	201	60.2
9位	視能訓練士，言語聴覚士	132	59.8
10位	その他の法人・団体役員	32	59.4
11位	臨床検査技師	354	59.3
12位	弁理士，司法書士	49	59.2
13位	診療放射線技師	253	58.9
14位	社会保険労務士	34	58.8
15位	薬剤師	852	57.7
16位	消防員	1,031	56.5
17位	特別支援学校教員	338	56.2
18位	大学教員	340	54.4
19位	小学校教員	1,897	54.2
20位	中学校教員	1,002	53.8
21位	保健師	256	53.5
22位	裁判官，検察官，弁護士	73	53.4
23位	あん摩マッサージ指圧師，はり師，きゅう師，柔道整復師	384	53.1
24位	図書館司書，学芸員	132	53.0
25位	高等学校教員	908	52.3

③公的助成付の自己啓発を実施した者が多い職業

順位		合計（実数）	公的助成付自己啓発実施者（%）
1位	管理的公務員	30	30.0
2位	医師	614	13.0
3位	特別支援学校教員	338	11.5
4位	小学校教員	1,897	11.0
5位	診療放射線技師	253	10.7
6位	視能訓練士，言語聴覚士	132	10.6
7位	臨床検査技師	354	10.5
8位	獣医師	68	10.3
9位	理学療法士，作業療法士	1,351	10.2
10位	助産師	120	10.0
11位	高等学校教員	908	9.8
12位	保健師	256	9.8
13位	看護師（准看護師を含む）	6,325	7.8
14位	消防員	1,031	7.8
15位	中学校教員	1,002	7.5
16位	幼稚園教員	839	6.9
17位	その他の社会福祉専門職業従事者	2,018	6.7
18位	車掌	111	6.3
19位	その他の経営・金融・保険専門職業従事者	144	6.3
20位	大学教員	340	6.2
21位	育林従事者	102	5.9
22位	薬剤師	852	5.9
23位	栄養士	828	5.6
24位	保育士	3,461	5.5
25位	伐木・造材・集材従事者	130	5.4

④職業訓練・自己啓発のいずれも実施しなかった者が多い職業

順位		合計（実数）	いずれも実施しなかった者（%）
1位	接客社交従事者	98	90.8
2位	包装従事者	1,042	87.0
3位	クリーニング職，洗張職	309	85.1
4位	荷造従事者	998	83.8
5位	ハウスクリーニング職	81	82.7
6位	印刷・製本検査従事者	46	82.6
7位	漁労従事者	232	82.3
8位	ゴム・プラスチック製品検査従事者	406	81.5
9位	水産養殖従事者	170	81.2
10位	倉庫作業従事者	866	79.7
11位	紡織・衣服・繊維製品製造従事者	1,123	79.6
12位	紡織・衣服・繊維製品検査従事者	140	79.3
13位	ビル・建物清掃員	1,298	79.3
14位	計量計測機器・光学機械器具検査従事者	104	78.8
15位	飲食物給仕・身の回り世話従事者	2,942	78.8
16位	データ・エントリー装置操作員	387	78.8
17位	配達員	2,314	78.6
18位	その他の運搬・清掃・包装等従事者	2,391	78.5
19位	自動車運転従事者	3,451	78.0
20位	分類不能の職業	5,330	77.1
21位	その他の外勤事務従事者	91	76.9
22位	広告宣伝員	99	76.8
23位	飲料・たばこ検査従事者	30	76.7
24位	陸上荷役・運搬従事者	853	76.4
25位	卸売店主・店長	55	76.4
25位	食料品製造従事者	4,875	76.3

付表4-3 正社員の職業小分類別職業訓練・自己啓発の実施状況（15～44歳、在学中を除く、実測値が30人未満の職業は除外）

①勤務先による訓練を受けた者が多い職業

順位		合計（実数）	勤務先が実施した訓練受講者（%）
1 位	助産師	95	78.9
2 位	消防員	1,028	76.8
3 位	中学校教員	801	76.0
4 位	小学校教員	1,604	74.9
5 位	幼稚園教員	629	73.9
6 位	特別支援学校教員	267	73.4
7 位	理学療法士, 作業療法士	1,278	72.2
8 位	保健師	201	71.6
9 位	薬剤師	658	69.9
10 位	高等学校教員	739	68.6
11 位	視能訓練士, 言語聴覚士	117	68.4
12 位	図書館司書, 学芸員	44	68.2
13 位	税理士	40	67.5
14 位	車掌	100	67.0
15 位	保育士	2,184	66.4
16 位	臨床検査技師	297	65.7
17 位	医師	513	64.9
18 位	看護師(准看護師を含む)	5,215	64.8
19 位	農林水産・食品技術者	271	64.6
20 位	金融・保険営業職業従事者	2,046	64.5
21 位	発電員, 変電員	203	63.5
22 位	その他の社会福祉専門職業従事者	1,645	62.2
23 位	鉄道運転従事者	162	61.1
24 位	診療放射線技師	241	60.6
25 位	化学技術者	317	58.0
25 位	個人教師(スポーツ)	181	58.0

②自己啓発を実施した者が多い職業

順位		合計（実数）	自己啓発実施者(%)
1 位	助産師	95	76.8
2 位	医師	513	72.3
3 位	図書館司書, 学芸員	44	70.5
4 位	理学療法士, 作業療法士	1,278	67.4
5 位	管理的公務員	30	66.7
6 位	視能訓練士, 言語聴覚士	117	63.2
7 位	臨床検査技師	297	62.3
8 位	薬剤師	658	60.2
9 位	診療放射線技師	241	60.2
10 位	税理士	40	60.0
11 位	歯科医師	80	57.5
12 位	特別支援学校教員	267	57.3
13 位	消防員	1,028	56.4
14 位	保健師	201	56.2
15 位	中学校教員	801	54.6
16 位	小学校教員	1,604	54.3
17 位	大学教員	268	52.6
18 位	高等学校教員	739	51.8
19 位	あん摩マッサージ指圧師, はり師, きゅう師, 柔道整復師	168	49.4
20 位	裁判官, 検察官, 弁護士	35	48.6
21 位	その他の保健医療従事者	459	47.5
22 位	その他の経営・金融・保険専門職業従事者	124	46.8
23 位	看護師(准看護師を含む)	5,215	46.6
24 位	宗教家	139	46.0
25 位	自然科学系研究者	231	45.5

③公的助成付の自己啓発を実施した者が多い職業

順位		合計（実数）	公的助成付自己啓発実施者（%）
1 位	管理的公務員	30	30.0
2 位	医師	513	13.8
3 位	助産師	95	12.6
4 位	獣医師	48	12.5
5 位	保健師	201	12.4
6 位	特別支援学校教員	267	12.4
7 位	視能訓練士, 言語聴覚士	117	12.0
8 位	小学校教員	1,604	11.5
9 位	臨床検査技師	297	11.1
10 位	診療放射線技師	241	10.8
11 位	理学療法士, 作業療法士	1,278	10.6
12 位	高等学校教員	739	10.3
13 位	看護師(准看護師を含む)	5,215	8.7
14 位	中学校教員	801	8.0
15 位	消防員	1,028	7.8
16 位	歯科医師	80	7.5
17 位	幼稚園教員	629	7.5
18 位	その他の保健医療従事者	459	7.2
19 位	個人教師(スポーツ)	181	7.2
20 位	車掌	100	7.0
21 位	大学教員	268	6.7
22 位	その他の社会福祉専門職業従事者	1,645	6.7
23 位	保育士	2,184	6.5
24 位	薬剤師	658	6.2
25 位	伐木・造材・集材従事者	99	6.1

④職業訓練・自己啓発のいずれも実施しなかった者が多い職業

順位		合計（実数）	いずれも実施しなかった者（%）
1 位	水産養殖従事者	89	82.0
2 位	包装従事者	243	81.9
3 位	漁労従事者	103	80.6
4 位	クリーニング職, 洗張職	101	78.2
5 位	自動車運転従事者	3,037	77.5
6 位	紡織・衣服・繊維製品製造従事者	708	76.0
7 位	荷造従事者	457	75.5
8 位	配達員	1,346	74.9
9 位	印刷・製本従事者	699	74.2
10 位	計量計測機器・光学機械器具検査従事者	65	73.8
11 位	ゴム・プラスチック製品検査従事者	230	73.5
12 位	木・紙製品製造従事者	1,026	73.3
13 位	紡織・衣服・繊維製品検査従事者	82	73.2
14 位	屋根ふき従事者	40	72.5
15 位	データ・エントリー装置操作員	116	72.4
16 位	倉庫作業従事者	468	72.2
17 位	船長・航海士・運航士(漁労船を除く), 水先人	32	71.9
18 位	廃棄物処理従事者	335	71.6
19 位	甲板員, 船舶技士・機関員	56	71.4
20 位	他に分類されない輸送従事者	289	71.3
21 位	とび職	418	71.1
22 位	鉄筋作業従事者	127	70.9
23 位	金属工作機械作業従事者	610	70.8
24 位	板金従事者	321	70.4
25 位	分類不能の職業	2,774	70.3

①勤務先による訓練を受けた者が多い職業

順位		合計(実数)	勤務先が実施した訓練受講者
1位	金融・保険営業職業従事者	31	48.4
2位	その他の社会福祉専門職業従事者	192	43.8
3位	薬剤師	149	42.3
4位	幼稚園教員	136	41.2
5位	理学療法士, 作業療法士	49	40.8
6位	栄養士	54	40.7
7位	訪問介護従事者	266	39.5
8位	小学校教員	31	38.7
9位	美容サービス従事者(美容師を除く)	168	38.7
10位	医師	26	38.5
11位	助産師	21	38.1
12位	個人教師(スポーツ)	125	36.8
13位	看護師(准看護師を含む)	982	35.5
14位	高等学校教員	20	35.0
15位	保育士	805	32.5
16位	美容師	323	31.0
17位	自動車整備・修理従事者	36	30.6
18位	他に分類されないサービス職業従事者	589	29.9
19位	介護職員(医療・福祉施設等)	1,320	29.8
20位	個人教師(他に分類されないもの)	48	29.2
21位	他に分類されない専門的職業従事者	33	27.3
22位	配管従事者	22	27.3
23位	歯科衛生士	256	27.0
24位	あん摩マッサージ指圧師, はり師, きゅう師, 柔道整復師	30	26.7
25位	ハウスクリーニング職	23	26.1

②自己啓発を実施した者が多い職業

順位		合計(実数)	自己啓発実施者(%)
1位	医師	26	65.4
2位	高等学校教員	20	60.0
3位	薬剤師	149	49.0
4位	個人教師(他に分類されないもの)	48	47.9
5位	理学療法士, 作業療法士	49	44.9
6位	臨床検査技師	32	40.6
7位	他に分類されない専門的職業従事者	33	39.4
8位	個人教師(スポーツ)	125	33.6
9位	その他の社会福祉専門職業従事者	192	33.3
10位	あん摩マッサージ指圧師, はり師, きゅう師, 柔道整復師	30	33.3
11位	美容サービス従事者(美容師を除く)	168	32.1
12位	幼稚園教員	136	30.1
13位	個人教師(学習指導)	103	30.1
14位	助産師	21	28.6
15位	看護師(准看護師を含む)	982	28.3
16位	デザイナー	54	27.8
17位	ソフトウェア作成者	29	27.6
18位	美容師	323	26.0
19位	他に分類されないサービス職業従事者	589	26.0
20位	その他の保健医療従事者	91	25.3
21位	自動車整備・修理従事者	36	25.0
22位	その他の事務用機器操作員	24	25.0
23位	栄養士	54	24.1
24位	歯科衛生士	256	23.8
25位	訪問介護従事者	266	23.3

③公的助成付の自己啓発を実施した者が多い職業

順位		合計(実数)	公的助成付自己啓発実施者(%)
1位	高等学校教員	20	15.0
2位	あん摩マッサージ指圧師, はり師, きゅう師, 柔道整復師	30	10.0
3位	金融・保険営業職業従事者	31	6.5
4位	その他の社会福祉専門職業従事者	192	6.3
5位	歯科衛生士	256	5.9
6位	薬剤師	149	5.4
7位	他に分類されないサービス職業従事者	589	4.6
8位	介護職員(医療・福祉施設等)	1320	4.5
9位	その他の電気工事従事者	23	4.3
10位	その他の事務用機器操作員	24	4.2
11位	訪問介護従事者	266	4.1
12位	自動車運転従事者	123	4.1
13位	その他の販売類似職業従事者	106	3.8
14位	栄養士	54	3.7
15位	デザイナー	54	3.7
16位	幼稚園教員	136	3.7
17位	美容サービス従事者(美容師を除く)	168	3.6
18位	化学製品検査従事者	29	3.4
19位	看護助手	150	3.3
20位	看護師(准看護師を含む)	982	3.3
21位	個人教師(スポーツ)	125	3.2
22位	その他の営業職業従事者	94	3.2
23位	その他の製品製造・加工処理従事者(金属製品を除く)	220	3.2
24位	臨床検査技師	32	3.1
25位	保育士	805	3.1

④職業訓練・自己啓発のいずれも実施しなかった者が多い職業

順位		合計(実数)	いずれも実施しなかった者(%)
1位	ゴム・プラスチック製品検査従事者	110	96.4
2位	飲料・たばこ製造従事者	24	95.8
3位	廃棄物処理従事者	21	95.2
4位	とび職	35	94.3
5位	紡織・衣服・繊維製品製造従事者	192	94.3
6位	自動車組立従事者	73	93.2
7位	金属製品検査従事者	68	92.6
8位	荷造従事者	352	92.6
9位	金属溶接・溶断従事者	27	92.6
10位	包装従事者	397	92.4
11位	電気機械器具検査従事者	104	92.3
12位	ゴム・プラスチック製品製造従事者	129	92.2
13位	その他の製品製造・加工処理従事者(金属製品)	94	91.5
14位	紡織・衣服・繊維製品検査従事者	44	90.9
15位	他に分類されない輸送従事者	22	90.9
16位	クリーニング職, 洗張職	141	90.8
17位	計量計測機器・光学機械器具組立従事者	42	90.5
18位	はん用・生産用・業務用機械器具組立従事者	103	90.3
19位	広告宣伝員	41	90.2
20位	生産関連事務従事者	276	90.2
21位	印刷・製本従事者	102	90.2
22位	はん用・生産用・業務用機械器具整備・修理従事者	20	90.0
23位	倉庫作業従事者	234	89.7
24位	自動車検査従事者	39	89.7
25位	化学製品検査従事者	29	89.7

付表4－5　産業小分類別勤務先による職業訓練の受講状況（15～44歳、在学中を除く、実測値が30人未満の職業は除外）

①全体（実測値で50人未満の産業は除外）

順位		合計（実数）	訓練受講者(%)
1 位	協同組織金融業	884	70.5
2 位	銀行業	1,641	69.7
3 位	学校教育（専修学校, 各種学校を除く）	7,225	60.9
4 位	病院	10,638	59.3
5 位	鉄道業	829	57.3
6 位	協同組合（他に分類されないもの）	1,502	56.9
7 位	電気業	639	54.5
8 位	その他の社会保険・社会福祉・介護事業	400	54.0
9 位	児童福祉事業	4,603	53.0
10 位	石油精製業	80	51.3
11 位	その他の技術サービス業	441	50.6
12 位	市町村機関	5,353	50.5
13 位	ガス業	123	50.4
14 位	障害者福祉事業	1,451	50.3
15 位	金融商品取引業, 商品先物取引業	203	49.8
16 位	職業・教育支援施設	150	49.3
17 位	保険業（保険媒介代理業, 保険サービス業を含む）	1,902	48.9
18 位	都道府県機関	2,361	48.9
19 位	鉄道車両・同部分品製造業	74	48.6
20 位	航空運輸業	110	48.2
21 位	老人福祉・介護事業（訪問介護事業を除く）	7,999	46.7
22 位	化学工業製品製造業	670	46.0
23 位	社会教育	439	45.8
24 位	保健所, 健康相談施設	347	45.2
25 位	石油・鉱物卸売業	140	45.0

②正規の職員・従業員（実測値で50人未満の産業は除外）

順位		合計（実数）	訓練受講者(%)
1 位	銀行業	1,393	77.1
2 位	協同組織金融業	822	73.2
3 位	学校教育（専修学校, 各種学校を除く）	5,157	68.7
4 位	児童福祉事業	2,713	63.5
5 位	病院	9,020	63.3
6 位	協同組合（他に分類されないもの）	1,290	62.2
7 位	職業・教育支援施設	100	61.0
8 位	社会教育	147	59.2
9 位	鉄道業	771	58.8
10 位	その他の社会保険・社会福祉・介護事業	238	58.0
11 位	その他の技術サービス業	371	58.0
12 位	障害者福祉事業	1,036	56.9
13 位	電気業	606	56.1
14 位	市町村機関	4,555	55.0
15 位	金融商品取引業, 商品先物取引業	179	54.2
16 位	学術・開発研究機関	458	54.1
17 位	保健所, 健康相談施設	215	54.0
18 位	ガス業	104	52.9
19 位	老人福祉・介護事業（訪問介護事業を除く）	5,873	52.6
20 位	石油精製業	77	51.9
21 位	美容業	728	51.6
22 位	保険業（保険媒介代理業, 保険サービス業を含む）	1,551	51.5
23 位	航空運輸業	99	51.5
24 位	都道府県機関	2,197	51.0
25 位	林業	262	50.8

③パート・アルバイト（実測値で50人未満の産業は除外）

順位		合計（実数）	訓練受講者(%)
1 位	その他の洗濯・理容・美容・浴場業	123	40.7
2 位	訪問介護事業	248	34.7
3 位	病院	1,004	34.4
4 位	社会教育	78	33.3
5 位	その他の社会保険・社会福祉・介護事業	69	33.3
6 位	協同組織金融業	30	33.3
7 位	教養・技能教授業	178	33.1
8 位	保険業（保険媒介代理業, 保険サービス業を含む）	100	32.0
9 位	興行場（別掲を除く）, 興行団	44	31.8
10 位	障害者福祉事業	264	31.4
11 位	児童福祉事業	1,218	30.7
12 位	学校教育（専修学校, 各種学校を除く）	747	28.8
13 位	美容業	397	28.7
14 位	非預金信用機関	32	28.1
15 位	老人福祉・介護事業（訪問介護事業を除く）	1,631	28.1
16 位	銀行業	166	27.1
17 位	その他の医療業	112	26.8
18 位	医薬品・化粧品小売業	1,021	26.2
19 位	協同組合（他に分類されないもの）	92	26.1
20 位	写真業	69	24.6
21 位	理容業	37	24.3
22 位	保健所, 健康相談施設	63	23.8
23 位	郵便局	133	22.6
24 位	学習塾	136	21.3
25 位	公認会計士事務所, 税理士事務所	88	20.5

付表4－6 キャリア類型・性別 能力開発実施状況（MA、在学中を除く）

①15～34歳　　　　　　　　　　　　　　　　　　　　　　　単位：％、太字は実数（千人）

		男性			女性		
		合計(千人)	勤務先が実施した訓練	自己啓発	合計(千人)	勤務先が実施した訓練	自己啓発
	合計	57.0	36.3	24.9	57.0	29.2	22.0
キャリア類型	正社員定着	26.9	49.3	31.7	19.0	50.5	30.4
	正社員転職	9.0	36.9	25.9	4.4	35.5	25.9
	正社員一時非典型	1.3	33.3	26.9	10.2	21.2	17.2
	他形態から正社員	3.7	35.7	25.8	5.8	20.1	17.8
	非典型中心	5.4	20.9	20.1	1.3	14.5	27.8
	正社員から非典型	2.1	22.3	21.7	11.4	4.9	12.8
	自営・手伝い	2.1	14.0	27.2	1.0	13.5	9.4
	無業	5.3	5.3	22.4	57.0	29.2	22.0
	無回答・経歴不詳	1.3	14.8	15.3	45.9	49.8	29.0

②35～44歳　　　　　　　　　　　　　　　　　　　　　　　単位：％、太字は実数（千人）

		男性			女性		
		合計(千人)	勤務先が実施した訓練	自己啓発	合計(千人)	勤務先が実施した訓練	自己啓発
	合計	8,735.4	31.3	24.7	8,517.9	20.2	19.2
キャリア類型	正社員定着	3,534.9	41.1	27.6	1,318.5	44.4	31.5
	正社員転職	2,239.7	33.9	25.2	723.5	33.1	28.2
	正社員一時非典型	299.5	28.9	21.7	357.5	31.2	26.7
	他形態から正社員	581.1	31.3	25.9	375.5	34.0	28.5
	非典型中心	379.1	15.8	17.7	1,401.6	16.5	15.7
	正社員から非典型	293.9	18.0	18.3	1,689.7	17.2	15.4
	自営・手伝い	603.8	14.1	29.4	338.6	14.4	31.4
	無業	547.1	3.5	15.2	2,118.6	2.8	9.9
	無回答・経歴不詳	256.2	15.5	9.4	194.4	12.9	10.0

付表4－7　キャリア類型・学歴別　能力開発実施状況（MA、在学中を除く）

①15～34歳

単位：％、太字は実数（千人）

	中学卒			高校卒			専門・短大・高専卒			大学・大学院卒		
	合計（千人）	勤務先が実施した訓練	自己啓発	合計（千人）	勤務先が実施した訓練	自己啓発	合計（千人）	勤務先が実施した訓練	自己啓発	合計（千人）	勤務先が実施した訓練	自己啓発
合計	883.8	12.5	11.0	5,528.4	24.0	15.5	4,053.8	34.6	26.6	6,803.5	45.8	39.6
正社員定着	100.7	20.7	10.1	1,800.3	40.2	16.8	1,544.8	52.3	33.5	3,873.0	56.6	42.6
正社員転職	53.8	26.3	13.6	559.7	28.6	15.9	492.4	38.2	28.3	878.9	44.4	38.8
正社員一時非典型	8.3	27.2	21.3	129.1	27.1	15.5	89.5	33.7	26.3	100.3	43.0	38.7
他形態から正社員	91.5	27.8	15.1	336.9	30.3	21.2	213.1	36.8	26.2	274.9	47.8	44.2
非典型中心	234.9	12.3	9.5	960.2	15.8	12.5	580.4	23.5	20.7	548.6	32.0	36.0
正社員から非典型	26.9	17.9	13.5	406.0	17.3	14.1	356.0	23.6	21.1	325.9	26.0	32.3
自営・手伝い	56.1	13.7	21.6	179.6	12.5	22.2	106.4	20.1	43.1	105.7	16.9	45.8
無業	279.0	1.8	9.0	1,016.8	3.6	13.7	592.0	6.8	15.6	599.0	9.1	28.5
無回答・経歴不詳	32.6	4.7	3.3	139.8	17.8	11.8	79.1	17.3	11.3	97.0	24.7	18.7

②35～44歳

単位：％、太字は実数（千人）

		中学卒			高校卒			専門・短大・高専卒			大学・大学院卒		
		合計（千人）	勤務先が実施した訓練	自己啓発	合計（千人）	勤務先が実施した訓練	自己啓発	合計（千人）	勤務先が実施した訓練	自己啓発	合計（千人）	勤務先が実施した訓練	自己啓発
	合計	840.4	13.6	9.9	5,628.0	19.9	13.4	5,050.7	25.2	21.5	5,525.1	34.8	33.6
キャリア類型	正社員定着	122.4	22.8	10.8	1,370.1	33.6	16.1	1,163.3	44.3	28.9	2,162.0	47.3	37.6
	正社員転職	89.8	22.6	12.1	915.6	27.8	15.5	749.5	34.9	25.9	1,196.1	38.6	35.2
	正社員一時非典型	21.3	21.7	6.6	261.7	24.3	16.4	212.2	33.7	27.0	159.0	36.4	36.6
	他形態から正社員	71.7	23.9	14.5	308.8	26.7	18.7	233.1	31.0	26.1	334.9	40.7	38.2
	非典型中心	149.4	13.2	7.5	631.0	11.3	10.0	618.8	18.7	16.7	349.8	23.2	30.2
	正社員から非典型	44.4	11.3	11.2	751.5	14.4	9.7	797.9	18.6	16.8	380.6	21.3	26.4
	自営・手伝い	92.3	12.2	21.2	335.3	11.6	20.4	277.3	15.5	33.8	222.3	17.4	45.2
	無業	213.5	1.6	4.4	890.7	2.5	8.4	879.0	3.2	10.5	631.2	3.8	18.1
	無回答・経歴不詳	35.6	13.8	6.0	163.3	11.0	6.7	119.6	15.9	12.8	89.3	22.6	15.3

都道府県別集計表

表1 有業・無業の状況（15-34歳、在学中は除く）

①男女計-1

単位:%、太字は実数(百人)

	合計（百人）	正社員(役員含む)	パート・アルバイト	その他の非典型雇用	その他有業	求職者	非求職無業者	その他無業
北海道	**6,727**	**3,734**	**966**	**570**	**271**	**349**	**266**	**571**
	100.0%	55.5%	14.4%	8.5%	4.0%	5.2%	4.0%	8.5%
青森県	**1,508**	**908**	**210**	**122**	**50**	**80**	**52**	**86**
	100.0%	60.2%	13.9%	8.1%	3.3%	5.3%	3.4%	5.7%
岩手県	**1,502**	**938**	**176**	**149**	**55**	**69**	**49**	**67**
	100.0%	62.4%	11.7%	9.9%	3.7%	4.6%	3.2%	4.4%
宮城県	**3382**	**2131**	**417**	**315**	**62**	**119**	**125**	**212**
	100.0%	63.0%	12.3%	9.3%	1.8%	3.5%	3.7%	6.3%
秋田県	**1,028**	**676**	**120**	**85**	**28**	**42**	**38**	**40**
	100.0%	65.8%	11.6%	8.2%	2.7%	4.1%	3.7%	3.9%
山形県	**1,316**	**889**	**141**	**107**	**39**	**52**	**33**	**56**
	100.0%	67.6%	10.7%	8.1%	2.9%	3.9%	2.5%	4.2%
福島県	**2433**	**1538**	**266**	**202**	**64**	**119**	**68**	**177**
	100.0%	63.2%	10.9%	8.3%	2.6%	4.9%	2.8%	7.3%
茨城県	**3,901**	**2,391**	**515**	**308**	**98**	**172**	**141**	**276**
	100.0%	61.3%	13.2%	7.9%	2.5%	4.4%	3.6%	7.1%
栃木県	**2,687**	**1,585**	**354**	**246**	**64**	**136**	**108**	**196**
	100.0%	59.0%	13.2%	9.2%	2.4%	5.1%	4.0%	7.3%
群馬県	**2,578**	**1,520**	**360**	**245**	**91**	**124**	**83**	**155**
	100.0%	59.0%	14.0%	9.5%	3.5%	4.8%	3.2%	6.0%
埼玉県	**10,335**	**6,318**	**1,433**	**813**	**272**	**453**	**279**	**766**
	100.0%	61.1%	13.9%	7.9%	2.6%	4.4%	2.7%	7.4%
千葉県	**8,664**	**5,335**	**1,122**	**672**	**241**	**410**	**270**	**615**
	100.0%	61.6%	12.9%	7.8%	2.8%	4.7%	3.1%	7.1%
東京都	**23043**	**15362**	**2355**	**1861**	**652**	**773**	**660**	**1381**
	100.0%	66.7%	10.2%	8.1%	2.8%	3.4%	2.9%	6.0%
神奈川県	**13,213**	**8,229**	**1,694**	**1,105**	**268**	**554**	**384**	**977**
	100.0%	62.3%	12.8%	8.4%	2.0%	4.2%	2.9%	7.4%
新潟県	**2,762**	**1,744**	**358**	**223**	**77**	**125**	**81**	**154**
	100.0%	63.1%	13.0%	8.1%	2.8%	4.5%	2.9%	5.6%
富山県	**1305**	**925**	**125**	**84**	**29**	**46**	**46**	**50**
	100.0%	70.9%	9.6%	6.4%	2.2%	3.6%	3.5%	3.8%
石川県	**1,488**	**1,010**	**159**	**115**	**35**	**55**	**44**	**69**
	100.0%	67.9%	10.7%	7.7%	2.4%	3.7%	3.0%	4.7%
福井県	**1,019**	**702**	**115**	**85**	**27**	**31**	**19**	**40**
	100.0%	69.0%	11.3%	8.3%	2.6%	3.0%	1.9%	3.9%
山梨県	**1,013**	**611**	**137**	**95**	**31**	**44**	**36**	**58**
	100.0%	60.3%	13.5%	9.4%	3.1%	4.4%	3.6%	5.7%
長野県	**2,454**	**1,517**	**318**	**205**	**76**	**90**	**76**	**173**
	100.0%	61.8%	13.0%	8.3%	3.1%	3.7%	3.1%	7.0%
岐阜県	**2,547**	**1,615**	**309**	**175**	**92**	**113**	**64**	**178**
	100.0%	63.4%	12.1%	6.9%	3.6%	4.4%	2.5%	7.0%
静岡県	**4884**	**3082**	**595**	**380**	**111**	**200**	**165**	**352**
	100.0%	63.1%	12.2%	7.8%	2.3%	4.1%	3.4%	7.2%
愛知県	**11,747**	**7,593**	**1,358**	**942**	**224**	**560**	**259**	**812**
	100.0%	64.6%	11.6%	8.0%	1.9%	4.8%	2.2%	6.9%
三重県	**2,422**	**1,513**	**322**	**201**	**55**	**89**	**64**	**177**
	100.0%	62.5%	13.3%	8.3%	2.3%	3.7%	2.7%	7.3%

単位:%、太字は実数(百人)

	合計(百人)	正社員(役員含む)	パート・アルバイト	その他の非典型雇用	その他有業	求職者	非求職無業者	その他無業
滋賀県	2005	1242	228	188	77	78	53	140
	100.0%	61.9%	11.4%	9.4%	3.8%	3.9%	2.6%	7.0%
京都府	3,346	1,969	536	273	118	153	65	231
	100.0%	58.9%	16.0%	8.2%	3.5%	4.6%	2.0%	6.9%
大阪府	12,546	7,355	1,743	895	407	675	442	1,028
	100.0%	58.6%	13.9%	7.1%	3.2%	5.4%	3.5%	8.2%
兵庫県	6,983	4,258	810	585	203	382	197	547
	100.0%	61.0%	11.6%	8.4%	2.9%	5.5%	2.8%	7.8%
奈良県	1,616	926	247	126	42	75	60	140
	100.0%	57.3%	15.3%	7.8%	2.6%	4.7%	3.7%	8.7%
和歌山県	1,148	662	161	79	45	63	43	96
	100.0%	57.6%	14.0%	6.8%	3.9%	5.5%	3.8%	8.4%
鳥取県	698	433	89	58	24	28	26	40
	100.0%	62.1%	12.7%	8.3%	3.5%	4.0%	3.7%	5.7%
島根県	796	513	99	73	25	28	24	34
	100.0%	64.4%	12.4%	9.2%	3.2%	3.5%	3.0%	4.2%
岡山県	2,577	1,659	312	179	71	95	67	193
	100.0%	64.4%	12.1%	7.0%	2.8%	3.7%	2.6%	7.5%
広島県	3798	2353	529	267	80	180	100	288
	100.0%	62.0%	13.9%	7.0%	2.1%	4.8%	2.6%	7.6%
山口県	1,623	1,019	199	100	42	68	59	136
	100.0%	62.8%	12.2%	6.2%	2.6%	4.2%	3.6%	8.4%
徳島県	867	534	92	73	34	49	33	52
	100.0%	61.7%	10.6%	8.5%	3.9%	5.6%	3.8%	5.9%
香川県	1,223	790	157	64	33	53	35	91
	100.0%	64.6%	12.8%	5.2%	2.7%	4.3%	2.8%	7.4%
愛媛県	1,640	1,007	223	104	62	57	60	127
	100.0%	61.4%	13.6%	6.3%	3.8%	3.5%	3.7%	7.8%
高知県	777	455	100	76	39	40	26	40
	100.0%	58.6%	12.9%	9.8%	5.1%	5.1%	3.4%	5.1%
福岡県	7079	4064	926	632	191	399	267	600
	100.0%	57.4%	13.1%	8.9%	2.7%	5.6%	3.8%	8.5%
佐賀県	1,077	699	132	74	41	49	28	55
	100.0%	64.9%	12.2%	6.8%	3.8%	4.6%	2.6%	5.1%
長崎県	1,605	1,018	213	125	41	72	42	95
	100.0%	63.4%	13.3%	7.8%	2.6%	4.5%	2.6%	5.9%
熊本県	2239	1346	319	193	81	96	68	136
	100.0%	60.1%	14.2%	8.6%	3.6%	4.3%	3.0%	6.1%
大分県	1,447	919	173	109	41	64	49	92
	100.0%	63.5%	12.0%	7.5%	2.9%	4.4%	3.4%	6.4%
宮崎県	1,292	776	179	121	47	66	33	69
	100.0%	60.1%	13.9%	9.4%	3.6%	5.1%	2.5%	5.4%
鹿児島県	1,991	1,195	281	145	70	91	79	129
	100.0%	60.0%	14.1%	7.3%	3.5%	4.6%	4.0%	6.5%
沖縄県	2,188	1,052	348	351	78	125	90	144
	100.0%	48.1%	15.9%	16.1%	3.6%	5.7%	4.1%	6.6%
合計	174,519	108,111	22,018	14,195	4,907	7,794	5,353	12,140
	100.0%	61.9%	12.6%	8.1%	2.8%	4.5%	3.1%	7.0%

注:「その他の非典型雇用」は、勤め先での呼称が、「労働者派遣事業所の派遣社員」、「契約社員」、「嘱託」、「その他」であって、「正規の職員・従業員」ではない者。
・「求職者」は、ふだん無業で就業を希望し実際に求職活動や開業の準備をしている者で,在学中の者を除く。
・「非求職無業者」は、無業者のうち求職活動をしていない者で、<u>卒業者</u>かつ通学していず、配偶者なしで家事をおこなっていない者であり、総務省統計局が公表している「若年無業者」の定義「家事も通学もしていない無業者」とは異なる。

単位:%、太字は実数(百人)

	合計(百人)	正社員(役員含む)	パート・アルバイト	その他の非典型雇用	その他有業	求職者	非求職無業者	その他無業
北海道	**3,264**	**2,220**	**247**	**206**	**191**	**157**	**178**	**65**
	100.0%	68.0%	7.6%	6.3%	5.8%	4.8%	5.5%	2.0%
青森県	**755**	**541**	**56**	**46**	**32**	**36**	**37**	**7**
	100.0%	71.6%	7.4%	6.1%	4.3%	4.8%	4.9%	1.0%
岩手県	**783**	**575**	**45**	**67**	**33**	**28**	**31**	**4**
	100.0%	73.4%	5.8%	8.6%	4.2%	3.5%	3.9%	0.5%
宮城県	**1710**	**1294**	**113**	**122**	**34**	**56**	**70**	**21**
	100.0%	75.7%	6.6%	7.1%	2.0%	3.3%	4.1%	1.2%
秋田県	**527**	**402**	**31**	**33**	**18**	**16**	**24**	**3**
	100.0%	76.3%	5.9%	6.3%	3.4%	3.0%	4.5%	0.5%
山形県	**686**	**536**	**34**	**47**	**23**	**21**	**19**	**6**
	100.0%	78.2%	4.9%	6.9%	3.3%	3.1%	2.7%	0.8%
福島県	**1302**	**994**	**65**	**86**	**41**	**52**	**42**	**22**
	100.0%	76.3%	5.0%	6.6%	3.1%	4.0%	3.2%	1.7%
茨城県	**2,101**	**1,571**	**137**	**150**	**62**	**74**	**81**	**24**
	100.0%	74.8%	6.5%	7.2%	3.0%	3.5%	3.9%	1.1%
栃木県	**1,424**	**1,007**	**77**	**143**	**43**	**70**	**66**	**18**
	100.0%	70.7%	5.4%	10.0%	3.0%	4.9%	4.6%	1.2%
群馬県	**1,362**	**959**	**83**	**147**	**47**	**60**	**53**	**13**
	100.0%	70.5%	6.1%	10.8%	3.4%	4.4%	3.9%	0.9%
埼玉県	**5,267**	**3,871**	**454**	**351**	**171**	**182**	**175**	**63**
	100.0%	73.5%	8.6%	6.7%	3.2%	3.5%	3.3%	1.2%
千葉県	**4,382**	**3,206**	**314**	**284**	**149**	**176**	**174**	**79**
	100.0%	73.2%	7.2%	6.5%	3.4%	4.0%	4.0%	1.8%
東京都	**11489**	**8700**	**847**	**711**	**321**	**336**	**420**	**152**
	100.0%	75.7%	7.4%	6.2%	2.8%	2.9%	3.7%	1.3%
神奈川県	**6,837**	**5,111**	**579**	**469**	**168**	**168**	**240**	**103**
	100.0%	74.8%	8.5%	6.9%	2.5%	2.5%	3.5%	1.5%
新潟県	**1,422**	**1,067**	**77**	**97**	**46**	**62**	**57**	**17**
	100.0%	75.0%	5.4%	6.8%	3.2%	4.4%	4.0%	1.2%
富山県	**695**	**558**	**29**	**34**	**18**	**21**	**30**	**4**
	100.0%	80.3%	4.2%	5.0%	2.6%	3.0%	4.3%	0.5%
石川県	**765**	**595**	**42**	**47**	**24**	**23**	**29**	**5**
	100.0%	77.8%	5.5%	6.2%	3.1%	3.0%	3.8%	0.6%
福井県	**528**	**428**	**29**	**34**	**14**	**10**	**10**	**3**
	100.0%	81.1%	5.6%	6.5%	2.6%	1.9%	1.8%	0.6%
山梨県	**521**	**381**	**29**	**40**	**20**	**20**	**26**	**3**
	100.0%	73.3%	5.7%	7.6%	3.9%	3.9%	5.0%	0.7%
長野県	**1,282**	**950**	**76**	**99**	**49**	**32**	**55**	**22**
	100.0%	74.1%	5.9%	7.7%	3.8%	2.5%	4.3%	1.7%
岐阜県	**1,294**	**994**	**68**	**74**	**59**	**46**	**38**	**16**
	100.0%	76.8%	5.2%	5.8%	4.5%	3.5%	2.9%	1.2%
静岡県	**2551**	**1920**	**150**	**190**	**61**	**90**	**110**	**30**
	100.0%	75.3%	5.9%	7.5%	2.4%	3.5%	4.3%	1.2%
愛知県	**6,237**	**4,912**	**319**	**440**	**150**	**187**	**165**	**64**
	100.0%	78.8%	5.1%	7.0%	2.4%	3.0%	2.6%	1.0%
三重県	**1,272**	**971**	**81**	**88**	**31**	**40**	**43**	**19**
	100.0%	76.3%	6.3%	6.9%	2.4%	3.2%	3.4%	1.5%

単位:%、太字は実数(百人)

	合計(百人)	正社員(役員含む)	パート・アルバイト	その他の非典型雇用	その他有業	求職者	非求職無業者	その他無業
滋賀県	1039	769	48	90	60	30	35	9
	100.0%	73.9%	4.6%	8.6%	5.8%	2.8%	3.3%	0.9%
京都府	1,630	1,157	153	140	66	53	37	24
	100.0%	71.0%	9.4%	8.6%	4.0%	3.2%	2.3%	1.5%
大阪府	6,139	4,326	539	386	275	259	248	107
	100.0%	70.5%	8.8%	6.3%	4.5%	4.2%	4.0%	1.7%
兵庫県	3,437	2,498	205	251	137	165	125	56
	100.0%	72.7%	6.0%	7.3%	4.0%	4.8%	3.6%	1.6%
奈良県	772	545	65	55	22	34	35	17
	100.0%	70.6%	8.4%	7.2%	2.8%	4.4%	4.5%	2.2%
和歌山県	568	389	46	36	28	27	25	16
	100.0%	68.6%	8.0%	6.3%	5.0%	4.8%	4.5%	2.9%
鳥取県	353	253	22	23	15	13	18	8
	100.0%	71.7%	6.2%	6.6%	4.3%	3.6%	5.1%	2.4%
島根県	405	311	22	27	16	8	17	3
	100.0%	76.7%	5.4%	6.8%	4.0%	2.0%	4.3%	0.8%
岡山県	1,290	1,005	71	74	33	53	39	16
	100.0%	77.9%	5.5%	5.7%	2.5%	4.1%	3.0%	1.2%
広島県	1940	1515	122	109	52	63	65	14
	100.0%	78.1%	6.3%	5.6%	2.7%	3.3%	3.3%	0.7%
山口県	830	640	49	37	29	29	36	9
	100.0%	77.1%	5.9%	4.4%	3.5%	3.5%	4.4%	1.1%
徳島県	443	311	28	32	25	25	20	2
	100.0%	70.2%	6.3%	7.2%	5.7%	5.6%	4.6%	0.5%
香川県	636	495	42	28	24	20	18	8
	100.0%	77.8%	6.7%	4.5%	3.8%	3.2%	2.9%	1.3%
愛媛県	834	634	58	43	36	23	35	5
	100.0%	76.0%	7.0%	5.2%	4.3%	2.8%	4.1%	0.6%
高知県	390	258	29	37	24	18	18	7
	100.0%	66.0%	7.3%	9.4%	6.1%	4.6%	4.7%	1.8%
福岡県	3421	2370	263	255	143	176	159	55
	100.0%	69.3%	7.7%	7.5%	4.2%	5.1%	4.7%	1.6%
佐賀県	533	404	32	29	23	22	18	4
	100.0%	75.9%	6.0%	5.4%	4.4%	4.1%	3.5%	0.7%
長崎県	799	598	52	58	24	35	23	8
	100.0%	74.9%	6.6%	7.3%	3.1%	4.4%	2.8%	1.0%
熊本県	1081	765	83	87	54	44	32	17
	100.0%	70.8%	7.6%	8.0%	5.0%	4.1%	3.0%	1.6%
大分県	733	559	39	43	33	21	32	6
	100.0%	76.3%	5.3%	5.8%	4.4%	2.9%	4.4%	0.9%
宮崎県	631	458	37	54	29	23	20	9
	100.0%	72.7%	5.9%	8.6%	4.6%	3.6%	3.2%	1.4%
鹿児島県	952	682	72	57	42	39	50	11
	100.0%	71.6%	7.5%	6.0%	4.4%	4.1%	5.2%	1.1%
沖縄県	1,112	662	126	144	53	59	52	16
	100.0%	59.5%	11.3%	13.0%	4.8%	5.3%	4.6%	1.4%
合計	88,422	65,367	6,184	6,103	3,047	3,201	3,331	1,188
	100.0%	73.9%	7.0%	6.9%	3.4%	3.6%	3.8%	1.3%

注：「その他の非典型雇用」は、勤め先での呼称が、「労働者派遣事業所の派遣社員」、「契約社員」、「嘱託」、「その他」であって、「正規の職員・従業員」ではない者。

・「求職者」は、ふだん無業で就業を希望し実際に求職活動や開業の準備をしている者で,在学中の者を除く。

・「非求職無業者」は、無業者のうち求職活動をしていない者で、卒業者かつ通学していず、配偶者なしで家事をおこなっていない者であり、総務省統計局が公表している「若年無業者」の定義「家事も通学もしていない無業者」とは異なる。

③女性-1

	合計(百人)	正社員(役員含む)	パート・アルバイト	その他の非典型雇用	その他有業	求職者	非求職無業者	その他無業
北海道	3,463	1,514	720	364	80	192	88	506
	100.0%	43.7%	20.8%	10.5%	2.3%	5.6%	2.5%	14.6%
青森県	753	368	155	76	17	44	15	79
	100.0%	48.8%	20.5%	10.1%	2.3%	5.8%	2.0%	10.5%
岩手県	719	363	131	82	22	42	18	62
	100.0%	50.5%	18.2%	11.4%	3.0%	5.8%	2.5%	8.7%
宮城県	1672	837	304	193	28	63	55	191
	100.0%	50.1%	18.2%	11.6%	1.7%	3.8%	3.3%	11.4%
秋田県	501	274	88	51	10	26	14	37
	100.0%	54.6%	17.7%	10.3%	2.0%	5.2%	2.8%	7.5%
山形県	630	353	107	59	16	30	14	50
	100.0%	56.0%	17.0%	9.4%	2.5%	4.8%	2.2%	8.0%
福島県	1131	544	201	116	23	67	26	155
	100.0%	48.1%	17.7%	10.3%	2.0%	5.9%	2.3%	13.7%
茨城県	1,801	820	377	157	36	98	60	253
	100.0%	45.5%	21.0%	8.7%	2.0%	5.4%	3.3%	14.0%
栃木県	1,264	578	276	103	21	66	42	178
	100.0%	45.7%	21.9%	8.2%	1.6%	5.2%	3.3%	14.1%
群馬県	1,216	561	277	98	45	64	29	142
	100.0%	46.2%	22.8%	8.0%	3.7%	5.3%	2.4%	11.7%
埼玉県	5,068	2,447	979	462	101	271	104	704
	100.0%	48.3%	19.3%	9.1%	2.0%	5.3%	2.0%	13.9%
千葉県	4,282	2,128	808	388	92	234	96	536
	100.0%	49.7%	18.9%	9.1%	2.2%	5.5%	2.2%	12.5%
東京都	11554	6662	1508	1149	330	436	239	1228
	100.0%	57.7%	13.0%	9.9%	2.9%	3.8%	2.1%	10.6%
神奈川県	6,375	3,118	1,116	636	100	386	144	875
	100.0%	48.9%	17.5%	10.0%	1.6%	6.1%	2.3%	13.7%
新潟県	1,340	677	281	126	32	63	24	137
	100.0%	50.6%	21.0%	9.4%	2.4%	4.7%	1.8%	10.2%
富山県	610	367	96	50	11	25	16	46
	100.0%	60.1%	15.7%	8.1%	1.8%	4.2%	2.6%	7.6%
石川県	723	415	117	68	12	32	15	65
	100.0%	57.4%	16.1%	9.4%	1.6%	4.4%	2.1%	9.0%
福井県	491	274	86	51	13	21	10	36
	100.0%	55.9%	17.5%	10.3%	2.7%	4.2%	2.0%	7.4%
山梨県	492	230	107	56	11	24	10	55
	100.0%	46.7%	21.7%	11.3%	2.2%	4.9%	2.1%	11.1%
長野県	1,172	567	242	106	27	59	21	150
	100.0%	48.4%	20.7%	9.0%	2.3%	5.0%	1.8%	12.8%
岐阜県	1,253	622	241	100	34	67	26	163
	100.0%	49.6%	19.3%	8.0%	2.7%	5.4%	2.0%	13.0%
静岡県	2333	1161	446	189	50	110	55	322
	100.0%	49.8%	19.1%	8.1%	2.1%	4.7%	2.4%	13.8%
愛知県	5,510	2,681	1,039	502	74	373	94	748
	100.0%	48.7%	18.8%	9.1%	1.3%	6.8%	1.7%	13.6%
三重県	1,150	542	242	113	25	49	21	158
	100.0%	47.1%	21.0%	9.8%	2.1%	4.3%	1.8%	13.8%

単位:%、太字は実数(百人)

	合計(百人)	正社員(役員含む)	パート・アルバイト	その他の非典型雇用	その他有業	求職者	非求職無業者	その他無業
滋賀県	966	473	180	99	17	48	18	130
	100.0%	49.0%	18.6%	10.2%	1.8%	5.0%	1.9%	13.5%
京都府	1,716	812	384	133	52	100	28	207
	100.0%	47.3%	22.4%	7.7%	3.0%	5.8%	1.6%	12.1%
大阪府	6,407	3,029	1,205	509	132	417	195	921
	100.0%	47.3%	18.8%	7.9%	2.1%	6.5%	3.0%	14.4%
兵庫県	3,546	1,759	605	334	67	217	71	491
	100.0%	49.6%	17.1%	9.4%	1.9%	6.1%	2.0%	13.9%
奈良県	844	381	183	71	20	41	25	123
	100.0%	45.1%	21.6%	8.4%	2.4%	4.9%	3.0%	14.6%
和歌山県	581	272	115	43	17	36	18	80
	100.0%	46.9%	19.8%	7.4%	2.9%	6.2%	3.1%	13.7%
鳥取県	345	180	67	34	9	15	7	32
	100.0%	52.2%	19.4%	10.0%	2.6%	4.5%	2.1%	9.1%
島根県	391	202	77	46	9	20	6	30
	100.0%	51.7%	19.7%	11.7%	2.3%	5.2%	1.7%	7.7%
岡山県	1,287	654	241	105	39	42	28	178
	100.0%	50.8%	18.8%	8.2%	3.0%	3.2%	2.2%	13.8%
広島県	1859	839	407	159	28	117	36	274
	100.0%	45.1%	21.9%	8.5%	1.5%	6.3%	1.9%	14.7%
山口県	794	380	149	63	12	39	23	127
	100.0%	47.9%	18.8%	8.0%	1.6%	4.9%	2.9%	16.0%
徳島県	424	223	64	41	9	24	13	50
	100.0%	52.7%	15.1%	9.7%	2.1%	5.6%	3.1%	11.7%
香川県	587	295	115	36	9	32	16	83
	100.0%	50.3%	19.5%	6.1%	1.6%	5.5%	2.8%	14.1%
愛媛県	807	373	165	61	26	34	26	123
	100.0%	46.2%	20.4%	7.6%	3.3%	4.2%	3.2%	15.2%
高知県	386	197	72	39	16	22	8	33
	100.0%	51.1%	18.6%	10.2%	4.1%	5.6%	2.1%	8.4%
福岡県	3658	1693	663	377	48	223	108	545
	100.0%	46.3%	18.1%	10.3%	1.3%	6.1%	3.0%	14.9%
佐賀県	544	295	99	45	18	27	10	51
	100.0%	54.1%	18.3%	8.2%	3.3%	5.0%	1.8%	9.4%
長崎県	806	419	160	67	17	37	19	87
	100.0%	52.0%	19.9%	8.3%	2.1%	4.6%	2.4%	10.8%
熊本県	1158	581	236	106	28	53	36	119
	100.0%	50.1%	20.4%	9.2%	2.4%	4.5%	3.1%	10.3%
大分県	714	360	134	66	9	43	17	86
	100.0%	50.4%	18.8%	9.3%	1.2%	6.0%	2.4%	12.0%
宮崎県	661	318	142	67	18	44	13	60
	100.0%	48.1%	21.5%	10.1%	2.7%	6.6%	1.9%	9.1%
鹿児島県	1,039	513	209	88	29	52	30	119
	100.0%	49.4%	20.2%	8.4%	2.8%	5.0%	2.8%	11.4%
沖縄県	1,077	391	222	207	25	66	38	128
	100.0%	36.3%	20.6%	19.2%	2.3%	6.2%	3.6%	11.9%
合計	86,097	42,743	15,835	8,092	1,860	4,593	2,022	10,951
	100.0%	49.6%	18.4%	9.4%	2.2%	5.3%	2.3%	12.7%

注：・「その他の非典型雇用」は、勤め先での呼称が、「労働者派遣事業所の派遣社員」、「契約社員」、「嘱託」、「その他」であって、「正規の職員・従業員」ではない者。

・「求職者」は、ふだん無業で就業を希望し実際に求職活動や開業の準備をしている者で, 在学中の者を除く。

・「非求職無業者」は、無業者のうち求職活動をしていない者で、卒業者かつ通学していず、配偶者なしで家事をおこなっていない者であり、総務省統計局が公表している「若年無業者」の定義「家事も通学もしていない無業者」とは異なる。

表2　年齢階層別有業・無業の状況（15-54歳、在学中は除く）

①男性-1

単位：%、太字は実数（百人）

	15～19歳					20～24歳				
	合計（百人）	正社員(役員含む)	非典型雇用	求職者	非求職無業者	合計（百人）	正社員(役員含む)	非典型雇用	求職者	非求職無業者
北海道	152	46.6	15.3	12.2	14.7	642	62.3	20.8	5.7	5.7
青森県	36	56.6	16.2	4.4	13.0	174	68.8	17.3	6.2	3.9
岩手県	37	65.9	4.4	9.1	17.2	177	69.5	17.3	4.8	4.5
宮城県	65	62.9	14.1	7.1	10.2	395	76.0	12.5	4.7	4.3
秋田県	18	66.7	14.3	2.8	10.1	112	73.1	14.1	5.4	5.1
山形県	35	72.0	10.7	5.4	4.4	148	74.4	15.8	3.6	2.5
福島県	60	64.0	11.2	6.2	9.1	300	74.8	12.7	6.6	4.0
茨城県	87	58.6	15.9	5.6	11.0	481	68.8	18.2	5.7	5.7
栃木県	62	51.0	25.6	8.3	8.4	310	65.7	21.0	6.3	4.1
群馬県	53	56.0	16.7	7.5	15.7	318	69.2	16.8	5.4	6.3
埼玉県	144	32.4	20.4	4.6	21.6	1,131	66.5	21.1	5.1	5.8
千葉県	129	39.6	22.0	7.9	16.6	913	67.7	18.3	4.5	4.1
東京都	204	41.8	9.4	5.6	21.2	2,051	68.2	18.5	6.6	3.9
神奈川県	242	48.3	16.2	7.1	16.6	1,361	67.2	21.7	3.0	5.3
新潟県	45	49.1	23.2	2.4	13.6	309	71.4	15.7	5.4	5.2
富山県	34	77.8	9.7	1.7	6.2	158	77.8	13.8	3.5	2.7
石川県	25	56.6	17.5	0.0	15.3	176	73.3	13.6	6.1	4.6
福井県	29	71.2	21.0	4.9	1.3	116	80.1	13.9	2.0	2.3
山梨県	22	51.2	18.1	11.8	14.5	114	69.3	16.7	5.9	5.8
長野県	58	52.4	15.2	4.8	9.8	280	70.2	18.5	4.0	3.2
岐阜県	48	53.4	15.9	5.1	10.7	289	73.3	13.5	3.7	4.6
静岡県	110	51.9	21.1	4.2	13.8	551	67.1	19.1	4.0	6.9
愛知県	274	53.3	23.1	1.4	13.2	1,374	73.0	18.1	3.6	2.3
三重県	67	63.2	8.7	3.7	14.4	299	74.4	14.2	4.1	3.2
滋賀県	37	58.5	10.3	5.3	13.2	227	68.5	18.9	2.5	3.7
京都府	46	44.8	16.5	0.0	15.9	301	60.8	27.1	4.0	4.1
大阪府	228	31.7	16.7	11.8	17.1	1,288	62.0	23.0	4.5	5.9
兵庫県	118	38.1	29.7	2.3	19.0	730	68.6	18.0	5.7	4.4
奈良県	24	58.9	8.1	2.0	10.6	160	59.9	23.9	6.3	6.9
和歌山県	31	44.9	18.2	8.6	10.4	126	65.5	20.1	4.1	4.5
鳥取県	17	47.8	14.8	6.8	7.7	72	73.7	12.2	5.1	6.4
島根県	17	68.5	11.3	0.0	4.8	90	71.5	17.9	3.4	4.2
岡山県	48	68.4	13.1	9.6	5.4	303	75.9	12.0	5.0	4.3
広島県	73	58.3	17.7	9.2	7.1	415	76.2	13.5	3.4	5.9
山口県	42	59.3	14.6	7.0	8.7	180	79.7	9.6	4.0	4.3
徳島県	14	62.2	8.7	2.8	13.3	91	66.5	19.3	6.9	5.7
香川県	32	51.6	26.3	4.9	7.1	146	82.4	9.0	5.6	0.7
愛媛県	35	52.1	33.5	0.0	12.3	185	70.2	15.6	5.5	4.1
高知県	18	26.8	19.6	10.3	31.2	81	66.4	21.9	3.5	4.2
福岡県	134	63.1	14.8	4.5	13.6	718	63.5	20.7	7.3	4.3
佐賀県	26	64.4	18.5	6.0	5.8	122	76.0	10.5	7.1	2.2
長崎県	41	54.3	20.5	6.6	8.9	178	75.5	15.3	4.4	3.5
熊本県	38	52.0	22.3	3.9	10.0	230	65.2	20.2	6.3	5.4
大分県	35	69.5	11.0	2.0	16.1	171	74.7	13.9	3.2	4.2
宮崎県	34	57.3	26.1	0.0	8.7	136	63.7	23.9	3.6	5.1
鹿児島県	29	51.6	17.9	9.0	14.3	216	63.5	17.6	6.8	8.5
沖縄県	61	33.5	27.7	12.5	18.6	239	51.7	32.8	7.0	3.7
合計	3,214	50.4	17.7	6.0	14.1	18,580	68.6	18.6	5.0	4.6

注：「非典型雇用」は、勤め先での呼称が「パート」、「アルバイト」、「労働者派遣事業所の派遣社員」、「契約社員」、「嘱託」、「その他」であって、「正規の職員・従業員」ではない者。

・「求職者」は、ふだん無業で就業を希望し実際に求職活動や開業の準備をしている者で, 在学中の者を除く。

・「非求職無業者」は、無業者のうち求職活動をしていない者で、卒業者かつ通学していず、配偶者なしで家事をおこなっていない者であり、総務省統計局が公表している「若年無業者」の定義「家事も通学もしていない無業者」とは異なる。

単位:%、太字は実数(百人)

	25～29歳					30～34歳				
	合計 (百人)	正社員(役 員含む)	非典型雇 用	求職者	非求職無 業者	合計 (百人)	正社員(役 員含む)	非典型雇 用	求職者	非求職無 業者
北海道	1,131	70.2	14.3	4.0	4.6	1,340	71.3	10.1	4.1	5.0
青森県	245	72.0	15.2	3.9	5.0	301	74.6	9.5	4.7	4.4
岩手県	260	72.8	15.9	3.4	2.8	309	77.0	12.6	2.2	3.0
宮城県	591	72.6	17.5	3.8	3.7	660	79.5	11.1	1.6	3.8
秋田県	175	75.2	13.2	2.1	5.4	221	79.7	10.2	2.5	3.1
山形県	224	79.5	11.1	3.1	2.1	280	79.9	10.4	2.6	3.2
福島県	436	73.3	14.9	2.6	3.4	506	81.3	8.1	3.4	1.9
茨城県	717	75.0	15.5	3.3	3.3	816	79.9	9.2	2.3	2.6
栃木県	473	71.2	14.9	4.4	6.0	578	75.2	11.9	4.2	3.3
群馬県	465	67.0	19.6	5.1	3.3	525	75.7	14.5	2.8	1.8
埼玉県	1,879	77.6	13.3	3.1	2.6	2,114	76.4	13.6	2.8	1.4
千葉県	1,547	73.9	14.1	4.2	3.9	1,794	77.7	10.3	3.4	3.0
東京都	4,342	77.3	14.0	2.0	3.7	4,892	78.9	11.3	2.1	2.7
神奈川県	2,444	73.4	16.7	2.7	3.3	2,790	81.9	10.9	1.6	1.7
新潟県	487	77.0	11.3	5.3	2.4	581	77.3	10.3	3.2	3.9
富山県	237	82.7	6.7	3.3	5.4	267	80.0	8.6	2.7	4.0
石川県	263	76.9	14.3	2.8	4.0	300	82.9	7.9	1.7	2.3
福井県	180	80.9	12.7	2.0	1.9	203	83.2	9.1	1.2	1.6
山梨県	180	73.2	14.3	3.6	5.1	205	78.0	9.9	2.2	3.4
長野県	435	77.1	13.4	2.6	3.1	509	76.2	11.0	1.2	5.3
岐阜県	444	77.0	11.8	5.1	2.4	513	80.8	8.4	2.0	1.7
静岡県	872	76.6	13.3	3.7	4.1	1,019	81.1	9.4	3.1	2.1
愛知県	2,185	80.9	11.2	3.2	2.0	2,405	83.0	8.4	2.6	2.2
三重県	424	72.5	18.4	4.0	2.9	482	82.7	8.8	1.7	2.4
滋賀県	364	74.0	14.1	4.1	2.1	412	78.2	9.6	1.7	3.4
京都府	607	74.4	15.5	4.9	1.1	676	74.3	16.3	1.6	1.6
大阪府	2,209	73.1	15.1	3.9	2.6	2,414	76.2	10.6	3.6	3.1
兵庫県	1,192	73.6	11.4	5.3	3.6	1,397	77.0	11.0	4.1	2.0
奈良県	279	71.3	17.2	3.9	4.1	309	76.3	10.4	4.1	3.1
和歌山県	189	71.1	12.0	6.9	4.1	222	71.6	12.5	2.8	3.9
鳥取県	119	75.2	12.2	3.9	5.1	146	70.7	13.5	2.2	4.3
島根県	132	75.8	13.2	1.2	6.0	166	81.2	8.3	2.0	2.9
岡山県	445	78.7	13.3	4.0	2.2	495	79.3	8.8	3.1	2.7
広島県	682	74.6	14.8	3.8	3.0	770	84.0	7.9	2.1	1.9
山口県	277	77.4	12.2	3.2	3.2	330	77.7	8.7	3.2	4.8
徳島県	152	69.5	14.0	6.0	5.3	185	73.3	10.6	4.8	2.8
香川県	208	76.1	13.6	3.2	2.1	251	79.7	8.4	1.4	4.2
愛媛県	281	79.3	11.2	2.7	3.6	333	78.9	8.8	1.7	3.8
高知県	128	68.3	18.3	5.0	2.8	163	68.5	12.7	4.3	3.5
福岡県	1,174	72.5	15.8	4.4	3.4	1,395	70.2	11.7	4.8	5.1
佐賀県	170	77.1	11.9	3.8	2.9	214	76.2	10.7	2.5	4.3
長崎県	262	73.9	16.8	3.7	2.3	318	78.0	9.7	4.6	2.1
熊本県	362	71.4	18.2	3.2	1.7	451	74.7	10.8	3.7	2.1
大分県	236	77.0	9.7	3.3	3.5	291	77.4	10.8	2.4	3.8
宮崎県	200	74.9	12.2	4.1	2.0	261	77.7	9.8	3.6	2.3
鹿児島県	311	70.4	14.5	4.1	4.8	396	78.4	10.3	2.4	3.0
沖縄県	373	62.3	22.7	5.4	4.2	438	65.1	20.6	3.3	3.6
合計	30,985	75.0	14.3	3.5	3.3	35,642	78.0	10.7	2.8	2.8

注：「非典型雇用」は、勤め先での呼称が「パート」、「アルバイト」、「労働者派遣事業所の派遣社員」、「契約社員」、
　　「嘱託」、「その他」であって、「正規の職員・従業員」ではない者。
　・「求職者」は、ふだん無業で就業を希望し実際に求職活動や開業の準備をしている者で, 在学中の者を除く。
　・「非求職無業者」は、無業者のうち求職活動をしていない者で、卒業者かつ通学していず、配偶者なしで家
　　事をおこなっていない者であり、総務省統計局が公表している「若年無業者」の定義「家事も通学もして
　　いない無業者」とは異なる。

	35～39歳					40～44歳				
	合計(百人)	正社員(役員含む)	非典型雇用	求職者	非求職無業者	合計(百人)	正社員(役員含む)	非典型雇用	求職者	非求職無業者
北海道	1,534	72.9	10.0	2.6	2.5	1,866	76.0	8.7	3.0	4.1
青森県	354	77.4	8.2	2.3	2.9	418	75.1	9.2	1.8	4.5
岩手県	362	79.9	7.9	1.7	2.6	427	77.4	9.0	2.1	4.2
宮城県	740	74.1	14.1	1.8	4.2	849	81.9	6.1	2.5	2.7
秋田県	272	79.9	8.5	2.6	2.7	315	80.2	7.7	1.1	3.1
山形県	321	78.9	8.6	2.0	1.0	357	79.2	7.6	1.4	2.3
福島県	559	78.0	7.7	2.1	5.1	657	76.8	9.5	2.4	4.7
茨城県	916	78.5	7.0	1.9	2.7	1,097	79.4	7.0	1.9	3.0
栃木県	649	80.2	8.8	3.5	2.3	768	75.8	7.4	1.6	5.3
群馬県	601	79.4	11.8	1.7	1.4	745	78.3	8.3	2.3	2.2
埼玉県	2,418	77.9	9.8	3.0	2.4	2,997	80.0	8.3	2.5	2.7
千葉県	2,021	78.4	9.7	3.1	3.3	2,495	80.7	7.0	1.3	3.7
東京都	5,198	77.3	9.8	1.7	2.6	5,793	76.8	9.3	1.8	3.2
神奈川県	3,117	79.7	9.2	2.1	3.1	3,777	79.7	8.5	1.4	2.1
新潟県	666	81.2	7.0	2.5	3.0	786	83.4	5.9	1.5	1.7
富山県	310	84.7	6.4	1.6	3.1	403	83.3	5.0	1.1	3.0
石川県	336	80.8	7.6	2.0	3.9	435	79.3	8.7	0.5	2.8
福井県	225	83.1	7.4	1.1	2.3	273	81.4	7.4	1.9	0.6
山梨県	230	78.3	8.6	2.6	2.5	283	77.2	9.2	1.9	0.8
長野県	603	81.3	6.6	3.3	1.6	749	81.1	6.8	1.3	2.2
岐阜県	587	80.1	6.5	1.8	4.2	730	80.3	5.6	1.6	2.8
静岡県	1,128	81.6	8.2	2.2	2.3	1,375	81.1	5.8	2.0	2.1
愛知県	2,566	80.7	8.3	1.8	3.2	3,065	84.3	6.7	0.8	2.3
三重県	533	78.0	8.6	2.0	2.6	666	80.2	6.2	1.3	1.7
滋賀県	455	81.9	7.3	1.4	1.3	545	80.3	7.5	1.3	1.9
京都府	739	78.1	7.9	1.9	3.6	934	75.9	8.7	2.7	2.8
大阪府	2,671	77.2	8.0	3.4	3.4	3,329	72.9	8.9	2.2	3.4
兵庫県	1,581	77.5	7.6	3.3	3.6	2,008	77.4	7.0	2.4	3.1
奈良県	355	78.2	4.6	4.0	1.2	454	73.7	8.7	3.6	2.3
和歌山県	244	75.7	9.3	1.6	2.6	314	75.1	8.4	1.8	2.8
鳥取県	165	77.8	8.1	1.6	2.7	192	81.3	6.5	2.0	1.6
島根県	190	80.7	8.1	1.9	2.9	228	77.6	8.0	1.7	3.9
岡山県	546	79.7	9.1	1.3	2.6	680	82.3	5.9	1.0	2.0
広島県	842	81.6	7.1	2.3	2.9	1,051	80.9	6.1	1.4	2.5
山口県	373	85.5	4.2	1.3	2.6	469	77.4	8.1	2.6	2.9
徳島県	212	74.4	7.2	2.8	4.5	246	78.7	6.5	1.4	3.4
香川県	281	81.3	7.5	1.9	1.6	353	78.0	6.7	2.8	2.6
愛媛県	380	80.5	7.5	2.2	2.2	468	81.1	5.0	2.3	2.7
高知県	194	73.3	10.5	2.1	2.2	242	74.9	6.2	2.6	2.9
福岡県	1,588	76.1	8.8	3.0	3.6	1,824	77.5	7.6	1.3	4.9
佐賀県	236	74.6	8.5	2.6	3.8	266	74.8	9.1	1.9	1.9
長崎県	355	75.2	9.0	1.9	3.4	415	79.3	7.4	1.6	3.6
熊本県	501	77.4	7.3	3.0	1.8	560	79.1	6.7	1.9	3.8
大分県	331	78.4	6.4	2.1	4.7	384	80.6	8.1	1.2	3.4
宮崎県	304	76.2	9.7	3.4	1.7	349	74.8	8.0	2.4	3.4
鹿児島県	443	76.7	8.1	2.3	3.1	492	79.4	6.0	2.1	2.5
沖縄県	455	64.9	15.3	4.5	3.9	532	65.2	13.3	4.1	4.1
合計	39,691	78.3	8.8	2.4	2.9	47,663	78.5	7.8	1.9	3.0

注：「非典型雇用」は、勤め先での呼称が「パート」、「アルバイト」、「労働者派遣事業所の派遣社員」、「契約社員」、「嘱託」、「その他」であって、「正規の職員・従業員」ではない者。

・「求職者」は、ふだん無業で就業を希望し実際に求職活動や開業の準備をしている者で,在学中の者を除く。

・「非求職無業者」は、無業者のうち求職活動をしていない者で、卒業者かつ通学していず、配偶者なしで家事をおこなっていない者であり、総務省統計局が公表している「若年無業者」の定義「家事も通学もしていない無業者」とは異なる。

①男性-4　　　単位：%、太字は実数（百人）

	45〜49歳				50〜54歳			
	合計（百人）	正社員（役員含む）	非典型雇用	求職者	非求職無業者	合計（百人）	正社員（役員含む）	非典型雇用	求職者	非求職無業者

	合計（百人）	正社員（役員含む）	非典型雇用	求職者	非求職無業者	合計（百人）	正社員（役員含む）	非典型雇用	求職者	非求職無業者
北海道	1,818	79.4	6.5	2.2	3.1	1,629	72.3	7.5	2.5	4.7
青森県	421	75.3	6.0	3.5	3.3	398	71.4	9.8	2.9	2.7
岩手県	415	76.5	10.4	1.3	3.1	396	73.4	8.7	2.0	4.0
宮城県	811	79.1	7.2	2.2	3.6	718	81.1	7.3	2.2	1.9
秋田県	302	78.9	8.7	2.0	2.9	296	76.8	9.2	1.4	3.4
山形県	340	82.3	5.5	1.4	2.1	328	75.1	6.7	2.5	2.0
福島県	630	79.4	7.6	2.0	3.1	608	77.1	7.6	2.9	2.5
茨城県	1,097	77.9	6.4	1.7	2.9	927	79.0	6.3	3.0	1.5
栃木県	736	77.1	8.8	0.9	3.2	628	75.6	8.3	2.4	3.0
群馬県	744	78.9	6.6	2.9	2.4	626	78.8	8.4	1.8	1.8
埼玉県	3,076	78.0	7.6	1.9	3.5	2,516	77.6	7.3	1.9	3.6
千葉県	2,591	77.3	8.0	2.2	3.0	2,118	77.4	6.5	2.8	3.3
東京都	5,807	77.8	6.8	2.0	2.5	4,975	75.5	7.0	3.1	1.8
神奈川県	3,985	77.0	8.4	2.3	2.6	3,411	79.7	7.8	1.6	3.3
新潟県	769	80.5	5.3	2.7	4.2	704	81.1	5.8	1.2	1.6
富山県	390	82.8	5.4	1.7	2.8	320	78.8	5.4	1.9	3.2
石川県	411	77.9	5.5	1.6	5.0	347	76.9	5.5	1.9	4.1
福井県	265	78.5	7.9	1.5	2.1	236	79.7	6.4	1.7	2.7
山梨県	300	75.9	8.2	1.7	2.7	280	73.7	8.4	1.7	1.7
長野県	752	77.8	7.0	2.1	2.9	656	84.0	4.7	1.8	1.6
岐阜県	727	82.0	5.7	1.3	1.4	620	79.3	3.2	2.0	3.4
静岡県	1,388	79.5	6.6	2.1	2.9	1,197	79.7	6.4	1.4	1.9
愛知県	3,080	80.2	6.3	2.1	2.6	2,523	79.6	6.1	1.5	3.1
三重県	671	80.2	7.0	0.7	3.1	582	80.7	6.4	1.5	1.7
滋賀県	527	80.9	5.8	1.8	1.5	437	81.3	8.0	1.5	0.6
京都府	943	76.5	6.8	2.1	3.0	791	70.9	8.0	2.9	2.1
大阪府	3,523	73.8	7.0	3.2	3.8	2,890	75.0	6.8	2.1	4.7
兵庫県	2,050	79.2	5.9	3.0	3.6	1,738	77.8	7.6	1.8	2.8
奈良県	468	77.6	5.7	3.3	2.6	406	75.7	6.6	3.1	1.8
和歌山県	319	69.3	5.7	2.0	4.7	283	68.9	7.5	1.5	2.8
鳥取県	177	77.1	7.0	1.9	4.9	161	75.2	9.3	1.8	3.4
島根県	209	78.9	5.5	1.9	3.7	190	78.9	7.7	0.9	2.2
岡山県	652	78.5	6.8	1.9	2.7	539	78.6	6.0	1.7	3.0
広島県	1,018	80.3	6.2	2.1	2.3	836	82.6	4.3	1.8	3.0
山口県	449	78.6	6.2	2.5	2.5	379	76.5	7.0	2.0	4.6
徳島県	238	75.6	6.5	2.9	2.0	214	73.4	6.7	2.3	4.7
香川県	335	82.3	7.2	1.0	2.3	279	78.6	5.8	1.2	2.0
愛媛県	444	79.4	5.4	2.6	4.0	395	74.8	5.0	2.5	3.7
高知県	227	72.7	6.0	3.1	2.5	201	67.6	7.8	2.6	4.0
福岡県	1,727	74.4	6.9	3.2	4.7	1,456	75.1	7.2	1.6	4.0
佐賀県	247	71.7	6.9	1.4	3.7	233	74.4	7.1	2.3	2.9
長崎県	412	78.1	4.9	2.6	4.2	390	67.7	9.8	3.2	3.0
熊本県	517	75.0	7.3	1.8	4.2	498	75.0	5.0	1.9	4.3
大分県	356	80.5	6.0	0.7	2.7	315	73.8	7.2	1.5	3.8
宮崎県	317	74.1	7.0	2.2	2.5	298	74.4	7.0	2.1	3.0
鹿児島県	456	75.1	8.2	1.4	2.0	465	73.9	7.2	2.8	3.2
沖縄県	496	65.5	12.6	2.4	6.9	437	61.1	11.2	2.6	6.0
合計	47,632	77.7	7.0	2.2	3.1	40,869	76.8	7.0	2.1	3.0

注：「非典型雇用」は、勤め先での呼称が「パート」、「アルバイト」、「労働者派遣事業所の派遣社員」、「契約社員」、「嘱託」、「その他」であって、「正規の職員・従業員」ではない者。

・「求職者」は、ふだん無業で就業を希望し実際に求職活動や開業の準備をしている者で,在学中の者を除く。

・「非求職無業者」は、無業者のうち求職活動をしていない者で、卒業者かつ通学していず、配偶者なしで家事をおこなっていない者であり、総務省統計局が公表している「若年無業者」の定義「家事も通学もしていない無業者」とは異なる。

単位:%、太字は実数(百人)

	15～19歳					20～24歳				
	合計(百人)	正社員(役員含む)	非典型雇用	求職者	非求職無業者	合計(百人)	正社員(役員含む)	非典型雇用	求職者	非求職無業者
北海道	103	53.0	21.6	5.5	9.2	813	54.8	31.4	4.6	2.5
青森県	41	58.8	23.8	8.7	3.2	171	55.6	24.3	8.4	3.3
岩手県	16	48.8	29.6	10.1	7.7	160	65.1	19.7	8.6	1.9
宮城県	49	50.5	29.9	4.0	12.0	389	63.8	21.2	3.5	4.3
秋田県	14	65.0	22.8	4.8	0.0	105	68.5	21.1	4.7	2.5
山形県	18	74.2	12.8	6.5	3.4	127	63.4	22.7	4.9	2.5
福島県	40	47.0	25.2	7.3	6.4	245	54.3	28.0	6.3	4.5
茨城県	62	53.0	17.7	15.3	9.8	402	55.2	25.5	5.5	3.6
栃木県	36	46.7	23.5	2.0	15.8	272	61.7	23.8	5.9	2.9
群馬県	40	48.3	29.9	7.5	8.7	291	55.9	26.2	7.2	3.2
埼玉県	105	48.7	28.0	0.0	11.1	1,219	59.9	26.9	4.4	2.5
千葉県	108	37.2	31.2	6.6	7.9	998	60.3	24.8	5.6	4.4
東京都	170	20.1	30.3	0.0	29.8	2,355	64.5	23.3	4.3	2.0
神奈川県	100	42.1	23.5	8.4	11.2	1,430	53.2	31.5	5.3	2.4
新潟県	44	61.7	26.4	2.6	4.3	293	60.5	24.5	5.5	3.4
富山県	17	49.6	14.9	10.2	15.3	135	68.5	17.3	7.6	3.3
石川県	21	47.9	16.7	7.3	12.6	171	71.4	18.1	3.2	1.6
福井県	17	54.1	21.2	0.0	14.9	113	64.8	22.7	3.5	2.0
山梨県	13	40.8	28.1	9.9	9.6	119	56.0	31.0	6.5	2.1
長野県	33	32.0	40.2	5.0	2.9	239	63.9	22.5	4.9	2.2
岐阜県	29	68.4	11.3	7.9	5.3	316	64.0	23.7	5.0	3.6
静岡県	66	63.1	10.1	6.1	14.5	535	63.9	24.0	3.8	2.3
愛知県	140	41.9	37.8	5.8	6.7	1,289	58.2	25.3	7.7	2.2
三重県	33	36.0	38.0	8.3	5.0	273	64.2	25.6	3.8	0.7
滋賀県	23	51.6	25.6	14.8	5.7	220	63.1	21.7	3.8	1.5
京都府	33	48.6	27.6	0.0	5.6	364	54.4	28.9	6.4	1.7
大阪府	127	19.6	29.9	13.2	10.8	1,485	60.1	21.0	7.0	5.2
兵庫県	76	39.0	11.0	4.6	17.0	793	57.0	27.9	6.6	1.8
奈良県	24	36.6	28.1	5.3	19.9	194	58.4	25.5	5.6	3.8
和歌山県	25	46.4	6.3	8.3	18.8	141	58.4	24.1	6.4	2.4
鳥取県	10	52.9	20.8	0.0	14.3	78	60.7	28.6	4.6	0.9
島根県	11	35.8	24.4	12.4	2.4	86	62.5	25.2	4.5	2.6
岡山県	35	63.7	14.1	5.4	7.7	297	62.1	25.6	3.3	2.8
広島県	39	28.1	39.0	5.7	9.4	436	63.0	21.2	7.5	3.2
山口県	36	54.8	20.5	4.4	10.0	172	61.9	22.6	5.1	4.0
徳島県	10	32.3	19.7	16.9	26.7	81	56.6	24.1	6.5	3.7
香川県	21	31.5	32.0	13.6	11.9	130	64.7	19.2	4.5	3.1
愛媛県	31	57.9	19.5	7.8	2.2	162	58.9	20.3	5.3	4.9
高知県	11	35.5	24.5	9.3	13.4	81	56.1	27.5	5.5	2.2
福岡県	100	34.5	30.4	10.5	8.9	831	58.4	26.7	5.3	2.8
佐賀県	24	68.4	15.7	12.1	2.3	121	66.3	22.9	1.9	2.5
長崎県	30	64.1	11.3	9.6	10.1	170	60.7	25.8	6.1	2.3
熊本県	44	56.8	23.7	1.8	4.0	254	57.9	23.3	6.3	3.6
大分県	23	49.3	27.8	7.4	8.9	164	65.5	19.1	6.0	2.0
宮崎県	24	44.4	24.9	9.6	8.7	142	59.5	26.6	7.6	2.1
鹿児島県	33	37.3	28.3	14.4	9.5	228	64.9	18.3	5.2	3.6
沖縄県	32	26.4	25.9	2.0	26.4	227	37.3	41.0	8.2	5.3
合計	2,135	43.3	25.6	6.5	11.3	19,316	59.8	25.2	5.5	2.9

注:「非典型雇用」は、勤め先での呼称が「パート」、「アルバイト」、「労働者派遣事業所の派遣社員」、「契約社員」、「嘱託」、「その他」であって、「正規の職員・従業員」ではない者。

・「求職者」は、ふだん無業で就業を希望し実際に求職活動や開業の準備をしている者で,在学中の者を除く。

・「非求職無業者」は、無業者のうち求職活動をしていない者で、卒業者かつ通学していず、配偶者なしで家事をおこなっていない者であり、総務省統計局が公表している「若年無業者」の定義「家事も通学もしていない無業者」とは異なる。

単位:%、太字は実数(百人)

	25～29歳					30～34歳				
	合計 (百人)	正社員(役 員含む)	非典型雇 用	求職者	非求職無 業者	合計 (百人)	正社員(役 員含む)	非典型雇 用	求職者	非求職無 業者
北海道	**1,167**	47.2	27.8	5.6	2.7	**1,381**	33.5	34.9	6.1	1.9
青森県	**236**	50.6	31.2	5.1	2.0	**305**	42.3	34.7	4.5	1.1
岩手県	**244**	52.5	28.9	5.2	3.3	**299**	41.0	35.4	4.6	1.9
宮城県	**575**	54.3	31.3	2.5	2.7	**659**	38.3	33.4	5.0	2.5
秋田県	**166**	52.4	33.8	5.8	1.3	**217**	49.0	27.0	5.1	4.2
山形県	**217**	57.0	28.3	4.8	1.6	**267**	50.5	27.7	4.8	2.5
福島県	**390**	50.9	28.3	5.1	1.1	**457**	42.6	28.0	6.3	1.7
茨城県	**602**	46.4	30.1	4.9	4.2	**734**	38.9	32.6	4.9	1.9
栃木県	**430**	47.3	31.9	7.0	2.4	**526**	36.0	32.1	3.7	3.4
群馬県	**409**	49.6	28.0	4.0	3.2	**476**	37.1	36.1	5.1	0.7
埼玉県	**1,755**	53.3	27.1	5.9	1.9	**1,989**	36.8	30.6	5.7	1.4
千葉県	**1,474**	54.3	27.1	5.7	1.5	**1,702**	40.3	30.2	5.1	1.3
東京都	**4,300**	64.1	20.6	3.8	1.7	**4,729**	49.7	24.8	3.6	1.4
神奈川県	**2,263**	55.0	25.7	5.4	2.5	**2,583**	41.5	26.9	6.9	1.7
新潟県	**451**	49.9	31.3	3.9	1.9	**552**	44.9	33.1	5.1	0.6
富山県	**211**	66.9	23.6	3.0	1.7	**247**	50.5	28.1	2.8	2.1
石川県	**246**	61.7	24.9	3.0	1.5	**286**	46.0	31.1	6.2	2.1
福井県	**165**	60.4	23.8	4.9	1.6	**195**	47.2	34.6	4.5	1.1
山梨県	**168**	51.5	29.5	4.3	2.3	**192**	37.1	37.8	4.0	1.4
長野県	**412**	48.9	30.0	4.8	1.7	**488**	41.4	32.3	5.3	1.6
岐阜県	**425**	56.3	20.2	6.0	2.1	**484**	33.2	36.8	4.9	0.7
静岡県	**790**	52.7	27.8	4.5	2.4	**942**	38.4	29.8	5.3	1.5
愛知県	**1,925**	54.1	26.2	7.1	1.6	**2,157**	38.5	30.5	6.0	1.1
三重県	**389**	50.9	30.2	3.1	1.6	**455**	34.5	34.0	5.2	2.5
滋賀県	**329**	48.1	31.6	4.6	2.6	**393**	41.7	30.7	5.4	1.2
京都府	**612**	49.6	31.2	6.2	2.1	**706**	41.7	29.9	5.5	1.0
大阪府	**2,285**	52.6	26.4	5.8	1.8	**2,510**	36.3	30.3	6.5	2.5
兵庫県	**1,223**	55.6	23.6	5.9	1.4	**1,453**	41.1	29.0	6.2	1.9
奈良県	**293**	49.4	28.6	4.4	1.3	**333**	34.2	34.1	4.9	2.7
和歌山県	**192**	47.5	28.9	6.0	2.4	**223**	39.2	29.9	6.0	2.3
鳥取県	**115**	54.8	27.3	4.6	1.6	**143**	45.5	32.1	4.7	2.4
島根県	**133**	53.4	31.2	5.8	1.1	**161**	45.6	35.3	4.6	1.6
岡山県	**454**	55.5	26.4	3.3	1.4	**501**	39.0	29.1	3.0	2.1
広島県	**637**	47.7	29.5	7.3	1.4	**747**	33.4	36.1	4.9	1.3
山口県	**259**	50.8	23.7	5.7	1.5	**327**	37.5	32.2	4.3	2.6
徳島県	**148**	54.9	26.1	5.2	2.1	**184**	50.3	24.3	5.0	2.3
香川県	**196**	53.9	24.9	6.2	1.7	**240**	41.2	29.2	4.9	2.8
愛媛県	**277**	47.9	27.0	4.5	2.2	**337**	37.7	33.2	3.0	3.2
高知県	**128**	53.2	28.6	6.4	0.7	**166**	48.0	29.8	4.8	2.3
福岡県	**1,234**	49.2	27.7	7.9	3.2	**1,494**	37.9	29.9	4.7	2.5
佐賀県	**180**	52.5	25.5	6.9	2.0	**219**	47.1	30.4	4.3	1.0
長崎県	**273**	55.5	25.5	3.4	2.7	**334**	43.7	33.0	4.4	1.5
熊本県	**391**	54.0	27.7	4.4	4.0	**470**	42.1	35.0	4.0	2.0
大分県	**240**	52.2	27.7	5.5	2.6	**288**	40.3	33.5	6.2	1.9
宮崎県	**218**	49.7	33.4	6.8	1.6	**277**	41.3	33.4	5.7	1.5
鹿児島県	**349**	55.7	26.3	4.5	2.9	**429**	37.0	35.9	4.5	1.9
沖縄県	**368**	39.2	38.3	6.3	2.4	**450**	34.0	41.5	5.4	2.0
合計	**29,942**	54.0	26.5	5.3	2.1	**34,704**	40.6	30.4	5.2	1.7

注:「非典型雇用」は、勤め先での呼称が「パート」、「アルバイト」、「労働者派遣事業所の派遣社員」、「契約社員」、「嘱託」、「その他」であって、「正規の職員・従業員」ではない者。

・「求職者」は、ふだん無業で就業を希望し実際に求職活動や開業の準備をしている者で,在学中の者を除く。

・「非求職無業者」は、無業者のうち求職活動をしていない者で、卒業者かつ通学していず、配偶者なしで家事をおこなっていない者であり、総務省統計局が公表している「若年無業者」の定義「家事も通学もしていない無業者」とは異なる。

単位：％、太字は実数（百人）

	35～39歳					40～44歳				
	合計(百人)	正社員(役員含む)	非典型雇用	求職者	非求職無業者	合計(百人)	正社員(役員含む)	非典型雇用	求職者	非求職無業者
北海道	1,582	29.3	35.0	7.0	2.6	1,912	28.8	41.7	5.9	1.5
青森県	352	43.3	34.2	5.7	2.0	422	40.5	34.2	4.1	2.9
岩手県	346	45.8	33.3	3.9	0.9	405	41.6	36.7	3.9	1.1
宮城県	726	39.2	35.3	4.9	1.3	822	34.7	37.6	6.6	1.3
秋田県	262	46.8	33.1	5.2	2.0	308	40.2	38.7	4.4	1.6
山形県	310	47.2	33.0	2.8	1.1	346	46.6	34.3	2.5	1.2
福島県	516	40.6	32.2	4.5	1.5	593	38.3	37.4	5.2	1.8
茨城県	837	32.0	37.9	6.2	1.7	1,010	29.2	44.5	5.5	1.4
栃木県	593	30.2	40.1	3.3	2.6	699	32.9	40.3	5.7	2.6
群馬県	559	32.0	41.7	4.0	1.3	698	31.0	44.7	4.9	1.4
埼玉県	2,252	31.7	35.1	5.7	0.6	2,774	29.9	41.2	6.5	1.1
千葉県	1,924	32.0	32.7	6.7	2.3	2,354	26.2	42.5	5.4	1.5
東京都	4,999	40.1	28.4	5.0	0.9	5,545	36.2	34.4	4.5	0.9
神奈川県	2,931	30.8	31.6	6.2	1.1	3,568	29.6	38.2	5.9	1.7
新潟県	638	41.7	35.1	5.1	1.0	766	39.9	40.5	2.6	1.2
富山県	289	47.8	35.1	4.3	0.9	380	43.6	37.2	3.6	1.9
石川県	331	44.3	34.3	5.2	1.5	422	42.7	38.9	4.4	1.1
福井県	219	44.3	37.1	3.7	1.4	263	42.9	37.0	2.8	2.1
山梨県	221	30.2	42.1	3.8	1.0	274	36.1	40.1	4.7	1.3
長野県	576	33.4	39.8	3.9	1.4	719	34.8	47.1	4.0	0.9
岐阜県	569	30.7	36.5	8.0	1.3	705	30.3	46.3	3.7	2.1
静岡県	1,064	27.5	41.4	5.0	1.8	1,293	29.3	45.2	3.9	1.2
愛知県	2,342	28.7	37.3	6.4	1.8	2,849	30.3	44.0	4.6	1.3
三重県	508	31.9	37.3	5.2	1.1	640	31.5	45.5	5.3	0.7
滋賀県	445	32.0	39.0	3.8	0.6	531	27.4	44.7	5.6	1.4
京都府	777	35.6	33.5	6.0	1.1	965	28.9	40.2	5.1	1.8
大阪府	2,752	35.2	32.7	5.8	1.8	3,433	25.6	41.0	5.7	3.4
兵庫県	1,656	31.5	34.2	5.9	2.2	2,085	29.2	41.2	6.0	1.9
奈良県	377	29.3	36.3	5.8	1.6	485	24.0	41.5	6.7	1.3
和歌山県	254	31.3	34.2	4.8	2.8	320	31.5	41.4	5.6	1.3
鳥取県	162	43.2	35.6	4.1	0.9	187	44.0	39.5	4.0	0.8
島根県	182	46.0	34.6	3.2	0.6	217	47.3	35.4	3.0	1.6
岡山県	538	37.8	32.3	4.9	1.7	677	36.7	39.2	5.1	0.9
広島県	833	35.9	36.3	6.5	0.7	1,031	31.9	43.9	3.8	1.0
山口県	368	35.1	35.3	5.3	2.0	463	38.1	37.3	4.3	0.7
徳島県	206	40.4	36.9	5.3	1.9	254	42.1	33.0	5.2	2.4
香川県	277	37.1	35.8	6.7	1.8	349	38.6	38.8	3.4	0.6
愛媛県	382	38.3	33.5	6.8	0.9	471	33.7	39.8	3.6	2.5
高知県	193	47.3	32.7	4.5	1.3	244	46.4	31.8	4.0	1.3
福岡県	1,661	30.6	36.9	7.3	2.4	1,883	31.9	42.6	4.6	1.5
佐賀県	241	41.5	34.4	4.2	1.6	270	39.1	40.5	4.3	0.8
長崎県	374	35.2	38.1	5.1	2.5	436	36.1	40.9	4.4	1.4
熊本県	517	35.4	37.5	4.2	1.9	577	39.8	39.2	4.6	1.6
大分県	330	38.1	35.8	5.3	0.6	389	38.9	37.3	3.4	1.5
宮崎県	315	42.4	32.8	5.1	0.6	361	37.5	38.8	5.2	1.3
鹿児島県	476	32.6	42.4	5.0	1.7	516	37.4	35.2	5.7	1.5
沖縄県	473	34.7	39.2	4.5	1.3	529	34.5	39.8	6.2	1.6
	38,737	34.6	34.5	5.6	1.5	46,442	32.4	40.2	5.0	1.6

注：「非典型雇用」は、勤め先での呼称が「パート」、「アルバイト」、「労働者派遣事業所の派遣社員」、「契約社員」、「嘱託」、「その他」であって、「正規の職員・従業員」ではない者。
・「求職者」は、ふだん無業で就業を希望し実際に求職活動や開業の準備をしている者で，在学中の者を除く。
・「非求職無業者」は、無業者のうち求職活動をしていない者で、卒業者かつ通学していず、配偶者なしで家事をおこなっていない者であり、総務省統計局が公表している「若年無業者」の定義「家事も通学もしていない無業者」とは異なる。

単位:%、太字は実数(百人)

	45～49歳					50～54歳				
	合計(百人)	正社員(役員含む)	非典型雇用	求職者	非求職無業者	合計(百人)	正社員(役員含む)	非典型雇用	求職者	非求職無業者
北海道	1,906	28.7	43.1	4.4	2.0	1,782	26.4	45.1	4.1	1.4
青森県	437	35.1	40.3	5.0	1.7	424	35.8	34.5	3.7	2.2
岩手県	398	39.0	36.3	5.6	1.9	388	35.3	38.7	3.7	1.6
宮城県	777	31.9	42.8	4.2	2.0	704	28.7	45.6	4.2	2.0
秋田県	311	38.4	38.5	3.7	1.7	309	38.7	38.9	3.1	0.7
山形県	335	47.9	33.4	3.2	0.8	333	45.2	33.7	2.5	0.2
福島県	585	35.6	37.6	5.1	1.8	574	35.7	37.6	3.7	1.2
茨城県	1,012	27.4	47.5	4.9	1.6	882	28.5	43.1	5.0	1.6
栃木県	682	30.6	45.1	6.2	1.9	596	28.4	42.8	3.7	2.2
群馬県	705	31.6	43.4	5.4	0.8	604	30.1	41.3	4.3	1.3
埼玉県	2,844	24.8	46.5	6.1	0.9	2,358	24.4	46.5	5.0	0.8
千葉県	2,412	26.5	43.2	5.2	1.5	1,983	25.1	42.7	4.1	1.6
東京都	5,602	31.2	39.7	4.9	1.0	4,661	33.5	38.1	5.1	1.2
神奈川県	3,739	25.6	46.5	5.8	1.1	3,112	23.1	45.9	4.8	1.3
新潟県	740	40.8	39.1	4.6	1.3	695	38.3	39.1	3.3	0.9
富山県	375	44.7	39.0	2.8	0.2	319	44.7	37.1	3.1	1.5
石川県	409	42.4	39.3	3.6	1.5	351	40.8	36.5	3.1	1.4
福井県	263	45.6	37.3	2.6	0.4	241	41.7	37.0	2.5	1.1
山梨県	289	30.8	44.7	3.5	1.3	271	30.7	46.8	3.1	1.1
長野県	722	36.8	44.2	3.5	1.7	646	35.6	43.9	3.6	2.4
岐阜県	719	34.9	44.4	3.5	1.9	636	31.0	43.4	4.4	1.3
静岡県	1,316	29.7	48.7	4.1	1.4	1,149	29.8	45.1	4.3	0.5
愛知県	2,869	26.2	47.8	5.4	1.0	2,365	28.9	45.9	3.1	1.1
三重県	650	34.3	43.4	3.7	0.9	573	27.2	46.4	3.7	0.8
滋賀県	511	27.6	45.8	6.0	1.3	435	22.8	50.9	3.8	1.0
京都府	966	29.7	41.1	5.5	1.1	830	26.5	42.4	5.3	1.5
大阪府	3,586	26.7	43.3	5.0	2.7	2,952	28.7	41.7	5.4	1.8
兵庫県	2,141	26.1	45.7	5.4	1.8	1,840	27.5	41.2	4.5	1.6
奈良県	510	26.8	43.9	4.1	1.5	454	24.7	41.2	5.5	0.9
和歌山県	338	30.9	41.9	3.9	1.3	317	24.9	43.4	4.6	1.0
鳥取県	176	42.0	37.5	4.4	1.1	168	40.7	37.2	3.8	0.8
島根県	205	38.7	42.8	4.1	1.3	190	43.5	37.8	2.5	1.3
岡山県	652	35.2	40.9	4.9	1.4	556	38.1	36.1	3.6	1.1
広島県	1,024	35.8	41.0	3.4	1.0	852	32.8	40.6	5.0	1.4
山口県	461	36.2	40.1	4.6	2.1	401	33.7	40.0	2.8	1.9
徳島県	247	42.9	29.7	4.4	2.5	230	39.9	28.2	3.4	3.1
香川県	330	36.4	40.0	3.8	1.1	282	37.0	37.1	4.8	0.9
愛媛県	463	36.5	38.3	4.9	1.9	425	37.4	35.2	2.7	1.8
高知県	237	45.2	34.1	4.7	1.2	215	45.3	30.4	5.4	0.8
福岡県	1,816	29.8	40.7	6.8	3.1	1,572	30.4	38.9	5.2	2.5
佐賀県	261	39.0	37.7	4.0	0.6	250	36.8	36.2	2.9	2.1
長崎県	441	37.2	40.4	4.1	0.8	430	36.0	41.0	3.3	1.1
熊本県	553	42.0	35.6	4.6	1.5	550	37.8	37.0	3.9	1.3
大分県	371	38.4	42.7	3.4	1.6	340	33.1	41.5	3.5	1.8
宮崎県	338	39.9	36.2	5.5	1.1	330	36.3	41.8	4.3	1.3
鹿児島県	500	30.6	45.0	4.4	1.5	503	25.5	47.7	4.8	1.7
沖縄県	496	30.1	39.6	7.0	1.8	437	26.9	41.6	5.4	3.0
合計	46,718	30.6	42.9	5.0	1.5	40,512	30.2	41.9	4.4	1.4

注:「非典型雇用」は、勤め先での呼称が「パート」、「アルバイト」、「労働者派遣事業所の派遣社員」、「契約社員」、「嘱託」、「その他」であって、「正規の職員・従業員」ではない者。

・「求職者」は、ふだん無業で就業を希望し実際に求職活動や開業の準備をしている者で,在学中の者を除く。

・「非求職無業者」は、無業者のうち求職活動をしていない者で、卒業者かつ通学していず、配偶者なしで家事をおこなっていない者であり、総務省統計局が公表している「若年無業者」の定義「家事も通学もしていない無業者」とは異なる。

表3　学歴別有業・無業の状況（15-34歳、在学中は除く）

単位:%、太字は実数（百人）

	中学卒					高校卒			
	合計 （百人）	正社員（役 員含む）	非典型雇 用	求職者	非求職無 業者	合計 （百人）	正社員（役 員含む）	非典型雇 用	求職者	非求職無 業者
北海道	200	40.0	16.7	13.6	11.2	1,338	60.7	16.3	5.2	10.0
青森県	42	48.3	13.6	8.4	22.7	380	67.2	14.9	4.7	6.5
岩手県	45	51.7	13.6	7.3	17.4	370	70.5	15.9	3.3	5.4
宮城県	88	47.5	23.1	5.6	15.0	695	75.2	11.0	3.8	6.2
秋田県	22	52.1	20.5	2.5	12.9	284	74.6	12.9	3.3	5.1
山形県	35	52.4	28.2	6.6	4.4	353	76.8	12.3	3.7	3.5
福島県	90	53.9	13.3	9.2	12.4	630	74.9	12.1	3.6	4.0
茨城県	112	49.4	19.3	7.3	11.9	917	70.6	16.7	3.4	5.3
栃木県	100	41.3	24.1	12.9	16.0	608	68.0	16.1	4.7	6.4
群馬県	101	46.2	25.2	8.5	10.1	498	68.2	18.7	2.9	5.8
埼玉県	272	48.4	19.5	8.4	13.0	1,585	61.4	21.2	4.4	6.3
千葉県	213	33.2	23.0	8.7	13.6	1,413	59.6	20.6	5.1	7.0
東京都	323	40.7	19.9	9.3	16.6	2,014	56.3	22.9	4.5	8.8
神奈川県	349	36.7	25.0	4.6	18.9	1,872	61.3	21.1	3.5	7.7
新潟県	102	57.3	14.4	10.0	11.5	520	70.7	13.8	4.3	5.7
富山県	32	49.9	12.1	11.2	25.1	288	74.0	12.0	2.8	6.2
石川県	47	51.8	31.1	2.1	9.1	308	73.0	13.2	2.9	6.0
福井県	23	55.1	31.2	2.9	5.5	243	76.1	15.1	2.3	2.3
山梨県	32	44.1	15.8	5.6	24.8	201	62.0	20.7	4.9	7.0
長野県	55	47.4	17.6	6.6	17.9	516	64.5	16.4	3.7	7.5
岐阜県	88	47.6	19.6	6.8	9.7	540	75.7	11.7	2.8	4.1
静岡県	154	44.2	26.8	8.8	12.1	985	69.1	18.2	3.0	6.0
愛知県	295	50.9	29.7	4.4	6.1	2,334	75.0	15.0	2.2	4.0
三重県	69	62.8	15.9	5.1	9.3	608	75.5	11.5	3.8	4.8
滋賀県	44	54.1	19.2	8.1	7.0	384	71.8	15.3	2.7	5.9
京都府	84	42.3	30.8	0.0	7.6	464	58.2	24.6	4.2	4.4
大阪府	398	42.8	19.4	11.4	13.3	1,904	59.8	19.7	4.7	7.5
兵庫県	170	41.1	20.6	6.6	14.0	1,231	65.6	16.5	5.9	6.2
奈良県	27	38.2	19.9	22.1	14.4	243	60.9	20.3	3.6	8.2
和歌山県	38	33.6	29.4	11.6	13.9	231	62.8	15.7	4.3	6.6
鳥取県	26	50.4	15.1	6.5	10.7	168	67.7	13.5	4.1	7.6
島根県	23	51.1	15.4	6.6	13.3	190	73.7	11.8	2.2	6.3
岡山県	94	48.6	25.6	4.9	7.2	549	82.2	7.6	2.8	4.2
広島県	114	61.8	14.1	5.6	3.5	656	69.1	18.4	2.5	5.3
山口県	43	40.2	11.5	5.0	24.7	414	76.7	10.4	2.7	4.9
徳島県	24	38.2	12.8	11.7	22.7	183	64.5	18.0	4.2	5.9
香川県	58	62.5	16.1	3.0	5.6	247	74.3	11.5	4.3	4.8
愛媛県	65	46.6	22.0	1.1	19.0	333	74.2	12.7	3.3	4.3
高知県	32	40.0	17.5	6.3	10.6	164	55.8	20.3	6.5	7.0
福岡県	313	42.4	22.1	4.9	14.5	1,264	61.2	19.4	5.3	7.8
佐賀県	43	53.9	17.4	6.4	6.6	266	73.5	12.7	4.6	3.6
長崎県	66	50.1	16.8	10.9	15.3	374	73.4	14.5	3.5	2.9
熊本県	76	53.5	24.4	1.0	11.3	481	67.2	16.4	4.0	3.6
大分県	60	40.7	28.8	6.8	14.1	368	75.2	10.1	2.9	4.9
宮崎県	53	54.8	26.9	5.9	4.4	306	66.9	16.3	4.6	5.4
鹿児島県	53	54.5	21.2	5.2	6.7	440	65.6	14.7	4.7	8.8
沖縄県	109	43.0	29.7	7.4	9.0	389	51.6	26.3	6.0	8.5
合計	4,901	45.5	21.6	7.4	12.8	30,750	66.6	17.1	4.0	6.3

注：「非典型雇用」は、勤め先での呼称が「パート」、「アルバイト」、「労働者派遣事業所の派遣社員」、「契約社員」、「嘱託」、「その他」であって、「正規の職員・従業員」ではない者。

・「求職者」は、ふだん無業で就業を希望し実際に求職活動や開業の準備をしている者で, 在学中の者を除く。

・「非求職無業者」は、無業者のうち求職活動をしていない者で、卒業者かつ通学していず、配偶者なしで家事をおこなっていない者であり、総務省統計局が公表している「若年無業者」の定義「家事も通学もしていない無業者」とは異なる。

単位:%、太字は実数(百人)

	専門・短大・高専卒					大学・大学院卒				
	合計(百人)	正社員(役員含む)	非典型雇用	求職者	非求職無業者	合計(百人)	正社員(役員含む)	非典型雇用	求職者	非求職無業者
北海道	656	71.5	15.4	4.8	1.0	1,011	82.6	9.7	2.8	1.5
青森県	140	79.3	11.2	2.5	0.6	191	80.8	11.6	5.9	1.0
岩手県	174	77.1	15.2	2.3	1.3	190	80.4	11.0	4.2	0.4
宮城県	342	73.2	20.6	2.5	1.6	578	81.9	11.5	2.8	1.5
秋田県	98	73.9	12.8	5.0	4.0	121	87.0	8.6	0.7	2.0
山形県	132	77.9	11.9	2.8	1.3	162	87.7	6.8	1.5	1.7
福島県	248	78.2	11.4	4.6	1.4	324	85.2	10.0	3.1	0.6
茨城県	323	76.0	15.5	3.3	2.4	738	84.1	8.1	3.3	1.3
栃木県	238	72.2	16.0	4.6	2.0	447	81.5	11.2	4.0	1.4
群馬県	303	68.3	18.8	6.5	2.7	450	80.8	10.8	3.8	1.3
埼玉県	886	75.8	15.9	3.3	0.5	2,466	83.6	10.9	2.3	1.3
千葉県	646	77.0	14.8	2.8	2.9	2,044	86.2	6.8	3.3	1.4
東京都	1,604	67.4	21.0	3.9	3.2	7,343	85.1	8.8	2.1	1.7
神奈川県	1,158	78.7	16.7	1.3	0.5	3,399	84.9	10.7	2.1	0.6
新潟県	324	76.9	12.9	4.6	2.5	463	83.7	9.1	3.1	1.6
富山県	120	84.9	9.9	1.9	0.8	253	89.1	5.3	2.8	1.2
石川県	111	79.1	10.8	3.9	1.7	293	86.5	7.6	3.0	1.6
福井県	84	82.7	9.1	1.7	2.4	177	90.8	6.9	1.3	0.4
山梨県	85	79.7	9.4	2.4	2.4	202	87.0	6.7	3.1	1.0
長野県	263	82.1	12.8	1.5	1.0	435	85.4	9.8	1.2	0.9
岐阜県	206	73.1	12.7	4.4	2.5	448	86.6	7.4	3.5	0.4
静岡県	361	79.5	12.6	2.7	2.4	1,039	84.9	7.1	3.6	2.3
愛知県	795	76.3	15.5	2.4	0.8	2,770	85.6	6.9	3.7	1.7
三重県	158	73.8	16.1	1.4	2.2	415	82.0	13.9	2.2	1.0
滋賀県	161	76.1	13.3	3.9	3.5	411	83.8	11.3	2.1	0.9
京都府	235	78.2	15.1	2.8	1.2	835	78.7	14.1	3.2	1.0
大阪府	961	66.2	17.4	5.1	2.4	2,799	83.4	10.4	2.5	0.9
兵庫県	509	78.5	10.1	4.1	1.5	1,511	80.4	10.8	3.9	1.2
奈良県	126	69.9	18.1	5.3	2.7	363	79.8	11.6	3.5	2.1
和歌山県	106	79.1	11.2	4.0	1.0	183	79.2	11.4	4.7	1.8
鳥取県	61	77.6	11.6	3.1	2.0	95	82.5	11.5	2.3	1.4
島根県	76	80.4	13.4	1.7	1.7	115	84.6	11.4	0.9	1.0
岡山県	189	73.2	11.8	6.5	3.3	442	81.6	12.0	4.5	0.6
広島県	321	81.9	9.1	3.9	2.4	823	86.6	7.1	3.4	2.2
山口県	129	75.5	10.0	7.6	1.5	235	84.7	10.6	2.6	1.6
徳島県	76	74.4	9.1	9.0	1.7	156	80.9	10.2	4.7	1.0
香川県	105	75.8	14.9	3.0	0.5	222	87.6	7.3	2.1	1.1
愛媛県	150	76.4	15.6	2.0	2.1	272	85.3	7.1	3.2	1.6
高知県	91	70.8	17.6	4.0	3.0	101	86.9	9.1	1.8	0.8
福岡県	511	72.5	13.8	6.7	0.8	1,302	83.3	9.3	4.5	0.9
佐賀県	85	78.5	9.9	4.7	3.5	136	86.0	8.2	2.2	2.2
長崎県	145	76.3	17.8	4.5	0.0	209	84.8	9.0	3.8	0.8
熊本県	167	76.7	14.2	3.1	1.4	346	76.8	13.3	5.4	1.1
大分県	122	82.3	9.7	3.2	2.6	182	85.8	8.5	1.4	1.5
宮崎県	123	78.6	13.3	0.0	0.8	146	86.5	7.6	3.6	0.0
鹿児島県	207	74.9	14.5	3.4	3.2	242	85.7	8.4	3.2	0.3
沖縄県	260	62.5	25.9	4.4	2.0	332	70.6	19.7	4.9	1.0
合計	14,368	74.4	15.5	3.6	1.8	37,417	84.0	9.5	2.9	1.3

注:「非典型雇用」は、勤め先での呼称が「パート」、「アルバイト」、「労働者派遣事業所の派遣社員」、「契約社員」、「嘱託」、「その他」であって、「正規の職員・従業員」ではない者。
・「求職者」は、ふだん無業で就業を希望し実際に求職活動や開業の準備をしている者で,在学中の者を除く。
・「非求職無業者」は、無業者のうち求職活動をしていない者で、卒業者かつ通学していず、配偶者なしで家事をおこなっていない者であり、総務省統計局が公表している「若年無業者」の定義「家事も通学もしていない無業者」とは異なる。

単位:%、太字は実数（百人）

	中学卒					高校卒				
	合計（百人）	正社員(役員含む)	非典型雇用	求職者	非求職無業者	合計（百人）	正社員(役員含む)	非典型雇用	求職者	非求職無業者
北海道	208	12.8	39.2	10.8	7.5	1,251	34.2	37.6	6.2	3.3
青森県	46	21.2	41.8	9.7	5.9	352	40.6	35.7	6.1	3.1
岩手県	31	14.7	34.9	17.7	13.1	315	41.8	35.2	5.6	3.5
宮城県	65	13.8	33.1	7.3	23.5	594	39.4	36.5	3.3	4.3
秋田県	18	7.2	40.1	12.6	10.8	219	46.4	34.6	4.7	5.0
山形県	23	7.4	53.8	8.3	13.0	275	53.5	29.4	4.4	2.7
福島県	49	15.1	32.8	19.9	9.5	495	42.0	31.8	5.6	3.0
茨城県	99	8.3	44.1	8.4	14.6	660	34.2	36.0	5.7	4.7
栃木県	83	7.0	37.6	7.8	13.9	478	34.5	37.2	5.2	6.3
群馬県	75	9.1	49.3	8.1	9.9	376	32.3	40.2	6.0	4.0
埼玉県	247	11.5	47.4	14.5	4.8	1,291	31.8	39.1	5.9	4.2
千葉県	182	13.8	36.3	16.8	4.1	1,154	32.5	39.7	4.6	5.5
東京都	243	15.4	38.8	7.0	11.3	1,862	27.0	38.9	4.5	8.7
神奈川県	293	9.2	46.5	8.8	4.6	1,410	26.4	38.7	8.1	5.9
新潟県	56	10.6	58.0	8.3	10.4	452	38.8	37.8	6.0	2.5
富山県	23	25.4	35.9	4.4	21.5	172	48.7	30.0	7.8	3.9
石川県	24	19.9	48.2	8.4	6.1	221	47.5	31.6	6.1	4.8
福井県	27	9.1	58.3	8.4	9.4	180	49.1	32.3	4.3	2.1
山梨県	18	12.9	29.8	7.8	10.7	148	31.4	46.3	5.9	4.0
長野県	60	9.8	58.4	13.9	3.4	341	35.5	32.6	4.9	4.5
岐阜県	64	19.1	41.6	3.4	7.9	400	39.5	36.2	4.6	3.3
静岡県	139	16.8	43.6	8.9	14.0	801	44.8	30.0	5.1	3.2
愛知県	260	8.9	47.2	11.5	5.1	1,579	35.3	38.8	6.0	2.1
三重県	62	11.3	55.9	2.9	8.7	409	39.9	33.2	5.9	3.8
滋賀県	38	10.9	51.4	5.1	7.4	292	38.8	31.4	5.7	3.7
京都府	73	12.9	61.7	13.0	1.6	373	27.4	41.3	7.0	3.6
大阪府	295	8.5	42.3	7.5	10.5	1,643	25.3	38.0	10.4	6.0
兵庫県	127	12.8	38.7	5.7	8.1	882	33.0	33.5	6.9	4.4
奈良県	29	6.7	46.3	0.8	9.3	226	26.8	38.8	6.7	6.1
和歌山県	31	9.9	31.3	12.4	12.8	215	36.0	33.3	6.4	4.2
鳥取県	16	25.4	38.9	8.0	7.6	121	41.4	36.7	5.2	4.4
島根県	18	17.7	52.8	8.6	1.2	136	39.5	37.3	7.2	4.1
岡山県	59	7.9	49.9	3.6	14.3	400	40.7	32.6	3.6	3.0
広島県	91	9.4	53.3	10.5	6.7	511	29.0	41.0	8.4	3.7
山口県	40	6.3	45.8	7.3	5.7	314	44.6	27.4	5.5	5.4
徳島県	20	24.2	39.3	5.0	8.5	142	39.7	30.1	7.5	7.1
香川県	36	19.4	49.1	10.9	10.0	169	37.6	31.5	7.1	5.6
愛媛県	49	3.3	39.2	8.3	11.8	261	38.2	35.8	5.1	4.7
高知県	21	7.3	46.7	14.6	9.1	115	39.3	36.6	5.3	2.5
福岡県	249	10.9	39.4	17.9	10.2	1,039	29.0	35.5	7.9	5.4
佐賀県	33	16.2	33.0	8.1	5.5	219	46.8	32.9	5.4	2.9
長崎県	40	16.6	41.7	9.4	12.8	314	44.7	33.6	4.9	4.0
熊本県	69	10.7	37.6	7.9	15.6	405	36.9	39.1	5.3	3.8
大分県	33	14.9	44.4	13.0	8.8	268	39.7	32.0	6.2	4.3
宮崎県	40	13.7	39.4	12.0	9.0	252	38.3	39.9	8.3	2.2
鹿児島県	69	9.6	54.6	8.9	4.9	411	40.9	33.7	6.4	4.9
沖縄県	64	10.4	40.2	11.1	8.9	388	21.5	48.0	7.7	6.4
合計	3,937	11.7	43.7	10.2	8.8	24,534	34.5	36.7	6.2	4.6

注:「非典型雇用」は、勤め先での呼称が「パート」、「アルバイト」、「労働者派遣事業所の派遣社員」、「契約社員」、「嘱託」、「その他」であって、「正規の職員・従業員」ではない者。

・「求職者」は、ふだん無業で就業を希望し実際に求職活動や開業の準備をしている者で,在学中の者を除く。

・「非求職無業者」は、無業者のうち求職活動をしていない者で、卒業者かつ通学していず、配偶者なしで家事をおこなっていない者であり、総務省統計局が公表している「若年無業者」の定義「家事も通学もしていない無業者」とは異なる。

単位:%、太字は実数(百人)

	専門・短大・高専卒					大学・大学院卒				
	合計 （百人）	正社員(役員含む)	非典型雇用	求職者	非求職無業者	合計 （百人）	正社員(役員含む)	非典型雇用	求職者	非求職無業者
北海道	1,161	44.7	33.2	4.1	1.6	798	65.5	16.9	5.3	1.6
青森県	205	55.6	30.2	4.0	0.3	144	68.9	15.1	6.1	0.4
岩手県	245	58.8	27.6	5.7	0.4	122	66.7	16.9	3.3	1.6
宮城県	542	51.0	31.3	5.2	1.6	467	68.0	19.2	2.1	1.1
秋田県	172	60.6	24.6	6.2	0.6	91	73.0	15.6	3.2	0.0
山形県	200	57.7	25.5	5.3	1.9	122	68.5	16.9	4.3	0.0
福島県	360	51.9	27.2	5.5	0.8	226	62.9	20.1	4.2	1.4
茨城県	547	50.3	28.1	6.4	1.7	481	63.8	19.2	3.5	1.1
栃木県	393	49.3	31.9	5.7	0.0	298	70.0	14.2	3.7	0.0
群馬県	418	47.7	31.5	5.6	1.1	341	67.8	16.0	3.7	0.6
埼玉県	1,578	47.7	28.2	6.2	0.9	1,914	65.2	18.6	2.9	1.2
千葉県	1,245	51.1	28.8	5.4	1.2	1,651	65.0	18.0	4.7	0.6
東京都	2,781	48.7	28.1	4.4	1.5	6,490	72.8	15.2	3.2	0.1
神奈川県	1,865	45.9	31.4	6.3	1.5	2,763	66.9	16.8	4.7	0.7
新潟県	519	56.5	28.0	4.1	1.1	303	66.2	18.5	3.0	0.4
富山県	228	64.0	22.8	3.6	1.4	185	70.7	18.0	1.4	0.5
石川県	253	60.8	23.9	3.3	0.9	225	67.5	18.7	3.6	0.3
福井県	156	58.6	27.0	2.6	1.6	124	74.4	15.5	5.5	0.6
山梨県	171	49.4	31.2	4.4	0.5	152	62.9	22.6	4.1	1.2
長野県	460	54.4	28.5	3.8	0.0	300	62.6	22.2	5.4	1.2
岐阜県	424	52.5	25.6	6.8	1.1	358	63.2	16.0	5.0	0.7
静岡県	726	48.0	26.3	5.1	0.7	657	65.3	21.1	2.9	0.7
愛知県	1,500	46.7	31.1	5.7	1.4	2,116	65.7	14.9	7.4	1.1
三重県	355	53.8	27.5	4.9	0.0	301	58.4	25.5	1.9	0.0
滋賀県	311	46.8	33.1	5.5	0.7	322	65.4	19.6	3.9	0.7
京都府	517	48.1	31.4	6.1	0.8	716	61.6	19.6	4.4	1.3
大阪府	1,998	50.0	24.1	7.8	2.9	2,395	65.3	19.0	2.7	0.3
兵庫県	1,019	45.2	30.3	7.4	1.0	1,499	65.7	18.6	4.9	0.8
奈良県	242	43.1	34.2	3.3	0.9	342	62.2	19.7	5.2	1.9
和歌山県	182	55.7	24.7	5.8	0.6	144	61.3	20.4	5.3	1.7
鳥取県	125	57.4	26.5	4.6	0.4	79	68.8	17.6	2.6	0.4
島根県	136	59.9	28.3	3.6	0.6	99	63.1	23.9	4.1	0.0
岡山県	377	48.4	25.7	2.8	1.7	437	68.8	19.5	2.7	0.3
広島県	596	47.3	27.9	4.5	1.4	645	61.8	21.4	5.2	0.4
山口県	254	49.2	27.7	4.8	0.9	176	61.9	20.6	3.7	0.7
徳島県	113	51.8	24.0	8.0	0.6	144	70.6	18.3	2.2	0.5
香川県	198	53.9	26.3	4.5	1.2	180	65.2	14.3	4.2	0.6
愛媛県	247	47.8	29.1	4.0	1.0	236	62.4	16.3	2.7	2.2
高知県	146	56.8	25.6	4.9	0.8	102	66.1	20.3	4.8	1.8
福岡県	1,259	49.6	29.8	4.2	0.6	1,076	67.9	17.4	4.1	1.8
佐賀県	160	59.0	22.7	5.1	0.5	128	70.7	18.5	3.4	0.4
長崎県	241	54.8	28.4	4.1	0.0	208	67.0	16.5	3.8	0.6
熊本県	365	59.4	26.8	4.7	1.1	312	65.5	19.0	2.4	1.6
大分県	244	59.1	24.9	5.5	0.7	167	62.0	22.2	5.1	0.5
宮崎県	227	55.1	25.8	6.2	1.0	138	64.8	24.3	2.9	0.9
鹿児島県	383	57.9	24.2	3.8	1.2	169	68.3	15.8	2.5	0.8
沖縄県	328	45.5	35.2	5.1	1.0	275	53.4	33.5	4.2	1.5
合計	26,170	50.0	28.6	5.4	1.2	30,617	67.0	17.7	4.0	0.7

注：・「非典型雇用」は、勤め先での呼称が「パート」、「アルバイト」、「労働者派遣事業所の派遣社員」、「契約社員」、「嘱託」、「その他」であって、「正規の職員・従業員」ではない者。

・「求職者」は、ふだん無業で就業を希望し実際に求職活動や開業の準備をしている者で,在学中の者を除く。

・「非求職無業者」は、無業者のうち求職活動をしていない者で、卒業者かつ通学していず、配偶者なしで家事をおこなっていない者であり、総務省統計局が公表している「若年無業者」の定義「家事も通学もしていない無業者」とは異なる。

表4　「非求職無業者」の就業希望、就業非希望・非求職の理由（15-39歳）*1

単位:人

	非求職無業者数	就業希望		非求職または非就業希望の理由		
		就業希望者数	就業希望者比率(%)	自信がない他 *2	学校以外での勉強・通学*3	病気・けが
北海道	34,400	14,200	41.2	3,600	2,000	13,400
青森県	6,900	3,300	47.5	1,500	400	2,300
岩手県	6,100	3,000	48.9	1,000	300	1,900
宮城県	16,500	7,300	44.4	2,100	900	6,500
秋田県	5,000	2,800	56.6	600	200	2,100
山形県	4,000	1,900	47.0	500	200	1,800
福島県	10,400	5,100	48.8	1,400	500	3,000
茨城県	18,000	7,000	39.0	2,300	1,100	6,000
栃木県	13,800	4,100	29.4	1,400	600	6,500
群馬県	9,800	4,500	45.9	1,200	700	3,200
埼玉県	34,900	19,700	56.4	5,200	2,900	13,600
千葉県	38,200	16,300	42.8	6,000	4,000	10,200
東京都	83,900	36,200	43.2	10,400	6,500	26,000
神奈川県	51,200	21,300	41.6	9,100	3,700	17,900
新潟県	10,700	5,400	50.1	2,100	500	3,900
富山県	5,800	1,900	32.2	800	200	2,600
石川県	6,200	2,200	35.7	900	200	3,000
福井県	2,700	1,000	37.6	600	200	1,000
山梨県	4,400	1,600	37.0	900	500	1,300
長野県	9,300	3,600	38.1	1,300	700	3,300
岐阜県	9,500	5,000	52.4	1,900	600	3,600
静岡県	21,100	8,300	39.2	3,500	1,900	7,700
愛知県	38,300	20,100	52.4	7,200	3,600	11,200
三重県	8,400	2,600	31.1	800	500	2,900
滋賀県	6,100	2,400	40.0	700	500	1,500
京都府	10,100	4,900	48.0	1,900	1,200	3,000
大阪府	58,100	25,300	43.6	10,200	4,900	16,600
兵庫県	28,900	11,100	38.2	3,900	1,900	10,100
奈良県	7,000	3,000	42.7	900	600	2,000
和歌山県	5,700	2,500	43.6	800	400	2,000
鳥取県	3,200	900	29.6	300	300	900
島根県	3,000	1,100	34.8	500	200	900
岡山県	9,000	4,700	51.4	1,400	600	3,700
広島県	13,100	5,200	40.0	1,600	1,500	3,400
山口県	7,600	2,300	29.5	1,200	500	3,300
徳島県	4,700	1,500	32.3	600	200	1,700
香川県	4,400	2,000	45.4	800	400	1,400
愛媛県	7,200	3,800	52.9	1,400	400	2,100
高知県	3,300	1,500	44.0	500	400	1,000
福岡県	36,500	15,400	42.1	2,400	2,200	20,500
佐賀県	4,100	1,900	45.6	600	100	1,600
長崎県	6,300	2,700	42.4	600	200	2,400
熊本県	8,700	3,500	39.8	1,700	1,000	1,800
大分県	6,700	2,800	41.7	800	200	2,600
宮崎県	4,000	2,000	49.9	500	400	1,000
鹿児島県	10,100	3,400	34.0	1,100	900	4,200
沖縄県	11,400	5,300	46.7	1,500	2,000	3,700
合計	709,000	307,300	43.3	101,900	53,900	246,800

注：*1 地域若者サポートステーションが対象とする年齢層に合わせた。

　　*2 求職活動をしない理由として「探したが見つからなかった」「希望する仕事がありそうにない」「知識・能力に自信がない」を挙げた者，および就業を希望しない理由として「仕事をする自信がない」を挙げた者。

　　*3 求職活動をしない理由として「通学のため」「学校以外で進学や資格取得などの勉強をしている」を挙げた者、および就業を希望しない理由として「通学のため」「学校以外で進学や資格取得などの勉強をしている」を挙げた者。

表5 「若年無業者」の就業希望、就業非希望・非求職の理由（15-39歳）*1

単位:人

| | 若年無業者数 | 就業希望 | | 非求職または非就業希望の理由 | | |
		就業希望者数	就業希望者比率(%)	自信がない他*2	学校以外での勉強・通学*3	病気・けが
北海道	39,500	15,500	39.4	4,100	2,600	15,300
青森県	8,100	3,700	46.3	1,500	700	2,400
岩手県	7,200	3,200	44.6	1,000	700	2,000
宮城県	17,600	7,700	43.6	2,100	1,700	6,800
秋田県	5,400	2,900	54.6	600	200	2,200
山形県	4,500	2,000	43.4	500	300	2,000
福島県	11,600	5,400	46.6	1,400	500	3,400
茨城県	19,500	7,700	39.5	2,300	1,700	6,100
栃木県	14,800	4,400	29.6	1,400	800	6,800
群馬県	11,100	5,200	46.8	1,200	1,000	3,800
埼玉県	38,000	20,600	54.2	5,700	3,700	14,200
千葉県	41,800	17,700	42.2	6,600	4,800	10,800
東京都	92,100	39,900	43.4	10,400	8,700	26,900
神奈川県	55,800	23,400	42.0	10,000	5,000	18,700
新潟県	12,400	5,500	44.3	2,100	900	5,100
富山県	6,500	2,200	33.3	900	300	2,800
石川県	7,000	2,500	36.2	900	600	3,100
福井県	3,300	1,200	35.4	600	300	1,100
山梨県	4,900	1,900	39.4	900	500	1,400
長野県	10,700	4,100	37.8	1,300	1,100	3,600
岐阜県	10,500	5,500	52.0	2,000	600	3,800
静岡県	22,500	8,900	39.7	3,800	2,400	8,100
愛知県	46,200	21,600	46.7	7,500	6,600	12,100
三重県	9,800	3,000	30.1	1,000	700	3,200
滋賀県	7,200	2,700	37.9	800	600	1,900
京都府	12,300	5,300	42.7	2,000	1,900	3,200
大阪府	66,600	27,700	41.6	11,400	6,600	18,900
兵庫県	32,400	12,700	39.3	3,900	2,700	10,500
奈良県	8,700	3,300	38.4	1,000	1,600	2,200
和歌山県	6,700	2,900	42.9	1,200	600	2,400
鳥取県	3,500	1,100	32.8	300	400	900
島根県	3,400	1,300	37.6	500	300	1,100
岡山県	10,200	5,200	51.4	1,400	800	3,800
広島県	14,500	6,000	41.7	1,600	1,800	3,800
山口県	8,400	2,600	31.0	1,200	700	3,500
徳島県	5,300	1,700	31.8	600	400	1,800
香川県	5,000	2,200	43.9	800	600	1,500
愛媛県	7,700	4,400	57.0	1,400	500	2,600
高知県	3,600	1,600	43.0	500	400	1,100
福岡県	44,500	17,800	40.0	3,800	3,400	21,800
佐賀県	4,400	1,900	44.0	600	200	1,700
長崎県	6,300	2,800	44.6	700	400	2,600
熊本県	9,900	3,900	39.4	1,800	1,100	2,700
大分県	7,400	3,100	42.0	800	600	2,700
宮崎県	4,600	2,200	48.4	500	600	1,100
鹿児島県	11,000	3,800	34.5	1,100	900	4,500
沖縄県	13,600	5,900	43.3	1,500	2,500	3,800
合計	798,000	337,900	42.3	109,100	76,100	265,700

注：*1 総務省統計局が公表している「若年無業者」の定義（家事も通学もしていない無業者のうち，①就業を希望し，かつ，求職活動をしていない者、および②就業を希望していない者）を適用し、かつ、対象年齢を39歳まで拡大した試算。

　*2 求職活動をしない理由として「探したが見つからなかった」「希望する仕事がありそうにない」「知識・能力に自信がない」を挙げた者、および就業を希望しない理由として「仕事をする自信がない」を挙げた者。

　*3 求職活動をしない理由として「通学のため」「学校以外で進学や資格取得などの勉強をしている」を挙げた者、および就業を希望しない理由として「学校以外で進学や資格取得などの勉強をしている」を挙げた者。

表 6　「非求職無業者」の就業経験、前職離職時期 (15-39 歳) [1]

単位:人

| | 非求職無業者数 | 就業経験なし | | 前職のある者の前職離職時期 | | |
		就業経験のない者の数	就業経験のない者の比率(%)	2014年以前	2015～16年	2017年
北海道	34,400	20,200	58.7	7,200	3,700	2,500
青森県	6,900	4,400	63.7	1,400	600	400
岩手県	6,100	3,900	64.3	1,100	300	600
宮城県	16,500	9,100	55.0	4,100	1,300	1,300
秋田県	5,000	2,700	53.4	1,400	600	400
山形県	4,000	2,100	54.1	900	600	300
福島県	10,400	7,300	70.3	1,300	1,200	400
茨城県	18,000	11,100	61.6	3,800	2,100	400
栃木県	13,800	10,300	74.8	1,600	1,100	300
群馬県	9,800	6,400	65.3	1,800	600	800
埼玉県	34,900	19,600	56.2	7,300	3,600	2,500
千葉県	38,200	19,800	51.9	8,300	3,800	5,000
東京都	83,900	49,300	58.7	15,000	10,500	6,700
神奈川県	51,200	30,300	59.2	10,600	5,000	2,400
新潟県	10,700	7,500	70.2	2,000	800	400
富山県	5,800	3,200	54.8	1,000	500	400
石川県	6,200	3,400	55.3	800	500	400
福井県	2,700	1,700	61.8	300	300	300
山梨県	4,400	2,700	60.3	800	800	100
長野県	9,300	5,800	62.2	2,200	1,100	100
岐阜県	9,500	4,200	43.9	2,400	2,000	700
静岡県	21,100	11,000	52.2	5,500	2,900	900
愛知県	38,300	19,000	49.5	9,500	4,900	4,000
三重県	8,400	5,500	65.8	1,500	1,100	300
滋賀県	6,100	3,400	56.2	1,500	700	200
京都府	10,100	5,200	51.7	2,900	1,000	600
大阪府	58,100	32,100	55.2	11,300	5,500	5,800
兵庫県	28,900	16,200	55.8	5,700	2,900	2,700
奈良県	7,000	4,100	58.1	1,100	700	800
和歌山県	5,700	3,300	58.8	1,200	600	300
鳥取県	3,200	2,000	62.7	700	200	300
島根県	3,000	2,000	65.1	800	100	100
岡山県	9,000	4,700	52.1	2,400	800	800
広島県	13,100	8,300	63.0	2,400	1,300	1,100
山口県	7,600	5,000	65.3	1,300	500	600
徳島県	4,700	3,200	68.8	700	500	100
香川県	4,400	2,600	58.0	1,000	300	400
愛媛県	7,200	4,000	55.6	1,300	1,100	600
高知県	3,300	1,700	52.3	600	400	500
福岡県	36,500	19,200	52.5	9,700	3,900	2,400
佐賀県	4,100	2,100	51.5	1,000	400	400
長崎県	6,300	3,300	51.9	1,400	400	400
熊本県	8,700	4,900	56.3	1,200	1,500	800
大分県	6,700	4,200	63.4	900	1,000	400
宮崎県	4,000	2,300	58.0	900	600	200
鹿児島県	10,100	6,300	62.2	1,900	500	1,200
沖縄県	11,400	6,200	54.3	2,300	1,400	800
合計	709,000	406,700	57.4	145,800	76,100	52,900

注：[1] 地域若者サポートステーションが対象とする年齢層に合わせた。

表7 「若年無業者」の就業経験、前職離職時期（15〜39歳）*1

単位:人

	若年無業者数	就業経験なし		前職のある者の前職離職時期		
		就業経験のない者の数	就業経験のない者の比率(%)	2014年以前	2015〜16年	2017年
北海道	39,500	23,000	58.3	8,200	4,000	3,000
青森県	8,100	5,000	62.0	1,700	700	500
岩手県	7,200	4,600	64.2	1,300	500	600
宮城県	17,600	10,200	57.9	4,200	1,500	1,300
秋田県	5,400	2,900	54.7	1,400	600	400
山形県	4,500	2,500	55.1	900	600	500
福島県	11,600	8,200	70.8	1,300	1,500	600
茨城県	19,500	12,000	61.8	4,000	2,500	500
栃木県	14,800	10,800	72.9	2,000	1,100	500
群馬県	11,100	6,900	62.6	2,100	1,100	900
埼玉県	38,000	21,000	55.3	8,000	4,200	2,900
千葉県	41,800	21,400	51.1	9,300	4,300	5,200
東京都	92,100	53,600	58.2	16,900	12,200	8,300
神奈川県	55,800	33,100	59.4	11,500	5,400	3,300
新潟県	12,400	8,900	72.0	2,100	800	400
富山県	6,500	3,500	53.3	1,100	600	500
石川県	7,000	3,900	56.5	900	500	500
福井県	3,300	2,100	64.1	300	400	300
山梨県	4,900	2,900	59.3	800	1,000	300
長野県	10,700	6,800	63.3	2,400	1,100	300
岐阜県	10,500	4,700	44.4	2,500	2,100	900
静岡県	22,500	12,100	53.6	5,600	3,200	1,000
愛知県	46,200	23,000	49.9	12,200	5,700	4,500
三重県	9,800	6,200	63.5	1,600	1,200	700
滋賀県	7,200	4,200	57.9	1,700	800	400
京都府	12,300	7,000	56.7	3,100	1,000	600
大阪府	66,600	37,500	56.3	12,900	7,000	6,600
兵庫県	32,400	18,300	56.4	6,300	3,400	3,200
奈良県	8,700	5,400	61.9	1,300	800	1,000
和歌山県	6,700	3,900	57.6	1,500	900	400
鳥取県	3,500	2,200	63.7	700	200	300
島根県	3,400	2,200	65.4	800	200	200
岡山県	10,200	5,500	53.9	2,700	1,000	800
広島県	14,500	8,700	59.8	2,800	1,500	1,400
山口県	8,400	5,400	64.4	1,200	600	800
徳島県	5,300	3,600	68.0	900	600	100
香川県	5,000	3,000	60.1	1,000	400	500
愛媛県	7,700	3,800	50.0	1,500	1,600	700
高知県	3,600	1,800	48.7	700	400	600
福岡県	44,500	24,500	54.9	11,100	4,300	3,400
佐賀県	4,400	2,300	52.7	1,100	500	400
長崎県	6,300	3,700	58.5	1,600	400	400
熊本県	9,900	5,700	57.0	1,400	1,600	1,000
大分県	7,400	4,700	62.9	1,000	1,200	500
宮崎県	4,600	2,500	53.2	1,100	800	200
鹿児島県	11,000	6,700	61.0	2,000	700	1,300
沖縄県	13,700	7,300	53.2	2,600	1,800	1,200
合計	798,000	459,100	57.5	163,500	88,200	63,800

注 : *1 総務省統計局が公表している「若年無業者」の定義（家事も通学もしていない無業者のうち、①就業を希望し、かつ、求職活動をしていない者、および②就業を希望していない者）を適用し、かつ、対象年齢を39歳まで拡大した試算。

表8 「非求職無業者」（JILPT 定義）と「若年無業者」（総務省統計局定義）*1 との関係

単位:人

	総務省統計局「若年無業者」				求職活動または就業希望の不詳④	JILPT「非求職無業」①＋④
	計 ①＋②＋③	(うち)非在学で無配偶①	(うち)在学中②	(うち)有配偶(在学中は除く)③		
北海道	39,500	34,100	2,500	2,900	300	34,400
青森県	8,100	6,900	500	600	0	6,900
岩手県	7,200	6,100	500	600	0	6,100
宮城県	17,600	16,200	1,000	400	300	16,500
秋田県	5,400	5,000	200	200	0	5,000
山形県	4,500	3,900	300	300	100	4,000
福島県	11,600	10,300	600	700	100	10,400
茨城県	19,500	17,400	900	1,200	600	18,000
栃木県	14,800	13,500	500	800	300	13,800
群馬県	11,100	9,600	800	700	200	9,800
埼玉県	38,000	34,700	1,700	1,700	200	34,900
千葉県	41,800	37,500	1,900	2,400	700	38,200
東京都	92,100	82,300	5,600	4,200	1,600	83,900
神奈川県	55,800	50,200	2,700	2,900	1,000	51,200
新潟県	12,400	10,700	1,600	100	0	10,700
富山県	6,500	5,800	300	400	0	5,800
石川県	7,000	6,200	400	300	0	6,200
福井県	3,300	2,700	300	300	0	2,700
山梨県	4,900	4,400	200	200	0	4,400
長野県	10,700	9,300	700	700	0	9,300
岐阜県	10,500	9,500	400	600	0	9,500
静岡県	22,500	20,900	1,100	600	200	21,100
愛知県	46,200	38,100	3,900	4,200	200	38,300
三重県	9,800	8,400	700	700	0	8,400
滋賀県	7,200	5,900	600	700	200	6,100
京都府	12,300	10,000	1,100	1,200	100	10,100
大阪府	66,600	56,700	3,400	6,600	1,500	58,100
兵庫県	32,400	28,600	1,900	1,900	400	28,900
奈良県	8,700	6,900	1,200	600	100	7,000
和歌山県	6,700	5,500	700	500	100	5,700
鳥取県	3,500	3,100	200	200	0	3,200
島根県	3,400	3,000	200	100	0	3,000
岡山県	10,200	8,900	500	800	200	9,000
広島県	14,500	13,000	600	800	100	13,100
山口県	8,400	7,600	400	500	100	7,600
徳島県	5,300	4,600	400	300	0	4,700
香川県	5,000	4,400	400	200	0	4,400
愛媛県	7,700	6,600	400	700	600	7,200
高知県	3,600	3,300	0	300	0	3,300
福岡県	44,500	36,400	3,100	5,000	200	36,500
佐賀県	4,400	4,000	100	300	100	4,100
長崎県	6,300	5,500	400	400	900	6,300
熊本県	9,900	8,500	400	1,000	200	8,700
大分県	7,400	6,500	700	200	100	6,700
宮崎県	4,600	4,000	400	300	0	4,000
鹿児島県	11,000	10,000	600	400	100	10,100
沖縄県	13,600	11,300	1,300	1,000	100	11,400
合計	798,000	698,000	48,300	51,600	10,900	709,000

注：*1 総務省統計局が公表している「若年無業者」の定義（家事も通学もしていない無業者のうち，①就業を希望し，かつ，求職活動をしていない者、および②就業を希望していない者）を適用し、かつ、対象年齢を 39 歳まで拡大した試算。なお、「就業構造基本調査」では、「仕事をしていない」場合に「家事」「通学」「その他」のいずれかを選ぶ設問となっており、この設問とは独立して、配偶者の有無や学校への在学を問うている。そのため、家事も通学もしていない場合にも、有配偶であったり、在学中であったりするケースがある。

表9　フリーター率の推移

①男性

	1982年	1987年	1992年	1997年	2002年*	2007年	2012年	2017年	2017年 フリーター 数(百人)
北海道	2.7%	5.3%	4.4%	5.9%	9.3%	10.7%	12.0%	9.1%	263
青森県	2.6%	4.6%	3.8%	5.1%	8.4%	8.9%	11.1%	8.5%	59
岩手県	1.9%	3.2%	3.6%	3.5%	8.5%	9.0%	9.5%	6.8%	50
宮城県	1.7%	3.8%	3.5%	5.3%	10.8%	9.4%	10.9%	7.8%	126
秋田県	2.6%	3.6%	2.0%	3.5%	8.3%	7.2%	7.9%	6.6%	32
山形県	1.8%	2.0%	2.0%	4.5%	5.4%	7.4%	6.4%	5.5%	35
福島県	2.2%	2.6%	2.5%	3.5%	7.0%	6.7%	7.9%	6.0%	73
茨城県	1.1%	2.7%	3.0%	6.1%	7.3%	6.5%	8.5%	7.6%	148
栃木県	1.6%	2.4%	3.5%	4.3%	6.1%	5.8%	7.3%	6.6%	87
群馬県	1.6%	3.2%	3.7%	5.9%	8.6%	7.5%	8.9%	7.4%	94
埼玉県	2.2%	4.4%	5.4%	7.2%	10.2%	9.3%	11.5%	9.7%	479
千葉県	2.7%	3.3%	5.3%	6.4%	8.7%	8.5%	10.9%	8.3%	333
東京都	4.1%	6.8%	6.6%	10.1%	11.9%	10.8%	11.9%	8.4%	899
神奈川県	2.1%	3.6%	4.5%	7.0%	8.7%	6.8%	9.4%	9.5%	612
新潟県	1.5%	1.8%	2.3%	4.4%	8.6%	5.6%	7.9%	6.3%	83
富山県	1.4%	2.0%	1.8%	3.4%	4.7%	4.9%	5.2%	4.8%	31
石川県	1.6%	1.6%	2.6%	2.6%	6.2%	5.8%	7.8%	6.1%	43
福井県	1.0%	1.8%	1.9%	3.4%	5.5%	3.8%	6.0%	6.3%	31
山梨県	2.1%	2.7%	3.5%	3.4%	7.9%	5.8%	8.9%	6.9%	33
長野県	1.2%	2.2%	2.2%	3.9%	8.5%	7.5%	8.4%	7.1%	84
岐阜県	1.3%	2.7%	2.8%	4.8%	7.7%	6.0%	6.6%	5.8%	70
静岡県	1.6%	2.5%	2.9%	4.9%	7.7%	6.0%	6.7%	6.7%	160
愛知県	1.5%	3.1%	4.3%	5.9%	7.0%	5.0%	7.1%	5.7%	334
三重県	1.5%	2.4%	2.5%	3.8%	6.0%	5.2%	5.9%	7.2%	85
滋賀県	1.4%	3.0%	4.1%	6.1%	6.2%	5.4%	5.9%	5.1%	48
京都府	3.2%	5.2%	5.2%	7.3%	13.6%	9.3%	11.7%	10.5%	158
大阪府	2.3%	5.2%	6.0%	7.0%	12.1%	11.7%	13.2%	10.9%	608
兵庫県	2.6%	4.4%	4.0%	6.2%	8.8%	7.4%	9.5%	6.6%	209
奈良県	2.2%	2.5%	5.4%	7.1%	9.7%	10.6%	10.3%	9.7%	69
和歌山県	1.8%	3.5%	3.3%	5.4%	9.0%	9.1%	8.0%	9.5%	48
鳥取県	2.2%	3.2%	3.1%	4.3%	9.0%	8.3%	10.1%	7.8%	25
島根県	0.7%	1.0%	1.9%	3.6%	6.8%	6.2%	9.1%	6.5%	24
岡山県	1.4%	2.1%	2.5%	4.7%	7.4%	5.7%	8.8%	6.9%	83
広島県	1.8%	2.6%	2.8%	6.7%	9.9%	7.2%	7.9%	7.3%	135
山口県	1.6%	3.0%	3.0%	3.5%	7.4%	5.3%	8.8%	7.2%	54
徳島県	2.6%	2.3%	3.9%	4.9%	7.7%	6.7%	6.6%	7.5%	30
香川県	1.8%	2.3%	3.7%	3.9%	7.7%	6.5%	8.1%	7.5%	44
愛媛県	2.5%	2.3%	3.0%	4.2%	8.2%	7.8%	9.9%	8.2%	63
高知県	2.7%	4.7%	3.6%	6.1%	8.9%	11.0%	11.4%	8.7%	30
福岡県	2.8%	4.1%	4.8%	6.8%	10.5%	10.4%	11.6%	9.2%	287
佐賀県	2.9%	3.6%	2.6%	4.3%	8.4%	8.3%	7.9%	7.3%	36
長崎県	2.8%	4.8%	4.4%	5.7%	10.0%	9.1%	10.3%	7.5%	56
熊本県	3.5%	4.7%	4.9%	4.7%	9.9%	8.8%	10.3%	8.7%	86
大分県	2.6%	3.5%	2.2%	4.1%	8.0%	5.1%	5.8%	6.4%	43
宮崎県	3.1%	3.5%	4.5%	6.0%	10.5%	9.5%	8.4%	6.9%	40
鹿児島県	2.7%	3.5%	4.5%	5.5%	9.1%	10.7%	10.9%	9.0%	77
沖縄県	7.2%	10.5%	10.6%	15.4%	15.3%	15.5%	18.8%	13.5%	136
合計	2.4%	4.0%	4.4%	6.4%	9.3%	8.3%	9.9%	8.1%	6,635

②女性

	1982年	1987年	1992年	1997年	2002年*	2007年	2012年	2017年	2017年 フリーター数 (百人)
北海道	10.5%	17.2%	11.6%	16.8%	25.0%	21.2%	22.6%	18.6%	349
青森県	8.3%	12.7%	7.6%	15.3%	22.2%	23.4%	25.6%	18.8%	74
岩手県	6.6%	12.4%	8.0%	13.6%	20.1%	19.1%	25.3%	13.5%	48
宮城県	8.3%	11.4%	9.3%	15.8%	24.5%	20.7%	23.4%	17.6%	170
秋田県	9.1%	8.3%	6.0%	11.2%	21.9%	18.4%	17.9%	16.2%	42
山形県	5.8%	5.5%	5.9%	11.6%	18.2%	17.3%	17.3%	15.0%	49
福島県	6.7%	8.7%	8.6%	13.4%	19.9%	18.5%	17.3%	16.4%	92
茨城県	4.8%	9.6%	9.6%	16.5%	20.2%	18.5%	19.9%	18.2%	171
栃木県	6.7%	8.4%	9.6%	16.1%	21.5%	19.2%	19.3%	20.2%	130
群馬県	6.4%	8.9%	9.6%	15.1%	22.5%	16.8%	22.7%	19.9%	133
埼玉県	7.5%	9.5%	11.0%	16.6%	23.4%	18.3%	22.5%	19.4%	565
千葉県	6.4%	10.2%	11.9%	17.8%	22.5%	19.4%	23.9%	19.3%	477
東京都	7.3%	11.8%	10.8%	19.0%	19.6%	15.5%	17.6%	13.6%	952
神奈川県	7.8%	9.6%	11.3%	16.3%	23.6%	18.2%	18.4%	17.4%	615
新潟県	5.5%	8.0%	7.1%	13.4%	20.9%	18.8%	21.4%	19.1%	135
富山県	6.1%	6.9%	6.1%	10.8%	15.5%	14.2%	17.9%	10.0%	34
石川県	7.5%	6.9%	6.2%	12.4%	16.5%	15.3%	17.8%	10.9%	45
福井県	4.1%	6.0%	6.5%	10.5%	17.7%	12.8%	19.2%	12.1%	31
山梨県	5.6%	6.9%	8.1%	13.5%	20.3%	16.8%	22.7%	16.6%	46
長野県	2.6%	4.9%	6.9%	9.4%	17.1%	17.2%	18.1%	17.6%	111
岐阜県	4.1%	7.7%	8.9%	14.9%	19.9%	18.2%	17.4%	15.4%	106
静岡県	4.7%	7.9%	9.3%	15.9%	19.3%	18.7%	22.9%	16.4%	204
愛知県	6.9%	10.2%	10.3%	15.3%	19.1%	14.2%	16.4%	15.7%	486
三重県	6.9%	8.9%	7.9%	17.7%	20.0%	17.3%	20.4%	16.1%	99
滋賀県	5.9%	6.9%	9.1%	14.8%	21.6%	16.0%	16.9%	18.2%	93
京都府	8.9%	14.1%	12.3%	20.5%	23.1%	19.6%	23.3%	20.9%	210
大阪府	8.6%	12.8%	11.6%	19.3%	25.8%	19.7%	22.5%	17.9%	666
兵庫県	7.3%	11.2%	9.9%	18.6%	24.6%	19.9%	20.0%	14.6%	301
奈良県	7.6%	10.2%	10.8%	17.7%	24.3%	18.7%	20.1%	20.4%	97
和歌山県	7.8%	14.1%	13.4%	21.1%	27.9%	25.5%	26.0%	17.4%	56
鳥取県	8.1%	9.4%	8.1%	12.4%	19.2%	18.5%	22.1%	17.3%	33
島根県	5.8%	9.4%	6.5%	10.0%	14.2%	16.5%	18.4%	15.5%	31
岡山県	9.9%	9.2%	9.1%	14.0%	21.1%	16.8%	18.5%	16.7%	120
広島県	6.5%	9.6%	7.9%	15.6%	24.4%	16.5%	18.4%	18.5%	170
山口県	5.4%	9.8%	9.5%	14.3%	21.8%	17.7%	17.9%	14.7%	60
徳島県	7.1%	10.9%	10.4%	15.5%	15.0%	15.7%	17.5%	11.2%	25
香川県	6.3%	7.2%	8.4%	13.0%	17.4%	17.2%	20.1%	16.9%	52
愛媛県	7.0%	9.4%	8.5%	9.2%	18.3%	18.5%	16.5%	15.4%	59
高知県	6.8%	14.4%	11.9%	11.8%	20.3%	23.0%	23.5%	18.4%	37
福岡県	7.6%	13.4%	10.7%	14.5%	23.1%	18.7%	20.9%	15.6%	311
佐賀県	6.8%	12.3%	10.1%	12.7%	20.9%	19.0%	18.3%	14.1%	42
長崎県	7.8%	12.0%	8.2%	12.5%	23.2%	20.2%	19.9%	16.2%	72
熊本県	8.4%	10.1%	9.3%	14.0%	20.8%	17.0%	16.7%	15.9%	98
大分県	5.4%	9.1%	8.9%	13.5%	20.0%	17.5%	19.0%	13.8%	52
宮崎県	7.0%	9.4%	8.6%	13.7%	19.7%	18.2%	19.2%	13.8%	46
鹿児島県	9.8%	7.8%	8.2%	12.8%	20.1%	19.6%	18.9%	14.0%	75
沖縄県	11.2%	17.6%	18.2%	25.5%	26.7%	27.3%	26.4%	19.6%	105
合計	7.3%	10.8%	10.2%	16.3%	21.9%	18.2%	20.1%	16.6%	7,980

注：*フリーターは、年齢は 15-34 歳、在学しておらず、女性については未婚者に限定し、①有業者については
　　勤め先における呼称がパートまたはアルバイトである雇用者、②現在無業である者については家事も通学
　　もしておらずパート・アルバイトの仕事を希望する者。ただし、2002 年調査のみ離死別が分離されていな
　　いため、女性未婚者の中に離死別による無配偶の女性を含み、また無業でパート・アルバイトを希望する
　　者に、契約社員を希望する者も含まれる。
・フリーター率は、分母を、年齢は 15-34 歳、在学しておらず、女性については未婚者（2002 年は無配偶）
　　に限定し、①役員を除く雇用者であるか、または、②無業で「何か収入のある仕事をしたいと思っている者」
　　とし、分子をフリーター数とするものである。各年の「就業構造基本調査」から作成した。

表10　年齢階層別フリーター数、フリーター率

①男女計

	フリーター数（百人）				フリーター率（%）			
	15〜19歳	20〜24歳	25〜29歳	30〜34歳	15〜19歳	20〜24歳	25〜29歳	30〜34歳
北海道	43	225	184	159	19.9	17.9	10.8	10.0
青森県	12	39	46	37	17.9	12.9	12.7	10.3
岩手県	8	31	32	28	15.5	10.3	8.6	7.5
宮城県	19	76	113	88	19.6	10.5	12.3	10.4
秋田県	4	25	22	23	15.1	12.3	8.6	8.8
山形県	4	25	32	23	8.7	10.4	9.4	6.9
福島県	15	52	71	27	17.3	10.7	11.8	4.5
茨城県	23	120	112	64	18.3	15.6	10.9	6.6
栃木県	17	68	79	53	20.1	13.0	11.4	8.0
群馬県	18	69	74	65	22.9	12.6	11.1	10.3
埼玉県	50	384	322	288	27.8	18.2	10.9	11.1
千葉県	46	299	241	223	25.8	17.4	10.1	10.1
東京都	78	554	729	490	31.7	13.6	10.4	7.7
神奈川県	49	489	430	258	18.6	19.6	11.5	7.5
新潟県	20	72	71	55	25.8	13.2	10.1	7.8
富山県	5	21	19	21	10.2	7.6	5.6	6.5
石川県	6	29	30	24	15.1	9.2	7.5	6.3
福井県	6	16	24	16	13.6	7.8	8.9	7.0
山梨県	7	25	30	17	22.8	12.1	10.9	6.9
長野県	15	50	71	58	22.6	10.7	10.9	9.5
岐阜県	7	65	58	46	11.4	11.8	8.5	7.8
静岡県	24	123	129	88	16.1	12.6	10.0	7.3
愛知県	108	256	266	189	31.1	10.5	8.1	6.5
三重県	16	55	69	45	20.1	10.6	10.9	7.8
滋賀県	6	39	58	38	12.3	9.9	10.9	8.0
京都府	13	127	129	100	24.3	21.3	13.3	11.2
大阪府	87	389	476	323	38.3	15.8	13.5	10.5
兵庫県	35	196	167	111	25.8	14.1	8.8	6.3
奈良県	8	51	63	45	22.5	16.6	14.0	11.2
和歌山県	8	41	29	27	18.1	17.5	10.1	9.9
鳥取県	4	16	20	18	18.5	11.8	11.4	10.4
島根県	2	19	20	15	9.9	12.1	9.9	7.5
岡山県	12	76	74	42	15.6	14.1	10.4	6.9
広島県	29	75	116	85	30.7	9.9	11.8	9.2
山口県	9	29	40	36	13.9	9.6	9.8	9.3
徳島県	2	16	17	20	10.1	10.4	7.4	9.1
香川県	12	23	28	33	27.1	9.1	9.2	11.3
愛媛県	15	34	30	43	25.1	11.4	7.5	11.0
高知県	6	23	19	20	31.3	16.3	9.8	10.1
福岡県	39	227	172	160	20.7	16.5	9.5	9.2
佐賀県	7	27	23	21	15.5	12.1	8.6	8.1
長崎県	10	43	43	32	16.4	13.2	10.7	7.9
熊本県	19	58	60	48	27.6	13.8	10.5	8.7
大分県	9	26	24	35	17.9	9.0	7.0	10.1
宮崎県	11	30	22	23	22.0	12.1	7.3	7.3
鹿児島県	12	44	57	39	22.9	11.5	11.9	8.2
沖縄県	25	86	65	65	33.0	21.5	11.8	12.4
男女計	983	4,861	5,007	3,763	23.1	14.3	10.5	8.6

②男性

	フリーター数（百人）				フリーター率（%）			
	15〜19歳	20〜24歳	25〜29歳	30〜34歳	15〜19歳	20〜24歳	25〜29歳	30〜34歳
北海道	23	87	74	79	18.3	15.0	7.2	6.8
青森県	4	18	21	15	13.4	11.1	9.3	5.8
岩手県	3	17	18	11	9.9	10.4	7.4	3.8
宮城県	4	30	62	30	7.2	7.9	10.9	4.9
秋田県	2	10	8	13	13.7	9.1	4.6	6.3
山形県	3	10	11	11	9.9	7.2	5.2	4.3
福島県	6	19	35	12	11.9	6.6	8.7	2.6
茨城県	10	53	60	25	13.5	11.7	8.8	3.4
栃木県	8	32	28	18	14.6	10.7	6.4	3.5
群馬県	7	24	31	32	16.1	7.9	7.1	6.6
埼玉県	25	173	126	154	26.0	16.0	7.1	7.9
千葉県	24	122	96	92	24.3	14.2	6.6	5.6
東京都	31	293	332	243	22.5	14.6	8.1	5.4
神奈川県	32	235	208	137	16.8	18.3	9.1	5.2
新潟県	10	28	25	20	26.2	9.6	5.5	3.8
富山県	3	10	9	10	8.7	6.5	4.1	4.0
石川県	4	11	17	10	18.6	6.9	7.0	3.8
福井県	5	6	12	8	17.1	5.3	7.2	4.4
山梨県	4	9	14	6	20.7	8.4	8.2	3.5
長野県	7	25	24	29	15.7	9.4	5.7	6.3
岐阜県	4	20	29	16	10.4	7.4	6.9	3.5
静岡県	17	43	59	41	18.9	8.5	7.1	4.3
愛知県	55	94	97	89	24.2	7.1	4.6	3.9
三重県	8	22	35	21	14.9	7.8	8.5	4.7
滋賀県	2	18	15	12	9.0	8.6	4.5	3.4
京都府	5	53	52	48	17.5	18.5	9.0	7.9
大阪府	45	190	212	161	31.0	16.1	10.3	7.4
兵庫県	25	73	57	54	27.7	10.8	5.2	4.2
奈良県	2	22	29	16	11.1	14.9	10.8	5.7
和歌山県	5	18	11	14	21.2	15.7	6.5	7.0
鳥取県	2	5	8	9	18.8	8.4	7.1	7.2
島根県	1	11	8	5	5.9	12.4	6.4	3.2
岡山県	7	26	33	17	16.8	9.2	7.6	3.7
広島県	12	24	63	35	19.2	6.1	9.7	4.8
山口県	4	13	20	17	11.8	7.5	7.6	5.9
徳島県	0	8	9	13	3.2	9.3	6.3	7.8
香川県	6	7	16	15	21.7	5.0	8.1	6.9
愛媛県	10	22	10	22	28.9	12.4	3.7	7.4
高知県	2	9	9	9	21.5	11.9	7.8	6.6
福岡県	20	107	84	77	17.2	15.8	7.5	6.3
佐賀県	5	11	10	10	18.3	9.7	6.1	5.4
長崎県	5	15	21	15	13.5	8.8	8.6	5.1
熊本県	8	29	30	18	27.8	13.5	8.9	4.6
大分県	5	10	10	18	14.8	6.3	4.8	6.9
宮崎県	6	13	8	13	18.8	10.5	4.4	5.4
鹿児島県	4	25	29	19	17.5	12.9	10.1	5.4
沖縄県	20	49	32	37	36.6	21.8	9.1	9.4
男性計	501	2,150	2,205	1,779	19.5	12.2	7.6	5.5

③女性

	フリーター数（百人）				フリーター率（%）			
	15～19歳	20～24歳	25～29歳	30～34歳	15～19歳	20～24歳	25～29歳	30～34歳
北海道	20	138	110	80	22.1	20.3	16.3	19.0
青森県	8	21	24	21	21.4	15.1	18.7	23.4
岩手県	4	13	14	17	28.8	10.1	11.0	19.6
宮城県	15	46	52	58	35.4	13.4	14.4	25.3
秋田県	2	15	15	10	16.9	16.1	15.4	17.5
山形県	1	15	21	12	6.5	14.7	16.3	15.1
福島県	9	33	36	14	25.1	16.5	18.1	11.4
茨城県	14	67	52	39	24.7	21.2	15.0	17.5
栃木県	9	36	51	34	30.0	15.9	20.3	25.1
群馬県	11	45	43	34	31.6	18.4	18.3	22.0
埼玉県	25	211	196	133	30.0	20.6	16.8	20.9
千葉県	23	178	145	131	27.4	20.6	15.3	23.0
東京都	47	261	397	248	43.6	12.5	13.6	13.0
神奈川県	18	254	222	121	23.1	21.0	15.2	15.4
新潟県	10	44	46	35	25.6	17.3	19.1	20.2
富山県	2	11	10	11	13.4	8.9	8.0	14.2
石川県	2	18	12	13	10.6	11.8	8.4	13.3
福井県	1	10	12	8	6.2	10.8	11.7	17.2
山梨県	3	16	16	10	26.0	16.1	15.4	17.5
長野県	9	26	48	29	34.1	12.4	19.4	19.0
岐阜県	3	45	29	30	12.8	16.0	10.9	23.9
静岡県	7	80	70	47	11.7	17.2	15.3	18.2
愛知県	54	163	170	100	44.0	14.5	14.1	15.4
三重県	8	33	34	24	32.8	13.9	15.2	18.6
滋賀県	3	21	43	26	16.5	11.3	22.2	22.5
京都府	8	74	77	51	32.7	23.8	19.6	18.4
大阪府	42	199	264	162	51.5	15.5	17.9	18.2
兵庫県	11	123	110	57	22.3	17.2	13.7	11.7
奈良県	6	29	34	29	34.4	18.1	18.5	24.4
和歌山県	3	23	18	13	14.2	19.3	15.9	17.4
鳥取県	1	10	12	9	18.1	15.1	18.1	19.6
島根県	1	8	12	10	16.8	11.6	15.6	20.8
岡山県	4	50	41	25	13.9	19.8	14.6	16.3
広島県	17	50	52	50	53.6	14.1	16.1	24.8
山口県	5	16	20	19	16.4	12.2	13.8	19.1
徳島県	2	8	9	7	20.2	11.9	9.0	13.0
香川県	6	16	12	18	36.2	14.7	11.1	24.9
愛媛県	5	13	20	21	20.3	10.0	14.9	22.2
高知県	3	14	10	10	48.2	21.9	12.6	19.1
福岡県	20	120	89	83	26.3	17.2	12.6	16.0
佐賀県	3	16	13	11	12.5	14.8	12.5	15.9
長崎県	5	28	22	17	20.4	18.2	14.1	15.4
熊本県	10	29	29	29	27.5	14.1	12.9	20.0
大分県	5	16	14	17	22.8	12.1	10.4	19.6
宮崎県	6	17	14	10	26.3	13.7	11.7	13.6
鹿児島県	8	19	29	20	27.6	10.1	14.6	16.1
沖縄県	5	37	33	29	24.3	21.3	16.5	21.1
女性計	483	2,711	2,802	1,985	28.4	16.5	15.2	17.5

注：フリーターは、年齢は 15-34 歳、在学しておらず、女性については未婚者に限定し、①有業者については
勤め先における呼称がパートまたはアルバイトである雇用者、②現在無業である者については家事も通学も
しておらずパート・アルバイトの仕事を希望する者。ただし、2002 年調査のみ離死別が分離されていないた
め、女性未婚者の中に離死別による無配偶の女性を含み、また無業でパート・アルバイトを希望する者に、
契約社員を希望する者も含まれる。
・フリーター率は、分母を、年齢は 15-34 歳、在学しておらず、女性については未婚者（2002 年は無配偶）
に限定し、①役員を除く雇用者であるか、または、②無業で「何か収入のある仕事をしたいと思っている者」、
分子はフリーター。

表11　学歴別フリーター数、フリーター率

①男女計

	フリーター数（百人）				フリーター率（％）			
	中学卒	高校卒	専門・短大・高専卒	大学・大学院卒	中学卒	高校卒	専門・短大・高専卒	大学・大学院卒
北海道	55	308	172	71	23.5	17.4	13.6	4.9
青森県	15	76	23	19	25.6	14.7	9.4	6.9
岩手県	6	54	31	5	12.5	11.3	10.1	2.2
宮城県	23	121	92	60	23.0	12.5	14.3	7.0
秋田県	7	48	14	5	28.1	12.9	7.8	2.8
山形県	8	46	19	10	20.3	9.9	8.4	4.2
福島県	17	90	40	19	18.5	11.1	9.7	4.0
茨城県	32	168	68	49	24.1	14.3	11.5	5.0
栃木県	33	102	46	34	26.9	13.1	10.9	5.6
群馬県	28	108	63	28	24.5	16.8	12.3	4.2
埼玉県	95	477	239	220	27.9	22.8	14.1	6.1
千葉県	68	377	197	158	30.5	20.1	14.7	5.3
東京都	119	696	471	508	32.2	25.4	14.8	4.6
神奈川県	117	549	294	254	32.0	23.0	13.7	5.1
新潟県	28	110	56	25	24.9	15.5	9.5	4.0
富山県	4	36	15	10	13.1	10.0	6.0	3.0
石川県	12	42	20	13	25.2	10.4	8.3	3.2
福井県	5	36	10	10	21.2	11.5	6.4	4.1
山梨県	6	40	17	15	19.2	15.6	9.8	5.2
長野県	16	98	56	24	21.4	16.1	10.8	4.0
岐阜県	17	82	48	27	19.7	11.7	11.2	4.1
静岡県	46	159	91	67	24.6	12.0	12.8	4.8
愛知県	103	432	154	123	28.7	14.4	10.1	3.0
三重県	15	91	37	39	18.8	11.8	10.9	6.6
滋賀県	11	57	38	34	21.1	11.4	12.2	5.8
京都府	29	155	85	97	31.6	26.1	15.4	7.7
大阪府	134	588	279	257	33.2	23.4	13.6	6.1
兵庫県	41	212	126	127	24.4	13.9	12.2	5.1
奈良県	9	78	42	37	28.4	23.7	16.5	6.6
和歌山県	11	56	25	11	28.2	18.3	12.2	4.0
鳥取県	6	32	11	5	22.5	15.3	8.6	3.9
島根県	6	29	13	6	24.2	12.4	9.2	3.6
岡山県	25	88	46	38	24.9	12.1	12.6	5.4
広島県	29	148	69	51	23.9	17.8	11.5	4.4
山口県	13	58	24	20	28.3	11.0	9.7	5.9
徳島県	6	31	8	9	24.7	13.4	6.7	3.6
香川県	13	43	22	17	20.7	13.9	11.3	5.2
愛媛県	21	60	31	7	30.1	14.3	12.1	1.7
高知県	8	33	18	8	29.6	16.6	11.6	4.7
福岡県	89	289	121	92	26.3	18.1	10.3	4.6
佐賀県	11	46	13	7	27.5	12.6	7.9	3.4
長崎県	15	62	33	16	22.1	12.1	12.3	4.7
熊本県	29	100	23	30	33.8	15.7	6.7	5.7
大分県	17	46	21	10	30.5	10.0	8.1	3.6
宮崎県	14	52	17	4	21.6	13.4	7.5	1.7
鹿児島県	19	81	36	12	29.0	13.7	9.3	3.6
沖縄県	40	113	48	36	34.2	21.9	11.9	7.6
男女計	1,473	6,801	3,424	2,722	27.1	17.0	12.2	4.9

②男性

	フリーター数（百人）				フリーター率（%）			
	中学卒	高校卒	専門・短大・高専卒	大学・大学院卒	中学卒	高校卒	専門・短大・高専卒	大学・大学院卒
北海道	23	138	61	38	14.7	12.1	10.0	3.9
青森県	6	32	8	12	18.7	9.5	6.0	6.5
岩手県	3	28	14	4	8.7	8.2	8.4	2.5
宮城県	14	44	36	31	19.2	6.9	11.1	5.5
秋田県	3	22	5	3	16.9	8.1	5.7	2.4
山形県	5	21	6	4	14.5	6.4	4.7	2.6
福島県	9	40	13	11	11.4	6.9	5.5	3.4
茨城県	11	86	24	27	12.8	10.1	7.7	3.9
栃木県	13	35	14	22	15.1	6.4	6.6	5.1
群馬県	11	48	18	17	13.2	10.6	6.2	3.8
埼玉県	33	245	82	115	14.4	17.2	9.9	4.8
千葉県	43	159	59	70	29.5	12.7	9.4	3.6
東京都	77	351	172	283	30.4	19.8	11.4	4.0
神奈川県	65	275	110	153	24.9	16.5	9.9	4.6
新潟県	13	46	15	9	14.5	9.8	5.0	2.0
富山県	3	18	4	6	10.6	7.0	3.8	2.5
石川県	10	21	4	9	23.4	7.6	3.5	3.0
福井県	4	18	4	5	17.9	8.1	5.5	2.9
山梨県	4	20	3	6	15.1	11.0	4.3	3.2
長野県	7	48	14	16	14.5	10.7	5.3	3.7
岐阜県	9	34	13	12	13.5	6.9	6.8	2.8
静岡県	23	75	28	34	17.5	8.3	7.9	3.4
愛知県	39	180	54	52	15.3	8.2	7.2	1.9
三重県	5	40	14	23	7.7	7.1	10.2	5.8
滋賀県	4	19	9	15	10.3	5.5	6.1	3.7
京都府	13	78	18	49	21.4	19.2	7.8	6.1
大阪府	75	291	82	148	24.4	17.8	9.4	5.5
兵庫県	23	110	16	60	20.1	9.9	3.4	4.1
奈良県	5	35	11	18	20.5	16.4	9.1	5.3
和歌山県	8	26	9	6	24.7	13.0	8.8	3.5
鳥取県	4	14	3	2	20.5	9.8	5.7	2.6
島根県	3	14	4	3	14.6	8.1	5.6	3.0
岡山県	18	30	12	19	22.0	5.8	7.0	4.4
広島県	12	73	21	24	12.9	11.9	6.8	2.9
山口県	2	35	7	11	8.0	9.2	5.8	4.7
徳島県	3	19	3	4	14.9	11.8	4.4	2.9
香川県	6	20	9	10	11.5	8.7	8.7	4.7
愛媛県	12	32	14	3	22.9	10.4	10.1	1.1
高知県	4	17	8	1	19.3	11.9	9.2	1.4
福岡県	45	151	36	53	18.7	13.4	7.6	4.2
佐賀県	7	19	6	4	22.4	7.8	7.1	2.7
長崎県	10	24	15	8	17.5	7.0	10.4	3.9
熊本県	15	44	9	16	23.5	10.2	6.0	4.9
大分県	11	22	4	6	25.4	6.8	3.0	3.4
宮崎県	9	23	6	2	19.4	8.4	5.4	1.2
鹿児島県	7	40	18	7	15.0	10.6	9.4	3.2
沖縄県	27	61	30	17	29.5	17.8	12.1	5.3
男性計	754	3,221	1,124	1,448	19.3	11.6	8.3	4.0

③女性

	フリーター数（百人）				フリーター率（%）			
	中学卒	高校卒	専門・短大・高専卒	大学・大学院卒	中学卒	高校卒	専門・短大・高専卒	大学・大学院卒
北海道	33	170	111	33	40.0	27.4	16.8	6.8
青森県	9	44	15	6	35.3	24.4	13.4	7.9
岩手県	3	26	17	1	24.4	19.2	12.2	1.6
宮城県	9	76	56	29	33.8	23.6	17.6	9.7
秋田県	4	27	9	2	49.3	24.7	10.0	3.8
山形県	3	25	14	6	45.8	18.7	12.7	7.5
福島県	9	49	27	8	49.4	21.8	15.4	5.3
茨城県	21	82	45	22	45.8	25.4	15.6	7.7
栃木県	20	67	32	12	57.4	29.9	15.5	6.7
群馬県	18	59	45	11	49.9	32.3	20.1	5.0
埼玉県	62	232	157	105	55.2	34.5	18.2	8.5
千葉県	25	219	138	88	32.4	34.6	19.2	8.7
東京都	42	345	299	225	36.0	35.7	17.8	5.4
神奈川県	52	273	184	101	49.4	38.0	17.9	6.1
新潟県	15	63	41	16	63.3	27.2	14.4	9.4
富山県	2	18	10	4	21.6	18.1	8.0	4.1
石川県	3	21	17	5	34.8	16.3	11.9	3.5
福井県	2	18	6	5	34.4	20.0	7.3	6.7
山梨県	2	21	14	9	36.5	26.3	14.2	9.6
長野県	9	50	43	8	33.1	31.6	16.0	4.8
岐阜県	8	48	35	15	43.1	23.2	14.6	6.6
静岡県	23	84	63	33	41.7	20.1	17.6	8.3
愛知県	64	252	99	71	61.7	30.9	12.8	5.2
三重県	10	51	22	16	60.2	25.0	11.5	8.2
滋賀県	7	38	29	19	48.8	24.8	17.8	10.3
京都府	15	76	67	47	53.4	41.0	20.8	10.5
大阪府	59	298	198	108	62.0	33.5	16.5	7.2
兵庫県	18	102	110	67	33.9	24.3	19.7	6.6
奈良県	4	43	31	19	52.1	37.3	23.2	8.6
和歌山県	4	31	17	5	41.0	27.8	15.4	4.9
鳥取県	2	18	8	3	28.1	27.4	10.9	6.7
島根県	3	16	9	3	50.1	22.9	12.9	5.0
岡山県	8	58	34	19	35.6	27.0	17.6	6.9
広島県	17	76	48	28	65.1	33.9	16.6	7.4
山口県	10	24	17	9	58.1	15.4	13.2	8.7
徳島県	3	12	5	4	47.1	17.1	9.5	4.7
香川県	8	24	14	7	49.4	27.6	14.0	6.2
愛媛県	9	28	17	4	55.0	24.9	14.5	2.9
高知県	4	16	10	6	61.5	27.9	14.3	9.5
福岡県	44	138	85	39	46.0	29.6	12.1	5.4
佐賀県	4	26	8	4	47.8	22.5	8.6	4.4
長崎県	6	38	19	8	41.1	22.3	14.5	6.1
熊本県	15	56	14	14	60.9	27.0	7.2	7.2
大分県	5	23	17	4	53.0	18.4	12.6	4.0
宮崎県	4	29	11	2	28.9	25.6	9.6	2.5
鹿児島県	12	41	18	5	62.0	19.0	9.1	4.4
沖縄県	12	52	19	20	52.3	29.9	11.5	11.9
女性計	719	3,579	2,300	1,274	47.4	28.9	15.9	6.6

注：フリーターは、年齢は 15-34 歳、在学しておらず、女性については未婚者に限定し、①有業者については
勤め先における呼称がパートまたはアルバイトである雇用者、②現在無業である者については家事も通学も
しておらずパート・アルバイトの仕事を希望する者。ただし、2002 年調査のみ離死別が分離されていないた
め、女性未婚者の中に離死別による無配偶の女性を含み、また無業でパート・アルバイトを希望する者に、
契約社員を希望する者も含まれる。

・フリーター率は、分母を、年齢は 15-34 歳、在学しておらず、女性については未婚者（2002 年は無配偶）
に限定し、①役員を除く雇用者であるか、または、②無業で「何か収入のある仕事をしたいと思っている者」、
分子はフリーター。

JILPT　資料シリーズ　No.217

若年者の就業状況・キャリア・職業能力開発の現状③

— 平成 29 年版「就業構造基本調査」より —

定価（本体 2,000 円＋税）

発行年月日　　２０１９年６月２６日
編集・発行　　独立行政法人　労働政策研究・研修機構
　　　　　　　〒177-8502　東京都練馬区上石神井4-8-23
　（照会先）　研究調整部研究調整課　TEL：03-5991-5104
　（販　売）　研究調整部成果普及課　TEL：03-5903-6263
　　　　　　　　　　　　　　　　　　FAX：03-5903-6115
印刷・製本　　有限会社　正陽印刷